Bruja blanca, magia negra

Kim Harrison

Traducción de Ana María Andreu Baquero

PANDORA

Libros publicados de Kim Harrison

RACHEL MORGAN
1. Bruja mala nunca muere
2. El bueno, el feo y la bruja
3. Antes bruja que muerta
4. Por un puñado de hechizos
5. Por unos demonios más
6. Fuera de la ley
7. Bruja blanca, magia negra

Próximamente:
8. *Black Magic Sanction*

Título original: *White Witch, Black Curse*
Primera edición

© Kim Harrison, 2009

Ilustración de portada: © Opalworks

Diseño de colección: Alonso Esteban y Dinamic Duo

Derechos exclusivos de la edición en español:
© 2012, La Factoría de Ideas. C/ Pico Mulhacén, 24. Pol. Industrial «El Alquitón».
28500 Arganda del Rey. Madrid. Teléfono: 91 870 45 85

© Pandora Romántica es un sello de La Factoría de Ideas

informacion@lafactoriadeideas.es
www.lafactoriadeideas.es

ISBN: 978-84-9800-761-9   Depósito Legal: M-11951-2012

Impreso por Blackprint CPI

Para el hombre que acaba mis frases y pilla mis chistes. Incluso los malos.

Agradecimientos

Me gustaría dar las gracias a mi editora, Diana Gill. Cuanto más sé, más complicado me parece su trabajo. Y también a mi agente, Richard Curtis, mi caballero de la brillante armadura.

1

La huella de la mano ensangrentada había desaparecido, borrada de la ventana de Kisten, pero no de mi memoria, y me cabreaba que la hubieran limpiado, como si intentaran robarme lo poco que recordaba de la noche en que había muerto. Si hubiera sido honesta conmigo misma, habría reconocido que, en realidad, el enfado era una forma de ocultar mi miedo, pero prefería no serlo. La mayoría de los días era mejor así.

Reprimí un escalofrío causado por las bajas temperaturas de diciembre que se habían apoderado del barco abandonado, ahora varado en un dique en lugar de flotar en el río, y permanecí de pie en la minúscula cocina, mirando fijamente el plástico lechoso como si deseara que la borrosa mancha reapareciera. A poca distancia se oyó el indulgente y poderoso retumbar de un tren que cruzaba el río Ohio. Entonces escuché el agudo chirrido de los zapatos de Ford sobre la escalerilla metálica, y fruncí el ceño, preocupada.

Oficialmente, la Agencia Federal del Inframundo había cerrado la investigación sobre el asesinato de Kisten (la Seguridad del Inframundo ni siquiera había abierto una), pero la AFI no me hubiera permitido acceder al depósito de embarcaciones sin la presencia de uno de sus miembros, lo que significaba que debía acompañarme el inteligente y torpe Ford. Edden consideraba que necesitaba una evaluación psiquiátrica más profunda, pero desde el día que me quedé dormida en el diván y todos los trabajadores de las oficinas de la AFI en Cincinnati me habían oído roncar, no estaba dispuesta a continuar con la terapia. Lo que realmente necesitaba era algo que me ayudara a recuperar la memoria, cualquier cosa. Si tenía que ser una maldita huella, que así fuera.

—¿Rachel? ¡Espérame! —gritó el psiquiatra de la AFI consiguiendo que mi preocupación se convirtiera en enfado. *¿Acaso no me cree capaz de manejarlo? Ya soy mayorcita.* Además, tampoco iba a encontrar nada; la AFI ya se había encargado de limpiar todo. Tanto la presencia de aquella escalera como el hecho de que la puerta no estuviera cerrada con llave evidenciaban que Ford se había pasado por allí antes para asegurarse de que todo estuviera en orden antes de nuestra incursión.

El repiqueteo de sus zapatos de vestir sobre las láminas de teca me animó a seguir adelante. Descrucé los brazos y me apoyé en la mesita de la cocina para no perder el equilibrio mientras me dirigía a la sala de estar. El suelo no se balanceaba, lo que me provocaba una sensación extraña. Por detrás de las cortinillas que enmarcaban la ventana, limpia en ese momento, se divisaban las lonas de color gris y azul brillante que cubrían el resto de embarcaciones que se encontraban en el dique, y el suelo se hallaba a más de dos metros por debajo de nosotros.

—¿Te importaría ir un poco más despacio? —insistió Ford, eclipsando la luz a medida que entraba—. No puedo ayudarte si vas siempre una habitación por delante de mí.

—Estaba esperándote —rezongué deteniéndome y recolocándome el asa del bolso en el hombro. Aunque había intentado disimularlo, Ford había tenido algunos problemas para subir la escalerilla. La idea de un psiquiatra que tenía miedo a las alturas me parecía divertidísima, hasta que lo mencioné y el amuleto que colgaba de su cuello se volvió de color rosa brillante y él enrojeció de la vergüenza. Era un buen hombre, con sus propios demonios que encerrar en un círculo. No se merecía que me burlara de él.

La respiración de Ford se volvió más lenta en el frío silencio. Pálido pero con decisión, se agarró a la mesa, con su rostro más blanco de lo habitual, lo que resaltaba sus cortos cabellos morenos y hacía que sus ojos marrones resultaran conmovedores. Escuchar mis sentimientos podía consumir a cualquiera, y le estaba muy agradecida porque se hubiera prestado a escarbar en mi mierda emocional para ayudarme a reconstruir lo sucedido.

En aquel momento le sonreí débilmente, y Ford se desabrochó los botones de la parte superior de su abrigo dejando al descubierto una profesional camisa de algodón y el amuleto que llevaba mientras trabajaba. El hechizo metálico de líneas luminosas era una prueba visual de las emociones que percibía. A decir verdad, era capaz de captarlas tanto si lo llevaba como si no, pero cuando se lo quitaba, la gente que lo rodeaba se hacía la ilusión de disponer de algo de privacidad al menos. A Ivy, mi socia y compañera de piso, le parecía una estupidez intentar desarticular la brujería con psicología humana para que recuperara la memoria, pero estaba desesperada. Hasta aquel momento, sus esfuerzos por averiguar quién había matado a Kisten no habían dado ningún resultado.

El alivio de Ford por encontrarse entre cuatro paredes era palpable y, al ver que finalmente soltaba la mesa, a la que había estado agarrado con fuerza, me encaminé hacia la estrecha puerta que conducía a la sala de estar y al resto de la embarcación. Aunque era débil, el olor a vampiro y a pasta me golpeó de lleno, y un recuerdo avivó mi imaginación. Habían pasado cinco meses.

Con la mandíbula apretada, mantuve la mirada fija en el suelo para no tener que ver el destrozado marco de la puerta. La moqueta de pelo corto estaba cubierta de manchas, unas marcas dejadas por la falta de tacto de gente que no conocía a Kisten, que nunca lo había visto sonreír, que ignoraba la forma en que se reía o cómo entornaba los ojos cuando me daba una sorpresa. Técnicamente, la muerte de un inframundano en la que no se había visto envuelto ningún humano quedaba fuera de la jurisdicción de la AFI, pero dado que a la SI no le importaba nada que mi novio se hubiera convertido en un regalo de sangre, la AFI había hecho una excepción conmigo.

El asesinato no había sido eliminado de los registros, pero la investigación había sido archivada oficialmente. Aquella era la primera vez que tenía oportunidad de acceder a la embarcación para intentar recuperar la memoria. Alguien me había dejado una marca en el interior del labio cuando intentaba atarme a él. Alguien había asesinado a mi novio en dos ocasiones. Y ese alguien iba a recibir su merecido en cuanto averiguara su identidad.

Con un nudo en el estómago, miré por encima del hombro de Ford, en dirección a la ventana donde había estado la mancha de sangre, dejada como una señal para burlarse de mi dolor pero sin ninguna huella que seguir. *Cobarde.*

El amuleto que rodeaba el cuello de Ford emitió un negro destello en respuesta a mi enfado. En el momento en el que nuestras miradas se cruzaron, descubrí que tenía las cejas arqueadas, y me forcé a controlar mis emociones. Joder. No recordaba nada de nada. Jenks, mi ayudante y mi otro socio, me había administrado una poción que me hizo perder la memoria para que no saliera corriendo tras el asesino de Kisten, pero no lo culpaba por ello. El pixie apenas medía diez centímetros y había sido la única manera de evitar que me embarcara en una misión suicida. Yo era una bruja con un mordisco de vampiro no reclamado y, te pongas como te pongas, no tenía nada que hacer contra un vampiro no muerto.

—¿Estás segura de poder afrontarlo? —me preguntó Ford. Me obligué a quitar la mano de la parte superior de mi brazo. Otra vez. Sentía un dolor punzante que había desaparecido hacía tiempo mientras un recuerdo intentaba abrirse paso hacia la superficie. El miedo empezó a revolverse en mi interior. El recuerdo de encontrarme al otro lado de la puerta intentando echarla abajo no era nuevo para mí. De hecho, era prácticamente el único recuerdo que tenía de aquella noche.

—Quiero saber —respondí, a pesar de que hasta yo misma me di cuenta de que me temblaba la voz. Había abierto la maldita puerta de una patada, usando el pie en vez del brazo porque me dolía tanto que no podía moverlo. Al final había conseguido derribarla, con el pelo cubriéndome los ojos y la boca mientras lloraba a lágrima viva.

Un nuevo recuerdo se añadió a lo que ya sabía, y el pulso se me aceleró cuando evoqué mi caída hacia atrás, contra la pared. *Mi cabeza golpeó una pared.* Conteniendo la respiración, paseé la mirada por la sala de estar y me quedé mirando los monótonos paneles. Justo allí. *Sí. Lo recuerdo.*

Ford se colocó a una distancia inusualmente corta para su costumbre.

—No tienes por qué hacerlo de este modo.

Sus ojos estaban cargados de compasión. No me gustaba ser el objeto de aquel sentimiento, y su amuleto adquirió una tonalidad plateada cuando reuní fuerzas y atravesé el umbral de la puerta.

—Sí —respondí con descaro—. Aunque no consiga recordar nada, es posible que a los chicos de la AFI se les escapara algo.

A la AFI se le daba genial recabar información, incluso mejor que a la SI. Lo más probable es que se debiera a que la organización, dirigida por humanos, se veía obligada a confiar en la recogida de pruebas porque no podían peinar la escena del crimen en busca de emociones ni utilizar hechizos mágicos para descubrir quién y por qué había cometido el asesinato. No obstante, a cualquiera se le podía pasar algo por alto, y esa era una de las razones por las que estaba allí. La otra era porque necesitaba recordar, pero, una vez allí, estaba asustada. *Me di un golpe en la cabeza… justo allí.*

Ford se colocó detrás de mí, observando cómo escudriñaba la sala de estar, con su techo bajo, que iba de un extremo a otro de la embarcación. Todo tenía un aspecto normal allí, a excepción del perfil inmóvil de los edificios de Cincy que se extendía por el horizonte y que se veía a través de las estrechas ventanas. En ese momento sentí que se me encogía el estómago y puse mi mano sobre él. Tenía que hacerlo, independientemente de lo que consiguiera recordar.

—Lo que quiero decir —insistió Ford metiéndose las manos en los bolsillos— es que dispongo de otros métodos para recuperar la memoria.

—¿Te refieres a la meditación? —pregunté, avergonzada por haberme quedado dormida en su despacho. Sintiendo lo que empezaba a parecer un dolor de cabeza generado por el estrés, dejé atrás el sofá en el que Kisten y yo habíamos estado cenando, la televisión que apenas captaba señal, aunque en realidad tampoco estábamos muy interesados en verla, y la húmeda barra. Cuando me encontraba a pocos centímetros de la pared, que no había sufrido ningún desperfecto, la mandíbula empezó a dolerme. Lentamente apoyé la mano en el lugar donde había golpeado mi cabeza, y contraje los dedos cuando me di cuenta de que habían comenzado a temblar. *Mi cabeza chocó contra el muro. ¿Quién me empujó? ¿Kisten? ¿Su asesino?* Sin embargo, solo recordaba algunos hechos inconexos. Nada más.

Me di la vuelta al mismo tiempo que introducía la mano en el bolsillo para ocultar el ligero temblor. En aquel momento solté un suspiro que formó una tenue nube de vaho y me arrebujé el abrigo. Hacía un buen rato que había pasado el tren y detrás de la cortina apenas se oía ningún ruido salvo el golpeteo de uno de los toldos azules. El instinto me decía que Kisten no había muerto en aquella habitación. Tenía que adentrarme aún más.

Ford no dijo nada cuando me aventuré a ciegas en el lóbrego y estrecho pasillo, a pesar de que, mientras mis pupilas se adaptaban, no logré ver nada. El corazón empezó a latirme con fuerza cuando pasé junto al minúsculo cuarto de baño en el que me había estado probando las afiladas fundas de colmillos que Kisten me regaló por mi cumpleaños, y aminoré el paso escuchando mi cuerpo y dándome cuenta de que estaba frotándome las yemas de los dedos mientras ardían.

Entonces sentí un cosquilleo en la piel y me detuve, mirándome fijamente los pies y reconociendo el recuerdo de sentir aquella alfombra bajo ellos, calientes por la fricción. Contuve la respiración y afloró un nuevo recuerdo, fruto de una sensación que hacía tiempo que se había desvanecido. *Terror, indefensión. Alguien me arrastró por este pasillo.*

Una punzada del pánico que había sentido intentó abrirse paso, y la sofoqué, obligándome a soltar poco a poco todo el aire de los pulmones. Las marcas que había dejado habían desaparecido de la moqueta después de que la AFI hubiera pasado la aspiradora en busca de pruebas, y también de mi memoria por culpa de un hechizo. El único que había recordado era mi cuerpo y, a partir de aquel momento, también yo.

Ford se mantuvo detrás de mí sin decir nada. Era consciente de que algo se estaba abriendo paso a través de mi mente. Delante tenía la puerta de mi dormitorio, y el miedo se hizo aún más intenso. Allí era donde había sucedido todo. El lugar donde había yacido el cuerpo de Kisten, brutalmente desgarrado, desplomado sobre la cama, con los ojos plateados y verdaderamente muerto. *¿Qué pasará si acabo recordándolo todo y me derrumbo, aquí mismo, delante de Ford?*

—Rachel.

Sorprendida, di un respingo, y Ford se estremeció.

—Hay otras formas de hacerlo —insistió—. La meditación no funcionó, pero es posible que consigamos algo con la hipnosis. Resulta menos estresante.

Sacudiendo la cabeza, me adelanté y extendí la mano para agarrar el picaporte del dormitorio de Kisten. Aquellos dedos, pálidos y fríos, se parecían a los míos, pero no lo eran.

La hipnosis proporcionaba una falsa calma que aplazaría la sensación de pánico hasta el momento en que me encontrara sola, en mitad de la noche.

—Estoy bien —declaré justo antes de empujar la puerta. Después inspiré profundamente y entré.

La extensa estancia estaba fría, y las amplias ventanas que dejaban pasar la luz apenas impedían que penetrara el frío. Con el brazo rodeándome con fuerza la cintura, miré hacia el lugar en el que habían inmovilizado a Kisten contra la cama. *Kisten*. No había nada. Al pensar en lo mucho que lo echaba de menos, sentí una punzada en el corazón. Detrás de mí, Ford comenzó a respirar de forma irregular, intentando no dejarse llevar por las emociones.

Alguien había limpiado la alfombra sobre la que Kisten murió por segunda y última vez. La verdad es que no se había derramado mucha sangre. El polvo que se utilizaba para la detección de huellas había desaparecido, pero las únicas que habían encontrado eran las mías, las de Ivy y las de Kisten, esparcidas como si fueran postes indicadores. No habían descubierto ninguna del asesino, ni siquiera en el cuerpo de Kisten. Lo más probable era que la SI hubiera limpiado el cadáver en algún momento entre mi precipitada marcha en busca del vampiro y mi apabullante regreso con la AFI, cuando ya lo había olvidado todo.

La SI no quería que se resolviera el crimen, una gentileza hacia quienquiera que recibiera la sangre de Kisten como muestra de agradecimiento. Aparentemente, las tradiciones del Inframundo estaban por encima de las leyes de la sociedad. La misma gente para la que había estado trabajando tiempo atrás estaba intentando encubrirlo, y aquello me sacaba de quicio.

Mi mente se debatía entre la cólera y una debilitante desazón. Ford respiraba con dificultad, y yo intenté relajarme, aunque solo fuera por él. Parpadeando para contener las lágrimas que amenazaban con desbordarse, me quedé mirando el cielo, inspirando el frío y silencioso aire y contando hacia atrás desde diez, poniendo en práctica el inútil ejercicio que me había enseñado Ford para alcanzar un ligero estado de meditación.

Al menos Kisten se había librado de que le extrajeran toda la sangre de su cuerpo solo para satisfacer el deseo de alguien. Había muerto dos veces en poco tiempo y, probablemente, en ambos casos intentando protegerme del vampiro al que había sido entregado. La autopsia no había aportado nada. Lo que quiera que lo hubiera matado la primera vez había sido reparado por el virus vampírico antes de que falleciera de nuevo. Y si era cierto lo que yo le había contado a Jenks antes de perder la memoria, la segunda vez había muerto tras morder a su atacante, mezclando su sangre de no muerto con intención de acabar con la vida de ambos. Por desgracia, Kisten llevaba muy poco tiempo muerto, y es posible que solo consiguiera herir a su agresor, mucho mayor que él. No había forma de saberlo.

Mentalmente llegué al cero y, más calmada, me acerqué al tocador. Sobre él había una caja de cartón, y el dolor casi me parte en dos cuando la reconocí.

—¡Oh, Dios! —susurré. Saqué la mano y la cerré con fuerza antes de que mis dedos se desenrollaran y la tocaran. Era el picardías de encaje que me había regalado Kisten por mi cumpleaños. Había olvidado que estaba allí.

—Lo siento —dijo Ford con voz áspera. Me volví y, con la mirada borrosa por las lágrimas, vi que se derrumbaba sobre el marco de la puerta.

Entonces entrecerré los ojos para dejar escapar las lágrimas y contuve la respiración. Tenía la sensación de que el corazón fuera a salírseme del pecho y, tras inspirar con dificultad, volví a retener el aire. Tenía que recobrar el control sobre mí misma. Estaba haciendo sufrir a Ford. Estaba sintiendo todo lo que yo sentía, y le debía mucho. Ford era la razón por la que no me habían metido en la cárcel por cuestionar a la AFI a pesar de que trabajaba para ellos ocasionalmente. Era un humano, pero la maldición que le permitía sentir las emociones de los demás era mucho más fiable que la prueba del polígrafo o que cualquier hechizo de la verdad. Sabía que había estado muy enamorada de Kisten y estaba aterrorizado por lo que había sucedido allí.

—¿Te encuentras bien? —le pregunté cuando su respiración se estabilizó.

—Sí, ¿y tú? —respondió él con voz queda.

—De maravilla —afirmé agarrando con fuerza la parte superior del tocador—. Lo siento. No pensé que fuera a resultar tan difícil.

—Sabía a lo que me exponía cuando accedí a traerte —dijo él enjugándose una lágrima que yo ya no tendría que derramar—. Estoy dispuesto a cargar con todo lo que necesites soltar, Rachel.

Le di la espalda sintiéndome culpable. Ford se quedó donde estaba, pues la distancia le ayudaba a sobrellevar la carga. Nunca tocaba a nadie salvo de forma accidental. Tenía que ser un asco vivir de esa manera. Sin embargo, cuando hice amago de alejarme del tocador y retiré los dedos de debajo del tablero, sentí una levísima resistencia. *Está pegajoso.* Entonces me olisqueé las yemas y percibí un suave olor a propergol.

Se trataba de una sustancia pegajosa. Alguien había estado utilizando seda de araña y la había extendido en la parte inferior del tablero del tocador. ¿Yo? ¿El asesino de Kisten? La seda de araña solo funcionaba con las hadas y los pixies. Para los demás, solo resultaba algo molesto. Jenks me había suplicado que le dejara quedarse allí con la excusa de que hacía mucho frío y, aunque era cierto, tal vez me estaba ocultando algo.

El dolor y la pena disminuyeron por la distracción, me arrodillé y revolví en el interior de mi bolso para sacar una linterna con forma de bolígrafo e iluminé la parte inferior del borde del tocador. Habría apostado cualquier cosa a que no habían limpiado esa parte. Ford se me acercó, apagué la luz y me puse en pie. No quería la justicia de la AFI. Quería mi propia justicia. Ivy y yo volveríamos más tarde para llevar a cabo nuestro reconocimiento. Y analizaríamos el techo buscando restos de hidrocarburos, además de torturar a Jenks hasta que averiguáramos cuánto tiempo había pasado conmigo aquella noche.

La desaprobación de Ford era palpable, y sabía que, si lo miraba, descubriría que su amuleto había adquirido un color rojo brillante debido a mi enfado. Pero no me importaba. Estaba enfadada, y mejor eso que venirme abajo. Con un nuevo propósito en mente, observé el resto de la habitación. Ford había visto lo desordenado que estaba todo. La AFI reabriría el caso si encontraba una buena huella, una mejor que la que acababa de dejar, claro está. Aquella podía ser la última vez que me permitieran entrar allí.

Apoyando la espalda contra el tocador, cerré los ojos y crucé los brazos intentando recordar. Nada. Necesitaba algo más.

—¿Dónde está el instrumental? —pregunté aterrorizada, pero al mismo tiempo ansiosa por descubrir lo que se ocultaba en el fondo de mi mente, dispuesto a aflorar.

Entonces escuché el sonido del plástico al deslizarse y Ford me entregó a regañadientes un paquete de bolsas para almacenar pruebas y un montón de fotos.

—Rachel, si hubiera una huella fiable, deberíamos marcharnos.

—La AFI ha tenido cinco meses para examinar el lugar —respondí nerviosa, agarrando el material que me entregaba—. Ahora me toca a mí. Además, me importa una mierda alterar las pruebas. Por aquí han pasado todos y cada uno de los miembros del departamento. Si hay alguna huella, lo más probable es que sea suya.

Él suspiró mientras me dirigía hacia el tocador y preparaba las bolsas de plástico, con la huella hacia abajo. Primero tomé las fotos, y levanté la vista hacia el reflejo de la habitación detrás de mí.

Coloqué al final la foto de la huella de sangre que habían encontrado sobre la ventana de la cocina, y ordené el montón con varios golpecitos profesionales. No saqué nada en claro de la huella salvo la sensación de que no era ni mía ni de Kisten.

Gracias a Dios, la foto de Kisten no estaba, y crucé la habitación con una instantánea de una abolladura en la pared. Ford observó en silencio cómo tocaba el panel y, por la ausencia de dolor fantasma, decidió que no la había hecho yo. Allí había habido otra pelea además de la mía. Y probablemente se había desarrollado por encima de mí.

Deslicé la foto detrás del montón y, justo debajo, descubrí un primer plano de la huella de un zapato tomada bajo el borde de las ventanas. La cabeza empezó a dolerme y, consciente de que se trataba de una advertencia, supe que había algo que acechaba mis pensamientos. Con la mandíbula apretada, me obligué a dirigirme hacia la ventana, donde me arrodillé para pasar la mano por la suave moqueta en un intento de suscitar un recuerdo a pesar del terror que me producía la idea. La huella se correspondía con un zapato de vestir de caballero, de manera que no podía pertenecer a Kisten. Demasiado vulgar para su gusto. En su armario solo tenía prendas que siguieran la última moda. *¿Se trataba de un zapato negro o quizás marrón?*, me pregunté a mí misma, deseando que aquello despertara algún recuerdo.

Nada. Frustrada, cerré los ojos. En mi mente, el olor a incienso vampírico se mezcló con el desconocido aroma de una loción para después del afeitado. Me invadió un ligero temblor y, sin importarme lo que pudiera pensar Ford, apoyé la cara sobre la moqueta para inspirar el olor de las fibras. *Algo… cualquier cosa… por favor…*

Con el pánico revoloteando en los límites de mi mente, intenté inspirar profundamente, ignorando mi postura con el culo en pompa, mientras en mi cerebro se activaban una serie de primitivos interruptores que me ayudaban a identificar los olores. *Sombras almizcladas que nunca han visto el sol. El empalagoso olor a agua descompuesta. Tierra. Seda. Polvo quemado por la llama de una vela.* Todos ellos, en conjunto, se correspondían con el característico olor de los no muertos. Si hubiera sido una vampiresa, habría sido capaz de encontrar al asesino de Kisten solo por el olor, pero era una bruja.

Tensa, inspiré de nuevo para escarbar en mis pensamientos, sin encontrar nada. Lentamente la sensación de pánico decreció y el dolor de cabeza se batió en retirada. A continuación espiré aliviada. Me había equivocado. Allí no había nada. Era solo una moqueta, y mi mente se había estado inventando olores mientras intentaba satisfacer mi necesidad de respuestas.

—Nada —murmuré a ras de la alfombra, inhalando una última vez antes de sentarme.

Una oleada de terror me invadió cuando percibí el olor a vampiro. Anonadada, me puse en pie como pude, sin apartar la vista de la moqueta como si me hubiera traicionado. *Maldición.*

Con el rostro cubierto de un sudor frío, me di la vuelta y me recoloqué el abrigo. *Ivy. Le pediré que venga y olfatee la moqueta*, pensé, e inmediatamente después casi suelto una carcajada. Reprimiéndola con un grito ahogado, fingí que me ponía a toser, y pasé a la siguiente foto con los dedos fríos.

¡Oh! Mejor todavía, me dije a mí misma con sarcasmo. Marcas de arañazos en los paneles. La respiración se me aceleró y rápidamente dirigí la mirada hacia la pared que había junto al pequeño armario mientras empezaba a sentir un dolor punzante en las yemas de los dedos. Casi sin aliento, me quedé mirándola fijamente, negándome a comprobar si la distancia entre las marcas se correspondía con el tamaño de mi mano, y sintiéndome asustada ante la posibilidad de rememorar algo a pesar de que era lo que andaba buscando. No recordaba haber dejado aquellas marcas en la pared, pero era evidente que mi cuerpo sí.

Había visto el miedo anteriormente. Había presenciado el claro y deslumbrante miedo cuando, de repente, la muerte viene a tu encuentro y no puedes hacer otra cosa que reaccionar. Conocía la nauseabunda mezcla de terror y esperanza cuando la muerte se acerca despacio y luchas con todas tus fuerzas por encontrar la manera de escapar. Había crecido con un miedo remoto, el tipo de miedo que te acecha desde la distancia, con la muerte merodeando en el horizonte, tan inevitable e inexorable que pierde su poder. Pero aquella sensación categórica de pánico, sin ninguna razón aparente, era nueva para mí, y no conseguía parar de temblar mientras buscaba la forma de hacerle frente. *Tal vez pueda ignorarlo. A Ivy le funciona.*

Me aclaré la garganta e intenté adoptar un aire de despreocupación mientras colocaba el resto de las fotos sobre el tocador y las esparcía, pero no conseguía engañar a nadie.

Había varias imágenes de las manchas de sangre; no se trataba de salpicaduras, sino de restregones. Según los tipos de la AFI, pertenecía a Kisten. En otra de las fotos se veía un cajón resquebrajado, que había sido apartado a un lado. Otra inútil marca de sangre sobre la cubierta en el lugar desde el que había saltado el asesino de Kisten. Ninguna de ellas me afectó del mismo modo que lo hicieron las marcas en la moqueta, y luché por el deseo de conocer la verdad, aunque tenía miedo de recordar.

Lentamente, los latidos del corazón disminuyeron, y mis hombros perdieron su rigidez. Tras dejar las fotografías, pasé por encima de las bolsas de polvo y pelusas que la AFI había aspirado, viendo mis mechones de pelo rojo entre la pelusa de la moqueta y de los calcetines. Entonces me observé a mí misma mientras mis dedos tocaban la goma de pelo que había en una bolsa para pruebas. Era mía, y aquella noche me había servido para sujetar la trenza. Un dolor sordo en mi cuero cabelludo me atravesó la conciencia y Ford se agitó inquieto.

Mierda. La goma significaba algo.

—Háblame —dijo Ford, y yo, a través del plástico, presioné el cordón elástico con el pulgar, intentando que el miedo no volviera a apoderarse de mí.

Las pruebas apuntaban hacia mí como asesina de Kisten, y de ahí mi reciente desconfianza hacia la AFI, que no me molestaba en ocultar, pero no había sido yo. Había estado presente, pero no lo había hecho. Al menos Ford me creía. Algún otro había dejado aquellas apestosas huellas.

—Es mía —dije quedamente, para que no me temblara la voz—. Creo… creo que alguien me la arrancó del pelo.

Sentía como si nada de aquello fuera real a la vez que daba la vuelta a la bolsa y, tras descubrir que la habían encontrado en el dormitorio, una oleada de pánico surgió de la nada. El corazón me latía con una fuerza inusitada, pero intenté controlar mi respiración. Los recuerdos me llegaban con cuentagotas, pero se trataba de fragmentos inconexos sin utilidad. *Dedos en mi pelo. Mi cara contra una pared. El asesino de Kisten arrancándome la trenza.* En aquel momento entendí por qué durante los últimos cinco meses no había permitido que los hijos de Jenks me tocaran el pelo y por qué me había puesto histérica cuando Marshal me había metido un mechón detrás de la oreja.

Mareada, solté la bolsa y sentí que empezaba a ver borroso. Si perdía el conocimiento, Ford llamaría a alguien y todo habría acabado. Quería descubrir la verdad, tenía que hacerlo.

La última prueba era crítica y, mientras apoyaba la espalda en el tocador, sacudí una pequeña bolita azul hacia la esquina de su bolsa. Permanecía intacta, y estaba llena de un hechizo caducado para inducir el sueño. De todo mi arsenal, era lo único que podía tumbar a un vampiro muerto.

De pronto, un nuevo pensamiento surgió de mi interior y un atisbo de recuerdo hizo que se me encogiera el corazón y se me erizara el vello de la nuca. El aire de mis pulmones brotó de golpe, causándome un fuerte dolor en el pecho, e incliné la cabeza. *Estaba llorando, maldiciendo. Apunté con mi pistola de pintura y apreté el gatillo. Él, sin parar de reír, cogió el hechizo.*

—Lo cogió —susurré, cerrando los ojos para que no se me llenaran de lágrimas—. Intenté dispararle, pero lo cogió sin romperlo.

Sentía un dolor lacerante en la muñeca y afloró otro recuerdo. *Sus dedos rodeaban mi muñeca. La mano se me durmió. Entonces la pistola cayó al suelo con un fuerte golpe.*

—Me agarró la mano con fuerza hasta que solté la pistola —dije—. Creo que fue entonces cuando eché a correr.

Asustada, miré a Ford y vi que su amuleto se había vuelto violeta por la impresión. Mi pequeña pistola roja nunca había desaparecido, y no constaba en ningún documento que hubiera estado allí. Todas mis pociones, en cambio, habían quedado registradas. Estaba claro que alguien había colocado la pistola en su lugar de origen. Ni siquiera recordaba haber preparado los hechizos adormecedores, pero era evidente que aquel lo había hecho yo. Sin embargo, no tenía ni idea de a dónde habían ido a parar los otros seis.

En un arrebato de ira, le asesté una patada al tocador con la base del pie. El impacto me subió por la pierna y el mueble se estampó contra la pared. Había sido una estupidez, pero me hizo sentir mejor.

—¡¿Rachel?! —exclamó Ford, y yo lo golpeé de nuevo, con un gruñido.

—¡Estoy bien! —grité, sorbiéndome las lágrimas—. ¡Estoy de puta madre!

Sin embargo, sentía un fuerte dolor en el labio, en el lugar en el que había recibido un bocado. Mi cuerpo se esforzaba por que mi mente recordara, pero esta parecía negarse. ¿Había sido Kisten el que me había mordido? ¿O tal vez su agresor? Gracias a Dios, no había logrado someterme. Me lo había dicho Ivy. En caso contrario, ella lo habría notado.

—¡Sí, claro! ¡Ya veo lo bien que estás! —me espetó Ford mientras me enderezaba el abrigo y me recolocaba el bolso una vez más. Le hacía sonreír que hubiera perdido los estribos, y aquello me desquició aún más.

—Deja de reírte de mí —le ordené, pero él, con una sonrisa todavía más descarada, se quitó el amuleto y lo guardó, como si hubiéramos terminado—. Además, todavía no he acabado con esas —añadí al ver que empezaba a recoger las fotos.

—En realidad sí —sentenció, y fruncí el ceño al percibir aquella inusual determinación—. Estás enfadada, y eso es mucho mejor que estar confundida o apenada. Odio utilizar los clichés, pero ahora podemos seguir adelante. Estamos en el buen camino.

—¡Bah! ¡Eso no son más que chorradas psicológicas! —me mofé, mientras recogía las bolsas de pruebas antes de que él lo hiciera. No obstante, tenía que reconocer que estaba en lo cierto. Me sentía mejor. Tenía que recordar algo. Quizás, y solo quizás, la ciencia de los humanos era más poderosa que la brujería.

—Háblame —dijo Ford, quitándome las bolsas y colocándose delante de mí, como una roca.

Mi buen humor se desvaneció, y fue reemplazado por el deseo de huir. Entonces agarré la caja del tocador y pasé por su lado dándole un empujón. Tenía que salir de allí. Tenía que alejarme de los arañazos de la pared. No podía coger el picardías que Kisten me había regalado, pero tampoco podía dejarlo allí. Ford podría protestar todo lo que quisiera por que sustrajera pruebas de la escena del crimen. ¿Pruebas de qué? ¿De que Kisten me quería?

—Rachel —dijo Ford mientras me seguía por el pasillo, caminando sin hacer ruido por la moqueta—, ¿qué es lo que recuerdas? Lo único que consigo captar son emociones. No puedo volver y decirle a Edden que no has recordado nada.

—¡Y tanto que puedes! —dije, atravesando la sala de estar a toda prisa, sin querer saber nada.

—No, no puedo —insistió él, alcanzándome justo en el momento en el que llegaba al resquebrajado marco de la puerta—. Se me da muy mal mentir.

Al cruzar el umbral me estremecí, pero sentía como si la fría claridad vespertina me estuviera llamando a gritos y me dirigí tambaleándome hacia la salida.

—Mentir es muy sencillo —dije con acritud—. Solo tienes que inventarte algo y fingir que es real. Yo lo hago continuamente.

—Rachel...

Al llegar al puente, Ford alargó el brazo y, antes de que quisiera darme cuenta, me obligó a detenerme. Llevaba guantes para protegerse del frío y apenas me había tocado el abrigo, pero sirvió para que me diera cuenta de lo disgustado que estaba. Los rayos hacían brillar sus oscuros cabellos y tenía los ojos guiñados por la luz del sol. El viento helado le revolvía el flequillo y busqué la expresión de su cara deseando encontrar una razón para contarle lo que había logrado recordar, un motivo para dejar a un lado la distinción entre humanos e inframundanos y permitir que me ayudara. Por detrás de él se extendía la ciudad de Cincinnati, con todo su confuso y confortable desorden, sus calles demasiado estrechas y sus colinas demasiado pronunciadas, y percibía la sensación de seguridad que generaba el que hubiera tantas vidas enredadas entre sí.

Entonces bajé la vista y me quedé mirando los restos de una hoja aplastada que el viento había arrastrado hasta mis pies. Ford relajó los hombros cuando vio que mi determinación empezaba a flaquear.

—Recuerdo solo algunos retazos —dije, y él cambió de posición, arrastrando sus pies por los tablones de madera pulida—. Antes de que le diera una patada al marco, el asesino de Kisten me tiró del pelo y me deshizo la trenza. Los arañazos de la pared, los que están junto al armario, son míos. Solo recuerdo haberlos hecho, pero no de quién estaba intentando… librarme.

Seguidamente apreté el puño, y lo metí en el bolsillo dejando la caja de cartón bajo el brazo.

—La bola de pintura es mía. Recuerdo haberla disparado —dije con la garganta tensa mientras le miraba a los ojos y descubría que estaban cargados de comprensión—. Estaba apuntando al otro vampiro, no a Kisten. Tenía… tenía unas manos muy grandes.

Una nueva punzada de miedo me atravesó y estuve a punto de perder el control cuando recordé la sutil sensación de unos gruesos dedos sobre mi mandíbula.

—Quiero que vengas a verme mañana —dijo Ford con el ceño fruncido por la preocupación—. Ahora que tenemos un punto de partida, la hipnosis podría ayudarte a encajar todas las piezas.

¿Encajar todas las piezas? ¿Tenía idea de lo que me estaba pidiendo?

Mi rostro se quedó lívido de golpe, y me zafé de él.

—¡No!

No tenía ni idea de lo que podía salir a la luz si Ford me adormecía.

Decidida a escapar de allí, pasé por debajo de la barandilla y accedí a la escalerilla. Marshal me estaba esperando abajo, con su descomunal todoterreno, y estaba deseando meterme dentro, con la calefacción encendida, para ver si lograba alejarme del frío que las palabras de Ford habían provocado. Entonces vacilé, preguntándome si debía tirar la caja de cartón o seguir sujetándola bajo el brazo.

—¡Rachel, espera!

En aquel momento oí cómo volvía a echar el cerrojo y, sin soltar la caja, empecé a bajar, con la vista puesta en el lateral de la embarcación. Contemplé la posibilidad de retirar la escalerilla y dejarlo allí tirado, pero lo más probable es que lo incluyera en su informe. Además, podía usar el móvil.

Finalmente llegué al suelo. Con la cabeza gacha, pisé la nieve medio derretida y me dirigí hacia el coche de Marshal, que estaba aparcado detrás del de Ford en medio del laberinto de barcos incautados. Marshal se había ofrecido a llevarme hasta allí después de que me quejara durante un partido de hockey de que mi coche, que no era muy adecuado para conducir con nieve, se había quedado atascado por culpa de los surcos y el hielo, y yo había aceptado.

Me sentía culpable por rechazar la ayuda que Ford me estaba ofreciendo. Quería averiguar la identidad del vampiro que había matado a Kisten y había intentado atarme a él, pero había cosas que prefería reservarme para mí, como el hecho de haber sobrevivido a una enfermedad de la sangre, bastante común pero letal, que también era el motivo por el cual podía utilizar la magia demoníaca; o a qué se dedicaba mi padre en sus ratos libres; o por qué mi madre había estado a punto de volverse loca evitando que descubriera que el hombre que me había criado y mi padre biológico no eran la misma persona.

Cuando subí al todoterreno y cerré de un portazo, vi la expresión de preocupación de Marshal. Dos meses atrás se había presentado en la puerta de mi casa sin avisar, después de que los hombres lobo de Mackinaw hubieran prendido fuego a su garaje. Afortunadamente, había logrado salvar la casa y el barco con los que se había ganado la vida hasta ese momento, y había podido venderlos para pagarse un máster en la universidad de Cincy. Nos habíamos conocido la primavera anterior, cuando había ido al norte para rescatar a mi exnovio Nick y al hijo mayor de Jenks.

Aun a sabiendas de que estaba cometiendo un error, habíamos salido juntos bastantes veces, y nos habíamos dado cuenta de que teníamos suficientes cosas en común como para que lo nuestro funcionara… si no hubiera sido por mi costumbre de poner en peligro la vida de todos los que me rodean. Por no hablar de que él acababa de romper con una novia psicópata y no buscaba una relación seria. El problema era que a los dos nos gustaba relajarnos realizando todo tipo de actividades deportivas, desde salir a correr por el zoo hasta patinar sobre hielo en Fountain Square. No tener que preguntarnos si podría funcionar o no era una bendición. Llevábamos dos meses viéndonos solo como amigos, lo que tenía alucinados a mis compañeros de piso. No me había costado demasiado poner freno a mis tendencias naturales y mantener una relación informal. No habría podido soportar que saliera herido. Kisten me había curado de mis absurdos sueños. Porque los sueños podían matar a la gente. Al menos los míos. Y así había sido.

—¿Te encuentras bien? —susurró Marshal, claramente preocupado, con su peculiar acento del norte.

—Genial —masculté lanzando la caja con el picardías en los asientos traseros y limpiándome una lágrima del rabillo del ojo con uno de mis fríos dedos. Al ver que no decía nada más, suspiró y bajó la ventanilla para hablar con Ford. El agente de la AFI venía directo hacia nosotros. Estuve a punto de acusar a Ford de haber pedido a Marshal que me llevara porque sabía que probablemente iba a necesitar un hombro sobre el que llorar, y aunque no éramos novios, prefería mil veces enfrentarme a Marshal que presentarme ante Ivy en semejante estado de confusión.

Mientras se dirigía a mi puerta, en vez de a la del conductor, Ford levantó la vista y Marshal apretó un botón para bajar mi ventanilla. Intenté subirla, pero me di cuenta de que había bloqueado los controles y entonces le lancé una mirada asesina.

—Rachel —dijo Ford apenas terminó de recorrer la distancia que nos separaba—, no perderás el control ni por un instante. Es así como funciona.

Maldición, había adivinado qué era lo que me asustaba y, avergonzada ante la posibilidad de que lo soltara delante de Marshal, fruncí el ceño.

—Si te hace sentir incómoda, no tenemos por qué hacerlo en mi consulta —añadió guiñando de nuevo los ojos por el resplandor del mes de diciembre—. Nadie tiene por qué enterarse.

No me importaba que la AFI supiera que me estaba viendo su psiquiatra. ¡Joder! Si había alguien en el mundo que necesitara terapia, esa era yo. Aun así…

—No estoy loca —farfullé, dirigiendo la cabeza hacia donde soplaba el viento, lo que hizo que algunos mechones se me escaparan de debajo del gorro.

Ford apoyó la mano sobre la ventana abierta como si quisiera mostrarme su apoyo.

—Quizá seas la persona más cuerda que conozco. La única razón por la que parece que estés loca es porque tienes que lidiar con un montón de asuntos extraños. Si quieres, mientras te relajas, puedo enseñarte cómo callarte lo que tú quieras bajo cualquier circunstancia. Estrictamente confidencial. Quedará entre tú y tu subconsciente. —Sorprendida, me quedé mirándolo mientras concluía—: Ni siquiera tengo por qué enterarme de lo que te reservas.

—No tengo miedo de ti —dije, aunque sentía un extraño temblor en las piernas. *¿Qué habrá averiguado sobre mí que prefiere no decir?*

Mientras removía el barro con sus pies, Ford se encogió de hombros.

—Sí que lo tienes. Y, la verdad, me parece muy tierno —dijo mirando a Marshal con una sonrisa—. Toda una cazavampiros, capaz de reducir a vampiros y brujos que practican la magia negra, asustada de un pobre inútil como yo.

—No tengo miedo de ti. ¡Y no eres ningún inútil! —exclamé. Marshal contuvo la risa.

—Entonces lo harás —dijo Ford con seguridad, y emití un sonido de frustración.

—Está bien, como quieras —masculló toqueteando de nuevo la rejilla de la calefacción. Quería salir de allí antes de que él lograra averiguar lo que se me pasaba por la cabeza... y me lo dijera.

—Tendré que contarle a Edden lo de la seda de araña —dijo Ford—, pero no lo haré hasta mañana.

Dirigí la mirada hacia la escalerilla, que seguía apoyada en el lateral del barco.

—Gracias —dije, y él asintió con la cabeza en respuesta a la fuerte gratitud que debía de estar despidiendo. De ese modo mi compañera de piso tendría tiempo de acercarse con su kit de superdetective, que probablemente tenía bien guardadito en su armario, lleno de etiquetas, y tomar todas las huellas que quisiera. Además de olfatear la moqueta.

A Ford se le pasó algo por la mente que le hizo sonreír.

—Ya que no vas a venir a verme, ¿qué te parece si me paso por tu casa esta noche sobre... las seis? En algún momento después de mi cena y antes de tu almuerzo.

Me quedé mirándolo, alucinando con su descaro.

—Estoy muy ocupada. ¿Qué te parece el mes que viene?

Él agachó la cabeza, como si estuviera avergonzado, pero seguía sonriendo cuando sus ojos encontraron los míos.

—Quiero hablar contigo antes de hacerlo con Edden. Mañana. A las tres.

—A esa hora tengo que ir al aeropuerto a recoger a mi hermano —respondí rápidamente—. Pasaré el resto del día con él y con mi madre. Lo siento.

—Te veré a las seis —sentenció con firmeza—. Para entonces ya habrás vuelto a casa intentando librarte de ellos, lista para relajarte un poco. También puedo enseñarte un truco respecto a eso.

—¡Dios! ¡No te puedes imaginar la rabia que me da que me hagas eso! —dije jugando con el cinturón de seguridad para que captara la indirecta y se largara. Me sentía más avergonzada que enfadada porque me hubiera pillado intentando escaquearme—. ¡Eh! —exclamé cuando se dio la vuelta para marcharse—. No le digas a nadie que me has visto con la cara pegada al suelo, ¿vale?

Desde detrás de mí, Marshal emitió un ruidito inquisitivo y me giré hacia él.

—Ni tú tampoco.

—De acuerdo —respondió arrancando el todoterreno y avanzando unos metros. Mi ventanilla se subió y me aflojé la bufanda mientras el vehículo entraba en calor. Ford, mientras tanto, caminaba despacio por los surcos de barro en dirección a su coche y sacó el móvil del bolsillo. En ese momento me acordé del mío, que estaba con el sonido silenciado y el vibrador activado, y lo saqué del bolso. Mientras navegaba por el menú para activar el sonido, me pregunté cómo iba a contarle a Ivy lo que había recordado sin que ninguna de las dos se derrumbara.

Con un leve gruñido de preocupación, Marshal detuvo de nuevo el coche y alcé la vista. Ford se había quedado parado, con la puerta del coche abierta, y el teléfono pegado a la oreja. De pronto empezó a caminar de nuevo hacia nosotros y presentí que algo iba mal. La cosa empeoró cuando Marshal bajó la ventanilla y Ford se detuvo junto a ella. Los ojos del psiquiatra estaban cargados de preocupación.

—Era Edden —dijo cerrando el móvil y devolviéndolo a la funda del cinturón—. Glenn está herido.

—¿Glenn? —exclamé inclinándome por encima del cuadro de mandos central, sintiendo el fuerte olor a secuoya que despedía Marshal. El detective de la AFI era el hijo de Edden y una de las personas que más apreciaba. Y ahora estaba herido. *¿Será por mi culpa?*—. ¿Se encuentra bien?

Marshal se puso rígido y me recosté en el asiento. Ford estaba negando con la cabeza con la vista puesta en el cercano río.

—Estaba fuera de servicio, investigando algo que, probablemente, no debía. Lo encontraron inconsciente. Ahora mismo voy al hospital para informarme del alcance de los golpes que ha recibido en la cabeza.

La cabeza. Ford se refería a posibles daños cerebrales. Era evidente que había recibido una brutal paliza.

—Yo también voy —dije desabrochándome el cinturón.

—Si quieres, te llevo —se ofreció Marshal, pero yo ya estaba enrollándome de nuevo la bufanda y cogiendo el bolso.

—No, gracias, Marshal —dije con el pulso acelerado mientras le apoyaba con suavidad la mano en el hombro—. Ford va para allá. Ummm…, te llamo luego, ¿de acuerdo?

Sus ojos castaños daban claras muestras de preocupación y, cuando asintió con la cabeza, sus cortísimos cabellos negros apenas se movieron. Hacía solo un par de meses que se los estaba dejando crecer, pero, al menos, volvía a tener cejas.

—De acuerdo —repitió, sin ningún asomo de reproche porque lo dejara plantado—. Cuídate.

Espiré y, tras echar un rápido vistazo a Ford, que me esperaba impaciente, volví a concentrarme en Marshal.

—Gracias —dije con dulzura y le di un impulsivo beso en la mejilla—. Eres un tío genial.

A continuación descendí y, a paso ligero, seguí a Ford en dirección a su coche, con las ideas y el estómago revueltos, temerosa de lo que podíamos encontrarnos al llegar al hospital. Alguien había hecho daño a Glenn. Obviamente, era un agente de la AFI y corría ese riesgo de continuo, pero tenía la sensación de que aquello tenía que ver conmigo. Tenía que ser así. Yo era como aquel albatros que acarreaba la desgracia.

Si no, que le preguntaran a Kisten.

2

—Tomaremos el próximo ascensor —dijo la mujer, pulcramente vestida, con una sonrisa demasiado radiante, tirando de su confusa amiga hacia el vestíbulo mientras las puertas plateadas se cerraban delante de Ford y de mí.

Desconcertada, eché un vistazo al amplio cubículo. Era lo bastante grande como para dar cabida a una cama de hospital, y en su interior solo estábamos Ford y yo. Sin embargo, justo en el preciso instante en que se juntaban las puertas, oí que la mujer susurraba con aspereza las palabras «bruja negra», lo que me reveló todo lo que tenía que saber.

—¡Que les den! —dije entre dientes, recolocándome el asa del bolso.

Estaba tan furiosa que Ford tuvo que apartarse de mí, molesto por mis emociones negativas. Yo no era una bruja negra. Tenía que reconocer que tenía el aura cubierta de mancha demoníaca y, sí, el año anterior me habían grabado mientras un demonio me arrastraba por el pelo en plena calle. Probablemente, tampoco ayudaba mucho que el mundo entero supiera que había invocado a uno en una de las salas de la SI para que testificara en contra de Piscary, el vampiro más poderoso de Cincinnati y antiguo maestro de mi compañera de piso. Pero, aun así, era una bruja blanca. *¿O no?*

Desanimada, me quedé mirando los opacos paneles plateados del ascensor del hospital. A mi lado, Ford se había convertido en una oscura imagen desdibujada, con la cabeza gacha, mientras yo estaba que echaba humo. Aunque yo no era un demonio que se veía arrastrado a siempre jamás cuando saliera el sol, mis hijos sí lo serían, gracias a la manipulación genética del fallecido señor Kalamack padre. Sin saberlo, había roto las modificaciones realizadas por los elfos en el genoma de los demonios hacía miles de años, con lo que había conseguido que solo sobrevivieran los descendientes de los que habían sido atrofiados mágicamente. Los elfos denominaron a esta nueva especie «brujos», contándonos un montón de mentiras y convenciéndonos para que tomáramos parte en su guerra y lucháramos contra los demonios. Cuando averiguamos la verdad, abandonamos tanto a los elfos como a los demonios y, tras emigrar de siempre jamás, nos esforzamos al máximo para olvidar nuestros orígenes. Y lo habíamos hecho de forma admirable, hasta el punto de que yo era la única bruja que conocía la verdad.

Ceri había llenado las lagunas del señor Haston, mi profesor de historia de sexto, pues había sido el familiar de un demonio antes de que yo la rescatara. Había leído al respecto cuando no estaba modificando maldiciones o preparando orgías.

Nadie conocía la verdad excepto mis socios y yo. Y Al, el demonio con el que tenía una cita para recibir clases todos los sábados. Y Newt, la diablesa más poderosa de siempre jamás. También estaba Dali, el agente de la condicional de Al. Y no había que olvidar a Trent y a quienquiera que se lo hubiera contado, aunque lo más probable es que no se lo hubiera dicho a nadie, teniendo en cuenta que su padre había cometido una estupidez al romper la modificación genética. No me extrañaba que se hubieran cargado a todos los genetistas durante la Revelación. Por desgracia, se olvidaron del padre de Trent.

Ford agitó los pies y luego, con expresión avergonzada, sacó un frasco negro de metal de uno de los bolsillos de su abrigo, le quitó la tapa, inclinó la cabeza hacia atrás y bebió un trago.

Observé cómo se le movía la nuez y miré a sus ojos inquisitivamente.

—Es medicinal —se justificó y, mientras intentaba volver a guardarlo con torpeza, sus mejillas adquirieron un rubor de lo más tierno.

—Bueno, no sé si sabes que estamos en un hospital —respondí secamente, arrebatándoselo. Ford protestó, mientras yo lo olfateaba y, a continuación, me mojaba los labios. Entonces abrí mucho los ojos—. ¿Vodka?

Con una expresión incluso más avergonzada, lo tapó y lo guardó. Entonces sonó el timbre del ascensor y las puertas se abrieron. Ante nosotros se extendía un pasillo, idéntico a los del resto del edificio, con su moqueta de pelo corto, sus paredes blancas y su pasamanos.

La preocupación por Glenn me invadió de nuevo, y salí disparada. Ford y yo nos chocamos al salir, y sentí un cierto malestar. Sabía que no le gustaba que le tocaran.

—¿Te importa que me agarre a ti? —me preguntó, y eché un vistazo al bolsillo en el que se había guardado el frasco.

—Si no te apoyas demasiado… —respondí alargando el brazo, con cuidado de tocarlo solo por encima del abrigo.

—No estoy borracho —respondió con acritud, entrelazando su brazo con el mío en un modo que no mostraba ni el más mínimo atisbo de romance, sino más bien de desesperación—. Las emociones de este lugar son muy intensas, y el alcohol me ayuda a soportarlas. Estoy sobrecargado y prefiero sentir tus emociones que las de cualquier otro.

—¡Oh! —exclamé, sintiéndome halagada. Eché a andar y pasé junto a dos celadores que empujaban un cesto de la ropa. Mi buen humor se desvaneció cuando oí a uno de ellos susurrar:

—¿Deberíamos llamar a seguridad?

Ford se agarró con más fuerza y, cuando me giré para expresarles mi opinión, ambos salieron pitando como si hubieran visto al hombre del saco.

—Solo están asustados —explicó Ford, clavándome los dedos en el brazo.

Continuamos por el pasillo y me pregunté si podían echarme de allí a patadas. Los primeros síntomas del que acabaría siendo un intenso dolor de cabeza empezaron a manifestarse.

—¡Maldita sea! ¡Soy una bruja blanca! —dije sin dirigirme a nadie en concreto, y el tipo con la bata blanca que venía hacia nosotros nos miró de reojo.

Ford estaba cada vez más pálido, de modo que intenté calmarme antes de que alguien decidiera ingresarlo. Debía concentrar todos mis esfuerzos en encontrar algo que lo calmara. Aparte del alcohol, claro está.

—Gracias —susurró cuando captó mi preocupación. A continuación, con voz más fuerte, añadió—: Rachel, tú invocas demonios, y se te da muy bien. Tienes que aceptarlo de una vez por todas y encontrar la manera de usarlo en tu propio beneficio. No va a desaparecer.

Me molesté, dispuesta a decirle que no tenía ningún derecho a hablarme con ese tono de superioridad, pero convertir un defecto en una ventaja era precisamente lo que había hecho él con su «don», así que le di un apretón en el brazo. De pronto di un respingo. Delante de nosotros, inclinada sobre el mostrador de las enfermeras, se encontraba Ivy, mi compañera de piso, sin importarle que un celador acabara de chocarse contra la pared por quedarse mirándola. Llevaba unos vaqueros negros, estrechos y de cintura baja, pero tenía el cuerpo de una modelo, y podía permitírselo. Se esforzaba por ver lo que había en la pantalla del ordenador y, como el jersey de algodón a juego era algo corto, dejaba entrever la parte baja de la espalda. Por deferencia al frío, su largo abrigo de cuero reposaba sobre el mostrador. Ivy era una vampiresa viva, y su aspecto sofisticado, sombrío y meditabundo, daba buena cuenta de ello. Esto hacía algo difícil la convivencia con ella, pero tampoco es que yo tuviera una conducta intachable, y ambas conocíamos bien las rarezas respectivas.

—¡Ivy! —exclamé y, tras girar la cabeza, se dirigió hacia mí sacudiendo sus negros y lisos cabellos con las puntas rubias—. ¿Cómo te has enterado de lo de Glenn?

Ford dejó caer los hombros y, sin soltarme el brazo, se liberó de golpe de toda la tensión. Parecía feliz, lo que no era de extrañar, pues estaba captando mis emociones, y me alegraba de ver a Ivy. Tal vez debía emplear algo de tiempo en hablarle de mi compañera de piso cuando volviéramos a reunirnos. Podría usar sus conocimientos para intentar sanear nuestra tormentosa relación.

Yo no era el vínculo de sangre de Ivy, sino su amiga. Era algo poco común que un vampiro pudiera tener una relación de amistad con alguien con quien no compartía su sangre, pero teníamos una complicación adicional. A Ivy le gustaban tanto los hombres como las mujeres, y tenía problemas para distinguir entre el deseo sexual y las ansias de sangre. Además, había dejado bien claro que me deseaba, no solo por mi sangre sino también como mujer, pero me había negado en redondo, aparte de un año bastante confuso en el que habíamos intentado separar las ansias de sangre de las preferencias sexuales. Que me hubiera mordido más de una vez no había ayudado mucho, aunque en aquel momento a ambas nos hubiera parecido una buena idea. La sensación de ser mordida por un vampiro era demasiado parecida al éxtasis sexual como para desecharla, y hasta que no creí estar atada al asesino de Kisten no había abierto los ojos. El riesgo de convertirme en su sombra era demasiado alto. Confiaba ciegamente en Ivy. Eran sus ansias de sangre las que me preocupaban.

Así las cosas, convivíamos en la iglesia en donde también teníamos la sede de nuestra agencia de cazarrecompensas, durmiendo en habitaciones separadas, una enfrente de la otra, e intentando no provocarnos mutuamente. Cualquiera habría dado por hecho que a Ivy le sacaba de quicio haber perdido todo un año intentando cazarme, sin embargo, experimentaba una dicha que los vampiros raras veces solían encontrar. Aparentemente, haberle dicho que no le iba a permitir que me clavara los colmillos nunca más era lo único que la había convencido de que era ella la que me importaba, y no cómo me hacía sentir. Sentía una gran admiración por alguien capaz de ser tan dura consigo misma y al mismo tiempo tan fuerte. Y también la quería. No deseaba acostarme con ella, pero la quería.

Ivy vino a nuestro encuentro, caminando en silencio por la moqueta con sus botas de cuero. Moviéndose con una elegancia memorable, se reunió con nosotros con los labios fruncidos y una ligera mueca de disgusto en su rostro habitualmente apacible. Sus rasgos le conferían un aire asiático, con su cara ovalada, su nariz pequeña y su pequeña boca con forma de corazón. Sonreía muy raras veces, pues tenía miedo de que las emociones pudieran hacerle perder su autocontrol. Creo que era una de las razones por las que éramos amigas, porque me reía por las dos. Eso, y porque ella creía que yo podía encontrar la manera de salvar su alma cuando muriera y se convirtiera en una no muerta. Sin embargo, en aquel preciso momento, lo que me preocupaba era encontrar el dinero para pagar el alquiler. Salvar el alma de mi compañera de piso tendría que esperar.

—Edden ha llamado a la iglesia —dijo a modo de saludo, alzando sus delgadas cejas cuando descubrió que Ford me tenía agarrada del brazo—. ¿Qué tal, Ford?

El psiquiatra se ruborizó al oír el soniquete con el que pronunció estas últimas palabras, pero no dejé que me soltara. Me gustaba sentirme necesitada.

—Está teniendo algunos problemas con las emociones que flotan en el ambiente —expliqué.

—¿Y ha optado por dejarse maltratar por las tuyas?

Genial.

—¿Te has enterado de en qué habitación está Glenn? —le pregunté mientras Ford retiraba el brazo.

Ella asintió con la cabeza, sin quitar ojo a nada de lo que estaba pasando.

—Sí, es por aquí. De momento, sigue inconsciente.

Ivy echó a andar por el pasillo con nosotros a la zaga, pero, cuando pasamos por delante del mostrador, una de las enfermeras se puso en pie con decisión y nos miró con cara de pocos amigos.

—Lo siento, pero no se admiten visitas excepto de los familiares.

Una oleada de miedo me invadió, no porque no fuera a ver a Glenn, sino porque su estado era tan grave como para que no nos permitieran la entrada. No obstante, Ivy ni siquiera aminoró el paso, y yo tampoco.

La enfermera echó a correr detrás de nosotros, y el pulso se me aceleró, pero otra nos indicó que entráramos con un gesto de la mano, y luego se volvió hacia su compañera.

—Es Ivy —aclaró, como si aquello tuviera algún significado.

—¿Te refieres a la vampiresa que...? —preguntó la primera enfermera, pero alguien tiró de ella hacia el mostrador antes de que pudiera oír el final de la frase. Me volví para mirar a mi amiga, y descubrí que su pálido rostro había adquirido un ligero rubor.

—¿La vampiresa que qué? —pregunté recordando el periodo en el que había trabajado como voluntaria en aquel hospital.

Ivy apretó la mandíbula.

—La habitación de Glenn está por aquí —dijo, ignorando mi pregunta. Bueno, al fin y al cabo, ¡qué más daba!

Una inesperada sensación de pánico me invadió cuando Ivy viró de golpe y se adentró en una habitación con una puerta más grande de lo normal. Me quedé mirándola, escuchando el sonido de la delicada maquinaria. Recordé cuando había estado sentada junto al lecho de muerte de mi padre, escuchando su respiración afanosa, y seguidamente me asaltó un recuerdo más reciente, el de haber estado observando cómo Quen luchaba por sobrevivir. Me quedé paralizada, incapaz de moverme. Detrás de mí, Ford se tambaleó, como si acabara de propinarle una fuerte bofetada.

Mierda, pensé, ruborizándome avergonzada, puesto que él estaba sintiendo mi profundo pesar.

—Lo lamento —farfullé, mientras él levantaba una mano para indicarme que estaba bien. Afortunadamente, Ivy ya estaba dentro y no vio lo que le había hecho.

—No te preocupes —acertó a decir acercándose de nuevo, vacilante hasta que estuvo seguro de que había conseguido tragarme mi antiguo dolor—. ¿Puedo preguntarte quién fue?

Tragué saliva.

—Mi padre.

Con la mirada baja, me guió hacia la puerta.

—¿Qué edad tenías? ¿Unos doce?

—Trece.

Para entonces ya estábamos dentro, y tuve ocasión de comprobar que no se trataba de la misma habitación.

Lentamente, mis hombros se relajaron. Mi padre había muerto porque no había nada que pudiera salvarlo. Como agente de seguridad, Glenn estaba recibiendo los mejores cuidados. Su padre estaba en la mecedora que se encontraba junto a la cama, más tieso que un palo. Glenn estaba muy vigilado. El que realmente estaba sufriendo era Edden.

El pequeño y corpulento hombre intentó esbozar una sonrisa, pero no lo consiguió. En las pocas horas que habían pasado desde que se había enterado de la agresión, su pálido rostro se había llenado de unas arrugas de las que, hasta aquel momento, solo había habido pequeños indicios. En sus manos sujetaba un sombrero, y sus cortos dedos lo giraban una y otra vez. Entonces se levantó, y el corazón se me encogió cuando suspiró, exhalando todo su miedo y preocupación.

Edden era el capitán de la división de la AFI de Cincinnati, y su experiencia anterior como militar le había permitido aportarle al cuerpo la determinación de aquel que lucha con uñas y dientes a pesar de tenerlo todo en contra y que había adquirido durante la época que perteneció a las fuerzas armadas. Verlo reducido a un saco de huesos resultaba muy duro. Él jamás había mostrado ni el más mínimo atisbo de las dudas que mostraban algunos miembros de la AFI sobre mi «oportuna» amnesia tras la muerte de Kisten. Confiaba en mí, y por ese mismo motivo, era uno de los pocos humanos en los que confiaba ciegamente. Su hijo, inconsciente en la cama, era otro.

—Gracias por venir —dijo automáticamente, con la voz quebrada, y me esforcé por no echarme a llorar cuando se pasó sus dedos romos por sus cortísimos y grises cabellos, en un reconocible gesto de estrés. Me acerqué para darle un abrazo, y percibí el familiar aroma a café.

—Sabes que no habríamos permitido que pasaras por esto tú solo —dijo Ivy desde un rincón, donde se había sentado rígidamente en una silla acolchada, apoyándolo en silencio de la única manera que sabía.

—¿Cómo se encuentra? —pregunté girándome hacia Glenn.

—No han querido darme ninguna respuesta concluyente —dijo en un tono de voz más alto de lo habitual—. Le han dado una paliza impresionante. Tiene un traumatismo craneoencefálico... —Su voz se quebró, y se quedó callado.

Miré a Glenn, cuya piel, muy oscura, contrastaba enormemente con las sábanas. Tenía la cabeza vendada, y le habían afeitado una franja de su hermético pelo rizado. Su rostro se encontraba cubierto de magulladuras y tenía el labio partido. Una fea contusión le corría desde el hombro hasta debajo de las sábanas y los dedos, que reposaban sobre el embozo, estaban hinchados.

Edden se derrumbó en la silla y miró la maltrecha mano de su hijo.

—No querían dejarme entrar —dijo quedamente—. No se creían que fuera su padre. Son todos unos cabrones llenos de prejuicios.

Lentamente, extendió el brazo y atrajo la mano de su hijo contra su pecho, como si fuera un pajarito recién nacido.

El amor que desprendía me hizo tragar saliva. Edden había adoptado a Glenn cuando se había casado con su madre, unos veinte años antes y, aunque no se parecían nada entre sí, eran idénticos en lo que de verdad importaba. Ambos se mantenían firmes en sus convicciones, y una y otra vez arriesgaban su vida por luchar contra las injusticias.

—Lo siento —dije con voz ronca, sintiendo su dolor.

Desde el umbral de la puerta, Ford cerró los ojos, apretó la mandíbula y se apoyó contra el marco.

Agarré una silla y la arrastré por el linóleo hasta colocarla en un lugar desde el que pudiera ver tanto a Edden como a Glenn. Luego dejé el bolso en el suelo y apoyé la mano sobre el hombro del capitán de la AFI.

—¿Quién le ha hecho esto?

Edden inspiró lentamente, e Ivy se irguió en su silla.

—Estaba trabajando en algo por su cuenta —explicó—. Lo hacía fuera del horario laboral, por si era mejor dejar fuera de las actas lo que saliera a la luz. La semana pasada falleció uno de nuestros agentes después de una larga convalecencia. Era amigo de Glenn, y este averiguó que había estado engañando a su mujer. —Edden alzó la vista—. Preferiría que esto no saliera de aquí.

Mi compañera de piso se puso en pie, interesada.

—¿Envenenó a su marido?

El capitán de la AFI se encogió de hombros.

—Al menos, eso es lo que sospechaba Glenn. Lo he leído en sus notas. Esta mañana había ido a hablar con la amante. Fue allí donde... —Su voz se quebró, y esperó pacientemente hasta que se tranquilizó—. Los investigadores barajan la posibilidad de que se hubiera encontrado con el marido, que perdiera los estribos y que, tras propinarle una paliza, ambos huyeran dejándolo moribundo.

—¡Oh, Dios mío! —susurré, sintiendo un escalofrío.

—Se encontraba fuera de servicio —continuó Edden—, de manera que permaneció allí hasta que alguien intentó localizarlo porque no se había presentado en el trabajo. Es un chico muy sensato, y había informado a uno de sus amigos de lo que estaba haciendo y a dónde había ido.

La respiración se me cortó cuando Edden se giró hacia mí, con los ojos cargados de dolor, mientras intentaba encontrar una respuesta.

—De no ser así, jamás lo hubiéramos encontrado. Al menos, no a tiempo. Lo dejaron allí tirado. Podían haber llamado al 911 antes de salir huyendo, pero lo abandonaron agonizando.

En aquel momento sentí que los ojos se me llenaban de lágrimas, y abracé de costado a aquel hombre bajo y fornido y con el corazón roto.

—Se pondrá bien —susurré—. Estoy convencida. —Entonces miré hacia Ford, y él se situó a los pies de la cama—. ¿Verdad?

Ford se agarró a la estructura del lecho como si intentara mantener el equilibrio.

—¿Podríais dejarme un momento a solas con Glenn? —preguntó—. No puedo trabajar con todos vosotros aquí dentro.

Me levanté inmediatamente.

—Por supuesto.

Ivy tocó los pies a Glenn cuando pasó junto a él y se marchó. Edden se puso en pie lentamente, soltando la mano de su hijo con evidente reticencia. Inclinándose sobre Glenn, susurró con tono severo:

—Enseguida vuelvo. No te muevas de aquí, ¿me oyes?

—Vamos —dije yo, llevándomelo de la habitación—. Te invito a un café. Tiene que haber una máquina por aquí cerca.

Mientras nos marchábamos, eché la vista atrás. Glenn tenía un aspecto horrible pero, a menos que hubiera sufrido daños cerebrales, se pondría bien. Esperaba de todo corazón que Ford pudiera decírnoslo.

Mientras conducía a Edden por el pasillo, siguiendo la estela de Ivy, sentí un alivio momentáneo que me hizo sentir culpable. Al menos Glenn no había resultado herido por alguien que intentara cazarme a mí. Podía sonar algo vanidoso por mi parte, pero ya había sucedido antes. El maestro vampiro de Ivy la había violado para conseguir que me matara, y había entregado a Kisten a su asesino por el mismo motivo. Piscary había muerto, y Kisten también. Yo estaba viva, y no iba a permitir que nadie más sufriera ningún daño por mi culpa.

Al llegar a un banco situado frente a una máquina expendedora, Edden se soltó de mi brazo. Todo estaba dispuesto siguiendo los cánones de la comodidad institucional: suaves tonos de marrón y unos almohadones no lo bastante suaves como para animarte a permanecer allí mucho tiempo. Había una amplia ventana que daba al aparcamiento cubierto de nieve, y me senté de manera que mis pies quedaran iluminados por la mortecina franja de luz solar, a pesar de que no calentaba lo más mínimo. Edden se acomodó junto a mí, con los codos apoyados en las rodillas y las manos sobre la frente. No me gustaba nada ver a aquel hombre inteligente y con una extraordinaria habilidad con las armas de fuego sufriendo de aquel modo. Daba la impresión de que ni siquiera recordaba quién era.

—Se pondrá bien —le dije.

Edden inspiró profundamente.

—Lo sé —dijo con una contundencia que indicaba que no estaba seguro—. Quienquiera que le hiciera esto sabía muy bien lo que estaba haciendo. Glenn se topó con algo mucho más grande que una esposa que ponía los cuernos a su marido.

Mierda. Tal vez sí que es culpa mía.

La sombra de Ivy recayó sobre nosotros, y levanté la vista. Su silueta contrastaba con la luz de la ventana, y me recliné buscando la sombra.

—Averiguaré quién le ha hecho esto —prometió. Y volviéndose hacia mí, añadió—: Las dos los haremos. Y no se te ocurra ofendernos ofreciéndote a pagarnos.

Entreabrí la boca sorprendida. Había intentado esconderse en la sombra, pero sus palabras dejaban bien claro la rabia que sentía.

—Pensaba que no te caía bien —dije estúpidamente, y luego me puse colorada.

Ella se colocó la mano sobre la cadera.

—Esto no es una cuestión de si me cae bien o no. Alguien agredió a un agente de la ley y lo dejó moribundo. La SI no va a hacer nada por resolverlo, y no podemos permitir que impere la anarquía. —A continuación se dio la vuelta dejando pasar la luz del sol—. No creo que un humano le hiciera esto —dijo tomando asiento frente a nosotros—. Quienquiera que se lo hiciera sabía exactamente cómo provocar un dolor atroz sin causar la muerte. Lo he visto antes.

Casi podía oír sus pensamientos. *Un vampiro.*

Edden apretó las manos con fuerza, y luego se obligó a sí mismo a relajarse.

—Estoy de acuerdo.

Incapaz de quedarme quieta, me revolví en mi asiento.

—Se va a poner bien —exclamé.

¡Maldición! No sabía qué más decir. Toda la cultura vampírica de Ivy se basaba en monstruos que actuaban al margen de la ley, gente que trataba a los demás como si fueran cajas de bombones. Los más crueles y poderosos, aquellos que establecían las normas, podían hacer lo que les viniera en gana sin temor a las consecuencias.

Ivy se inclinó para reducir el amplio espacio que nos separaba.

—Dame la dirección de la casa donde lo encontraron —pidió—. Me gustaría echar un vistazo.

Edden frunció los labios, haciendo que el bigote se contrajera. Era la primera muestra de que estaba recobrando la compostura.

—Ivy, te agradezco mucho tu ofrecimiento —dijo con voz firme—, pero podemos resolverlo sin ayuda. En este momento, mis hombres están examinando el lugar.

El párpado de mi compañera empezó a temblar, y aunque no era fácil de apreciar, creo que sus pupilas se estaban dilatando por el resentimiento.

—Dame la dirección —repitió—. Si lo hizo un inframundano, vas a necesitarnos a Rachel y a mí. La SI no te ayudará.

Por no hablar de que la AFI probablemente no se percatará de todo lo que guarde relación con el Inframundo, pensé, soltando un bufido y sentándome más derecha sobre el delgado acolchado.

Edden se quedó mirándola, claramente ofendido.

—Mi departamento se está ocupando de todo. Glenn recuperará el conocimiento en unos días y entonces…

De repente cerró los ojos y se quedó en silencio. Ivy se puso en pie, alterada, y en un tono casi cruel, dijo:

—Si no le aprietas las clavijas en las próximas horas a quienquiera que hizo esto, se escapará. —Edden la miró a los ojos, y ella continuó con una actitud algo más amable—: Deja que te ayudemos. Estás demasiado implicado. Toda la AFI lo está. Necesitas a alguien que contemple lo sucedido desde un punto de vista objetivo, y no movido por la venganza.

Emití un pequeño gruñido y me crucé de brazos. En mi mente había deseos de venganza.

—¡Vamos, Edden! Es así como nos ganamos la vida —dije—. ¿Por qué no dejas que te ayudemos?

El pequeño agente me miró con expresión interrogante y un asomo de sarcasmo en sus ojos.

—Es así como Ivy se gana la vida. Tú no eres un detective, Rachel. Tan solo te dedicas a encarcelar a la gente. Apenas sepamos quién lo ha hecho, te lo haré saber. En caso de que se tratara de un brujo, te llamaré.

Aquel comentario me sentó como una bofetada en plena cara, y entrecerré los ojos. Ivy percibió mi irritación y se reclinó hacia atrás, decidida a permitir que me pusiera a chillarle. Sin embargo, en lugar de ponerme en pie y mandarlo de vuelta a la Revelación (lo que provocaría que nos echaran a ambos del hospital), me tragué mi orgullo y me limité a agitar el pie con rabia.

—Entonces, dale la dirección a ella —dije deseando darle una patada accidental en la espinilla—. Es capaz de encontrar el pedo de un hada en medio de un vendaval —añadí, tomando prestada una de las expresiones favoritas de Jenks—. ¿Y si se tratara de un inframundano? ¿Estás dispuesto a correr el riesgo de perderlo solo por tu «orgullo humano»?

Quizás había sido un golpe bajo, pero estaba cansada de acceder a los lugares en los que se había cometido un crimen después de que hubiera pasado el personal de limpieza.

Edden contempló la actitud burlona y expectante de Ivy y, tras quedarse mirando la forma admirable en que contenía mi rabia, sacó un cuaderno de notas del tamaño de la palma de su mano. Sonreí al oír el chirrido del lápiz mientras anotaba algo, sintiendo que me invadía una agradable mezcla de contención e impaciencia. Encontraríamos al agresor de Glenn y le pagaríamos con la misma moneda. E independientemente de quién lo hubiera hecho, más le valía que yo estuviera allí con Ivy, o la vampiresa lo sometería a su personal versión de la justicia.

Edden arrancó la hoja de papel con energía y, con una mueca de descontento, se la tendió a Ivy. Ella me la entregó sin ni siquiera mirarla.

—Gracias —dije con resolución, guardándola.

La suave fricción de unos zapatos sobre la moqueta me hizo levantar la vista, y me di la vuelta para dirigir la mirada hacia el mismo lugar que Ivy, que estaba mirando por encima de mi hombro. Ford avanzaba hacia nosotros arrastrando los pies, con la cabeza gacha y mi bolso en su mano. Sentí un momento de pánico y él reaccionó alzando la vista y sonriendo. Entonces cerré los ojos. Glenn estaba bien.

—Gracias, Dios mío —susurró Edden poniéndose en pie.

No obstante, necesitaba oírlo y, cuando Ford me entregó el bolso, que me había olvidado en la habitación, y agarró el café que Ivy le ofrecía, pregunté:

—¿Se pondrá bien?

Ford asintió con la cabeza, mirándonos por encima del vaso de papel.

—Su mente está bien —dijo, haciendo un gesto de desagrado por el sabor del brebaje—. No ha sufrido daños. En este momento se encuentra sumido en lo más profundo de su psique, pero, apenas su cuerpo se haya repuesto lo suficiente, recuperará la conciencia. Imagino que tardará un día o dos.

Edden suspiró tembloroso, y Ford se puso rígido cuando el capitán de la AFI le estrechó la mano.

—Gracias. Gracias, Ford. Si puedo hacer algo por ti, solo tienes que decirlo.

Ford esbozó una tenue sonrisa.

—Es un placer poder darte buenas noticias. —Acto seguido, retirando la mano, dio un paso atrás—. Disculpadme, tengo que convencer a las enfermeras de que mantengan alejados a los médicos. No sufre tantos dolores como piensan, y están obstaculizando su recuperación.

—Lo haré yo —dijo Ivy poniéndose en marcha—. Les diré que puedo olerlo. No notarán la diferencia.

Un asomo de sonrisa curvó las comisuras de mis labios mientras se alejaba por el pasillo con paso lento pero decidido, llamando a una enfermera por su nombre. Edden no podía dejar de sonreír, y cuando cambió el peso del cuerpo de un pie a otro, me di cuenta de que tenía los ojos llenos de lágrimas.

—Tengo que hacer un par de llamadas —dijo sacando el teléfono móvil. Entonces, preguntó vacilante—: Ford, ¿sabes si Glenn puede oírme cuando le hablo?

Ford hizo un gesto de asentimiento, sonriendo con gesto cansado.

—Tal vez no lo recuerde, pero sí.

Edden pasó la mirada de Ford hacia mí. Era evidente que deseaba marcharse para estar con su hijo.

—Ve —lo animé, dándole un cariñoso empujoncito—. Y dile a Glenn que quiero hablar con él cuando se despierte.

Caminando a paso ligero, Edden se dirigió a la habitación. Suspiré, contenta de que aquella historia fuera a tener un final feliz. Estaba cansada de las otras. Ford parecía complacido, y aquello también suponía un alivio. Vivir así debía de ser un infierno. No era de extrañar que no le contara a nadie lo que era capaz de hacer. Lo habrían acosado hasta el delirio.

—¿Qué le sucedió a la madre de Glenn? —pregunté apenas nos quedamos a solas.

Ford observó cómo Edden hacía un gesto con las manos a las enfermeras mientras atravesaba la amplia y lisa puerta de la habitación.

—Murió hace quince años. La apuñalaron para robarle sesenta dólares.

Ahora entiendo el porqué se hizo policía, pensé.

—Hace muchos años que solo se tienen el uno al otro —añadí yo. Ford asintió con la cabeza mientras se dirigía hacia los ascensores. Parecía que lo hubieran estado flagelando.

Ivy se unió a nosotros después de hacer un último comentario a la enfermera. A continuación, colocándose a mi lado, miró a Ford.

—¿Qué sucedió en el depósito? —preguntó, encogiendo los hombros bajo su largo abrigo. De pronto, los recuerdos de aquella tarde afloraron de nuevo.

El tono con el que había hecho la pregunta tenía un ligero deje burlón, y la miré de reojo. Sabía que estaba convencida de que sus lentas pero constantes investigaciones encontrarían al asesino de Kisten antes de que yo reconstruyera mis recuerdos. Algo disgustada, eché un vistazo a Ford y luego le pregunté a ella:

—¿Podrías pasarte esta noche para olisquear la moqueta?

Ford se rió por lo bajo justo en el momento en que nos deteníamos ante los ascensores.

—¿Cómo has dicho?

—Tienes mejor olfato que yo —sentencié sin más explicaciones apretando el botón de llamada.

Ivy parpadeó con una expresión más desconcertada de lo habitual.

—¿Has descubierto algo que a la AFI se le escapó?

Asentí y Ford fingió no haber oído nada.

—Bajo el tablero del tocador quedan restos de seda de araña. Es posible que haya una huella, además de la que he dejado yo, claro está. Y la moqueta de debajo de la ventana huele a vampiro. No es tu olor, ni tampoco el de Kisten, así que podría ser el de su asesino.

Una vez más, Ivy se me quedó mirando fijamente. Parecía incómoda.

—¿Eres capaz de distinguirlo?

Las puertas del ascensor se abrieron y los tres subimos.

—¿Tú no? —pregunté echándome atrás y presionando el botón de la planta baja con la punta de la bota, simplemente porque podía.

—Yo soy una vampiresa —declaró, como si aquello marcara la diferencia.

—Hace un año que vivimos juntas —dije, preguntándome si no debería ser capaz de distinguirlo—. Sé perfectamente cómo hueles —murmuré, avergonzada—. No me parece nada del otro mundo.

—Pues lo es —dijo ella en un susurro mientras las puertas se cerraban, y confié en que Ford no la hubiera oído.

—Entonces, ¿vas a pasarte por allí? —pregunté observando cómo descendían los números.

Los ojos de Ivy se habían vuelto completamente negros.

—Sí.

En aquel momento reprimí un escalofrío, alegrándome de que se abrieran las puertas y mostraran un concurrido vestíbulo.

—Gracias.

—Es un placer —dijo con su voz de seda gris tan cargada de impaciencia que casi sentí lástima por el vampiro que había matado a Kisten.

Casi.

3

A pesar de que se estaba poniendo el sol y de que el asfalto aparecía cubierto por una árida capa de hielo, en el interior del coche hacía bastante calor. No obstante, empecé a considerar la posibilidad de apagar la calefacción. Cualquier cosa con tal de que Jenks se callara.

—Cinco trols disfrazados de mujeeer —canturreaba mi diminuto amigo, de apenas diez centímetros de altura, desde mi hombro—. Cuatro condones morados, dos vampiresas cachondas, y un súcubo bajo la nieve.

—¡Ya basta, Jenks! —grité.

Desde el asiento del copiloto, Ivy reprimió una carcajada mientras limpiaba con la mano el cristal empañado de la ventana para echar un vistazo al exterior. La calle estaba iluminada por las luces navideñas, que le otorgaba un aspecto sagrado y sereno de clase media consumista. A diferencia del villancico de Jenks, que se trataba de humor adolescente elevado a la máxima potencia.

—El octavo día de Navidad el amor de mi vida me regaló…

En aquel momento comprobé que no teníamos a nadie detrás y pisé el freno de golpe. Ivy, gracias a sus reflejos vampíricos, se agarró fácilmente, pero Jenks salió disparado de mi hombro y consiguió detenerse a pocos centímetros del parabrisas. Sus alas de libélula se convirtieron en una masa borrosa de rojo y plateado, pero no soltó ni una pizca de polvo, lo que significaba que, hasta cierto punto, se esperaba algo así. La sonrisita de su anguloso rostro era típica de Jenks.

—¿Qué…? —comenzó a quejarse adoptando su mejor postura de Peter Pan, con las manos en las caderas.

—¡Cá–lla–te!

Me salté la señal de stop. Estaba helada. Era más seguro así. Al menos aquella iba a ser la razón que iba a esgrimir si me paraba algún agente de la SI especialmente diligente.

Jenks se echó a reír, y su voz chillona sonaba muy a tono con el relajado ambiente de compañerismo que reinaba en el coche y la festiva calidez que se desplegaba en el exterior.

—Ahí está el problema de vosotras, las brujas. Que carecéis por completo de espíritu navideño —dijo tomando asiento en el espejo retrovisor. Era su lugar favorito, y bajé un poco la calefacción. No se habría puesto allí si hubiera tenido frío.

—La Navidad ha terminado —farfullé, guiñando los ojos para poder ver la placa de la dirección en la penumbra. Estaba convencida de que teníamos que estar cerca—. Tengo espíritu festivo de sobra, solo que no de origen cristiano. Y aunque no soy ninguna experta, creo que la Iglesia no estaría contenta con tus cánticos sobre súcubos.

—Puede que tengas razón —concedió mientras se sacudía bajo las capas de tela verde que Matalina le había puesto encima y que pretendían ser ropa invernal para pixies—. Probablemente preferirían oír sobre íncubos en celo.

El pixie soltó un gañido y di un respingo cuando escapó del espejo como una flecha porque Ivy había estado a pocos centímetros de darle un manotazo.

—¡Cierra la boca de una vez, pixie! —le espetó Ivy con severidad la vampiresa de la voz de seda gris. La ropa de cuero que se solía poner para trabajar resaltaba su estilizada figura y le daba el aspecto de una atractiva ciclista que se hubiera puesto de tiros largos, y bajo la gorra con el logotipo de Harley Davidson sus ojos tenían las pupilas negras. Jenks captó la indirecta y, mascullando algo que probablemente fue mejor que no entendiera, se sentó en uno de mis grandes pendientes de aro para acurrucarse entre mi cuello y la suave bufanda roja que me había puesto para esos menesteres. Sentí un escalofrío cuando sus alas me rozaron el cuello, un susurro helado que parecía agua.

Si se veía expuesto durante largo rato a una temperatura inferior a los siete grados, entraría en hibernación, pero podía soportar viajes desde el coche hasta cualquier otro sitio, siempre que fueran cortos y que estuviera debidamente protegido. Además, después de que se enterara de lo de Glenn, hubiera sido imposible impedir que nos acompañara. Si no lo hubiéramos invitado a venir con nosotras a la escena del crimen, me habría encontrado su cuerpo congelado en el interior de mi bolso como un polizón. Sin embargo, sospechaba que la verdadera razón por la que se había unido a nosotras era porque quería escapar de su numerosa prole, que estaba pasando el invierno en mi escritorio.

No obstante, Jenks valía por cinco investigadores de la AFI, y eso cuando tenía un mal día. A los pixies se les daba de maravilla colarse en los sitios, lo que los convertía en expertos en descubrir cualquier cosa que estuviera fuera de lugar, y su proverbial curiosidad hacía que mostraran interés por todo el que entraba o salía. Su polvo no dejaba una impresión duradera y sus huellas dactilares resultaban invisibles a menos que se utilizara un microscopio, algo que, en mi opinión, los situaba entre los más capacitados para inspeccionar la escena del crimen antes que ningún otro. Por supuesto, a nadie de la AFI le interesaba lo más mínimo lo que yo pensara y, de todos modos, no era muy habitual que un pixie desempeñara otra función que no fuera la de refuerzo temporal. Fue así como conocí a Jenks, y fue una verdadera suerte para mí. Le habría pedido que me acompañara al barco aquella tarde, si no hubiera sido por las bajas temperaturas.

Ivy se irguió en su asiento y, aunque no fue deliberado, su gesto me dio a entender que nos encontrábamos cerca, de manera que empecé a prestar atención a los números. Tenía el aspecto de un vecindario de humanos de las afueras de Cincinnati, el típico barrio de clase media-baja. A juzgar por la buena iluminación y por el cuidado aspecto de la mayoría de las casas, no se trataba de un distrito conflictivo, sino que simplemente tenía un aspecto algo envejecido. Hubiera apostado cualquier cosa a que la mayoría de los vecinos eran jubilados o familias que estaban empezando. Me recordaba al barrio en el que había crecido y no veía la hora de que llegara el día siguiente para recoger a mi hermano, Robbie, en el aeropuerto. Había tenido que trabajar durante el solsticio, pero había conseguido que le dieran unos días de permiso para Año Nuevo.

Que las luces que nos rodeaban fueran verdes y rojas no quería decir que fuera un vecindario humano. La mayoría de los vampiros celebraban la Navidad, del mismo modo que un buen número de humanos celebraban el solsticio. Ivy todavía no había retirado el árbol de la sala de estar, y nos intercambiábamos regalos cuando nos apetecía, y no en una fecha concreta. Por lo general, sucedía apenas una hora después de que yo hubiera vuelto de comprar los míos. El control de los impulsos era cosa de Ivy, no mía.

—Debe de ser esa —dijo quedamente, y Jenks agitó las alas para entrar en calor, consiguiendo ponerme de los nervios. Un poco más adelante, en la acera izquierda, había un grupo de coches patrulla aparcados y con las luces apagadas, lo que hacía que, con la escasa iluminación, parecieran de color gris. En una esquina, en un lugar en el que había un poco de luz, había dos personas de pie, curioseando, mientras sus perros tiraban con fuerza de las correas con intención de entrar. Todavía no había ninguna furgoneta de los informativos, pero no tardarían en llegar. Casi podía olerlas.

Tampoco se divisaba ningún coche patrulla de la SI, lo que supuso un alivio, ya que lo más probable habría sido que enviaran a Denon. No había vuelto a ver al vampiro de origen humilde desde el verano, cuando había puesto al descubierto su tapadera de los hombres lobo asesinos, y me hubiera jugado lo que fuera a que habían vuelto a degradarlo.

—Por lo visto, la SI no tiene intención de presentarse.

—¿Y qué esperabas? A ellos les da lo mismo que le propinen una paliza a un miembro de la AFI.

Me acerqué lentamente al bordillo y aparqué el coche.

—Podrían hacerlo si el culpable fuera un inframundano.

Jenks soltó una carcajada.

—Lo dudo mucho —opinó.

Tras decir aquello, sentí un tirón en mi gorro, lo que significaba que se estaba introduciendo bajo la suave lana para el viaje de entrada.

Desgraciadamente, tenía razón. Por mucho que a la SI le correspondiera investigar los delitos cometidos por las especies sobrenaturales, no tendrían ningún reparo en ignorar un crimen si les venía en gana y, de hecho, lo habían hecho en más de una ocasión. Aquel era el motivo por el que se había creado la AFI, una fuerza policial formada por humanos. Tiempo atrás creía que, en cierto modo, la SI le daba mil vueltas a la AFI, pero después de un año colaborando con ellos, estaba impresionada y gratamente sorprendida por la información que conseguían recabar.

Hacía solo cuarenta años que, durante la Revelación, todas las especies del Inframundo, entre las que se encontraban los vampiros, los brujos y los hombres lobo, habían colaborado activamente para evitar que los humanos se convirtieran en la última especie en vías de extinción después de que una variedad de tomates alterada genéticamente sufriera una mutación y acabara con una buena parte de la población humana. Aunque, para ser sinceros, si los humanos hubieran desaparecido de la faz de la Tierra, la mayor parte de los inframundanos lo hubiera pasado muy mal cuando los vampiros hubieran empezado a perseguirnos a nosotros, en vez de a los maleables, ingenuos y felices humanos. Por no hablar de que tanto al jefe supremo de los vampiros como al de los hombres lobo les gustaba mantener su alto nivel de vida, y eso no era posible sin el respaldo de una población.

—¿Qué estás haciendo? —preguntó Ivy con la mano apoyada en la puerta al verme revolver bajo el asiento.

—Debo de tener una identificación de la AFI por algún sitio —musité, retirando la mano de golpe cuando, inesperadamente, mis dedos tocaron algo frío y blando.

Ivy me miró con una tenue sonrisa en sus labios cerrados.

—Todos los miembros de la AFI conocen tu coche.

Emitiendo un suave sonido que indicaba que estaba de acuerdo, desistí y me puse los guantes. En efecto, ninguno de ellos tendría problemas en reconocerlo, teniendo en cuenta que me lo habían dado como pago por haberles ayudado en una ocasión, algo que la mayoría parecía haber olvidado últimamente.

—¿Estás listo, Jenks? —pregunté. Como única respuesta, me pareció oír una larga ristra de palabrotas. Algo sobre mi acondicionador y vómito de hadas.

Ivy y yo salimos a la vez. La emoción de una misión me invadió al oír el ruido de las puertas cerrándose de golpe. Una vez de pie, junto a mi coche, inspiré profundamente, permitiendo que el aire cortante y seco llegara hasta el fondo de mis pulmones. Las nubes tenían el aspecto compacto que solo adquieren después de una fuerte nevada, y podía oler el asfalto, blanco por la sal y tan frío y seco que podía quemar los dedos con solo tocarlo.

Taconeando con paso firme, mi compañera rodeó el coche, y la seguí hasta la pequeña casa. Habían retirado los doce centímetros de nieve formando pequeños montículos, pero en un rincón del jardín todavía se alzaba un muñeco de nieve de aspecto triste y de casi un metro de altura con la cara medio derretida y un sombrero que le cubría los ojos. Las cortinas estaban descorridas, y los rectángulos de luz amarillos sobre la nieve empezaban a hacerse evidentes. Las luces rojas y verdes que decoraban la casa de un vecino creaban un extraño contraste, y en ese momento pude oír la conversación de la pareja de la esquina. Muerta de frío, me recoloqué el asa del bolso sin dejar de caminar.

Cada vez había más vecinos que abandonaban sus casas para curiosear, y sentí que me invadía la indignación cuando vi las luces de una furgoneta con una antena avanzando lentamente bajo las farolas.

Mierda. ¿Ya están aquí? Me hubiera gustado charlar con los vecinos antes de que los reporteros les llenaran la cabeza de ideas sensacionalistas, en lugar de realistas. Estaba segura de que Edden habría interrogado a los más allegados, pero su gente no les habría hecho las preguntas cuyas respuestas me interesaban.

—Allí —me indicó Ivy entre dientes, y seguí su mirada en dirección a la oscura sombra que salía de la puerta lateral del garaje en dirección a donde nos encontrábamos.

—¡Eh! ¡Hola! —exclamé, adoptando un tono agudo para dar la impresión de que éramos inofensivas. *¡Como si fuera cierto!*—. Edden nos pidió que nos pasáramos. Somos de Encantamientos Vampíricos.

¿Nos pidió? Más bien podría decirse que lo habíamos obligado, pero tampoco hacía falta entrar en detalles.

El joven agente de la AFI encendió las luces del exterior y el crujiente camino asfaltado se iluminó con un brillo artificial.

—¿Me permiten ver sus credenciales? —preguntó. Seguidamente pareció caer en la cuenta de algo—. ¡Ah! ¡Vosotras sois la bruja y la vampiresa! —exclamó metiéndose una carpeta sujetapapeles bajo el brazo.

Desde debajo de mi gorro se oyó una voz de fastidio que añadía:

—Y un pixie congelado. ¿Podrías darte prisa, Rachel? Creo que se me han caído las pelotas.

Yo reprimí un gesto de desagrado y lo sustituí por una sonrisa fingida. Hubiera preferido que nos conocieran por el nombre de nuestra sociedad, y no como «la bruja y la vampiresa», pero al menos Edden les había avisado de que pasaríamos. Quizás no iba a ponernos tantas trabas para que lo auxiliáramos. Observé el lenguaje corporal del agente, pero fui incapaz de dilucidar si su impaciencia se debía a la reciente desconfianza de la AFI o a que tenía frío.

—Así es, Encantamientos Vampíricos. Hemos venido para averiguar si existe alguna conexión con el Inframundo —aclaré antes de que Ivy adoptara una actitud vampiresca. No ayudaría que se pusiera a proyectar un aura y le pegase un susto de muerte, por muy entretenido que pudiera resultar.

—¿Podemos entrar? —preguntó en un tono algo amenazante, y Jenks se rió por lo bajo.

—Por supuesto. —El agente tenía la cabeza baja mientras anotaba algo—. Pero antes tendréis que colocaros unos protectores para el calzado.

Ivy, que se encontraba ya a medio camino de la puerta del garaje, se puso rígida. No le había hecho ninguna gracia que nos tratara como si no supiéramos cómo comportarnos en la escena de un crimen. Miré hacia la calle, sin saber muy bien qué hacer. El personal de los informativos había comenzado la tarea, y el enorme foco que habían encendido atraía a la gente como si fuera una hoguera.

—Ummm…, Ivy… —murmuré.

Ella vaciló y, apoyando su larga mano enguantada sobre la puerta, me miró con una sonrisa ladeada.

—¿Quieres ir a hablar con ellos? —Yo asentí con la cabeza, y entonces añadió—: ¿Crees que estarás bien, Jenks?

—¡Oh, mierda! —mascullé. Me había olvidado por completo de él.

—¡No os preocupéis por mí! —gruñó, y sentí un tirón de pelo cuando se puso cómodo—. Las cosas no van a cambiar ahí dentro, y me gustaría oír lo que tienen que decir los vecinos. Chismorreos, Ivy. Ahí es donde está la verdad. Lo que importa son los chismorreos.

Yo no tenía ni idea de chismorreos, pero si decía que no suponía ningún problema para él, prefería escuchar las primeras impresiones antes que un montón de comentarios viciados y repetidos mecánicamente después de que todo el mundo hubiera tenido oportunidad de recapacitar.

Ivy frunció el ceño. Era evidente que opinaba que la mejor manera de resolver un crimen era reunir pruebas y no con un confuso puñado de intuiciones y presentimientos, pero se limitó a encogerse de hombros y a entrar en la casa mientras yo me adentraba en la oscuridad de la noche.

Caminando a paso ligero, encontré un hueco detrás de la creciente multitud, mientras intentaba mantenerme fuera de las cámaras. Probablemente Jenks oía el doble que yo, y me puse de puntillas para echar un vistazo al hombre del abrigo de paño y mejillas sonrosadas que el reportero estaba entrevistando. Teniendo en cuenta que todavía no eran las seis, era bastante improbable que estuvieran retransmitiendo en directo, de manera que me aproximé algo más, tras abrirme paso a empujones.

—Gente de bien —explicaba con los ojos brillantes por la emoción—. Una pareja muy agradable. Eran muy reservados y jamás dieron ningún problema.

Alcé las cejas y Jenks soltó un bufido. Aquello sonaba a que se trataba de inframundanos.

Sin embargo, el chico que estaba a mi lado emitió un sonido grosero, y Jenks me tiró del pelo cuando comentó a su amigo en tono malicioso:

—¡Si ni siquiera los conocía! Ese tío es repulsivo y le zurra a su mujer.

—Ya lo he pillado —susurré al pixie para que dejara de tirarme del pelo. La investigación lenta y minuciosa estaba bien, pero quería encontrarlos antes de que el sol se convirtiera en una nova.

Con una sonrisa, me volví y descubrí a un chaval que tenía un gorro de lana negro con el emblema de los Howlers. Animada por la muestra de solidaridad con el Inframundo, sentí que me invadía una insólita oleada de afinidad. No llevaba abrigo, y tenía las manos metidas en los bolsillos de los vaqueros.

—¿Le zurra? —pregunté sonriendo a su amigo para animarlo a que entrara en la conversación—. ¿Tú crees?

—No lo creo, lo sé —respondió sin titubeos. Apenas se dio cuenta de lo que había dicho, empezó a ponerse nervioso. Supuse que debía ir al instituto, así que desplegué todos mis encantos de mujer madura que seduce a jovencitos.

—¿Ah, sí? —exclamé a punto de echarme encima de él cuando el gentío se agitó al ver que el reportero se ponía a buscar carne fresca—. ¿No te parece flipante que la gente cuente una cosa delante de las cámaras y que luego, en el bar, digan lo que de verdad piensan?

El joven esbozó una sonrisa de satisfacción. Era evidente que pensaba que le echaba más años de los que en realidad tenía.

—Así me gusta, Rachel —dijo un impresionado Jenks desde debajo de mi gorro—. Sácale todo lo que puedas.

—Entonces, ¿los conocías? —pregunté agarrándolo por el brazo y apartándolo de los tipos de los informativos. Aun así, no me alejé demasiado para no abandonar el ambiente que había creado la presencia de la furgoneta, pero me volví de modo que, en caso de que la cámara nos apuntara, solo captara mi espalda. Su amigo se había quedado atrás, y en ese momento estaba dando saltos intentando aparecer en el fondo de la imagen. Tampoco llevaba abrigo, y pensé que era muy injusto que no tuvieran frío cuando a mí se me estaba helando el culo. Los brujos teníamos una tolerancia al frío mucho menor que el resto, a excepción, claro está, de los pixies.

—Tú no eres una reportera —dijo, y sonreí, alegrándome de que fuera más listo de lo que me había parecido en un principio.

—Pertenezco a Encantamientos Vampíricos —dije revolviendo en mi bolso hasta que encontré una tarjeta de visita medio doblada y se la tendí—. Me llamo Rachel. Rachel Morgan.

—¡No jodas! —De pronto su rostro adoptó una expresión más animada—. Me llamo Matt y vivo ahí enfrente. He oído hablar de ti —añadió dando unos golpecitos a la tarjeta que tenía en la mano—. ¿No eres tú la que sale en ese vídeo arrastrando...?

—Arrastrando el culo por toda la calle —dije terminando la frase por él y ajustándome el gorro para que entrara un poco de aire frío y hacer que Jenks dejara de reírse—. Sí, soy yo. Pero no es cierto que me dedique a invocar demonios. *Al menos, no mucho.*

—¡Qué guay! ¡Yo alucino! —exclamó. Parecía que había crecido diez centímetros de golpe—. ¿Estás intentando localizar a los Tilson?

Un subidón de adrenalina me provocó un escalofrío. Edden no me había dicho cómo se llamaban.

—Efectivamente. En este momento es nuestro principal objetivo. ¿Sabes a dónde han ido?

Él sacudió la cabeza, intentando parecer mayor de lo que era mientras miraba a su amigo con aires de superioridad.

—No, pero son gente muy rara. Toda la familia. En verano les corté el césped. Él trabaja de conserje en mi instituto. Dice que es alérgico a la hierba. —Matt esbozó una sonrisa burlona—. Aunque, si quieres que te dé mi opinión, es alérgico al trabajo. Pero si lo cabreas, empiezan a pasarte cosas extrañas.

Yo lo miré con los ojos muy abiertos.

—¿Te refieres a magia? *Quizás, tal y como sospecha Ivy, sean inframundanos.*

Matt negó con la cabeza y pareció indispuesto.

—No. Más bien cosas como encontrarte a tu perro muerto. Pero su mujer es aún más rara. No se la ve mucho. Se pasa la mayor parte del día dentro de casa con su hija. Mi madre habló con ella una vez, y no le dejó tocar a la niña.

—¿En serio? —pregunté esperando que me contara más cosas.

—Y la pequeña es tan rara como ellos —añadió echando un vistazo a su amigo—. Tiene unos extraños ojos azules que te siguen por todas partes. No dice ni una palabra, casi como si fuera sorda. Su madre nunca la deja en el suelo. La señora Tilson es la que lleva los pantalones en esa casa. No tengo ninguna duda.

—Lo dices porque... —lo alenté, y Matt inclinó la cabeza.

—El año pasado, alguien les metió un petardo en la cisterna del inodoro del servicio de atrás y lo llenó todo de porquería. Tilson se puso a gritar que iba a matar a alguien. Yo tenía que ir a cortarles el césped al día siguiente y, aunque estaba muerto de miedo, mi padre me obligó. Ese tío está pirado. Estaba convencido de que yo sabía quién le voló la taza del váter y me arrinconó contra la valla. ¡Dios! Creí que me iba a matar. Pero, entonces, salió su mujer y se puso más suave que un guante. Incluso se disculpó. Es más baja que tú, pero le bastó llamarlo por su nombre para que se comportara como un perrito faldero.

Guiñé los ojos, mientras las ideas se agolpaban en mi mente. El señor Tilson era un maníaco homicida que vivía resentido, mientras que su señora llevaba las riendas de la relación. Y la niña tenía algo raro. Tal vez se trataba de vampiros vivos.

—¿Cuántos años tiene la niña? —pregunté para que siguiera hablando. Aquel chico era una mina de oro.

Matt se quedó pensativo.

—No sé. Uno, quizás. Mi madre dice que se acabará convirtiendo en una mocosa malcriada, y que la señora Tilson no debería esperar cinco años a tener otro, como parece que es su intención. Por lo visto, lo hace por razones médicas. Según le contó a mi madre, le gustaría tener cinco o seis.

—¿Cinco o seis? —exclamé, sinceramente sorprendida. Es posible que los Tilson fueran hombres lobo y que la mujer perteneciera a una manada dominante. Pero ¿qué motivos podían tener para espaciarlos más de cinco años?—. Eso es mucho tiempo.

—Y tanto —convino el chaval en tono de burla—. Yo no pienso tener hijos, pero si alguna vez los tuviera, preferiría que fueran seguidos. Lo mejor es zanjarlo cuanto antes. No quiero encontrarme con sesenta años y seguir cambiando pañales.

Me encogí de hombros. Robbie y yo nos llevábamos ocho años, y no me parecía que tuviera nada malo. Había participado en mi educación tanto como mis padres, y no tenía ninguna queja al respecto. Pero mi madre era una bruja, de manera que cambiar pañales a la edad de sesenta años era lo más normal del mundo. Aquello apuntaba cada vez más a que la agresión a Glenn tenía que ver con inframundanos.

—Gracias —dije. De repente, sentí la necesidad de entrar en la casa. Jenks debía de estar congelándose—. Ahora tengo que irme, pero te estoy muy agradecida. Tus palabras han sido de gran utilidad.

Al ver la expresión de decepción de su rostro, añadí con una sonrisa:

—¡Oye! Cuando llegue la primavera, podría necesitar a alguien que me corte el césped.—Entonces vacilé unos segundos—. Si no te parece demasiado extraño, claro está. Mi número está en la tarjeta.

A él se le iluminó la cara.

—¡Oh, sí! Sería genial —respondió. Entonces miró a la casa y concluyó—: No creo que mi padre me deje volver a cortar el de ellos.

—Pues llámame. ¿Qué te parece en abril? —sugerí. Él asintió—. Gracias de corazón, Matt. Me has ayudado mucho.

—De nada.

Tras dedicarle una última sonrisa, me marché y, cuando miré por encima de mi hombro, vi que estaba susurrándole algo a su amigo y que ambos observaban mi número de teléfono con los ojos muy abiertos.

—¿Te encuentras bien, Jenks? —pregunté, mientras me alejaba de las luces y regresaba al garaje. ¡Joder! Ivy iba a flipar cuando supiera lo que acababa de averiguar.

—Sí —respondió agarrándose con más fuerza a mi pelo—, pero preferiría que fueras más despacio. A menos que quieras que vomite en tu pelo.

Inmediatamente, aminoré la marcha y di un traspié al subir el bordillo sin mirar para no tener que inclinar la cabeza. Jenks soltó un taco, pero el pulso se me aceleró cuando alcé la vista. Mi inquietud no se debía al hecho de haber estado a punto de caer, sino a la persona que estaba de pie junto a mi coche, observándolo detenidamente.

Se trataba de Tom Bansen. No podía ser otro. El mismo que había hecho todo lo que estaba en su mano para que Al me matara.

—¡Joder! ¡Es Tom! —dije. Y, echando a correr hacia él, le grité—: ¡Aléjate de mi coche!

—¡El muy hijo de puta! —exclamó Jenks— ¿Qué coño está haciendo aquí?

—No tengo ni idea —respondí aminorando el paso conforme me aproximaba—, pero será mejor que te estés calladito. Si te descubre, solo tiene que quitarme el gorro de un tirón para dejar viuda a Matalina.

Jenks se quedó en silencio mientras Tom permanecía inmóvil, con las manos en los bolsillos, observando mi coche como considerando algo. El enfado dio paso al nerviosismo, y me detuve prudencialmente a un metro y medio de distancia, soltando vaharadas bajo la luz de la farola y mirándolo como al gusano que era. Había oído decir que lo habían echado de la SI, probablemente por haber sido tan estúpido como para que lo pillaran invocando demonios para cargarse a alguien. Sin embargo, dado que era yo la persona de la que quería deshacerse, la SI no había tomado ninguna otra medida.

—¿Qué estás haciendo aquí? —pregunté. No estaba precisamente ansiosa por tener que defenderme, pero tampoco me hacía ninguna gracia que estuviera fisgoneando mi coche.

Él se quedó de pie sobre la acera, de la que habían retirado la nieve, y cuando me miró, me di cuenta de que sus ojos azules se habían vuelto mucho más duros. Llevaba una parka y un sombrero, y se notaba que tenía frío, hasta el punto de que la temperatura casi había anulado el característico olor a secuoya que despedíamos todos los brujos. Tiempo atrás me había parecido atractivo, aunque de un modo inocente, casi como una escolar (y todavía me lo parecía), pero el hecho de que invocara a Al para que me secuestrara o me matara hacía tiempo que había conseguido que la atracción se transformara en repugnancia.

—Intentando ganarme la vida —respondió con un leve rubor en sus mejillas—. Me han excluido. Gracias a ti.

Me quedé mirándolo boquiabierta y di un paso atrás. No estaba sorprendida, pero tampoco estaba dispuesta a cargar con las culpas.

—No fui yo la que se dedicó a raptar chicas para entregárselas a un demonio a cambio de maldiciones —dije—. Tal vez deberías replantearte tu forma de entender las cosas, Sherlock.

Él esbozó una sonrisa nada agradable. Mientras se daba la vuelta como si fuera a marcharse, añadió:

—Si quieres hablar, estaré por aquí. —Yo estaba echando chispas, sin poder dar crédito a su invitación—. Bonito coche —concluyó mientras se marchaba con las manos metidas en sus enormes bolsillos.

—¡Eh! —grité, a punto de echar a correr tras él, pero entonces pensé en Jenks y en el hecho de que lo hubieran excluido y desistí. Balanceándome sobre los talones, solté un sonoro suspiro. *¿El departamento de la Ética y la Moral había decidido excluirlo?* ¡Maldición! Jamás pensé que llegaran tan lejos. Había estado invocando demonios, pero aquello no era motivo para excluir a alguien. El motivo debía ser el rapto de aquella chica para realizar magia negra. La exclusión era algo tan grave como la propia palabra indicaba. Tom estaba metido en un buen lío, y conseguir que el departamento de la Ética y la Moral reconsiderara una decisión era como sobrevivir a la amenaza de muerte de la SI. Estaba completamente solo, y si algún brujo se asociaba con él, correría la misma suerte.

Intentar ganarme la vida, pensé sin quitarle ojo. Probablemente había empezado a trabajar por su cuenta, dado que la SI ya no le encargaría ninguna misión, ni siquiera de extranjis. *Y, por lo visto, no le va muy bien,* me dije a mí misma al ver que se subía a un destartalado Chevy del 64.

Una vez se hubo marchado, me dirigí hacia la casa de los Tilson, pero me detuve en seco cuando me asaltó un presentimiento repentino. Tras revolver en mi bolso, saqué el llavero y el amuleto para detectar magia letal que colgaba de él. Aquel objeto me había salvado la vida en un par de ocasiones, y Tom tenía motivos de sobra para querer acabar conmigo.

—Rachel… —se quejó Jenks cuando empecé a caminar lentamente alrededor del coche.

—¿Quieres saltar por los aires reducido a un montón de pedacitos más pequeños que el polvo de hadas? —farfullé.

El pixie volvió a tirarme del pelo.

—¡Pero si Tom no es más que un pardillo! —protestó.

Aun así, terminé el recorrido y respiré aliviada cuando comprobé que el amuleto seguía mostrando un agradable y lozano color verde. Tom no había hechizado mi coche, pero a pesar de todo, mientras volvía hacia la casa acordonada y cruzaba la calle, me quedó una sensación de desasosiego. Y no se debía al hecho de tener un nuevo competidor en el mundo de los investigadores independientes. Tiempo atrás, mi deportivo había pertenecido a un agente de la SI al que habían matado colocándole una bomba en el coche. Obviamente, no se trataba del mismo vehículo, pero el caso es que se lo habían cargado.

Y yo podría acabar de la misma manera sin apenas darme cuenta. Tom no había dejado un hechizo en mi coche, pero no tenía nada de malo pedirle a Glenn que mandara a uno de sus perros para olfatearlo. Acompañada por el sonido de los tacones de mis botas, llegué hasta la puerta del garaje y entré. Jenks soltó un fuerte suspiro, pero aunque quedara como una cobarde paranoica, estaba decidida a pedirle a Glenn que me llevara a casa en su coche.

Había dejado de comportarme como una estúpida inconsciente en temas tan escabrosos como aquel.

4

Cerca de las escaleras que conducían al interior de la casa, había varios juguetes de plástico de gran tamaño y colores vivos. A juzgar por su aspecto, habían utilizado el trineo infantil, pero el resto eran objetos para el verano todavía sin estrenar. Por lo visto, habían sido unas Navidades muy fructíferas.

En aquel momento inspiré profundamente para intentar captar el aroma de los inframundanos, pero solo percibí el olor a polvo y a cemento seco, y sentí un escalofrío.

Me quedé mirando las cajas, recordando algo que me había dicho mi padre en una ocasión, cuando intentaba librarme de ordenar el garaje. La gente guardaba en el garaje un montón de cosas que ya no quiere, pero de las que no puede deshacerse. A veces, cosas peligrosas. Demasiado para guardarlas dentro de casa, pero también para tirarlas y arriesgarse a que alguien las encuentre. Y el señor y la señora Tilson tenían el garaje hasta los topes.

—¡Vamos, Rachel! —se quejó Jenks—. ¡Me estoy helando!

Tras echar un último vistazo a las cajas, subí los escalones de hormigón escuchando el lejano zumbido de una aspiradora. A continuación, abrí la puerta pintada con colores alegres y entré en una cocina amueblada al estilo de los años setenta; saludé con la cabeza al agente que estaba sentado a la mesa con una carpeta con sujetapapeles. A través de la ventana de encima del fregadero se divisaba el jardín delantero y la furgoneta de los informativos. Junto a la mesa cuadrada había una trona rosa y amarilla y, justo encima, una caja de fundas de zapatos desechables. Con un suspiro, me quité los guantes y los metí en los bolsillos de mi abrigo.

En un rincón, cuidadosamente resguardado, había un cesto lleno de peluches, y casi me pareció escuchar la alegre y contagiosa risa de un bebé. En el interior del fregadero había un bol lleno de utensilios con restos de masa de galletas, y en la encimera había una docena de ellas que llevaban ocho horas enfriándose. Alguien había colocado una etiqueta en el asa del horno en la que se leía la fecha y la hora en la que un agente llamado Mark Butte lo había apagado. Era evidente que los Tilson se habían marchado de forma precipitada.

La cocina era una curiosa mezcla de calidez y frialdad y, visto que habían encendido la calefacción para contrarrestar el continuo abrir y cerrar de la puerta, me bajé la cremallera del abrigo. Mi primera impresión de la casa era igual de incongruente. Tenía todo lo necesario para parecer un hogar y, sin embargo, transmitía la sensación de estar... vacía.

En la habitación contigua se escuchaba el parloteo de los agentes trabajando, y cuando me agaché para ponerme un protector azul en una de las botas, Jenks pegó un grito desde debajo de mi gorro.

—¡Joder! —exclamó recorriendo la cocina en apenas tres segundos, pegándole un susto de muerte al agente sentando a la mesa—. Aquí huele a potito verde de bebé. ¡Eh, Edden! —exclamó alzando la voz—. ¿Dónde te has metido?

Después abandonó la estancia como una exhalación, batiendo las alas hasta convertirlas en una especie de borrón grisáceo.

Desde el interior de la casa se oyó una exclamación, lo que probablemente indicaba que Jenks había sobresaltado a otro agente de la AFI. En ese momento oí que alguien se acercaba con paso firme y me erguí. Me había comprado las botas en La Cripta de Verónica, y cubrirlas con una funda de papel azul debía estar penado por ley.

De repente, la figura achaparrada de Edden apareció bajo el arco que conducía al resto de la casa. Jenks estaba en su hombro, y enseguida me di cuenta de que tenía el aspecto del capitán de la AFI que podía hacer algo por ayudar a Glenn. Saludó con la cabeza al agente sentado a la mesa y me sonrió brevemente, aunque sus ojos no decían lo mismo. Lo más probable es que no debiera estar allí, pero nadie le iba a negar la posibilidad de supervisar la investigación del asalto a su hijo.

—Rachel —me saludó, y agité tímidamente uno de los pies cubiertos por el protector.

—Hola, Edden. ¿Puedo entrar? —dije, sin la más mínima intención de que sonara sarcástico.

Él frunció el ceño, pero antes de que comenzara a meterse con mis pésimas técnicas de investigación, me acordé de Tom.

—¿Puedo pedirte un favor? —pregunté dubitativa.

—¿Además del de dejarte entrar aquí? —me reprochó tan secamente que estuve tentada de contarle lo de la seda de araña de la embarcación de Kisten que habían pasado por alto. No obstante, preferí morderme la lengua, consciente de que se enterarían al día siguiente, después de que Ivy tuviera ocasión de echar un vistazo.

—Lo digo en serio —dije desenrollándome la bufanda—. ¿Podrías mandar a alguien a echarle un vistazo a mi coche?

El hombre achaparrado alzó las cejas.

—¿Tienes problemas con la transmisión?

Me sonrojé, preguntándome si sabía que había sido yo la que lo había dejado hecho unos zorros mientras aprendía a utilizar el cambio manual.

—Ummm…, no. Acabo de ver a Tom Bansen junto a él. Tal vez me esté comportando como una paranoica, pero…

—¿Bansen? —exclamó, y Jenks asintió con la cabeza desde su hombro—. ¿Te refieres al tipo que pillaste invocando demonios en su sótano?

—Estaba mirando mi coche —expliqué pensando que, como argumento, sonaba muy pobre—. Dijo algo sobre ganarse la vida y, teniendo en cuenta que hay un montón de gente a la que le gustaría verme, ummm…, muerta. —En aquel momento preferí callarme lo de que había sido excluido, y Jenks tampoco dijo nada. Era un asunto entre brujos y, cuando sucedía algo así, todos nosotros nos sentíamos avergonzados—. He comprobado que no hubiera utilizado ningún hechizo letal, pero soy incapaz de distinguir una bomba del cable del cuentakilómetros.

La expresión del capitán de la AFI se tornó más seria.

—No te preocupes. La pediré a la unidad canina que salgan un momento. De hecho… —Entonces miró al oficial sentando a la mesa y sonrió—. Alex, vete al coche de la señorita Morgan y espera allí hasta que lleguen los artificieros.

Su subordinado se puso tenso e hice una mueca a modo de disculpa.

—No dejes que nadie se acerque a menos de tres metros —continuó Edden—. Si lo tocan, podrían convertirse en un sapo.

—Eso no es cierto —me quejé, pensando que convertirse en un sapo podía resultar muy agradable comparado con lo que Tom era capaz de hacer.

Edden sacudió la cabeza.

—Ahí fuera hay una unidad móvil. No pienso correr ningún riesgo.

Jenks se rió disimuladamente y me sentí reconfortada. Las posibilidades de que encontraran algo eran mínimas, y aunque me sentí como una niña pequeña, que Edden me apoyara la mano sobre el hombro hizo que me encontrara mejor. Sin embargo, la sensación se desvaneció cuando me volví hacia la puerta de la cocina en dirección al lugar por donde se alejaba su subalterno.

—Quizás Alex debería acompañarte a casa ahora mismo —dijo—. Así podrá echarle un vistazo a tu iglesia. Lo digo por tu propia seguridad.

¡Por el amor de Dios! Está intentando librarse de mí.

—Esa es la razón por la que tenemos una gárgola en la cornisa —respondí secamente y, zafándome de él, me encaminé con decisión hacia el interior de la casa. *¡Llevarme a casa por mi propia seguridad! ¡Y una mierda! Si Ivy podía quedarse, ¿por qué yo no?*

—Rachel —protestó Edden mientras hacía girar su corpulento cuerpo para seguirme.

Jenks se echó a reír y, alzando el vuelo, dijo:

—Si yo fuera usted, me rendiría, capitán. Vas a necesitar mucha ayuda si quieres sacarla de aquí. ¿Te acuerdas de lo que Ivy y yo les hicimos a tus hombres la primavera pasada? Añade a Rachel y ya puedes ponerte a rezar.

En aquel momento oí que Edden decía a mis espaldas:

—¿Crees que a Ivy le gustaría tener que trabajar de nuevo como voluntaria en el hospital?

A pesar de todo, yo estaba allí, y él me iba a permitir al acceso al lugar donde se recogían las pruebas. Teniendo en cuenta que aquella era su casa, la AFI estaba convencida de que había sido Tilson el que había atacado a Glenn, pero su abogado podría intentar hacerlo pasar por un robo o por alguna otra cosa. Y eso no me gustaba un pelo.

—Bonita casa —dije recorriendo con la vista las luminosas paredes, los techos bajos y la limpia pero gastada moqueta. A través de un corto pasillo llegamos a una enorme sala de estar. Una vez allí me detuve en seco.

—¡Oh, Dios mío! —exclamé sin poder dar crédito a lo que veía—. Tienen una alfombra de pelo largo.

Una alfombra verde de pelo largo. Aquella podía ser la razón por la que el señor Tilson estaba pirado. Yo también me habría vuelto loca.

En aquel momento quedaba tan solo un puñado de agentes de la AFI trabajando en aquella estancia. Uno de ellos hizo un gesto a Edden para que se acercara, y el capitán se alejó mirándome con severidad para indicarme que no debía tocar nada. El tenue olor al polvo para detectar huellas hizo que me picara la nariz. Ivy se encontraba en una esquina junto a una mujer alta que, a juzgar por las cámaras que le colgaban del cuello, debía de ser la fotógrafa. Ambas estaban examinando en el ordenador portátil las imágenes que había tomado anteriormente.

El lugar estaba bien iluminado y hacía bastante calor, y Jenks abandonó el hombro de Edden para acomodarse en lo alto de las cortinas. Probablemente, la temperatura era aún más agradable allí arriba. Antes de permitirnos la entrada, la AFI había pasado allí la mayor parte de la jornada, pues no les hacía ninguna gracia que me pusiera a revolver su valioso «territorio inexplorado», aunque a mí seguía pareciéndome que le faltaba vida.

La mesita auxiliar de baldosas verdes que separaba el sofá de rayas naranjas y verdes de la chimenea de ladrillos (que, por cierto, habían pintado del mismo color que el suelo) estaba volcada y metida en el hogar. Las cortinas que cubrían los amplios ventanales estaban descorridas y, a través de ellos, se veía el patio trasero. Para mi desgracia, hacían juego con la horrorosa combinación de colores. Al observar el conjunto, sentí ganas de vomitar. Era como si los años setenta se hubieran refugiado en aquel lugar para evitar su extinción y estuvieran preparándose para invadir el mundo.

No se veían restos de sangre a excepción de unas pequeñas salpicaduras en el sofá y la pared, una desagradable mancha marrón que contrastaba con la pintura de color verde amarillento. Tal vez provenía de la nariz rota de Glenn. Alguien había empujado un sillón contra un piano vertical, y algunas partituras sueltas se apilaban sobre el taburete. Apoyado contra la pared en la que se encontraba la amplia ventana desde la que se veía un par de columpios cubiertos de nieve, divisé un cuadro. Había caído del revés, y me moría de ganas de darle la vuelta para ver de qué se trataba.

En una de las esquinas se apoyaba un desaliñado árbol de Navidad, y la mancha oscura de la alfombra que había dejado el agua derramada evidenciaba que en algún momento se había volcado. Había un excesivo número de adornos para una sola habitación, y llamaba la atención especialmente la disparidad de estilos. La mayor parte de ellos no parecían muy caros y se notaba que habían sido fabricados en serie, pero había una bola de nieve de cristal que debía costar unos dos mil dólares, y un antiguo adorno navideño estilo Tiffany. Aquello era muy extraño.

De la repisa colgaban tres calcetines decorativos que también parecían demasiado caros y elegantes en comparación con la mayor parte de los adornos. Tan solo el más pequeño tenía nombre: «Holly». Probablemente el de la niña. No había ninguna fotografía, lo que me pareció bastante insólito teniendo en cuenta que hacía poco que habían tenido un bebé. En la parte superior del piano tampoco había nada.

Jenks había bajado de las cortinas para hablar con el tipo que estaba junto al piano e Ivy tenía la cabeza pegada a la de la fotógrafa. Edden, por su parte, había dejado de prestarme atención. Todos parecían ocupados, así que me acerqué a la chimenea y pasé el dedo por la lisa madera de la repisa intentando dilucidar si en algún momento había habido algún marco de fotos. *Ni rastro de polvo.*

—¡Eh! —exclamó el hombre que estaba con Edden—. ¿Qué demonios estás haciendo?

Con el rostro encendido, miró a Edden, claramente cabreado por el hecho de no poder echarme de allí a patadas.

Todas las miradas recayeron sobre mí y, avergonzada, di un paso atrás.

—Lo siento.

La habitación se había quedado en completo silencio e Ivy alzó la vista del ordenador portátil. Tanto ella como la fotógrafa se quedaron mirándome con expresión interrogante, y me di cuenta de que el contraste entre los oscuros cabellos cortos de Ivy y la melena rubia de la fotógrafa hacía que parecieran el yin y el yang. Recordé haber visto a esta última tomando fotos en las caballerizas de Trent, pero Ivy no había estado allí, y me pregunté cómo había conseguido intimar tanto con ella en tan solo quince minutos para estar cabeza con cabeza discutiendo sobre ángulos y sombras.

Casi con una sonrisa, Edden se aclaró la garganta. Con la cabeza ladeada y alzando una de sus regordetas manos para indicar que él se ocuparía de todo, se puso en marcha. Ivy entregó una de nuestras tarjetas a la fotógrafa y cruzó la habitación para reunirse conmigo. Cuando se encontraba a medio camino, Jenks aterrizó en uno de sus hombros y me di cuenta de que mi compañera le hacía un comentario que provocó una carcajada al pixie.

En el momento en que todos ellos llegaron adonde me encontraba, yo me había cruzado de brazos y había ladeado la cadera en actitud desafiante.

—¡No voy a tocar nada más! —exclamé, preguntándome si la severidad en los rostros de los agentes de la AFI se debía a que me había saltado el protocolo o a la sospecha de que tenía algo que ver en la muerte de Kisten. Sabía que Edden había hecho todo lo que estaba en su mano para desterrar aquellos rumores, pero sus esfuerzos no podían lograr gran cosa contra toda una vida guiada por los prejuicios.

Mirando a Ivy con los ojos entornados, Edden me tomó del codo y me condujo hacia el pasillo. Ivy también sonreía, pero tan pronto como nos vimos rodeadas por la privacidad de aquel pasillo, se puso seria de nuevo.

—Rachel ya está aquí, así que, ¿por qué no dices dónde le dieron la paliza a Glenn? —preguntó, dejándome boquiabierta.

—Fue ahí —dijo mirando por encima de mi hombro en dirección al salón—. Todo el resto parece intacto.

Agité el brazo para que me soltara y me apoyé en la pared. Jenks batió las alas y vino a acurrucarse en mi bufanda, e Ivy sacudió la cabeza con incredulidad.

—No hay suficiente carga emotiva como para que alguien haya sufrido una agresión semejante —sentenció—. ¿Y dices que sucedió esta mañana? Imposible.

Edden torció el gesto y yo miré a Ivy. Los vampiros podían percibir las feromonas que flotaban en el aire y hacer una valoración cualitativa de las emociones a las que habían dado rienda suelta las personas, aunque no resultara muy exacta en cuanto a la cantidad. Por la expresión de Edden, imaginé que conocía aquella habilidad, pero que no confiaba en ella. Tampoco los tribunales, pues desestimaban los testimonios de los vampiros, a menos que hubieran recibido la preparación necesaria, estuvieran registrados y asistieran a un seminario trimestral sobre evaluación. Ivy no cumplía los requisitos, pero si ella hubiera dicho que en aquel lugar no se había producido ninguna pelea, yo la habría creído aunque nos hubiéramos topado con toda una pared ensangrentada.

—No hemos encontrado nada anormal en el resto de la casa —nos informó Edden, e Ivy frunció el ceño—. Si os parece, puedo contaros lo que sí hemos descubierto mientras recorremos las demás habitaciones en busca de… emociones —concluyó.

Esbocé una sonrisa burlona. Ya veríamos cómo iban a reaccionar cuando supieran lo que había descubierto. Sin embargo, Ivy me indicó con la mirada que tuviera la boca cerrada y dejé escapar un suspiro. *De acuerdo… Esperaré.*

—Soy todo oídos —dijo a Edden, recorriendo los escasos metros de pasillo. Caminaba dando largos pasos con aire decidido, y el agente que se encargaba de recoger pruebas con la aspiradora se apoyó contra la pared para dejarle pasar. En primer lugar, entró en un pulcro y opulento dormitorio, decorado con almohadones, ricos drapeados, alfombrillas y hermosos objetos que rodeaban lo que parecía una antigua alcoba de madera tallada. Los cajones estaban abiertos y era evidente que en el armario faltaban algunas perchas. El indiscutible toque femenino no cuadraba mucho con el resto de la casa. Más bien, no pegaba ni con cola, salvo por la bola de cristal, los calcetines y el adorno navideño.

—La hipoteca está a nombre del señor y la señora Tilson —explicó Edden balanceándose sobre los talones con las manos en los bolsillos, dejando claro que no le interesaba la incongruencia de los estilos decorativos—. Son humanos —añadió.

Yo estuve a punto de llevarle la contraria, pero me mordí la lengua.

—Él y su mujer compraron la casa hace, aproximadamente, un año y medio —continuó, y Jenks soltó un bufido que solo yo escuché—. Ella no trabaja fuera de casa para poder cuidar de la niña, pero hemos descubierto que Holly está inscrita en tres guarderías diferentes. El marido trabaja de conserje, tras retirarse después de ejercer de profesor de ciencias en Kentucky. Imagino que solicitó la jubilación anticipada y que quería tener algo que lo mantuviera entretenido y le sirviera para complementar la pensión.

¿Como limpiar la mierda de las paredes del baño de los chicos? ¡Oh, sí! Aquello tenía mucho sentido.

—Hemos pinchado el teléfono y estamos comprobando los movimientos de las tarjetas de crédito —explicó Edden mientras Ivy se movía a hurtadillas por la habitación—. De momento no hemos podido localizar a ningún familiar, ni de ella ni de él, pero en estas fechas mucha gente está fuera por vacaciones y nos está llevando mucho tiempo conseguir información.

De pronto dejó de hablar y se quedó mirándome fijamente.

—¿Por qué estás sonriendo?

Me puse seria de inmediato y forcé un gesto de inocencia.

—Por nada. ¿Qué más habéis descubierto?

—Poca cosa —respondió sin quitarme un ojo de encima—. Pero los encontraremos.

Ivy se alejó del mobiliario como si fuera una sombra y, tras apartar las cortinas con un bolígrafo, asintió con la cabeza al ver el distintivo de una empresa de seguridad pegado en la ventana.

Ella no quiso saber nada. Su brillante ropa de cuero le daba el aspecto de una asesina a sueldo muy bien pagada frente a la elegante decoración oculta en las profundidades de la casa. Alguien tenía un gusto exquisito, y no creía que fuera el conserje Tilson. Tal vez Tilson el matón.

—Aquí tenéis una fotografía reciente —dijo Edden entregándome una copia del carné de la escuela de Tilson. Jenks me pegó un buen susto cuando saltó desde los suaves pliegues de hilo y se quedó suspendido sobre el trozo de papel de tamaño folio. La imagen estaba borrosa, pero según la tarjeta de identificación, tenía el pelo rubio y los ojos azules. Mostraba una expresión seria, con algunas arrugas, y tenía unas pocas entradas.

—Se le ve bastante inofensivo para ser alguien capaz de dar una paliza a un detective de la AFI —dijo Jenks.

—En ocasiones es mejor no fiarse de los que parecen más tranquilos —murmuré preguntándole con un gesto si había terminado antes de devolverle el papel a Edden. Ivy no se había acercado a mirar, así que supuse que ya lo había visto.

—Todavía no hemos encontrado nada sobre la señora Tilson —dijo Edden dando un respingo cuando Ivy abandonó la habitación a toda prisa—, pero estamos trabajando en ello.

Sus últimas palabras sonaron algo distantes, y era fácil adivinar el porqué. Ivy ya estaba rozando esa espeluznante velocidad vampírica que tanto se esforzaba en ocultarme. Dejando a un lado su inquietante rapidez, me divertía verla así, absorta en sus pensamientos. Los únicos momentos en los que se olvidaba del sufrimiento que le producían sus deseos y necesidades y se sentía útil era cuando estaba trabajando.

Edden me siguió hasta el pasillo. No tuvimos ningún problema en averiguar a dónde había ido Ivy. Jenks acababa de pasar volando por delante de la puerta abierta del baño, y al final del pasillo se encontraba un asustado agente de la AFI de cierta edad, con la espalda apoyada en la pared.

—¿Está ahí dentro? —le preguntó Edden. Era evidente que el sudoroso agente no se esperaba toparse de bruces con una impetuosa vampiresa vestida con ropa de cuero, y su superior le dio unas palmaditas en el hombro—. ¿Te importaría comprobar si se han enviado ya las huellas?

El pobre hombre se alejó agradecido, y Edden entró en una habitación que, a todas luces, era el dormitorio de la niña.

Si Ivy ya parecía fuera de lugar en la estancia anterior, en aquel sitio, con la cunita, los lazos con volantes de las cortinas y los costosos juguetes de colores brillantes, daba la impresión de que acabara de llegar de Marte. Y mientras que la vampiresa no pegaba ni con cola, Jenks encajaba de maravilla, revoloteando con las manos en las caderas mientras observaba con cara de asco un dibujo de Campanilla.

—Más que buscando la manera de encontrarlos, estamos recopilando pruebas para un posible juicio —dijo Edden para que no decayera la conversación y seguir ocultando el profundo dolor que se leía en sus ojos—. No pienso permitir que un abogado consiga que los dejemos en libertad enarbolando la bandera de la Constitución.

De repente di un respingo. De golpe y porrazo, uno de los juguetes había empezado a emitir una musiquita, y Jenks, despidiendo una densa nube de polvo, estuvo a punto de chocarse contra el techo, dejando claro quién era el culpable de aquello.

—No se puede salir huyendo con una niña pequeña sin dejar un rastro tras de ti —dije sintiendo una descarga de adrenalina—. Y he oído decir que la madre la tenía muy mimada. —En aquel momento miré al montículo de juguetes—. Basta con que apuestes a uno de tus hombres en la juguetería y, en menos de una semana, darás con ellos.

—Los quiero ya —dijo Edden con gravedad. La música dejó de sonar y, al ver al pixie suspendido en mitad de la habitación con expresión compungida, añadió—: No te preocupes, Jenks. Ya nos vamos de aquí.

¡Ah, claro! Yo me llevo una bronca y a él le dice que no tiene importancia. No obstante, mientras Ivy se dedicaba a curiosear, me dirigí a la mecedora atiborrada de libros, sonriendo al descubrir un título que me era familiar. Entonces me decidí a cogerlos, sin querer abandonar aquel rincón de inocencia y buen gusto. Me había invadido una sensación de melancolía, y era consciente de que estaba relacionado con mi dilema sobre ser madre. Si no hubiera sido por mi enfermedad sanguínea, podría haber tenido alguna oportunidad, pero no podía soportar la idea de que mis hijos fueran demonios.

Acababa de soltar el libro puzle con solapas cuando vi que Ivy se detenía con cautela entre los peluches y las ceras de colores, y se quedaba inmóvil como si el tierno ambiente hogareño fuera contagioso.

—¿Es esta la última habitación? —preguntó, y cuando Edden asintió con la cabeza con expresión de cansancio, añadió—: ¿Estás seguro de que no agredieron a Glenn en algún otro lugar y que luego lo trajeron hasta aquí?

—Bastante. Hay huellas suyas por todo el camino, y llegan directamente hasta la puerta.

Su rostro sereno dejó entrever un atisbo de enfado.

—Pues aquí tampoco hay nada —dijo quedamente—. Absolutamente nada. Ni siquiera el más leve murmullo que indique la presencia de un bebé caprichoso.

Al verla dispuesta a marcharse, apilé los libros encima de una mesa. El sonido sordo de una muñeca de cartón al caer al suelo llamó mi atención y me agaché para recogerla. El espléndido libro con solapas era demasiado extravagante para una casa tan pequeña en un barrio deprimido, pero después de ver el dormitorio, no me sorprendió. Era obvio que no escatimaban en gastos cuando se trataba de la niña. Las piezas no encajaban. Nada de aquello tenía sentido.

Jenks se dirigió rápidamente al hombro de Ivy, con el claro objetivo de animarla. Sin embargo, ella no quiso saber nada y lo despachó agitando la mano en el aire. Edden me esperó junto a la puerta mientras pasaba las páginas del libro para devolver la muñeca a su sitio, pero en el pequeño bolsillo había un bulto duro.

—Un segundo —dije, usando dos dedos para intentar sacarlo. No sabía muy bien por qué, pero la muñeca tenía que volver a su camita, y yo era la única que podía hacerlo. Eso era lo que decían las letras de gran tamaño. Me sentía melancólica, de modo que Edden podía esperar.

No obstante, cuando mis dedos tocaron el pequeño bulto del bolsillo, los retiré de golpe y me los metí en la boca antes de saber lo que estaba haciendo.

—¡Au! —grité sin sacarme los dedos, y me quedé mirando el libro, que había caído sobre la silla.

La expresión de Edden se volvió recelosa, y Jenks vino volando hasta donde me encontraba. Ivy se paró en seco en el umbral, con los ojos negros por la descarga de adrenalina que yo acababa de sufrir. Avergonzada, me saqué los dedos y apunté hacia el libro.

—¡Hay algo ahí dentro! —dije temblando por dentro—. Se ha movido. Hay algo dentro de ese libro. ¡Y tiene pelo! *Y está caliente, y me ha dado un susto de muerte.*

Ivy volvió a entrar en la habitación, pero fue Edden el que sacó un bolígrafo y se puso a escarbar en el bolsillo. Los tres nos encorvamos sobre el cuento mientras que Jenks aterrizó cerca y se inclinó para echar un vistazo.

—Es una piedra —dijo incorporándose y mirándome desconcertado—. Una piedra negra.

—¡Tenía pelo! —exclamé dando un paso atrás—. ¡Y se movía!

Edden introdujo de nuevo el bolígrafo y sacó un trozo de cristal negro que brillaba bajo la luz de la lámpara.

—Aquí tienes a tu ratón —declaró secamente, y yo sentí que la sangre se me helaba cuando me di cuenta de lo que era.

Nos encontrábamos ante una lágrima de banshee. Una jodida lágrima de banshee.

—¡Es una lágrima de banshee! —exclamamos Ivy y yo al unísono, y Jenks soltó un gritito y se puso a revolotear como un loco entre las dos hasta que, finalmente, aterrizó en mi hombro.

Reculé, retorciéndome la mano como si pudiera borrar el haberla tocado. *¡Maldición! He tocado una lágrima de banshee. ¡Oh, mierda! Y, probablemente, podía servir como prueba.*

—¿Te ha parecido que tenía pelo? —preguntó el pixie. Hice un gesto de asentimiento y me miré las yemas de los dedos. No mostraban nada extraño, pero la idea de haber tocado una lágrima de banshee me daba pánico.

Lentamente, la expresión de desconcierto de Edden se desvaneció.

—He oído hablar de ellas —dijo, empujándola con la punta del bolígrafo. Seguidamente se irguió por completo y me miró a los ojos—. Esta es la razón por la que no se percibía ninguna emoción, ¿verdad?

Asentí, decidiendo que también explicaba por qué la casa tenía el aspecto de un hogar, pero no acababa de convencerme. La lágrima de banshee lo explicaba todo. Había aspirado cualquier rastro de amor.

—Las dejan en los lugares donde es probable que exista una fuerte carga emotiva —expliqué preguntándome por qué Ivy estaba tan pálida. Mejor dicho, más pálida de lo habitual—. En ocasiones inclinan la balanza hacia un lado, empeorando las cosas; como si hicieran que la gente se alterara aún más. La lágrima lo absorbe todo, y el banshee regresa para recogerla.

Y yo la había tocado. ¡Puaj!

—¿Esto lo ha hecho un banshee? —preguntó Edden dejando escapar su rabia a través de una grieta en la capa de serenidad que lo recubría—. ¿Provocó que ese tipo le diera una paliza a mi hijo?

—Probablemente no —le respondí pensando en lo que Matt me había contado y dirigiendo la mirada hacia Ivy—. Que la señora Tilson engañara a su marido es razón más que suficiente para que un banshee dejara una lágrima. Apuesto lo que quieras a que se coló en la casa haciéndose pasar por una canguro o algo parecido.

En aquel momento observé la lágrima, oscura y pesada, almacenando las emociones de la agresión a Glenn, y sentí un escalofrío al recordar la calidez que desprendía.

—La SI tiene una lista de todos los banshees de Cincinnati —dije—. Se puede analizar la lágrima para descubrir cuál de ellos lo hizo. Es posible que sepa su paradero. Por lo general, escogen cuidadosamente a sus víctimas y si los rendimientos son buenos, las siguen adonde quiera que vayan. Aunque prefieren alimentarse de forma pasiva, pueden dejar exprimida a una persona en cuestión de segundos.

—Tenía entendido que era ilegal —dijo Edden guardando el cristal en una bolsa de pruebas y cerrándola herméticamente.

—Lo es. —La voz de Ivy sonaba suave, pero daba la impresión de que no se encontraba bien.

Jenks también percibió su estado de ánimo.

—¿Te encuentras bien? —preguntó, y ella cerró por un instante sus ojos levemente almendrados.

—No —respondió ella a punto de echarse a llorar—. Aunque la señora Tilson estuviera engañando a su marido, el sospechoso sabía dónde golpear exactamente a Glenn para dejarlo maltrecho pero sin matarlo. La casa está limpia hasta rozar la obsesión, pero se han gastado demasiado dinero en la niña y en la mujer como para que él sea un maltratador. ¡Por el amor de Dios! Ese tipo ni siquiera tiene un mando para la televisión —dijo apuntando hacia el salón—, pero usan sábanas de seda y han comprado un ordenador para bebés.

—¿Crees que la culpable pudo ser la mujer? —la interrumpí, e Ivy frunció el ceño.

A Edden, sin embargo, pareció interesarle esa posibilidad.

—Si es una inframundana, tal vez una vampiresa viva, podría haberlo hecho. Sabría cómo causar dolor sin provocar lesiones graves.

Ivy emitió un gruñido de desacuerdo.

—Yo sería capaz de olfatear la visita de un vampiro, imagínate si viviera aquí —dijo.

No obstante, seguía teniendo mis dudas. El año pasado no habría creído en la posibilidad de que existiera un hechizo capaz de ocultarle el aroma de un inframundano a otro, pero mi madre había conseguido que mi padre oliera a brujo durante todo su matrimonio.

Me quedé allí de pie intentando averiguar lo que había pasado, y tanto Jenks como yo nos sobresaltamos cuando Edden dio una sonora palmada.

—Fuera de aquí —dijo de pronto, y yo protesté cuando empezó a empujarme hacia el pasillo—. Ivy, Jenks y tú podéis quedaros, pero, Rachel, necesito que salgas de aquí.

—¡Espera un momento! —protesté, pero él siguió empujándome mientras gritaba a alguien que trajera la aspiradora. Ivy se limitó a encogerse de hombros, y me sonrió a modo de disculpa—. Lo siento, Rachel —dijo Edden cuando llegamos al salón, mirándome con ojos divertidos—. Si quieres, puedes husmear en el garaje.

—¿Cómo? —exclamé. Sabía que odiaba el frío, y me lo estaba ofreciendo porque estaba seguro de que no me interesaría—. ¿Por qué dejas que Ivy se quede a colaborar?

—Porque sabe cómo manejarse.

Aquello había sido una grosería.

—¡Serás imbécil! ¡He sido yo la que ha encontrado la lágrima! —exclamé deteniéndome bajo el arco del salón y observando que todos se ponían a murmurar sobre el nuevo curso de los acontecimientos. Algunos incluso volvieron la cabeza, pero no me importó. Se estaban librando de mí.

El rostro de Edden se oscureció por la emoción contenida, pero se calló lo que estaba a punto de decir cuando Alex, el agente que había enviado a vigilar mi coche, entró echando vaho por la boca y con las botas cubiertas de nieve.

—La unidad canina no va a poder examinar tu coche hasta dentro de un par de horas —dijo nerviosamente, al percibir la rabia con que me miraba Edden—. Acaban de descubrir un alijo de azufre en el aeropuerto de los Hollows.

Me sobresalté al descubrir a Ivy a mi lado.

—¿Qué le pasa a tu coche? —preguntó.

Me aparté el pelo de la cara con un bufido.

—He pillado a Tom Bansen justo delante —expliqué—, y me ha entrado la paranoia.

Ivy sonrió.

—No te preocupes por él —dijo—. Estás bajo la protección de Rynn Cormel. No se atrevería.

A menos que los vampiros también me quieran muerta, pensé. Entonces me volví hacia el capitán de la AFI.

—Edden… —me quejé, pero él me puso una mano en el hombro y me condujo hacia la cocina.

—Alex, acompaña a casa a la señorita Morgan —dijo—. Rachel, te llamaré si te necesitamos. Si no quieres marcharte, puedes quedarte en la cocina, pero esto va a llevar varias horas. Probablemente, hasta mañana por la mañana. En mi opinión, es mejor que te vayas a casa.

No le estaba diciendo a Ivy que se fuera a casa. Inspiré profundamente para lamentarme de nuevo, pero alguien lo llamó por su nombre y, antes de que pudiera darme cuenta, había desaparecido dejando tras de sí un leve olor a café.

Un familiar aleteo hizo que dirigiera mi atención hacia Jenks, que volaba hacia mí desde lo alto del marco de un cuadro.

—Lo siento de veras, Rachel —dijo.

Me apoyé en la pared, disgustada.

—Voy a quedarme —dije alzando la voz lo suficiente para que todos me oyeran, y Alex suspiró aliviado y se acercó a la rejilla de la calefacción más cercana.

—¿Por qué no le ha dicho a Ivy que se marche? —pregunté a Jenks a pesar de que conocía de sobra la respuesta. Tenía envidia de que ella, una vampiresa que en una ocasión había dado una paliza a todos los agentes de la AFI que llenaban un piso, encajara mejor que yo, una bruja que les había ayudado a capturar al vampiro maestro de la ciudad. Yo no tenía la culpa de que Skimmer se lo hubiera cargado.

Mierda, pensé. Tal vez debería apuntarme a un curso sobre el protocolo en la escena de un crimen. Cualquier cosa con tal de no tener que quedarme mirando desde la banda mientras los demás jugaban. Yo no era de las que se quedan calentando banquillo. Ni por lo más remoto.

Jenks aterrizó en mi hombro como muestra de apoyo. Sabía que le hubiera gustado ayudarme, y me sentía agradecida por su lealtad. Al ver su movimiento, Edden levantó la vista de su teléfono móvil.

—¿Qué tal está tu dedo? —preguntó de repente.

Le eché un vistazo y vi que tenía buen aspecto.

Sin responderle, me incorporé y salí enfurecida. Jenks alzó el vuelo y se colocó a la altura de mi cabeza para seguirme hasta la cocina vacía.

—Rachel… —empezó, y yo torcí el gesto.

—Puedes quedarte con Ivy, si quieres —le solté despechada, subiéndome la cremallera del abrigo y enrollándome la bufanda alrededor del cuello. No iba a irme a casa. Todavía no—. Estaré en el garaje.

Sus diminutos rasgos mostraron una expresión de alivio.

—Gracias, Rachel. Te mantendré informada de todo lo que averigüemos —dijo, mientras regresaba a la habitación infantil dejando tras de sí una estela de polvo dorado.

¡Es tan injusto!, pensé quitándome los protectores azules de las botas. ¡De manera que mi forma de investigar apestaba! Pues estaba obteniendo resultados mucho más deprisa que toda una casa llena de agentes de la AFI. Al marcharme, di un portazo con la mosquitera y bajé los escalones pisando fuerte. A casa. Sí, claro. Tal vez podía ponerme a hacer galletas. Hombrecitos de jengibre con la placa de la AFI. Y luego les arrancaría la cabeza con los dientes. No obstante, cuando mis pies pisaron el suelo de cemento, aminoré el paso. Seguía muy cabreada, pero Edden me había dicho que podía echar un vistazo al garaje. Pensé que me lo había ofrecido porque sabía que hacía mucho frío, pero ¿por qué no?

Con los brazos en jarras, utilicé la punta de una de mis botas para soltar el sencillo cierre de la caja más cercana. En su interior había un revoltijo de cosas que se parecía a los restos del clásico mercadillo casero de objetos usados: libros, adornos, álbumes de fotos y varias cámaras. Bastante caras, por cierto.

—¿Álbumes de fotos? —me pregunté en voz alta, mirando las silenciosas paredes. ¿Qué tipo de gente guarda los álbumes de fotos en el garaje? Tal vez se trataba de algo temporal, con motivo de las Navidades, o para hacer hueco a los juguetes.

Me dirigí a la siguiente caja y, poniéndome los guantes para combatir el frío, la abrí y encontré más libros y algo de ropa de los años setenta, que tal vez explicaba la decoración del salón. Justo debajo había otra caja que contenía prendas del año anterior. Saqué la primera; un vestido que podría haber encontrado en el armario de mi madre, y pensé que la señora Tilson debió de haber estado algo gruesa en el pasado. El vestido era más grande que yo, pero no era premamá. No se correspondía para nada con la descripción de Matt. Ni tampoco con los que había visto en el armario abierto del dormitorio.

Frunciendo el ceño, lo dejé donde lo había encontrado, y hurgué hasta el fondo, donde encontré un montón de anuarios del colegio.

—¡Bingo! —susurré poniéndome de rodillas y sintiendo que el frío del cemento atravesaba mis vaqueros. No tendría que esperar a que la oficina de Edden encontrara una foto de la pareja. Podía descubrirla yo misma.

Me dolían las rodillas, así que agarré el trineo infantil y me senté encima, con las rodillas casi a la altura de las orejas, mientras ojeaba un anuario en cuya tapa se leía «Clair Smith» escrito a lápiz. Clair se había graduado en un instituto a varios cientos de kilómetros al norte del Estado y, aparentemente, debía de ser muy popular, si el abrumador número de firmas significaba algo. Un montón de adolescentes prometía que le escribirían. Por lo visto hizo un viaje por Europa antes de empezar la universidad.

Había otro anuario de una universidad local en la que se había licenciado en periodismo, en la especialidad de fotografía, y allí había conocido a Joshua, a juzgar por los corazones y flores que rodeaban su firma. En aquel momento dirigí la mirada hacia la caja de los álbumes. Tal vez se trataba de trabajos para la facultad. Eso explicaría también las cámaras fotográficas.

Durante los años de instituto, había formado parte del club de fotografía, y se había graduado en 1982. Me quedé mirando una instantánea que mostraba una mujer subida a una tribuna descubierta rodeada de incómodos adolescentes, y mi dedo se detuvo en el nombre. A menos que se tratara de un error de imprenta, Clair era una joven bastante rellenita con una agradable sonrisa, y no la persona menuda que me había descrito Matt. Y si se había graduado aquel año, debía de tener… más de cuarenta años.

Con expresión desconcertada, me giré para mirar a la pared de la casa como si pudiera atraer a Ivy solo con el pensamiento. ¿Había tenido a su primera hija con más de cuarenta años y quería cinco más? ¿Esperando cinco años entre uno y otro?

Tenía que ser una inframundana. Las brujas vivían ciento sesenta años, y podían tener hijos prácticamente en cualquier momento de su vida, a excepción de los primeros y los últimos veinte años. Tal vez aquel era el motivo de los conflictos familiares. ¿Habría descubierto el señor Tilson que su mujer era una bruja? Pero allí no olía a bruja, ni tampoco a vampiro o a hombre lobo.

Con un suspiro, dejé el libro a un lado y me puse a revolver en la caja hasta que encontré otro en el que se leía «Joshua Tilson». Su colegio había decidido tirar la casa por la ventana y hacer las tapas de polipiel. ¡Qué bonito!

Joshua se había graduado en el Estado de Kentucky el mismo año que Clair. Inmediatamente hojeé las páginas en busca de una imagen. De pronto abrí la boca y un escalofrío hizo que se me tensaran todos los músculos. Lentamente acerqué la página a mi nariz deseando que hubiera algo más de luz. Joshua no se parecía en nada a la foto que me había enseñado Edden.

Paseando la vista por los objetos que me rodeaban, recordé el comentario de Edden sobre la jubilación de Tilson. A continuación pensé en la queja de Matt que consideraba que aquel hombre podía perfectamente cortar el césped de su jardín, su arrebato de rabia, lo joven que era su familia, y que pensaran tener muchos hijos. Aquella gente había puesto en el garaje un montón de cosas que no querían tener en casa, pero que tampoco podían tirar, porque alguien podría haberlas encontrado.

No creía que las personas que vivían allí fueran el señor y la señora Tilson. Eran unos impostores, y no habían podido llamar a una ambulancia por miedo a que los descubrieran, de manera que habían huido.

Un escalofrío me recorrió de arriba abajo, haciendo que me temblaran hasta las puntas de los dedos.

—¡Ivyyy! —grité—. ¡Ivy! ¡Tienes que ver esto!

Durante unos segundos agucé el oído, y descubrí que no venía. Enfadada, agarré el libro y me puse en pie. Las rodillas se me habían agarrotado por el frío, y estuve a punto de caerme, aunque conseguí recuperar el equilibrio justo en el momento en que Ivy asomaba la cabeza.

—¿Has encontrado algo? —preguntó con expresión divertida.

Su comentario no había sido «¿todavía estás aquí?» o «creí que te habías ido», sino «¿has encontrado algo?». Y no se estaba riendo de mí, sino de Edden, que estaba detrás de ella.

Esbocé una sonrisa para indicarle que sí que había averiguado algo.

—El que agredió a Glenn no fue el señor Tilson —sentencié con aire de suficiencia.

—Rachel… —comenzó Edden, y alcé triunfante el anuario y me acerqué a ellos.

—¿Tenéis ya los resultados de la toma de huellas? —pregunté.

—No. Se necesita casi una semana…

—Asegúrate de que las cotejan con las de los criminales inframundanos conocidos —dije, tendiéndole el libro, aunque fue Ivy la que lo cogió—. No las encontrarás si las comparas con la ficha del señor Tilson. Suponiendo que tenga una. Creo que los Tilson están muertos, y quienesquiera que vivieran aquí se apropiaron no solo de sus nombres, sino también de sus vidas.

5

—¡Gracias, Alex! —grité, despidiéndome con la mano del agente de la AFI, mientras se adentraba con su coche en la sombría y silenciosa calle cubierta de nieve tras dejarme en la acera de delante de mi iglesia. Ivy se encontraba ya a mitad del camino de entrada, impaciente por regresar a su guarida, donde tenía sus acorazados recursos para hacer frente a la situación. Había permanecido en silencio durante todo el trayecto de vuelta a casa, y no creía que se debiera al hecho de que tuvieran que traernos porque yo era demasiado gallina para abrir mi coche y comprobar si saltaba por los aires.

Las luces traseras del vehículo de Alex se iluminaron al acercarse a la señal de stop que había al fondo de la calle y me di media vuelta. La iglesia en la que convivía con Ivy y Jenks estaba toda iluminada y en calma, y los colores que salían a través de las vidrieras recaían sobre la nieve intacta creando unos maravillosos remolinos. Examiné la parte inferior del tejado para ver si divisaba a Bis, la gárgola que se había instalado en la cornisa, pero no había nada entre las pequeñas vaharadas blancas que salían de mi boca. La iglesia estaba muy bonita con la decoración navideña y del solsticio, repleta de brillantes guirnaldas y alegres lazos, y sonreí, feliz por vivir en un lugar tan especial.

En otoño, Jenks había arreglado por fin los focos que iluminaban el campanario, lo cual contribuía a tal belleza. Hacía años que el edificio no se utilizaba como templo, pero estaba santificado, otra vez. En un principio Ivy había elegido una iglesia como sede para nuestra empresa de cazarrecompensas para hacer rabiar a su madre no muerta y, a pesar de que alguna vez había surgido la ocasión, nunca nos habíamos trasladado a un local comercial. Me sentía segura en aquel lugar. Y también Ivy. Y Jenks necesitaba el jardín posterior para alimentar a sus casi cuatro docenas de hijos.

—¡Date prisa, Rachel! —se quejó Jenks desde debajo de mi sombrero—. Me cuelgan carámbanos.

Esbozando una sonrisa burlona, seguí a Ivy por el camino de acceso en dirección a los desgastados escalones de la parte delantera. Jenks tampoco había abierto la boca en todo el viaje y casi deseé escuchar qué pasaba el noveno día de Navidad con tal de no verme obligada a ocuparme yo sola de dar conversación a Alex. No conseguía descifrar si mis compañeros, especialmente Ivy, habían estado pensando o solo era que estaban cabreados.

Tal vez pensaba que la había puesto en evidencia al descubrir que los Tilson eran unos impostores antes que ella. O quizás estaba disgustada porque le había pedido que se acercara a echar un vistazo al barco de Kisten. Ella también lo quería. Su amor por él era más profundo que el mío, y desde hacía más tiempo. Había pensado que estaría deseosa ante la posibilidad de encontrar al vampiro que lo había asesinado y que había intentado convertirme en su juguetito.

Ivy se detuvo en los escalones cubiertos de sal, y levanté la cabeza cuando la oí soltar una palabrota en voz baja. Me detuve y dirigí la mirada hacia donde apuntaban sus ojos, el rótulo comercial.

—¡Serán desgraciados! —masculló al ver la pintada «Bruja negra» cuya última letra chorreaba por toda la placa de latón hasta gotear sobre las puertas de roble macizo.

—¿Qué pasa? —gritó Jenks, que no podía ver nada, dándome un tirón de pelo.

—Alguien ha estado redecorando el rótulo —explicó Ivy en tono insulso, aunque era evidente que estaba furiosa—. Tendremos que empezar a dejar algunas luces encendidas —dijo entre dientes, tirando de la puerta con fuerza.

—¿Luces? —exclamé—. ¡Pero si ya tenemos más luces que… una iglesia!

Ivy ya estaba en el interior, y permanecí allí de pie, con los brazos en jarras, cabreándome cada vez más. Era un ataque contra mí, y me llegó a lo más hondo después de la insinuación de animadversión en la escena del crimen. *Hijo de puta.*

—¡Bis! —grité alzando la vista y preguntándome dónde se habría metido nuestro pequeño amigo—. ¿Estás ahí?

—Rachel —dijo Jenks tirándome una vez más del pelo—. Quiero ver si Matalina y los niños están bien.

—¡Sí, claro! ¡Lo siento! —farfullé.

Ajustándome el abrigo, entré en la iglesia y cerré de un portazo. Enfadada, bajé la tranca de un golpe, aunque técnicamente estábamos abiertos hasta media noche. Sentí que se alzaba levemente mi gorro, y Jenks salió disparado hacia el santuario. Me lo quité despacio y lo colgué en el perchero, y mi estado de ánimo se relajó al oír un agudo coro de «holas» proveniente de sus hijos. La última vez había tardado cuatro horas en raspar la pintura. ¿Dónde demonios estaba Bis? Esperaba de todo corazón que no le hubiera pasado nada.

Quizás debería hechizar el letrero, pensé, pero no creía que existiera un conjuro capaz de hacer que el metal se volviese impermeable a la pintura. También podía colocar una maldición que le provocara acné a quien la tocara, pero sería ilegal. Y ¡maldita sea!, a pesar de lo que dijera la pintada, yo no era una bruja negra.

El calor de la iglesia penetró en mí y colgué el abrigo en una percha. Más allá del oscuro vestíbulo sin ventanas, al fondo del santuario, se encontraba mi escritorio, donde solía estar el altar, que en aquel momento servía como residencia invernal para Jenks y su familia y cuya tapa corrediza estaba cubierta de plantas. Era más seguro que hibernar en el tocón del jardín trasero, y dado que yo nunca lo usaba, tan solo tenía que soportar la indignidad de encontrarme a un montón de chicas pixie jugando con mi maquillaje o usando los pelos de mi cepillo para construir hamacas.

Frente a mi escritorio había un grupo informal de muebles alrededor de una mesa de centro. También había una televisión y una cadena de música, pero era más un lugar para entrevistar clientes que una verdadera sala de estar. Nuestros clientes no vivos tenían que entrar por la parte trasera y la parte no santificada de la iglesia hasta nuestra sala de estar privada. Allí se encontraba el árbol de Navidad de Ivy, con solo un regalo debajo. Después de destrozar el abrigo de David mientras intentaba seguir la pista a Tom, había tenido que comprarle uno nuevo. En aquel momento se encontraba en las Bahamas con las chicas, asistiendo a un seminario sobre seguros.

En una de las esquinas delanteras de la iglesia estaba el piano de media cola de Ivy, que no se veía desde donde estaba, y justo enfrente, una esterilla que utilizaba cuando Ivy había salido. Ella iba al gimnasio para mantener su figura o, al menos, eso es lo que decía cuando salía de casa nerviosa y regresaba relajada y satisfecha. Justo en medio de todo ello, se situaba la maltrecha mesa de billar de Kisten, que habíamos rescatado de la cuneta en vista de que no podíamos tenerlo a él.

Mientras me quitaba las botas y las dejaba debajo del abrigo, mi estado de ánimo pasó lentamente del enfado a la melancolía. Una buena parte de los hijos de Jenks estaba sobre las vigas cantando villancicos, y no era fácil seguir disgustada con su etérea melodía a tres voces mezclada con el olor a café.

Café, pensé dejándome caer en el sofá y apuntando hacia el equipo de música con el mando a distancia. La música de Crystal Method, rápida y agresiva, inundó el ambiente y, tras arrojar el mando sobre la mesa, subí los pies para apartarlos de la corriente. El café ayudaría a mejorar las cosas pero, probablemente, faltaban al menos cinco minutos para que estuviera listo. Después del viaje apiñados en el coche patrulla, Ivy necesitaba un poco de espacio.

En aquel momento Jenks descendió hasta el elaborado centro de mesa que había traído una noche el padre de Ivy. Era todo destellos dorados, pero el pixie, que se había posado en uno de los bucles de madera pintada, quedaba muy propio. Lo acompañaba uno de sus hijos pequeños, que tenía las alas pegadas con pegamento y que lloraba desconsoladamente.

—No dejes que te afecte, Rachel —dijo Jenks dejando escapar un poco de polvo y rociando el pliegue que formaban las alas de su hijo—. Mañana te ayudaré a retirar la pintura.

—No hace falta. Ya lo haré yo —respondí asqueada por la idea de que, quienquiera que lo hubiera hecho, podría pasar con su coche y verme encaramada a la escalera con el culo en pompa. Era un todo detalle por parte de Jenks ofrecerse a ayudarme, pero hacía demasiado frío—. Y no me afecta —me quejé.

En ese momento reparé en los minúsculos copos de nieve de papel recortado que decoraban las ventanas. *Ahora entiendo lo del pegamento.* Tenían el tamaño de la uña de mi dedo meñique, y eran la cosa más mona que había visto en mi vida.

—Nadie valora las cosas buenas que hago —dije mientras el hijo de Jenks se retorcía bajo la atenta mirada de su padre—. ¿Qué importancia tiene que invoque a un demonio si, al final, todo acaba bien? Me refiero al hecho de que tú mismo digas que Cincinnati no es mejor sin Piscary. Rynn Cormel es mucho mejor como jefe del crimen organizado que él. Y a Ivy también le gusta.

—Tienes razón —admitió el pixie despegando cuidadosamente las alas de su hijo. Detrás de él, Rex, la gata de Jenks, asomaba la cabeza desde el oscuro vestíbulo, adonde llegaba desde el campanario atraída por la voz de su diminuto dueño. Hacía solo una semana que Jenks había instalado una portezuela en la escalera que conducía al campanario, cansado de pedir continuamente que alguien le abriera la puerta al animal. Al minino le encantaba el campanario con sus altas ventanas, y también facilitaba el acceso a Bis, aunque la gárgola, que tenía el mismo tamaño de un felino, tampoco es que entrara mucho.

—Y luego está Trent —añadí sin quitarle ojo a Rex, pues Jenks estaba preocupado por que su pequeño no pudiera salir volando—. Cuando el estúpido millonario e hijo predilecto de la ciudad se quedó atrapado en siempre jamás, ¿a quién le tocó negociar con los demonios para salvar su maldito culo?

—¿A la misma persona que lo llevó hasta allí? —preguntó Jenks, provocando que lo mirara con los ojos llenos de rencor—. ¡Eh, gatita, gatita! ¿Cómo está mi querida bola de pelusas? —canturreó.

A mí me pareció demasiado arriesgado, pero, al fin y al cabo, era su gata.

—Fue idea de Trent —dije dando golpecitos en el suelo con el pie—. Y ahora soy yo la que tiene que ir a siempre jamás cada dos por tres para pagar su rescate. ¿Y crees que alguna vez me han dado las gracias por ello? No. Lo único que he conseguido es que me llenen la puerta de casa de pintadas.

—Has conseguido recuperar tu vida —dijo Jenks—, y que Al dejara de perseguirte para acabar contigo. Conseguiste un acuerdo en siempre jamás según el cual, si un demonio decide meterse contigo, tendrá que vérselas primero con Al. Y, por último, has conseguido que Trent no le cuente a nadie lo que eres. Podría haberte destruido allí mismo. Si hubiera querido, no te habrías encontrado unas pintadas en tu puerta, sino una hoguera con un poste en el jardín delantero, contigo atada.

Me quedé helada, sin poder creer lo que estaba oyendo. *¿Lo que soy?* ¿Debía estarle agradecida porque no se lo hubiera contado a nadie? Si le hubiera revelado a alguien lo que era, habría tenido que explicar cómo me volví así, lo que hubiera provocado que lo quemaran en la hoguera junto a mí.

Ajeno a mis pensamientos, Jenks observaba a su hijo con una sonrisa.

—¡Ya está, Jerrimatt! —exclamó afectuosamente dándole un empujoncito a su pequeño y cubriendo la mesa de un montón de chispas brillantes—. Y si, por casualidad, las manoplas de Jack acabaran llenas de pegamento, no tendré ni la más remota idea de quién es el culpable.

Las minúsculas alas del pixie se desplegaron poniéndose en movimiento y una nube de polvo dorado los envolvió a ambos.

—Gracias, papá —dijo Jerrimatt mientras en sus ojos, húmedos por las lágrimas, asomaba un familiar destello perverso.

Jenks contempló cómo su hijo se alejaba con una expresión de ternura. Rex también lo observaba, agitando la cola. Girándose hacia mí, Jenks se dio cuenta de que estaba de un humor de perros. *Conque Trent se ha callado lo que soy, ¿eh?*

—Me refería —reculó el pixie— a lo que te hizo el padre de Trent.

Algo más calmada, bajé los pies de la mesa y los puse en el suelo.

—Vale, no importa —farfullé frotándome la muñeca y la marca demoníaca que había en ella. Tenía otra en el pie, ya que Al todavía no me la había quitado a cambio de su nombre de invocación, para disfrutar del hecho de que le debiera dos marcas. Vivía con la inquietud de que alguien me encerrara en un círculo demoníaco, pero nadie había intentando invocar a Al. De momento.

Las marcas demoníacas eran algo difícil de explicar, y más gente de la que me hubiera gustado sabía a qué se debían. Eran los vencedores los que escribían los libros de historia, y yo no estaba venciendo. Pero, al menos, no tenía que vivir en siempre jamás representando el papel de muñeca hinchable de un demonio. No, tan solo tenía que hacerle de discípula.

Reclinando la cabeza hacia atrás y contemplando el techo grité:

—¡Ivy! ¿Está listo el café?

Rex salió disparada de debajo de la mesa de billar al oír mi voz, y al escuchar la respuesta afirmativa de Ivy, apagué el estéreo y me puse en pie tambaleándome. Jenks se fue a ayudar a Matalina a disolver una pelea por la purpurina, y yo me adentré en el largo pasillo que dividía en dos la parte trasera de la iglesia. En aquel momento, pasé por delante de lo que habían sido los servicios de señoras y caballeros, y que se habían convertido en el opulento cuarto de baño de Ivy, y mi aseo, mucho más espartano, que también albergaba la lavadora y la secadora. A continuación se encontraban nuestros respectivos dormitorios que, en mi opinión, en su momento debieron albergar los despachos parroquiales. Aunque el oscuro pasillo no cambiaba, al adentrarme en la parte no consagrada de la iglesia, que había sido añadida posteriormente, tuve la sensación de que el aire era distinto. Era allí donde se encontraban la sala de estar privada y la cocina. Si esta hubiera estado consagrada, habría dormido allí.

En pocas palabras, adoraba mi cocina. Ivy la había remodelado antes de que yo me mudara, y era la mejor estancia del edificio. A través de la ventana situada sobre el fregadero, que estaba cubierta por unas cortinas de color azul, se veía el jardín en el que cultivaba las plantas para preparar los hechizos. Más allá se encontraba el cementerio, lo que, en un principio, me había incomodado, pero después de un año pasando el cortacésped, les había cogido cariño a las lápidas deterioradas por el tiempo y a los nombres olvidados.

En el interior, predominaban los relucientes muebles de acero inoxidable y la radiante luz de los fluorescentes. Había dos hornillos, uno de gas y otro eléctrico, de manera que no tenía que preparar los encantamientos y la comida en la misma superficie. Las encimeras eran muy extensas, y cuando elaboraba los hechizos, tenía que usarlas en toda su extensión, lo que sucedía muy a menudo, pues los embrujos que usaba podían salir muy caros, a menos que los preparara yo misma. En ese caso, resultaban muy económicos.

En el centro había una isla rodeada por un círculo grabado sobre el linóleo. Anteriormente guardaba allí mis libros de hechizos, en los estantes abiertos de debajo, hasta que Al quemó uno de ellos por despecho y decidí llevármelos al campanario. La encimera central era un lugar seguro para preparar encantamientos, a pesar de que no estuviera consagrada.

Apoyada contra la pared posterior había una mesa de madera rústica. Ivy estaba sentada en la esquina más lejana, cerca del pasaje abovedado que conducía al vestíbulo, con su ordenador, su impresora, y un montón de papeles cuidadosamente clasificados. Cuando nos instalamos en la iglesia, podía disponer de la mitad de ella, pero en aquel momento podía darme por satisfecha si me dejaba una esquina para poder comer. En consecuencia, me había apropiado del resto de la cocina.

Ivy levantó la vista del teclado y dejé el bolso sobre el correo del día anterior, que todavía no habíamos abierto, y me derrumbé en mi silla.

—¿Quieres que prepare algo de comer? —pregunté al darme cuenta de que era casi medianoche.

Ella se encogió de hombros y miró de reojo las facturas.

—Sí, claro.

Sabía que le sacaba de quicio, así que dejé el correo donde estaba, debajo de mi bolso, y me puse en pie de nuevo con intención de sacar una sopa de tomate y unas galletas saladas con sabor a queso. En caso de que le apeteciera algo más, lo diría. Al sacar una lata de sopa de los estantes de la despensa, sentí una punzada de preocupación. A Glenn le gustaban los tomates. ¡Oh, Dios! Esperaba que se pusiera bien; que se hubiera quedado sin conocimiento me tenía preocupada.

Mientras me hacía con un abrelatas, Ivy pinchó con el ratón sobre un par de direcciones web. A continuación me quedé mirando indecisa las cazuelas de cobre donde preparaba los hechizos y opté por utilizar un cazo algo más mundano. Mezclar la magia con la comida no era una buena idea.

—¿Investigando? —pregunté, consciente de que su silencio se debía a que todavía estaba disgustada por algo.

—Estoy buscando banshees —se limitó a responder, y esperé que no fuera consciente de lo mona que estaba con el extremo del bolígrafo entre los dientes. Sus colmillos eran afilados, pero no se volverían largos hasta que estuviera muerta. Y hasta entonces, tampoco adquiriría la sensibilidad a la luz o la necesidad imperiosa de sangre para sobrevivir. Eso sí, le gustaba con locura, y a pesar de que le resultaba increíblemente difícil renunciar a ese placer, podía vivir sin ella.

La lata emitió un sonido metálico al abrirse, y yo suspiré.

—¿Ivy? Lo siento.

Ella movió un pie hacia delante y hacia atrás, como si fuera la cola de un gato enfadado.

—¿Qué es lo que sientes? —preguntó dócilmente y dejando de mover el pie cuando vio que lo había notado.

Que mis métodos hayan dado fruto antes que los tuyos, pensé. No obstante, lo que dije fue:

—¿Por pedirte que te pasaras por el barco de Kisten?

Detestaba el tono interrogativo de mi voz, pero no tenía ni idea de lo que le molestaba tanto.

Ivy alzó la vista, y estudié la aureola marrón que rodeaba sus pupilas. Era amplia e intensa, lo que me indicaba que tenía las emociones bajo control.

—No pasa nada —dijo, y fruncí el ceño, al percibir que había algo más detrás de sus palabras.

Dándole la espalda, sacudí la sopa solidificada, que cayó en el cazo con un golpe seco.

—Si quieres, puedo acompañarte. No me importa. —En realidad sí que me importaba, pero ya tenía pensado ofrecerme.

—No hace falta. Lo tengo todo controlado —dijo en un tono más agresivo.

Suspiré y me puse a buscar una cuchara de madera. Ivy solía afrontar las situaciones embarazosas ignorándolas, y aunque yo no estaba en contra de evitar ciertos asuntos para hacer la convivencia más agradable, tenía tendencia a clavar estacas a los vampiros mientras dormían si pensaba que podía salir impune.

En aquel preciso instante sonó el teléfono y, cuando fui a cogerlo arrasando con todo lo que encontraba a mi paso, alcancé a ver su mirada asesina.

—Encantamientos Vampíricos —respondí educadamente—. ¿En qué puedo ayudarle?

Tiempo atrás solía contestar dando mi nombre, pero había dejado de hacerlo después de la primera pintada.

—¿Rachel? Soy Edden —dijo el capitán de la AFI con voz cascada—. Me alegro de que estés en casa. Estamos teniendo algunos problemas para sacar las huellas…

—¿Ah siiií? —lo interrumpí mirando a Ivy con expresión burlona y girando el auricular para que pudiera oírle con la extraordinaria capacidad auditiva característica de los vampiros—. ¡Quién lo iba a decir!

—Las han enviado varias veces a las oficinas equivocadas —prosiguió, demasiado concentrado como para percibir mi sarcasmo—, pero hemos descubierto que la lágrima de banshee pertenece a una tal Mia Harbor. Anda rondando por ahí desde que Cincinnati no era más que una granja de cerdos, y quería pedirte que te pasaras mañana, sobre las nueve, para ayudarnos a interrogarla.

Me recliné sobre la encimera con una mano en la frente. Lo que quería es que le llevara un amuleto de la verdad. Los humanos eran expertos en interpretar el lenguaje corporal, pero con una banshee era condenadamente difícil. O, al menos, eso tenía entendido. La SI nunca mandaba a los brujos a perseguir banshees.

Ivy me miraba con sus ojos marrones muy abiertos. Parecía sorprendida. Mejor dicho, estupefacta.

—Demasiado temprano —respondí preguntándome qué demonios le pasaba—. ¿Qué te parece a mediodía?

—¿A mediodía? —repitió—. Necesitamos actuar rápidamente.

Entonces, ¿por qué me echaste a patadas precisamente cuando estaba haciendo progresos?

—Necesitaré toda la mañana para preparar un hechizo de la verdad. Esas cosas son caras. A menos que quieras encontrarte sobre tu mesa una factura por un valor de cinco mil dólares a la que habría que añadir mis honorarios de asesoría.

Edden se quedó en silencio, pero podía percibir su frustración.

—A mediodía —repetí, sintiéndome como si acabara de ganar varios puntos. En realidad, tenía un amuleto de verdad en mi armario de hechizos, pero normalmente no me levantaba antes de las once—. Siempre que hayamos acabado para las dos. Tengo que ir a recoger a mi hermano al aeropuerto.

—No hay problema —dijo—. Te mandaré un coche. Nos vemos allí.

—¡Una cosa más! ¿Le han echado ya un vistazo al mío? —pregunté. Desgraciadamente, la línea se había cortado—. Mañana —dije con una sonrisa, colgando el auricular. A continuación me dirigí al frigorífico con aire desenfadado para sacar la leche y, al darme cuenta de que Ivy seguía allí sentada, inquirí—: ¿Pasa algo?

Ivy se reclinó sobre su silla con expresión preocupada.

—En una ocasión coincidí con Mia Harbor. Justo antes de que me asignaran trabajar contigo en la SI. Es una anciana… interesante.

—¿Una dulce ancianita? —pregunté abocando la leche. Si andaba rondando por ahí desde que Cincy era una ciudad de granjeros, probablemente debía de ser muy, pero que muy anciana.

Cuando miré a Ivy, que tenía el ceño fruncido, volvió a concentrar la vista en la pantalla. Su comportamiento no era el habitual.

—¿Qué pasa? —le pregunté intentando sonar lo más neutra posible.

—Nada —respondió dejando de dar golpecitos sobre la mesa con el bolígrafo. Resoplé.

—Hay algo que te molesta. ¿Qué es?

—¡Nada! —insistió alzando la voz.

En aquel momento Jenks entró volando en la cocina agitando las alas a toda velocidad. Con una sonrisa burlona, aterrizó en la isla central, justo entre las dos, y adoptó su mejor postura de Peter Pan.

—Creo que Ivy está cabreada porque fuiste tú la que encontró la lágrima de banshee y ella no —explicó. Ivy empezó de nuevo a dar golpecitos con el bolígrafo, pero esta vez lo hacía tan deprisa que casi emitía un zumbido.

—Buena respuesta —mascullé vertiendo la leche en la sopa. Por unos instantes solo se oyeron los breves chasquidos del mechero, hasta que, finalmente, el gas prendió con un bufido y lo puse al mínimo.

—¿Dónde se ha metido esa gárgola amiga tuya? Se suponía que tenía que hacer guardia durante la noche.

—No tengo ni idea —dijo sin el más mínimo atisbo de preocupación—. Tal vez haya ido a visitar a sus colegas. A diferencia de algunos de los presentes, tiene una vida.

—Estoy encantada de que Rachel encontrara la lágrima —interrumpió Ivy, secamente.

Miré a Jenks por encima de mi hombro, y él, alentado por contar con mi consentimiento, se puso a revolotear a su alrededor dibujando molestos círculos. Tenía más posibilidades que yo de salir airoso, y si no averiguábamos pronto lo que le molestaba, cuando quisiéramos atajarlo, podría ser demasiado tarde.

—Entonces, estás furiosa porque llevas seis meses trabajando en el asesinato de Kisten, y Rachel consiguió mucho más en seis minutos con solo olfatear el suelo —intentó adivinar.

Ivy se echó hacia atrás, poniendo la silla sobre las dos patas traseras, y empezó a balancearse como si intentara encontrar el equilibrio, aunque probablemente estaba calculando dónde tenía que situarse para atraparlo.

—Los dos métodos de investigación son igualmente válidos —dijo mientras sus pupilas se dilataban—. Y solo llevo tres meses. Los tres primeros no hice nada por encontrarlo.

Continué removiendo la sopa en dirección de las agujas del reloj y Jenks se alzó dejando tras de sí una columna de polvo brillante y abandonó la cocina. El ruido de los pixies en el santuario había alcanzado niveles alarmantes y me di cuenta de que quería resolverlo él para darle un respiro a Matalina. Estaba pasando el invierno muy bien, pero, aun así, estábamos preocupados por ella. Diecinueve eran muchos años para un pixie.

El hecho de que Ivy no hubiera hecho nada por encontrar al asesino de Kisten no nos había sorprendido. El dolor había sido tan profundo que incluso llegó a pensar que lo había hecho ella.

—No me importa ir contigo esta noche —sugerí de nuevo—. Ford dejó la escalera puesta.

—Voy a hacerlo sola.

Incliné la cabeza sobre la sopa, llenándome los pulmones del aroma ácido y percibiendo el dolor de Ivy una vez que Jenks se había marchado dejándolo todo revuelto. Yo había sido la novia de Kisten, aunque Ivy también lo quería, pero el suyo era un amor más profundo, que nacía de las entrañas y que tenía la fuerza del pasado, a diferencia del mío, que estaba basado en la idea de un futuro. Y allí estaba yo, obligándola a enfrentarse a su dolor.

—¿Te encuentras bien? —le pregunté en voz baja.

—No —respondió con rotundidad.

Dejé caer los hombros.

—Yo también lo echo de menos —susurré. Acto seguido me di la vuelta y vi su perfecto rostro paralizado por un profundo pesar. No podía hacer nada por evitarlo y, arriesgándome a provocar un malentendido, crucé la habitación—. Todo se va a arreglar —aseguré, tocándole el hombro brevemente antes de retirarme y dirigirme a la despensa a por las galletas saladas.

Cuando salí, Ivy tenía la cabeza gacha y, mientras yo sacaba dos cuencos y los colocaba junto con las galletas saladas sobre la mesa, tras apartar mi bolso y las cartas que había debajo, ella no dijo ni una palabra. Incómoda por el silencio, me situé de pie delante de ella, indecisa.

—Ummm…, estoy empezando a recordar algunas cosas —dije. Ella alzó la vista y clavó sus oscuros ojos en los míos—. No quise decírtelo delante de Edden porque Ford piensa que, cuando lo descubra, reabrirá el caso.

Sus pupilas parpadeaban levemente por el miedo, y de pronto, se me cortó la respiración. *¿Ivy estaba asustada?*

—¿Qué es lo que has recordado? —preguntó, y sentí que se me secaba la boca. Ivy nunca se asustaba. Podía estar cabreada, fría, seductora e incluso, ocasionalmente, fuera de control, pero nunca asustada.

Me encogí de hombros, intentando adoptar una actitud despreocupada y, cuando reculé, una astilla de mi propio miedo se deslizó bajo mi piel.

—Estoy convencida de que fue un hombre. Lo he recordado hoy. Cuando intenté dispararle, agarró una bola de pintura sin romperla. Y después de que intentara escapar, me arrastró bocabajo por todo el pasillo. —Entonces me miré las yemas de los dedos y me llevé la mano al vientre. Con la vista puesta en el pasillo que había detrás de Ivy, susurré—: Intenté abrirme paso con las uñas a través de la pared.

—¿Un hombre? —preguntó con una voz apenas audible—. ¿Estás segura?

¡Oh, no! Espero que no siga creyendo que fue ella, pensé mientras asentía con la cabeza, haciendo que todo su cuerpo se relajara de golpe.

—Ivy, ya te dije que no habías sido tú —le espeté—. ¡Dios! ¡Soy perfectamente capaz de reconocer tu olor, y te digo que no estuviste allí! ¿Cuántas veces voy a tener que repetírtelo?

No me importaba que resultara realmente extraño que supiera distinguir el olor de Ivy. ¡Maldita sea! Llevábamos un año compartiendo casa. Ella conocía mi olor.

Ivy apoyó los brazos a ambos lados del teclado y apoyó la frente sobre el cuenco que formaba con las manos.

—Pensaba que había sido Skimmer —dijo secamente—. Creí que lo había hecho ella. Sigue sin querer verme, y pensé que era ese el motivo.

Sorprendida, me quedé mirándola con la boca entreabierta. Las cosas empezaban a cobrar sentido. Ahora entendía por qué Ivy no se había dejado los cuernos en encontrar al asesino de Kisten. Skimmer no solo había sido su mejor amiga del instituto, sino también su novia, y ambas habían compartido su sangre y sus cuerpos durante el periodo en que Ivy había estudiado en un internado de la costa Este. La inteligente y taimada vampiresa se había trasladado al Este para sacar a Piscary de prisión y, con un poco de suerte, convertirse en un miembro de una camarilla foránea para poder estar con Ivy; la eminente abogada no hubiera tenido ningún reparo en matarnos a mí o a Kisten si lo hubiera considerado necesario para conseguir sus propósitos. Estaba en prisión por haber asesinado al maestro de la ciudad delante de testigos y lo más probable es que permaneciera allí hasta que muriera y se convirtiera en una no muerta.

—Kisten no podía haber sido asesinado por otro vampiro vivo —dije compadeciéndome de Ivy por haber soportado aquel peso ella sola durante seis jodidos meses.

Cuando nuestras miradas se encontraron, sus profundos ojos marrones ya no mostraban ningún miedo.

—Hubiera permitido que Skimmer lo matara si Piscary se lo hubiera entregado a ella. —Ivy miró su reflejo en la especie de cuadrado negro en que se había convertido la ventana después de que oscureciera—. Lo odiaba. Y también te odia a ti… —De pronto se interrumpió y desplazó el teclado con nerviosismo—. Me alegro de que no fuera ella.

La sopa estaba bullendo y amenazaba con desbordarse, así que me puse en pie dándole un suave apretón en el hombro como muestra de apoyo y me giré para bajar el gas.

—Fue un hombre —dije soplando en la parte superior y apagando el gas—. Todo se va a arreglar. Lo encontraremos y podremos poner fin a todo esto.

Me encontraba de espaldas a ella, y me quedé petrificada al sentir un leve cosquilleo en el cuello, en la cicatriz que me había causado y que estaba oculta bajo mi piel suavizada por un hechizo. Sentí que los músculos de mi rostro se relajaron y los movimientos al remover la sopa se ralentizaban mientras aquella sensación se transformaba en una tenue impaciencia que alcanzó lo más profundo de mi ser y rebotó. Sabiendo que Ivy no podía verme, cerré los ojos. Conocía aquella sensación. La echaba de menos, incluso mientras luchaba en contra de mis instintos por liberarme de ella.

Con la sensación de alivio que le había producido saber que Skimmer no hubiera matado a Kisten, inconscientemente Ivy había llenado el ambiente de feromonas que aplacaban y relajaban una potencial fuente de sangre y éxtasis. No andaba tras mi sangre, pero llevaba seis meses en tensión, y quizás ese era el motivo por el que aquel ligero rastro de feromonas resultaba tan agradable. Inspiré profundamente, disfrutando del torrente de deseo que hacía que sintiera un nudo en el bajo vientre y que la cabeza me diera vueltas. No pensaba actuar en consecuencia. Ivy y yo teníamos una relación platónica bastante sólida y quería que siguiera siendo así. Pero eso no me impedía disfrutar de aquel pequeño lujo.

Suspirando, me obligué a concentrarme en lo que estaba haciendo. Recobré la compostura y empujé hacia dentro el asomo de deseo, hacia un lugar donde pudiera ignorarlo. Si no lo hacía, Ivy percibiría mi buena disposición y nos encontraríamos de nuevo en el mismo punto que seis meses antes, inseguras, inquietas y demasiado confundidas.

—¿Piensas abrir tu correo este siglo? —preguntó Ivy con voz distante—. Te ha llegado una carta de la universidad.

Feliz por tener algo con lo que distraerme, di unos golpecitos con la cuchara en el borde del cazo y la apoyé en el portacucharas.

—¿Ah sí? —dije girándome y encontrándola mirando el montón de cartas medio escondidas. Limpiándome los dedos en los vaqueros, me acerqué y extraje el delgado sobre con el logotipo de la universidad de debajo de mi bolso y dejé los demás, lo que le molestó soberanamente. Me había inscrito en un par de cursos sobre líneas luminosas justo antes de las vacaciones de invierno, y esperaba que se tratase de la confirmación. Sabía utilizar las líneas luminosas, pero todo lo que sabía lo había aprendido improvisando sobre la marcha. Necesitaba desesperadamente algunas clases antes de que acabara friéndome las neuronas.

Ivy descruzó las piernas y se concentró en el ordenador mientras yo deslizaba el dedo bajo la solapa y, finalmente, tuve que romper el sobre para abrirlo del todo. Acto seguido saqué la carta, y el cheque que había enviado planeó en el aire hasta aterrizar en el suelo. Ivy se acercó a él en un abrir y cerrar de ojos, y su pelo corto osciló cuando se dobló para recogerlo.

—Han rechazado mi solicitud —dije, desconcertada, leyendo rápidamente el escrito formal—. Según dicen, ha habido algún problema con el cheque. —Entonces busqué rápidamente la fecha de debajo del encabezamiento. Mierda. Estaba fuera de plazo para la preinscripción y tendría que pagar otra tasa—. ¿Acaso me olvidé de firmarlo?

Ivy se encogió de hombros y me lo entregó.

—No. En realidad, creo que guarda relación con que la última vez que participaste en uno de sus cursos, murió una profesora.

Con un gesto de fastidio, volví a guardar todo en el sobre. ¿Problemas con el cheque? ¡Chorradas! Tenía dinero de sobra en la cuenta.

—No está muerta. Está en el sótano de Trent jugando a la señorita Arregla Todo con el código genético de los elfos. Esa tía está en el cielo.

—Muerta —sentenció Ivy con una sonrisa que mostraba el extremo inferior de sus dientes.

Aparté la vista, reprimiendo el escalofrío que me producía ver sus colmillos.

—¡Es una injusticia!

El violento repiqueteo de las alas de un pixie hizo que, por unos segundos, nos pusiéramos en guardia, y solté la carta con cara de asco cuando Jenks entró zumbando. Ivy se quedó mirándolo con los ojos muy abiertos, con expresión inquisitiva y, al darme la vuelta, me sorprendió ver que despedía un torrente de chispas rojas.

—Tenemos un problema —dijo.

Di un respingo y miré hacia abajo al sentir un débil golpe que provenía de debajo del suelo.

Ivy se puso en pie y se quedó mirando el desgastado linóleo.

—Hay alguien ahí abajo.

—¿Qué te crees que intentaba deciros? —exclamó Jenks en un tono casi altanero mientras se situaba en medio de nosotras con los brazos en jarras.

A continuación se oyó el grito amortiguado de un hombre y una serie de golpes.

—¡Joder! —grité reculando—. ¡Es la voz de Marshal!

Antes de que quisiera darme cuenta, Ivy se encontraba ya en la puerta trasera. Intenté seguirla, pero me detuve en seco cuando la puerta de la sala de estar se abrió de golpe. Bis, que vivía de alquiler en el campanario, entró en la cocina volando a la altura de nuestras cabezas, con la piel completamente blanca para confundirse con la nieve, y los ojos tan brillantes como los de un demonio. La gárgola, que tenía el tamaño de un gato, me golpeó con las alas en la cara y yo di un paso atrás.

—¡Quítate de en medio, Bis! —grité entrecerrando los ojos por la corriente de aire y pensando en la sensibilidad al frío de Jenks—. ¿Qué demonios está pasando ahí fuera?

Se oía un gran alboroto que provenía de la sala de estar, pero no conseguía deshacerme de Bis, que gritaba con su voz retumbante lo mucho que lo sentía y que limpiaría todo. Que había seguido a los chicos de la pintura y que no sabía que era una táctica para distraerlo. Estaba a punto de darle un manotazo cuando se posó sobre mi hombro.

Apenas sentía el peso de su cuerpo, pero me invadió una sensación de vértigo y me desplomé sobre la encimera, aturdida y con la mente en blanco. Aquella sensación no era nueva para mí. Cada vez que Bis me tocaba, todas y cada una de las líneas luminosas de Cincinnati se hacían visibles en mi mente con toda nitidez. Se trataba de una sobrecarga sensorial, y sentí que me fallaban las piernas y que veía todo borroso. Era mucho peor cuando me encontraba alterada, y estuve a punto de perder el conocimiento. El hecho de que los hijos de Jenks revolotearan entre los cacharros colgados no ayudaba mucho.

—¡Quítate! —exhalé con decisión.

Con expresión apesadumbrada, la gárgola batió las alas tres veces y se posó hoscamente en lo alto del frigorífico. Los hijos de Jenks se dispersaron, chillando como si hubieran visto a la muerte en persona. Bis me lanzó una mirada asesina, con el típico malhumor de un adolescente, y su piel rocosa cambió de color para adquirir el tono metálico del electrodoméstico. En aquella posición tenía el aspecto de una gárgola enfurruñada escudriñándolo todo desde lo alto, pero no era ni más ni menos que eso.

Alcé la vista de golpe cuando Ivy empujó a un hombre cubierto de nieve y tierra en la cocina. Tenía la cara oculta por una capucha, y el suelo se cubrió de un montón de sucios trozos de nieve congelada que dejaron vetas de barro conforme el calor de la cocina los derritió. El ambiente se llenó de un olor a tierra fría, y arrugué la nariz, pensando que me recordaba al olor del hombre que mató a Kisten, aunque no era exactamente el mismo.

Ivy, que caminaba detrás de él como si tal cosa, se detuvo junto a la puerta con los brazos cruzados a la altura del pecho. Marshal venía detrás, y entró esquivando a Ivy sin reservas con una sonrisa de oreja a oreja, con los ojos brillantes por la emoción bajo su gorro de lana. Él también llevaba el abrigo y las rodillas cubiertos de tierra, pero, al menos, no se había revolcado en ella.

El desconocido de la parka alzó la barbilla y estuve a punto de abalanzarme sobre él.

—¡Tom! —grité, y luego intenté contenerme. Era Tom. Otra vez. En esta ocasión, en lugar de mirar mi coche, se había metido debajo de mi casa. El miedo se apoderó de mí, y fue sustituido por la rabia—. ¿Qué demonios estabas haciendo debajo de mi casa?

Jenks estaba a la altura del techo, gritándoles a sus hijos que se fueran de allí, y cuando se hubieron marchado los últimos, con sus espadas de madera y sus clips extendidos forrados de plástico, Tom se irguió y se quitó la capucha. Tenía los labios morados por el frío, y en sus ojos se podía leer la rabia contenida. Fue entonces cuando me di cuenta de que llevaba una brida de líneas luminosas en la muñeca, justo donde acababan sus guantes. Básicamente, aquello conseguía neutralizar sus dotes mágicas, y la buena opinión que ya tenía de Marshal aumentó de manera considerable, no solo por saber cómo comportarse con un experimentado brujo de líneas luminosas, sino, sobre todo, por llevar encima una brida mágica.

—Había decidido pasarme un momento para devolverte la caja que te dejaste en mi coche —explicó Marshal colocándose entre Tom y yo—. Fue entonces cuando descubrí a este —continuó dándole un empujón a Tom, que tuvo que agarrarse a la isla central—, encaramado al muro trasero. Así que aparqué y me quedé observando. Les dio un bote de pintura negra en espray a un par de chicos y un billete de veinte, y mientras Bis los ahuyentaba de la puerta principal, se dirigió a hurtadillas a la parte posterior y rompió el candado de la trampilla que permite acceder al sótano.

Con la boca abierta por la rabia, consideré la posibilidad de darle yo misma un buen empujón.

—¿Pagaste a unos mocosos para que me destrozaran el rótulo? —pregunté—. ¿Tienes idea de cuánto tiempo tardé en limpiarlo la primera vez?

Los labios de Tom estaban empezando a recuperar su color rosado, y los apretó con fuerza, negándose a responder. Por detrás de él, vi que Bis abandonaba la cocina subrepticiamente. La pequeña gárgola se había vuelto completamente blanca para camuflarse en el techo, y solo los bordes de sus orejas, sus largas garras y una ancha franja que bajaba por su cola con forma de látigo conservaban su color gris. Se desplazaba a rastras por el techo como si fuera un murciélago, con las alas replegadas formando ángulos afilados y las zarpas extendidas. Era una de las cosas más espeluznantes que había visto jamás.

—Rachel —dijo Marshal delicadamente—, lo hizo para librarse de Bis. —A continuación se quitó el gorro y se bajó la cremallera del abrigo, inundando la cocina con su aroma a secuoya, que se había vuelto embriagador gracias a la magia que había utilizado para atrapar a Tom—. Lo que realmente nos interesa es averiguar lo que estaba haciendo bajo tu iglesia.

En aquel momento todas las miradas recayeron sobre Tom.

—Buena pregunta —dije—. ¿Tienes una respuesta, brujo?

Tom se mantuvo en silencio e Ivy empezó a hacer crujir los nudillos uno a uno. Ni siquiera sabía que fuera capaz, pero era precisamente lo que estaba haciendo.

—Ivy —dije, cuando quedó claro que Tom no pensaba responder—, ¿por qué no llamas a la SI? Tal vez estén interesados en esto.

Tom soltó una carcajada socarrona, poniendo de manifiesto su habitual arrogancia.

—Claro que sí, hazlo —dijo—. Estoy convencido de que a la SI les encantará descubrir la presencia de un brujo excluido en tu cocina. ¿A quién te parece que creerán cuando les cuente que he estado comprándote hechizos?

¡Oh, mierda! En aquel momento sentí un nudo en el estómago, y fruncí el ceño al ver que Marshal abría mucho los ojos al oír la palabra «excluido». Sin decir una palabra, Ivy colgó el auricular y, con los ojos de un peligroso color negro, se acercó a Tom. Una amenazante neblina pareció deslizarse por detrás de ella cuando le colocó un dedo bajo la barbilla y le preguntó quedamente:

—¿Han puesto precio a la cabeza de Rachel?

El miedo empezó a bullirme en todo el cráneo, y lo reprimí antes de que provocara una reacción aún peor en Ivy. Había vivido amenazada de muerte anteriormente, y era realmente duro. Si no hubiera sido por Jenks e Ivy, habrían acabado conmigo.

Tom dio un paso atrás y se frotó la muñeca.

—Si así fuera, ya estaría muerta.

A Jenks se le pusieron los pelos de punta y, agitando las alas enérgicamente, se acercó a mí y se posó en mi hombro.

—¡Ooooooh, qué miedo! —dije para ocultar mi alivio—. Y entonces, ¿qué estás haciendo aquí?

El enojado brujo sonrió.

—He venido para desearte un feliz Año Nuevo.

Yo entrecerré los ojos y, con un puño en la cadera, me quedé mirando los charcos de barro que estaban formando sus botas. Alzando la vista lentamente, me fijé en sus pantalones blancos de nailon y su abrigo gris. Su rostro parecía calmo, pero el odio estaba ahí y, cuando Ivy desplazó ligeramente los pies, él dio un respingo, tenso.

—Yo, en tu lugar, empezaría a largar —lo amenazó la vampiresa—. Si has sido excluido, a nadie le importará no verte en misa la próxima semana.

La tensión fue en aumento, y aparté la vista de Tom cuando Bis irrumpió volando en la cocina.

—¡Por el diafragma de Campanilla! —exclamó Jenks—. ¿Cuándo ha salido? Rachel, ¿tú lo habías visto salir?

—¡Tome, señorita Morgan! —dijo la gárgola dejando caer un amuleto. Extendí la mano para cogerlo al vuelo y el pequeño círculo metálico, que despedía un olor a secuoya y a tierra helada, aterrizó en mi palma dejándome una sensación de frío—. Estaba metido entre los tablones de madera. Es el único.

La mandíbula de Tom se puso rígida cuando apretó los dientes con fuerza. La rabia que sentía se acrecentó cuando recordé haber visto aquel objeto en la época en que me sentaba a observar cómo mi padre se preparaba antes de una noche de trabajo.

—Se trata de un amuleto para espiar conversaciones —dije entregándoselo a Marshal para que le echara un vistazo.

El rostro de Ivy adquirió una expresión aún más huraña y, tras separar las piernas, se retiró de los ojos un mechón de su oscuro y corto pelo, con las puntas doradas.

—¿Para qué quieres saber lo que se habla en nuestra cocina?

Tom no respondió, pero no hacía falta. Me lo había encontrado en la casa de los Tilson y me había dicho que estaba trabajando. Probablemente pensaba que disponíamos de información de primera mano y, teniendo en cuenta que no disponía de acceso a nada mágico ni a la base de datos de la SI, quería enterarse de lo que sabíamos y usarlo para birlarnos la detención delante de nuestras narices.

—Todo esto tiene que ver con los Tilson, ¿verdad? —pregunté, y cuando apartó la vista y se quedó mirando la sopa, que se había cubierto de una costra, supe que tenía razón—. ¿Quieres contármelo ahora y ahorrarme la molestia de pedir a Ivy que te lo saque a golpes?

—Aléjate de ella —dijo Tom con vehemencia—. Llevo cinco meses observando a esa mujer. ¡Es mía! ¿Entendido?

Me recosté sobre la encimera, asintiendo con la cabeza cuando me confirmó mis sospechas. Tom sabía que no eran los Tilson, y probablemente ya estaba trabajando en los asesinatos. Aparentemente, pensaba que la culpable era la mujer.

—Solo estoy haciendo mi trabajo, Tom —dije, empezando a sentirme mejor. Si intentaba espiar mis conversaciones, probablemente no tuviera intención de volar mi coche. Los muertos no hablan. Normalmente—. Te propongo algo; tú te apartas de mi camino, yo me aparto del tuyo y que gane el mejor, ¿de acuerdo?

—Estupendo —dijo el brujo, transmitiendo una gran seguridad en sí mismo—. ¡Vas a necesitar mucha suerte! Antes de que todo esto acabe, vendrás a mí suplicando que te cuente lo que sé. Te lo garantizo.

Jenks batió las alas provocándome un escalofrío en el cuello.

—Llevaos al pipiolo de aquí —dijo de repente.

Marshal se acercó con intención de sacarlo a empellones, pero Ivy se le adelantó y, tras agarrarlo de la muñeca, le retorció el brazo hasta colocarlo en una dolorosa posición, y lo empujó en dirección al pasillo.

—¡No te olvides del amuleto! —le grité, y Bis se dirigió en picado para cogerlo de la mano de Marshal, y salió volando detrás de ellos. Entonces escuché que Ivy mascullaba algo e inmediatamente la puerta se cerró de golpe. Bis no regresó, y di por hecho que la había acompañado.

—¿Crees que podrá arreglárselas sola? —preguntó Marshal.

Asentí con la cabeza, sintiendo de pronto que me temblaban las rodillas.

—¡Oh, sí! No tengo ninguna duda. El que me preocupa es Tom.

Me dolía el estómago. ¡Maldita sea! Hacía años que nadie se atrevía a violar la seguridad de mi hogar, y una vez que todo había acabado, no me gustaba en absoluto. Haciendo una mueca de dolor, removí la sopa, y lo hice con tal energía fruto del nerviosismo, que derramé un poco. Jenks revoloteaba erráticamente y, mientras limpiaba lo que había tirado, farfullé:

—Para de una vez, Jenks.

La cocina se quedó en completo silencio, salvo por el ruido rasposo de Marshal quitándose el abrigo, pero fue el borboteo que hizo al servir dos tazas de café lo que hizo que volviera a la realidad. Cuando me acercó una de ellas, me las arreglé para esbozar una sonrisa forzada. Jenks estaba en su hombro, algo bastante inusual, pero, al fin y al cabo, nos había evitado un montón de problemas, y Jenks debía sentirse agradecido, puesto que él no podía salir, y Bis era solo una gárgola, y además, demasiado joven e inexperta en aquellos menesteres.

—Gracias —dije, olvidándome por un momento de la sopa y bebiendo un sorbo de café mientras me recostaba en la encimera—. Por lo de Tom, y por el café —añadí.

Con una expresión de satisfacción y algo engreída, Marshal le dio la vuelta a una silla y tomó asiento con el respaldo contra la pared y las piernas estiradas.

—No hay de qué, Rachel. Me alegro de haber estado aquí.

Dejando tras de sí una estela de polvo verde, Jenks se posó junto a mí, fingiendo que echaba de comer a su artemia, que estaba en el alféizar sumergida en agua salada. Era consciente de que Marshal consideraba que mi convicción de que atraía el peligro era exagerada, pero incluso yo tenía que admitir que haber atrapado a un brujo de líneas luminosas excluido resultaba impresionante.

En aquel momento inspiré hondo y escuché el parloteo de los pixies que llegaba desde el santuario, que narraban jugada a jugada lo que Ivy le estaba haciendo a Tom. El ligeramente masculino aroma a secuoya, característico de los brujos, me invadió. Resultaba muy agradable percibir aquel olor en mi cocina, mezclado con el de vampiro y el ligero aroma del jardín que estaba empezando a identificarlo con el de los pixies. Marshal estaba mirando al techo con actitud expectante, y yo solté una risa ahogada y tomé asiento junto a él.

—De acuerdo —dije tocándole la mano con la que sujetaba la taza de café—. Lo reconozco. Me has salvado. Me has salvado de lo que quiera que Tom estuviera planeando. Eres mi jodido héroe, ¿vale?

Al oír mis palabras, Marshal soltó una carcajada que me hizo sentir muy bien.

—¿Quieres que te traiga la caja que te dejaste en el coche? —preguntó haciendo amago de levantarse.

Entonces pensé en lo que había dentro, y me quedé paralizada.

—No. ¿Podrías tirarla por mí? —*No estoy deshaciéndome de Kisten*, pensé, abrumada por un sentimiento de culpa. No obstante, conservar su último regalo en el último cajón de mi cómoda resultaba patético—. Ummm…, y gracias otra vez por llevarme al barco.

Marshal giró la silla en la que estaba sentado y se colocó frente a mí.

—De nada. ¿Cómo está tu amigo? ¿El agente de la AFI?

Hice un gesto de asentimiento, recordando a Glenn.

—Ford dice que se despertará en un par de días.

Jenks, que se había agenciado una taza del tamaño adecuado para un pixie y la había llenado con el café que todavía goteaba de la cafetera, se instaló entre nosotros, sobre la caja de las galletas saladas. Estaba bastante callado, algo impropio de él, pero, probablemente, tenía el oído puesto en lo que hacían sus hijos.

De pronto se oyó un ruido de temor creciente proveniente del santuario y que, sin duda, tenía que ver con algo que había hecho Ivy, que hizo que me estremeciera.

Fue entonces cuando mi mirada recayó sobre la esquina del sobre y, con un repentino arrebato de ira, lo cogí.

—Oye, ¿me harías un favor? —pregunté entregándoselo a Marshal—. Estoy intentando pagar por un curso, y necesito hacer llegar esto a la secretaría de la universidad. Es muy urgente.

—Creía que había terminado el periodo de inscripción —intervino Jenks, y Marshal alzó las cejas mientras lo cogía.

—Así es —dijo.

Me encogí de hombros.

—Me han devuelto el cheque que les envié —me lamenté—. ¿Puedes intentar que te lo cojan? Tal vez, si echas mano de tus contactos para que lo introduzcan en el sistema... No quiero tener que pagar un plus por estar fuera de plazo.

Asintiendo, dobló el sobre y se lo guardó en un bolsillo trasero para echarle un vistazo más tarde. Con el ceño fruncido, se recostó en el respaldo de la silla, pensativo.

—¿Te apetece un poco de sopa? —pregunté.

Marshal esbozó una sonrisa.

—No, gracias —respondió. Acto seguido se le iluminó la mirada—. ¡Oye! Mañana tengo el día libre. No hay clases en la universidad, porque es el día que los profesores se reservan para trabajar en sus despachos, pero no tengo exámenes que corregir. ¿Te apetecería quedar? Podríamos hacer algo para liberar tensiones. Después de que lleve tu cheque, claro está. He oído que han abierto una nueva pista de skate en la calle Vine.

Aunque dos meses antes aquella oferta habría hecho que me pusiera en guardia, en aquel momento una sonrisa asomó a mis labios. Marshal no era mi novio, pero hacíamos cosas juntos continuamente.

—No creo que pueda —dije, cabreada por no poder decir que sí y, simplemente, ir—. Tengo que seguir trabajando en el asesinato... y limpiar el rótulo...

Jenks agitó las alas enérgicamente.

—Ya te dije que te ayudaría con eso, Rachel —dijo alegremente.

Sonreí y lo rodeé con la mano.

—Hace mucho frío, Jenks —protesté. A continuación, volviéndome hacia Marshal, añadí—: A las tres tengo que ir a recoger a mi hermano al aeropuerto, ir a ver a Ford a las seis, y regresar a casa de mi madre para comportarme como una buena hija y cenar con ella y con Robbie. El sábado lo pasaré en siempre jamás con Al... —Poco a poco mi voz se fue apagando—. ¿Qué te parece la semana que viene?

Marshal asintió con gesto comprensivo y, de pronto, viendo una oportunidad de oro para evitar que mi madre me volviera loca, le espeté:

—A menos que quieras venir a cenar a casa de mi madre... Va a hacer lasaña.

Él soltó una sonora carcajada.

—Quieres que finja que somos novios para que tu vida no parezca patética, ¿verdad?

—¡Marshal! —le reproché dándole un manotazo en el hombro, pero el rubor de mis mejillas me delató. ¡Oh, Dios! Me conocía demasiado bien.

—Entonces, ¿tengo razón? —me chinchó con los ojos brillantes bajo su pelo chafado después de haber llevado el gorro de lana.

Torcí el gesto y luego le pregunté:

—¿Me vas a ayudar o no?

—¡Y tanto! —respondió con gesto radiante—. Tu madre me cae genial. ¿Habrá tarta? —añadió enfatizando la última palabra, como si le fuera la vida en ello.

Esbocé una sonrisa, sintiéndome ya mejor por el día siguiente.

—Cuando le cuente que vas a venir, preparará dos.

Marshal se rió por lo bajo y, mientras yo daba un sorbo al café y le devolvía la sonrisa, satisfecha y feliz, Jenks abandonó la cocina sin hacer ruido dejando tras de sí una estela de polvo verde que lentamente se desvaneció.

6

El vestíbulo de la AFI era ruidoso y frío. El suelo estaba cubierto de un lodo grisáceo fruto de los restos de nieve medio derretida que habían arrastrado desde el exterior, haciendo que el felpudo quedara empapado y creando un sendero negruzco que llegaba hasta el mostrador, situado en el lado opuesto de las puertas de cristal. El emblema del centro de la sala estaba cubierto de cientos de pisadas. Me recordaba a la insignia que había en el suelo de las oficinas de los tribunales de los demonios. Según Al, se trataba de una broma, pero yo tenía mis dudas. Me revolví nerviosamente en una de las horribles sillas de color naranja que tenían allí fuera. El sábado, día en que tenía mi cita con Algaliarept, siempre parecía llegar demasiado pronto. Intentar explicar a mi madre y a Robbie por qué iba a estar incomunicada todo el día iba a resultar una ardua tarea.

Había entrado alegremente en las oficinas de la AFI diez minutos antes (me encontraba de un humor excelente desde que Alex me había traído el coche a la iglesia), dejando las marcas de mis elegantes botas sobre su emblema cuando me dirigía al mostrador para anunciar quién era, y me encontré con que me pedían que tomara asiento como si fuera un bicho raro cualquiera. Con un suspiro, me encorvé y apoyé los codos en las rodillas intentando encontrar una postura cómoda. No me hacía ninguna gracia que me hubieran pedido que esperara. Si Ivy hubiera estado allí, se hubieran volcado con ella, pero no conmigo, una bruja con problemas de memoria de la que ya nadie se fiaba.

En aquel preciso instante, Ivy estaba pateando las calles intentando seguir el rastro de lo que había hecho el asesino de Kisten en los últimos seis meses. Los remordimientos por no haber actuado con la suficiente premura habían hecho que se levantara mucho antes que yo. Jenks, por su parte, me había acompañado con la esperanza de que, de vuelta a casa, nos detuviéramos en una tienda de hechizos. No estaba interesado en los encantamientos, sino en los productos necesarios para su realización, cosas que un pixie amante de la jardinería que estaba burlando el letargo no podía conseguir en diciembre. Matalina estaba teniendo algunos problemas de salud, y sabía que estaba disgustado y dispuesto a gastarse en su mujer una parte del dinero del alquiler que le dábamos Ivy yo. En consecuencia, los dos teníamos la sensación de estar perdiendo el tiempo allí sentados. Por no hablar del frío que estábamos pasando.

Me erguí y empecé a balancear mi bolso entre las piernas para intentar quemar parte de la irritación que sentía; cuando me ajusté la bufanda, Jenks dio señales de vida.

—¿Qué te pasa, Rachel? —preguntó aterrizando sobre mis manos para que dejara de mover el bolso.

—Nada —respondí secamente.

Él alzó las cejas y me miró fijamente a los ojos.

—Entonces, ¿por qué se te ha acelerado el pulso y te ha subido la temperatura corporal? —A continuación, hizo una mueca de disgusto, y añadió—: ¡Dios! Tu perfume apesta. ¿Qué has hecho, bañarte en él?

Desvié la mirada hacia la recepcionista, evitando la pregunta de Jenks. No podía decirle que estaba preocupada por que su mujer no sobreviviera al invierno. Él agitó las alas con fuerza, intentando llamar mi atención, y yo di unos golpecitos al informe sobre la banshee que reposaba sobre mi rodilla. Lo había escrito para Edden aquella misma mañana, lo que hacía que estuviera aún más cabreada. Había ido hasta allí para ayudarles, y me tenían esperando con un montón de padres angustiados y varios matones esposados a la pared. ¡Qué bonito!

—¡Mira esto, Rachel! —dijo Jenks alzando el vuelo sin soltar ni una mota de polvo. Acto seguido aterrizó sobre un diario que se encontraba dos asientos más allá—. ¡Has salido en el periódico!

—¿Qué?

Esperándome lo peor, me incliné y lo agarré. Jenks regresó afanosamente y se posó en mi mano mientras yo alzaba el periódico y examinaba la fotografía. *¡Lo que me faltaba!*, pensé. No obstante, mi preocupación disminuyó cuando descubrí que se trataba de una instantánea tomada en el exterior de la casa de los Tilson, en la que se veía un montón de gente y una unidad móvil. El pie de foto decía: «Operación fallida de fin de año contra el tráfico de azufre», y resultaba prácticamente imposible reconocerme, a menos que supieras que había estado allí.

—¿Quieres llevártela para tu álbum de recortes? —preguntó Jenks mientras yo echaba un rápido vistazo al artículo.

—No —respondí dejando el periódico donde lo habíamos encontrado, y dándole la vuelta para que no se viera la fotografía. *¿Conque una operación contra el tráfico de drogas? Estupendo. Como queráis.*

Con las manos en las caderas, Jenks se colocó en mi campo de visión, pero me salvé del comentario socarrón con el que iba a obsequiarme cuando las puertas giraron y entraron dos agentes uniformados llevando de forma violenta a un delgado Santa Claus. El hombre gritaba algo sobre su reno. La fría corriente de aire nos golpeó de lleno, y Jenks se zambulló en mi bufanda.

—¡Por las tetas de Campanilla, Rachel! ¿Crees que podrías ponerte un poco más de perfume? —se lamentó, y sentí un escalofrío cuando sus alas rozaron mi piel desnuda.

—Me lo ha dado Ivy —dije.

—¡Ah!

Entonces suspiré y me dispuse a seguir esperando. Había encontrado la botella de aroma cítrico sobre la mesa de la cocina aquella misma mañana. Había entendido lo que significaba e, inmediatamente, me había puesto unas gotas. Por lo visto, después de lo que había sucedido el día anterior, a Ivy le había parecido prudente recuperar nuestra costumbre de intentar camuflar la mezcla de nuestros olores naturales. Por un determinado periodo de tiempo, no habíamos tenido que recurrir a ningún producto químico para mitigar sus instintos, pero llevábamos varios meses encerradas en la iglesia con las ventanas cerradas.

El hombre disfrazado de Santa Claus se zafó de sus captores y salió disparado hacia la puerta. Me puse de pie de un salto, pero enseguida me relajé cuando los dos agentes se echaron sobre él, estampándose contra la puerta de cristal. El tipo estaba esposado. ¿Hasta dónde creía que podía llegar?

—¡Maldición! —exclamé por lo bajo, con un gesto de dolor—. Eso le va a dejar una buena marca.

De pronto percibí un ligero aroma a café, y no me sorprendí al descubrir que Edden se había colocado junto a mí.

—El que está debajo es Chad. Es nuevo, y creo que está tratando de impresionarte.

El enfado por haberme tenido esperando regresó, y alcé la vista para mirar al capitán de la AFI. Llevaba sus habituales pantalones caquis y una camisa de vestir. No se había puesto corbata, pero les había sacado brillo a los zapatos y se movía con su acostumbrada rectitud. Sus ojos también mostraban una mayor determinación. Parecía cansado, pero el miedo había desaparecido. Glenn debía de encontrarse mejor.

—Y lo ha conseguido —dije, observando con el rabillo del ojo cómo Chad arrastraba a Santa Claus hasta el fondo de la sala—. ¿No podríais meter a los chiflados por la puerta de atrás?

Edden se encogió de hombros.

—Está todo cubierto de hielo. Nos podrían denunciar.

—Mientras que estamparlos contra la puerta de cristal es muchíiisimo más seguro —dijo Jens desde mi bufanda.

—Se ha resistido a la autoridad delante de un montón de testigos —dijo Edden—. Eso sí que es más seguro. —Seguidamente ladeó la cabeza y echó un vistazo a mi bufanda—. ¡Hola, Jenks! No te había visto. Hace un poco de frío, ¿verdad?

—¡Oh, sí! El suficiente para congelarme las pelotas —respondió Jenks, asomando la cabeza al oír la voz de Edden—. ¿No tenéis algún sitio un poco más calentito? Entre el frío y el perfume de Rachel, estaría más cómodo en la ceremonia de circuncisión de un hado.

El achaparrado capitán sonrió y extendió la mano para coger el informe sobre la banshee que había escrito para él en uno de mis numerosos ratos de asueto, esta vez, aquella misma mañana.

—Venid conmigo a la parte posterior. Siento que os hayan hecho esperar aquí. Son las nuevas reglas.

Nuevas reglas, pensé agriamente poniéndome en pie. *¿Nuevas reglas o nueva desconfianza? O mejor dicho, una vieja desconfianza renovada. Al menos a Chad le gustaba.*

—No importa —respondí con amargura, sin querer darle a entender lo mucho que me molestaba. Tanto él como yo sabíamos que había cierto rencor en el aire. ¿Qué necesidad había de restregármelo por las narices?

—¿Qué tal está Glenn? ¿Ha recobrado el conocimiento?

Él tenía una mano apoyada en la parte inferior de mi espalda y, aunque ese tipo de gestos solía resultarme muy ofensivo, a él se lo perdonaba. Edden era un tipo genial.

—No —respondió bajando la vista con expresión pensativa—, pero está mejorando. Ha aumentado la actividad cerebral.

Una vez lejos de la corriente, Jenks abandonó mi bufanda y yo hice un gesto de asentimiento pensando que debía acercarme un momento a ver a Glenn después de la cena. Para entonces, ya podría disfrutar de un poco de compañía silenciosa. Tal vez podría hacerle cosquillas en las plantas de los pies hasta que se despertara o, mejor aún, hacerme pis en sus sábanas. Sonriendo ante la idea, estuve a punto de perder de vista a Edden cuando se desvió inesperadamente a la izquierda, alejándose de las salas de interrogatorios.

—¿No vamos a interrogarla? —pregunté cuando vi que Edden me conducía hacia su despacho.

—No. No hemos podido localizar a Mia Harbor.

Aunque no ralenticé el paso, el hecho de que me hubieran tenido congelándome en el vestíbulo cobraba mucho más sentido. ¿Para eso me había molestado en traer el amuleto de la verdad que llevaba en el bolso? Tanta historia para luego… nada.

Jenks estaba empezando a despedir una tenue estela de polvo, lo que significaba que ya no tenía frío y que se encontraba mucho mejor.

—¿Se ha ausentado sin permiso de las autoridades? —preguntó el pixie volando hacia atrás, lo que generó un pequeño alboroto entre los agentes que nos observaban.

A Edden no le impresionó lo más mínimo la exhibición aérea del pixie y, sujetando la puerta de su despacho, me hizo un gesto para que entrara.

—Así es —dijo, sin seguirme hacia el interior—. Se ha mudado sin dejar ninguna dirección donde localizarla. Hemos conseguido una orden de arresto de manera que, si la quieres, es toda tuya.

—¿Una banshee? —pregunté con una carcajada—. ¿Yo? ¿De cuánta pasta dispones, Edden? Yo no me embarco en misiones suicida.

Edden deslizó mi informe sobre la mesa con actitud vacilante, como si intentara averiguar si estaba bromeando.

—¿Te apetece un café? —dijo finalmente—. ¿Y a ti, Jenks? Me parece haber visto una bolsita de miel en el frigorífico. Debe de ser de las galletas de alguien.

—¡Y tanto! —exclamó él antes de que me diera tiempo a protestar.

Edden asintió con la cabeza y dejó la puerta abierta mientras iba en su busca.

Una vez a solas, lancé a Jenks una mirada cargada de reproche, mientras él alzaba el vuelo para acercarse a examinar el nuevo trofeo de bolos. Entonces di la vuelta a la silla y me dejé caer sobre ella con un ruido sordo.

—Esperaba de todo corazón que, en esta ocasión, te mantuvieras sobrio —dije.

Jenks aterrizó en la desordenada mesa de Edden con los brazos en jarras.

—¿Por qué? —preguntó en un tono desacostumbradamente beligerante—. La banshee no está, de manera que no me necesitas. Dame un respiro, Rachel. Al fin y al cabo, las borracheras de miel no me duran más de cinco minutos.

Aparté la mirada con desaprobación, y él voló bruscamente hasta el bote de lápices de Edden, mostrándose molesto. Crucé las piernas y empecé a dar golpecitos con el pie. Me tocaba esperar de nuevo, pero no había tanto jaleo, la temperatura era más agradable y me iban a traer un café.

El despacho de Edden era una confortable mezcla de organizado desorden con el que me identificaba plenamente y, en parte, aquella era la razón por la que le había cogido cariño con tanta rapidez el año anterior. El capitán era un exmilitar, pero nadie lo hubiera dicho a juzgar por el polvo y los informes amontonados. No obstante, hubiera apostado cualquier cosa a que era capaz de localizar todo lo que necesitara en menos de tres segundos. El número de fotografías en la pared era escaso, pero en una de ellas se le veía estrechando la mano de Denon, mi antiguo jefe en la SI. Me hubiera preocupado si no hubiera sido porque, en una ocasión, le había oído decir lo mucho que había disfrutado al robarle un caso. El rancio olor a café parecía incrustado en las grises baldosas y los muros pintados de un amarillo institucional. El viejo monitor había sido sustituido por un flamante ordenador portátil, que en ese momento tenía la tapa levantada, y el reloj, que antiguamente estaba colgado detrás de él, se encontraba a mis espaldas. Por lo demás, todo estaba exactamente igual que la última vez que había estado allí sentada, esperando a que Edden me trajera un café.

Escuché los pasos de Edden antes de que su corpulenta silueta asomara por entre las persianas venecianas, todas ellas abiertas, que separaban su despacho del resto de oficinas. Venía con dos tazas de porcelana en lugar de los vasos de poliestireno que cabía esperar. ¿También habían establecido nuevas normas a ese respecto? Una era claramente la suya, por el borde manchado de marrón. A mí me dio la limpia con el arcoíris. ¡Qué tierno!

Jenks se elevó formando una columna de polvo azul y, mientras Edden tomaba asiento al otro lado de la mesa, el pixie cogió la bolsita, casi tan grande como él, y se retiró a una esquina, fuera de mi alcance.

—¡Gracias, Edden! —exclamó batallando con el plástico con intención de abrirlo.

Me incliné para cerrar la puerta con el pie y Edden se me quedó mirando.

—¿Tienes algo que decirme que quieras mantener en secreto? —preguntó. Negué con la cabeza y, tras quitarle la bolsita a Jenks, la abrí y se la devolví.

—Confía en mí. Es mejor así —dije pensando que los agentes de la AFI ya tenían bastante con lo suyo como para tener que ocuparse de un pixie borracho. Además, no había ninguna necesidad de terminar de estropear mi ya maltrecha reputación.

—¿Y bien? —dije intentando que Edden desviara la atención de Jenks, que canturreaba alegremente y que empezaba a inclinarse hacia un lado, porque una de las alas no se movía tan rápido como la otra—. Me parece un poco exagerado emitir una orden de búsqueda y captura por no comunicar el cambio de residencia.

Edden echó un rápido vistazo a Jenks y luego volvió a mirarme.

—No es por eso. Se trata de una sospechosa.

—¡Esta miel está sensacional, Edden! —interrumpió Jenks, y yo dejé mi taza sobre la mesa con la suficiente energía como para hacer vacilar sus alas.

—¿La banshee es sospechosa? —pregunté—. ¿Por qué? Lo único que hizo fue dejar una lágrima.

Edden se recostó en el respaldo de la silla y bebió un trago de café.

—Alex enseñó su foto a los vecinos por si la habían visto recientemente en el lugar del crimen. Existía la posibilidad de que se hubiera hecho pasar por canguro, vendedora de cosméticos, o vete tú a saber qué. El caso es que todas y cada una de las personas interrogadas la identificaron como la señora Tilson.

—¿Cómo? —grité irguiéndome en mi asiento.

¡No me jodas! —dijo Jenks, a punto de estrellarse con el montón de informes de la mesa de Edden cuando alzó el vuelo cargado con la bolsita de miel—. ¿La banshee se hizo pasar por una humana? ¿Y por qué demonios iba a hacer algo así?

Mi primera reacción fue de sorpresa, pero rápidamente dio paso a un sentimiento de inquietud. Entonces me quedé mirando el semblante grave de Edden y supe que había tenido la misma idea. Mia los había matado y estaba intentando encubrir el crimen. *¡Santo Dios! ¿Tom está intentando echarle el guante a una banshee? ¿Él solito? Pues adelante. Esta vez sí que va a salir con los pies por delante.*

—Eso explicaría por qué Tom Bansen se introdujo ayer bajo el suelo de mi cocina —dije.

Edden dio un respingo.

—Bajo el…

—Suelo de mi cocina —concluí—. Iba vestido de militar, en plan tropa de asalto. Bis y uno de mis amigos lo pillaron colocando un amuleto para espiar conversaciones.

—¿Por qué no me llamaste? —preguntó Edden.

En ese momento Jenks hizo un comentario de mal gusto sobre las gárgolas que me hizo torcer el gesto.

—Porque Tom… ha sido excluido —expliqué sonrojándome—. Ningún inframundano lo contrataría, incluida la SI. No tiene más remedio que trabajar por su cuenta. Si lograra capturar a una banshee, probablemente conseguiría suficiente pasta para instalarse en algún lugar en el que poder vivir lejos de todo. Me aconsejó que dejara el caso. De hecho, ahora que lo pienso, me dijo que me mantuviera alejada de Mia. Probablemente debe saber, al menos, tanto como nosotros.

—Entonces, ¿para qué necesita espiarte? —preguntó.

Me encogí de hombros.

—Porque si lo han excluido, no dispone de los mismos recursos que la AFI o que la SI. Supongo que imaginó que podría enterarse de lo que hemos averiguado y actuar antes que nosotros. Es probable que sepa exactamente dónde se encuentra. Tal vez debería ser yo la que intentara espiarlo.

Cuando volví a mirarlo, Edden se estaba frotando el bigote con expresión adusta.

—¿Quieres que ponga un coche patrulla a la puerta de tu casa?

Negué con la cabeza.

—No, pero te agradecería que mandaras uno a casa de mi madre.

—En menos de una hora lo tendrás allí —prometió, a punto de que se le escapara el bolígrafo con el que tomaba nota.

Jenks había empezado a trepar por los informes de Edden como si fuera un escalador borracho, y yo me sonrojé cuando descubrí lo que había pasado el décimo día de Navidad. Intentando deshacerme de la imagen que se había formado en mi mente, me volví hacia el capitán.

—Si Mia es la señora Tilson, tenemos que encontrarla cuanto antes. El hombre que está con ella corre un serio peligro.

Edden soltó un bufido e, inmediatamente después, metió el bolígrafo en el bote de lápices.

—No me importa.

—Es muy probable que se lo cargue —protesté. A continuación bebí un sorbo de café aprovechando que Jenks ya no estaba escondido detrás. Entonces cerré los ojos y disfruté del momento. Había una cosa que los de la AFI hacían mejor que nadie: el café.

—Los compañeros sentimentales de las banshees no sobreviven mucho tiempo —dije—. Y si Mia tiene una niña pequeña, sus necesidades emotivas se triplican.

En aquel instante hice una breve pausa para beber otro trago. Probablemente ese era el motivo por el que quería dejar cinco años entre un hijo y otro.

Edden tenía el bigote fruncido, y su rostro mostraba una expresión severa.

—Su cómplice no me preocupa lo más mínimo —dijo—. Estaba lo bastante sano como para darle una paliza a mi hijo. Esta mañana hemos tenido acceso a su ficha policial gracias a las huellas. Se llama Remus, y no hubiéramos dado con él tan rápido de no ser porque tiene un informe del grosor de mi puño, que va desde un intento de violación cuando todavía estaba en el instituto, hasta hace tres años, que pasó una temporada recluido en un centro para enfermos mentales cumpliendo una pena por maltrato animal con ensañamiento. Cuando lo pusieron en libertad, desapareció de la faz de la tierra. Desde entonces, no ha utilizado tarjetas de crédito, tampoco tenemos constancia de que haya alquilado ningún inmueble ni de que haya cotizado en la seguridad social. Nada. Como comprenderás, dadas las circunstancias, no tengo ninguna intención de romperme los sesos buscándolo para preservar su salud.

Me dolía el estómago. ¡Dios! Lo más seguro es que se hubieran cargado a los Tilson entre los dos. Habían matado a aquella pobre pareja, que posaba sonriente para el anuario escolar, y se habían apoderado de sus nombres, de sus vidas y de todas sus pertenencias. Después habían metido en cajas lo que no necesitaban, y lo habían abandonado en el garaje.

Jenks dejó caer la bolsita de miel vacía, tambaleándose bajo la lámpara del escritorio y alzando la vista para quedarse mirándola fijamente. Entonces me di cuenta de que estaba cantando para conseguir que se encendiera y le di al interruptor. Jenks estalló soltando un montón de chispas doradas y, muerto de risa, se cayó al suelo. Me quedé helada. Se había quedado atascado en el décimo día de Navidad, pero finalmente se rindió y se puso a cantar la parte de los cuatro condones violeta.

Yo miré a Edden y me encogí de hombros.

—Tal vez la niña es hija de Remus —dije.

Edden tomó el informe que estaba en la parte más alta de montón que había debajo de Jenks. El pixie se elevó unos diez centímetros para acabar cayéndose de nuevo. Entonces, mascullando algo ininteligible, apoyó la cabeza sobre sus brazos cruzados y se quedó dormido bajo el calor artificial que emitía la luz de la lámpara. Edden me entregó el informe y yo lo abrí.

—¿Qué es?

Él se inclinó hacia atrás y entrelazó las manos sobre su pecho.

—Ahí está toda la información que hemos conseguido recabar sobre Mia. Que tenga una niña hace que resulte mucho más sencillo seguirle la pista. Sin ella, Remus no existiría. Hemos localizado otra guardería con licencia que suele frecuentar. Con esta, ya son cuatro, y al menos dos más informales.

Hojeé el pequeño paquete para leer las direcciones, impresionada una vez más por las técnicas de investigación de la AFI. Las guarderías se encontraban la mayoría en Ohio, a las afueras de Cincy.

—He llamado a todas esta mañana —explicó Edden—. Ayer Mia no se presentó en ninguna, y en la que estaba previsto que acudiera, estaban preocupados. Por lo visto, siempre se queda a ayudar en vez de pagarles por los cuidados, alegando que quiere que Holly mejore sus habilidades sociales.

—¡No jodas! —exclamé alzando las cejas. La excusa hubiera podido colar si no fuera porque llevaba a su hija a otras cinco guarderías a hacer exactamente lo mismo.

—No, no, no —intervino Jenks desde debajo de la lámpara arrastrando las palabras. Tenía los ojos cerrados y me sorprendió que estuviera tan consciente como para escuchar lo que hablábamos, y menos aún para hacer comentarios—. Esa niña no está socializando. Está chupando emociones como…

Sus palabras se desvanecieron en un murmullo confuso y sugerí:

—¿Como un pixie hasta las cejas de miel?

Jenks entreabrió un ojo y me hizo un gesto con el pulgar hacia arriba.

—Eso es —confirmó con los ojos cerrados segundos antes de ponerse a roncar. Sin saber muy bien por qué, me desenrollé la bufanda y lo tapé con ella. ¿Vergüenza ajena, quizás?

Edden nos observaba con expresión interrogante, y yo levanté un hombro y lo dejé caer de nuevo.

—Probablemente está intentando diseminar los daños que esté causando su hija.

Edden emitió un gruñido esquivo, y yo seguí hojeando el informe.

—El chico que les cortó el césped me dijo que Mia le contó a su madre que quería tener muchos hijos, pero que tenía que esperar cinco años entre uno y otro —dije—. Eso concordaría con que Holly sea una banshee. Es imposible andar por ahí con dos hijos así. ¡Por el amor de Dios! Las banshees normalmente dan a luz una vez cada cien años, de manera que, si Mia pretende tener otro hijo en menos de cinco años, debe de disponer de un buen método para evitar matar gente para sustentar el crecimiento de su hija…

De pronto, me quedé callada. Esa era una posibilidad, la otra es que tuviera a su lado a alguien que supiera cómo deshacerse de sus víctimas de manera que nadie denunciara su desaparición. Algún maníaco homicida capaz de cometer numerosos asesinatos en serie. Alguien como Remus, una persona que disfrutara cazando gente y llevándosela a su mujer y a su amada hija para que les chuparan las energías. Esa podía ser la razón por la que Remus gozaba de salud suficiente para darle una paliza a un agente de la AFI, alimentando a sus dos tigresas con tanto esmero como para que Mia planeara aumentar la familia. Aquello no pintaba nada bien.

Entonces me di cuenta de que Edden había esperado en silencio a que yo llegara precisamente a aquella conclusión, y cerré el informe. Aturdida y con ganas de vomitar, eché un vistazo a Jenks, que estaba frito, y luego miré a Edden.

—No cuentes conmigo para esto —dije dejando caer la carpeta sobre su mesa. El aire que levanté agitó el pelo de Jenks, y el pixie, desde el sopor de la borrachera, hizo un gesto de desagrado—. Las banshees son muy peligrosas. Como depredadoras, se encuentran en el nivel más alto de la cadena alimentaria. Además, tenía entendido que no necesitabas mi… mejor dicho, nuestra ayuda.

Ante mi evidente recriminación, Edden se sonrojó.

—¿Y quién la va a detener entonces? ¿La SI? He hablado con ellos esta mañana. En lo que respecta a este caso, les da igual. —A continuación, mirando en todas direcciones excepto hacia donde me encontraba, añadió en voz baja—: Si no la encarcelamos nosotros, nadie lo hará.

Y él quería que se hiciera justicia, teniendo en cuenta que aquella mujer estaba relacionada con que su hijo se encontrara en el hospital. Con el ceño fruncido, tomé de nuevo el informe que estaba sobre la mesa de Edden, y lo coloqué en mi regazo, aunque sin abrirlo.

—Una pregunta más —dije intentando dejar bien claro que no iba a aceptar el encargo. Todavía—. ¿Qué te hace pensar que la SI no está intentando encubrirla? —No estaba dispuesta a enfrentarme a la SI a cambio de un cheque. Lo había hecho anteriormente, pero ahora era más sensata. Tenía que reconocer que me encantaba ponerles en evidencia, pero entonces Denon me retiró el permiso de conducir y me vi obligada a moverme de nuevo en autobús.

La expresión de Edden se volvió tensa.

—¿Y si así fuera?

Con el gesto contraído, me puse a manosear el informe. Sí, a mí también me dejaba un mal sabor de boca.

—Según la empleada de la SI con la que he hablado —explicó Edden— llevan casi dieciocho meses siguiéndole el rastro. Todo empezó con varias muertes simultáneas que, por lo visto, coinciden con el nacimiento de Holly. Probablemente, fue entonces cuando mataron a los Tilson. Además de retorcida, la señora Harbor es muy inteligente y conoce la ciudad como la palma de su mano. Prácticamente, lo único que tenemos a nuestro favor es que no dejará la ciudad. Las banshees tienen un gran sentido de la territorialidad, y suelen depender de las personas que han estado exprimiendo durante generaciones.

Yo empecé a agitar la pierna nerviosamente y me quedé mirando el informe que yo había redactado.

—¿Por qué me pediste que escribiera esto si ya lo sabías todo? —le pregunté ofendida.

—Ayer todavía no lo sabía. Y tú estabas durmiendo, Rachel —respondió secamente. Acto seguido, tras esconder su ligero sentimiento de culpa tras un trago de café, continuó—: Esta mañana he hablado con una tal Audrey nosequé que trabaja en los archivos. Estaba dispuesta a hacerme rellenar un montón de impresos, hasta que dejé caer tu nombre.

Su expresión de preocupación fue reemplazada por una tenue sonrisa, y me relajé.

—La conozco —dije—. Puedes fiarte de lo que te haya dicho.

Edden soltó una carcajada que hizo que Jenks se pusiera a rezongar en sueños.

—Especialmente después de que le prometiera que le harías de canguro —dijo pasándose la mano por el bigote para esconder una sonrisa—. Estaba algo malhumorada. Vosotras, las brujas, no lleváis muy bien lo de trabajar antes de mediodía.

—No —respondí perdiendo la sonrisa. La última vez que la vi, Audrey tenía tres hijos. Mierda. Jenks iba a tener que ayudarme, de lo contrario me encerrarían en un armario o conseguirían engañarme para que les dejara comer chucherías.

—Según Audrey, lo más probable es que la red de personas de Mia sea tan intrincada que no pueda arriesgarse a abandonar Cincy. Si lo hiciera, sería mucho más fácil descubrir las muertes que sustentan a su hija, en lugar de permanecer ocultas después de haber sido seleccionadas cuidadosamente. —En aquel momento vaciló, y un atisbo de preocupación asomó a su rostro—. ¿Es eso cierto? Ya han matado a un agente de la AFI. Esa enfermedad degenerativa era probablemente Mia, ¿verdad?

Me hubiera gustado tomarle la mano como muestra de apoyo, pero estaba demasiado lejos. Tenía que ir a ver Glenn y echarle un vistazo a su aura. En realidad, no serviría de nada, pero quería saber si era ese el motivo por el que todavía no había recuperado el conocimiento.

—Lo siento muchísimo, Edden —dije finalmente—. Glenn se pondrá bien y nosotros los encontraremos. No vamos a permitir que piensen que pueden hacer algo así con total impunidad.

El capitán contrajo la mandíbula y luego la relajó.

—Lo sé. Solo quería oírte decir que tenemos una posibilidad y que no se han subido a un avión y están en México exprimiendo a un montón de niños hasta la extenuación.

Desde debajo de mi bufanda llegó un sonoro suspiro, y Jenks empezó a farfullar:

—El decimoprimer día de Navidad el amor de mi vida me regaló…

Yo le di un codazo a la pila de informes.

—¡Cállate! —dije. Y entonces, suavizando mi expresión, miré a Edden—. Los cogeremos. Te lo prometo.

El barboteo de Jenks aumentó de volumen, y cuando me di cuenta de que estaba pidiendo disculpas a Matalina, empecé a preocuparme. Hasta cierto punto, era menos desagradable que escuchar lo que hacían los tamborileros con los instrumentos del flautista, pero la sentida llantina que vino después fue casi peor.

—Entonces, ¿nos ayudarás? —preguntó Edden a pesar de que, en mi opinión, la pregunta resultaba bastante innecesaria.

Era una banshee, pero con la ayuda de Ivy, y un montón de horas planificándolo todo al detalle, podríamos conseguirlo.

—Veré qué podemos hacer —respondí intentando sofocar la promesa de Jenks de que, si se ponía bien, no volvería a tocar la miel. Todo aquello se estaba volviendo muy deprimente.

Sin quitarle ojo a mi bufanda, Edden se puso a revolver en el interior de un cajón. Entonces encontró lo que estaba buscando y extendió el brazo con el puño cerrado hacia abajo.

—Entonces necesitarás esto —dijo.

Tendí la mano para coger lo que quiera que fuese y, cuando sentí en la palma el suave tacto del cristal, di un paso atrás. Con el corazón a punto de salírseme del pecho, me quedé mirando la opaca gota de nada que se calentaba rápidamente al entrar en contacto con mi piel. Esperé a que me diera un calambre en la mano, a percibir su tacto peludo o a que se moviera, pero siguió allí como si nada, con el aspecto de uno de esos trozos de cristal baratos y brumosos que las brujas terrestres venden a los ignorantes humanos en el mercado de Finley.

—¿De dónde la has sacado? —pregunté, sintiéndome mareada, aunque más tranquila al ver que la lágrima no hacía nada—. ¿Es de Mia?

Daba la sensación de que se meneara en mi mano, y era todo lo que podía hacer para no dejarla caer, porque entonces me habría preguntado el porqué y podría habérmela quitado. Así que lo miré parpadeando, y los dedos se me pusieron rígidos como una cuna abierta.

—Encontramos todo un alijo en un florero de cristal como si fueran piedras decorativas —explicó Edden—. Pensé que tal vez podrías transformarla en un amuleto localizador.

Era una idea genial, así que me guardé el cristal en el bolsillo del abrigo, pensando que ya llevaba suficiente rato sujetando aquella cosa que no paraba de menearse. Liberé el aire de los pulmones, y el vacilante, casi beligerante azoramiento de Edden me dio qué pensar, hasta que caí en la cuenta de que la había sustraído de la escena del crimen.

—Lo intentaré —dije.

Edden hizo una mueca y bajó la vista. Tenía que ir al aeropuerto para recoger a mi hermano y, aunque iba algo justa de tiempo, aún podía pasarme un momento por la biblioteca de la universidad y acercar a Jenks a la tienda de encantamientos. Los hechizos de localización eran muy difíciles de realizar. Para ser honesta, no estaba segura de conseguirlo. La biblioteca era el único lugar donde podía encontrar la receta. Bueno, además de internet, pero eso podría haberme metido en un buen lío.

En aquel momento, desde debajo de mi bufanda, se escuchaba una poesía cada vez más pastelosa sobre los encantos de Matalina, que mezclaba un lenguaje de lo más poético con algunos términos decididamente lujuriosos. Asestándole un empujón al montón de papeles, apagué la luz. Jenks soltó toda una retahíla de quejas y me puse en pie.

—Vamos, señor Tarro de Miel —dije—. Tenemos que irnos.

Entonces, le quité la bufanda y el pixie no se movió salvo para hacerse un ovillo. Edden también se levantó, y juntos nos quedamos mirándolo. Aquello empezaba a darme muy mala espina. Por lo general, cuando se emborrachaba con miel, Jenks se ponía alegre, pero aquello resultaba bastante deprimente, y me quedé de piedra cuando me di cuenta de que estaba repitiendo el nombre de Matalina una otra vez.

—¡Oh, mierda! —mascullé cuando se puso a prometer cosas que no podía mantener y a pedirle a ella que le jurara algo que no podía cumplir. Con el corazón hecho pedazos, levanté al desprevenido pixie y lo rodeé con mis manos, protegiéndole de la luz y proporcionándole un calor reconfortante. ¡Maldita sea! Aquello no era justo. No me extrañaba que Jenks hubiera aprovechado la oportunidad de emborracharse. Su mujer estaba muriéndose, y no había nada que pudiera hacer por evitarlo.

—¿Se pondrá bien? —me preguntó Edden en un susurro mientras yo seguía allí de pie, delante de su mesa, preguntándome cómo me las iba a arreglar para llevármelo a casa en aquellas condiciones. No podía limitarme a meterlo en mi bolso con la esperanza de que no le pasara nada.

—Sí —respondí distraídamente, absorta en mis pensamientos.

Edden dejó descansar el peso del cuerpo en el otro pie.

—¿Su mujer se encuentra bien?

Con los ojos llenos de lágrimas por Jenks, alcé la vista y descubrí una profunda comprensión en la mirada de Edden, la comprensión de un hombre que había perdido a su esposa.

—No —respondí—. Los pixies solo viven veinte años.

Podía sentir el calor y el ligero peso de Jenks en mis manos y deseé que fuera más grande para poder ayudarlo a entrar en el coche, llevarlo a casa y llorar con él en el sofá. Sin embargo, lo único que podía hacer era introducirlo con cuidado en el guante que Edden me tendía. El forro de cuero lo mantendría caliente, mientras que mi bufanda no.

Jenks apenas se dio cuenta de que lo movía, y podría llevarlo hasta el coche de un modo digno. Intenté darle las gracias a Edden, pero las palabras se me atascaron en la garganta. En vez de eso, agarré la carpeta.

—Gracias por las direcciones —dije quedamente. A continuación, al darme para marcharme, añadí—: Se las daré a Ivy. Es capaz de encontrarle una explicación a una cola de rata cubierta de polvo.

Edden abrió la puerta y el ruido que provenía del resto de las oficinas me golpeó como una bofetada, obligándome a volver a la realidad. Entonces me enjugué los ojos y me ajusté el asa del bolso, mientras sujetaba con cuidado el guante de Edden. Ivy y yo trazaríamos en el mapa la red de Mia, empezando con las guarderías. Después intentaríamos averiguar si trabajaba en alguna residencia de ancianos o de voluntaria en el hospital. Aquello podía ponerse bastante feo.

Justo en el momento en que me ponía en marcha, sentí un leve tirón en el codo y me detuve. Edden tenía la mirada puesta en las baldosas del suelo, y esperé a que me mirara a los ojos.

—Si en algún momento vieras que Jenks necesita alguien con quien hablar, llámame —dijo.

Sentí un nudo en la garganta y, recordando lo que me había contado Ford sobre la forma en que había muerto su esposa, me esforcé por sonreír y asentí con la cabeza. De inmediato, me dirigí taconeando hacia la puerta, con la cabeza alta y la mirada perdida.

Entonces me pregunté si Edden estaría dispuesto a hablar conmigo el año próximo cuando tuviéramos que pasar por lo mismo con Jenks.

7

El aeropuerto estaba muy concurrido, y yo me apoyé en una viga e intenté tranquilizarme. Llevábamos casi una hora esperando, pero cuando los guardias de seguridad me pararon en el control de hechizos, me alegré de que hubiéramos llegado con tiempo. Probablemente se debió al amuleto de la verdad, o tal vez al hecho de que mi detector de hechizos letales hubiera interferido con el suyo, puesto que eran los únicos amuletos invocados que llevaba encima. Vaciar mi bolso delante de tres tipos uniformados con cara de pocos amigos no era, precisamente, mi idea de conocer hombres. No estaban registrando a nadie más, y Jenks se lo pasó en grande.

El pixie se encontraba en un puesto de flores situado en el otro extremo del vestíbulo, y nada hacía pensar que, poco antes, había estado completamente borracho. En aquel preciso instante regateaba con el dependiente, intentando que le regalara unas semillas de helecho a cambio de hacer que un puñado de personas comprara rosas para despedir a sus seres queridos. Cuando habíamos llegado a la tienda de hechizos todavía no había recuperado el conocimiento, de manera que no solo tuve que pasar de largo, sino que tampoco pude acercarme a la biblioteca de la universidad. Pero si lograba las semillas, sería un pixie feliz.

Las corrientes de aire provocaban que hiciera bastante frío en la terminal, pero nada comparable al mundo azul, blanco y gris que se extendía al otro lado de los enormes ventanales de cristal blindado. Las máquinas quitanieves se ocupaban de mantener despejadas las pistas de aterrizaje, y daban ganas de ponerse a jugar con los montones de nieve que se acumulaban en los bordes.

La gente que me rodeaba pasaba de un hostigamiento apresurado a una irritación aburrida o a una expectación impaciente. Yo pertenecía a este último grupo y, mientras esperaba a que el avión de Robbie realizara los controles pertinentes y que los pasajeros desembarcaran, sentí un escalofrío de emoción, aunque en parte se debiera a que todavía estaba nerviosa por que me hubieran registrado en el control de amuletos de alto nivel.

Los brujos siempre habían trabajado en el campo de la aviación, tanto en tierra como en el aire, pero durante la Revelación se habían apropiado por completo de ella y ya no la habían soltado, cambiando las leyes hasta conseguir que fuera obligatoria la presencia de, al menos, un brujo altamente cualificado en todos los puestos de control. Incluso antes de la Revelación, utilizaban detectores de magia de alto nivel junto con los mundanos detectores de metales. Por aquel entonces, lo que podía parecer un inofensivo registro rutinario, a menudo se trataba de una operación encubierta contra el contrabando de magia. En mi caso, desconocía por qué me habían parado. Molesta, intenté relajar el entrecejo y tranquilizarme. A menos que Robbie viajara en primera clase, todavía tendría que esperar un rato.

A pocos metros de donde me encontraba, había una madre con tres niños pequeños, situados uno junto a otro como los peldaños de una escalera, probablemente esperando a su padre. De pronto, el mayor de ellos consiguió soltarse de la mano de su madre y echó a correr hacia los enormes ventanales de cristal; di un respingo cuando su madre alzó un círculo obligándolo a detenerse en seco.

Cuando el pequeño, frustrado, se puso a gritar y a golpear la brillante y delgada barrera haciendo que esta despidiera pequeños destellos de color azul, las comisuras de mis labios se curvaron dibujando una sonrisa. Aquello era algo por lo que yo nunca había tenido que preocuparme. A mi madre se le daba fatal hacer círculos. De todos modos, no había echado a andar hasta los tres años, pues estaba demasiado ocupada en intentar sobrevivir a mi terrible enfermedad. Fue un milagro que llegara a cumplir los dos años, un milagro de la medicina ilegal que me preocupaba cada vez que tenía que enfrentarme a cosas como los detectores de magia de alto nivel. No había manera de detectar la modificación en la mitocondria, pero, aun así, no podía evitar preocuparme.

Impaciente, cambié el peso de mi cuerpo a la otra pierna. Estaba deseando ver a Robbie, pero la cena de aquella noche no iba a resultar nada divertida. Al menos la presencia de Marshal contribuiría a relajar un poco la tensión.

De pronto, los aullidos de frustración del niño se convirtieron en gritos de alegría, y me volví justo para ver que su madre retiraba el círculo. Se la veía radiante y tenía un aspecto fantástico, a pesar de lo cansado que resultaba conseguir que sus agotadores hijos se movieran dentro de los límites impuestos por la sociedad. Seguí con la mirada al pequeño mientras corría en dirección a una atractiva joven vestida con un elegante traje de chaqueta. La mujer se agachó para tomarlo en brazos, y los cinco se unieron en una oleada de felicidad. A continuación empezaron a desplazarse formando una maraña confusa y, tras un sentido beso entre las dos mujeres, la del traje entregó un bolso a la última moda a su pareja a cambio de una pequeña criatura que no paraba de gorjear. La escena resultaba ruidosa, caótica y muy reconfortante.

Conforme se alejaban, mi sonrisa se desvaneció y me acordé de Ivy. Nunca habíamos tenido una relación tan tradicional, en la que cada uno de los miembros de la pareja cumplía un papel de acuerdo con los parámetros de la sociedad. Ivy y yo sí que teníamos una relación, pero si hubiéramos intentando adecuarla a sus ideas e ir más allá de mis límites, se habría ido todo al garete.

Algo mucho más primitivo que el lenguaje verbal despertó mis instintos y aparté la vista de las espaldas de la pareja que desaparecía entre la multitud. Fue entonces cuando divisé a mi hermano y en mis labios se dibujó una sonrisa. Todavía se encontraba en el túnel, pero su cabeza resaltaba por encima de las personas que se encontraban delante. Además, era imposible no ver su llamativo cabello pelirrojo. Llevaba una barba de varios días, y unas modernas gafas de sol que, de no ser por las pecas que llenaban su cara, le habrían dado un aspecto de lo más *cool*. Al ver su amplia sonrisa cuando nuestras miradas se cruzaron, me aparté del gentío y esperé, mientras sentía un hormigueo en los dedos de los pies. ¡Dios! ¡Lo había echado tanto de menos!

Finalmente, cuando la gente que se interponía entre nosotros se retiró, pude ver su estrecha estructura corporal. Llevaba puesta una chaqueta ligera y de su hombro colgaban una brillante bolsa de cuero y su guitarra. Al llegar a la salida del túnel, se detuvo y le dio las gracias a un pequeño hombre de negocios con un aspecto extraño que le entregó una bolsa de viaje y desapareció entre la multitud. Supuse que le había pedido que se la llevara para no tener que facturarla.

—¡Robbie! —exclamé, incapaz de contenerme, y su sonrisa se hizo más amplia. Antes de que quisiera darme cuenta, sus largas piernas recorrieron la distancia que nos separaba y, tras dejar sus cosas en el suelo, me dio un abrazo.

—¡Hola, hermanita! —dijo apretándome aún con más fuerza antes de soltarme y dar un paso atrás. La gente se vio obligada a esquivarnos, pero a nadie parecía importarle. Al fin y al cabo, éramos solo uno de los pequeños grupos que se iban formando poco a poco por toda la terminal—. Tienes muy buen aspecto —dijo revolviéndome el pelo y ganándose un buen puñetazo en el hombro. Entonces me agarró el puño y se quedó mirándolo, sonriendo al descubrir el pequeño anillo de madera de color rosa—. Siguen sin gustarte tus pecas ¿eh? —¿Cómo podía contarle que las pecas habían desaparecido debido a los efectos secundarios de una maldición demoníaca?

En vez de eso, le di otro abrazo, advirtiendo que, con los tacones, era más o menos de su misma altura. Él, en cambio, llevaba puestos unos… ¿mocasines? Con una carcajada lo miré de arriba abajo—. Te vas a congelar el culo ahí fuera.

—Sí, yo también te quiero —respondió con una sonrisa mientras se quitaba las gafas y las metía en la bolsa—. No seas tan dura conmigo. Cuando he salido eran las siete de la mañana y estábamos a veintidós grados. Apenas he dormido cuatro horas en el avión y, como no me tome un café cuanto antes, me voy a caer redondo al suelo. —Acto seguido, inclinándose para coger la guitarra, añadió—: ¿Mamá sigue haciendo ese mejunje que parece petróleo?

Sin poder quitar la sonrisa de mi cara, recogí la bolsa más grande recordando la última vez que lo había ayudado a llevar el equipaje.

—Será mejor que nos lo tomemos aquí. Además, me gustaría hablarte un momento sobre mamá.

Robbie, que estaba intentando coger la bolsa de cuero y la guitarra con la misma mano, se alzó de golpe, mirándome con expresión preocupada.

—¿Se encuentra bien?

Me quedé mirándolo fijamente y, de pronto, me di cuenta de lo mal que había sonado mi comentario.

—¡Oh sí! Está más contenta que un trol bajo un puente de peaje. Por cierto, ¿qué le hiciste cuando fue a visitarte? Al volver, se había puesto morenísima y se pasaba el día canturreando canciones de programas de televisión.

Robbie me cogió la bolsa y juntos nos dirigimos al puesto de café más cercano.

—No fui yo —dijo—. Fue su… compañero de viaje.

Fruncí el ceño y el pulso se me aceleró. *Takata*. Tenía que habérmelo imaginado. Habían decidido hacer un viaje por la Costa Oeste para pasar más tiempo juntos, y yo todavía no sabía qué pensar de él. A pesar de que tenía claro quién era, no se podía decir que nos conociéramos.

Sin decir una palabra, nos pusimos a la cola y de repente, al colocarme hombro con hombro con él, me di cuenta de lo altos que éramos. Takata era el padre biológico de ambos, un noviete de la universidad que había dado a mi madre los dos hijos que su marido, un humano, y casualmente el mejor amigo de Takata, no había podido darle. Mientras tanto, Takata huyó, renunciando a su vida a cambio de fama y fortuna, hasta el punto de teñirse el pelo y cambiarse de nombre. Sin embargo, yo era incapaz de verlo como un padre. La persona que consideraba mi verdadero padre había muerto cuando tenía quince años, y nada ni nadie podían cambiar aquello.

No obstante, una vez a su lado, lo miré de reojo y me di cuenta de lo mucho que me recordaba al viejo rockero. ¡Maldita sea! Cada vez que me miraba al espejo, era como si estuviera viendo a Takata. Mis pies, las manos de Robbie, mi nariz y la altura de ambos. Sin embargo, en lo que más me parecía a él era en el pelo. Aunque el de Takata fuera rubio y el mío pelirrojo, no se podía negar que teníamos los mismos rizos.

Robbie dejó de mirar el cartel con el menú y me agarró del hombro.

—No te enfades con él —dijo, adivinando mis pensamientos. Siempre había tenido esa habilidad, incluso cuando éramos niños, lo que resultaba tremendamente frustrante cuando intentaba esconder alguna trastada—. A mamá le viene muy bien —añadió, empujando su equipaje con el pie conforme adelantaba la fila—. La está ayudando a superar los remordimientos por la muerte de papá. Yo... tuve oportunidad de pasar un poco de tiempo con ellos —dijo en un tono excesivamente bajo por culpa del nerviosismo—. La quiere mucho. Y, cuando están juntos, consigue que se sienta especial.

—No estoy enfadada con él —dije. A continuación, dándole un manotazo en el hombro con la suficiente fuerza como para que lo notara, aclaré—: Con quien estoy enfadada es contigo. ¿Por qué no me dijiste que Takata es nuestro padre?

El ejecutivo que teníamos delante volvió la cabeza y lo miré con cara de pocos amigos.

Robbie avanzó un paso más.

—Sí, claro —masculló—. ¿Qué esperabas que hiciera? ¿Llamarte por teléfono para decirte que nuestra madre era una *groupie*?

Resoplé en tono burlón.

—Las cosas no fueron exactamente así.

Él me miró abriendo mucho los ojos.

—Hubiera tenido mucho más sentido que lo que sucedió. ¡Por el amor de Dios! Si te hubiera contado que nuestro verdadero padre era una estrella del rock, te habrías muerto de risa. Luego hubieras corrido a preguntarle a mamá, y ella se hubiera echado... a llorar.

A llorar, pensé. Había sido todo un detalle por su parte no decir: «En brazos de su rockero», porque eso, precisamente, es lo que hubiera hecho. Y ya había resultado todo lo bastante traumático cuando la verdad salió a la luz. Solté un suspiro y, encogiéndome de hombros, me acerqué al mostrador apenas el tipo que estaba delante de nosotros se largó con su *latte* en vaso largo con nosequé.

—Un *latte* grande, doble *espresso* de mezcla italiana —pidió Robbie, con los ojos puestos en el menú—. Con poca espuma y extra de canela. Y una cosa más, ¿podrías usar leche entera?

El dependiente asintió con la cabeza mientras apuntaba el nombre en el vaso de papel.

—¿Van juntos? —preguntó, alzando la vista.

—Sí. Yo tomaré un café en vaso mediano con la mezcla de la casa —respondí desconcertada. No estaba del todo segura, pero, por lo que me parecía recordar, el café que había pedido Robbie era igual que el que le gustaba a Minias.

—¿No quiere que le ponga un chorrito de algo? —sugirió el dependiente mientras yo pasaba la tarjeta por la máquina antes de que Robbie se me adelantara.

—No. Me gusta solo.

Al ver que Robbie batallaba con sus cosas, agarré los dos vasos y lo seguí hasta una mesa tan pequeña y pringosa que daban ganas de tomarse el café de un trago y salir pitando.

—Podrías dejar que te ayudara —dije al ver que se tambaleaba.

—No —respondió con una sonrisa ladeada—. Ya me ocupo yo. Tú siéntate.

Obedecí complacida y me quedé mirando cómo luchaba con los bultos y le preguntaba a una pareja de ancianos si podían cederle una silla. De pronto, descubrí, aterrorizada, que alguien había dejado sobre la mesa un periódico doblado en el que se veía la foto de la casa de los Tilson. Rápidamente, lo agarré y lo guardé en el bolso justo en el instante en que Robbie se unía a mí.

Tras dejarse caer sobre su silla, levantó la tapa del café, inhaló brevemente el aroma y bebió un buen trago.

—¡Qué gozada! —exclamó con un suspiro, y yo hice lo propio. Tras unos segundos en silencio, me miró por encima del borde del vaso y dijo—: Entonces, ¿qué tal está mamá?

El ejecutivo que había estado delante de nosotros en la cola se puso en pie con una mancha de espuma en la nariz y se quedó mirando la pantalla de las salidas.

—Bien.

Robbie me miró en silencio e hizo crujir los nudillos.

—¿Hay algo que me quieras decir? —preguntó con aire de suficiencia.

Que hay un coche de policía vigilando la casa de mamá y que, cuando lo descubras, querrás saber por qué. Que estoy colaborando en la investigación de un asesinato que podría afectar a mi vida personal. Que la universidad no me deja inscribirme en sus cursos. Que todos los sábados tengo una cita en siempre jamás con el Gran Al y que, gracias al padre de Trent Kalamack, soy la fuente de la próxima generación de demonios.

—Ummm…, no.

Él soltó una carcajada y acercó aún más su guitarra.

—Has abandonado la SI —dijo mirándome divertido con sus profundos ojos verdes—. Te advertí que no era una buena idea entrar a trabajar para ellos, pero noooo. Mi hermanita tiene que hacer las cosas a su manera, y luego trabajar el doble para solucionarlo. Por cierto, estoy muy orgulloso de que, al final, te dieras cuenta de que había sido un error.

¡Ah, eso! Aliviada, levanté la tapa del café y soplé sobre la negra superficie, mirándolo de reojo. «Abandonar» no era, precisamente, la palabra que habría utilizado yo. «Cometer la estupidez de dejarla» habría resultado más apropiado. O, tal vez, «intento de suicidio».

—Gracias —acerté a decir, aunque, lo que me hubiera gustado era soltarle una diatriba que empezara por dejar claro que no había sido ningún error. *¿Lo ves? Puedo cambiar.*

—Ya no van a por ti, ¿verdad? —preguntó echando un vistazo a nuestro alrededor y revolviéndose incómodo en su asiento. Negué con la cabeza y su alargado rostro pareció aliviado, aunque todavía mostraba un atisbo de desconfianza.

—Me alegro —sentenció, inspirando profundamente—. Trabajar para ellos era demasiado peligroso. Podría haberte sucedido cualquier cosa.

Y, de hecho, así fue, pensé con los ojos cerrados, disfrutando del placer que me producía sentir cómo el primer trago de café descendía por mi garganta.

—¿Y qué te crees? ¿Que lo que hago ahora es más seguro? —le pregunté abriendo los ojos—. ¡Por el amor de Dios, Robbie! Tengo veintiséis años. Ya no soy la niña esmirriada que era cuando te marchaste.

Tal vez mi respuesta había sonado un poco brusca, pero todavía le guardaba rencor por intentar impedirme entrar en la SI.

—Lo que quiero decir es que está dirigida por un montón de vampiros mentirosos y corruptos —replicó—. No era solo el peligro. Nunca te habrían tomado en serio, Rachel. Nosotros, los brujos, no contamos. Una vez que traspasas cierta barrera, te quedas ahí para el resto de tu vida, no te permiten llegar más allá.

Hubiera podido ponerme furiosa con él pero, echando la vista atrás, y evaluando lo que había sucedido el último año que había pasado en la SI, sabía que tenía razón.

—A papá no le fue tan mal —dije.

—Hubiera podido hacer mucho más.

A decir verdad, había hecho mucho más. Robbie no lo sabía, pero quizá nuestro padre había sido un topo en la SI, pasando información y advertencias al padre de Trent. *Mierda,* pensé cuando caí en la cuenta de lo que eso significaba. *Como Francis.* No, papá no era como Francis. Francis lo había hecho por dinero y estaba segura de que papá lo había hecho por un motivo más elevado. Lo que planteaba la pregunta de qué había visto en los elfos para arriesgar su vida por evitarles la extinción. No había sido a cambio de la cura ilegal que me había salvado la vida. Eran amigos desde mucho antes de que yo naciera.

—¿Rachel?

Mientras escudriñaba la concurrida terminal en busca de Jenks, bebí otro trago de café. Estaba empezando a sentir cierta inquietud, y casi me atraganto cuando divisé a un miembro de seguridad que nos observaba atentamente desde el otro lado del vestíbulo. *Genial. Esto cada vez pinta mejor.*

—Tierra llamando a Rachel… ¿Estás ahí, Rache?

Intentando recuperar la compostura, aparté la vista del agente aeroportuario.

—Perdona, ¿qué decías?

Robbie me miró de arriba abajo.

—Te has quedado callada de repente.

—Solo estaba pensando —respondí intentando no mirar al vigilante armado y al compañero que acababa de unirse a él.

Mi hermano se puso a mirar su café.

—Eso ya es un cambio —me provocó. Por aquel entonces el número de guardias había ascendido a tres. Con dos, más o menos, podía manejarme, pero con tres, la cosa se complicaba. *¿Dónde demonios te has metido, Jenks?* Quería salir de allí cuanto antes, así que volqué el vaso del café, fingiendo que había sido un accidente.

—¡Oh! —exclamé haciendo grandes aspavientos y, mientras Robbie se apartaba para evitar que le cayera encima, corrí a coger un puñado de servilletas para poder estudiar mejor a los agentes de la terminal. *Dos lobos,* pensé, *y un brujo.* Habían reunido fuerzas y se dirigían lentamente hacia donde nos encontrábamos. *Mierda.*

—¿Crees que podrías beber y caminar al mismo tiempo? —le susurré a Robbie al volver, mientras me ponía a limpiar todo—. Tenemos que encontrar a Jenks y salir de aquí cuanto antes.

—¿Es por esos polis? —preguntó. Yo levanté la vista y me quedé mirándolo sorprendida—. Si querías que nos largáramos, no hacía falta que tiraras el café.

—¿Lo sabías? —Él me miró con un gesto de desagrado, mientras sus ojos verdes mostraban un atisbo de enfado.

—Llevan siguiéndome desde que llegué al aeropuerto —explicó sin apenas mover los labios mientras le ponía la tapa al café y alzaba su bolsa—. Me han registrado tan a fondo que casi me dejan desnudo, y juraría que el tipo que estaba sentado a mi lado era un teniente de las fuerzas aéreas. ¿Qué es lo que has hecho, hermanita?

—¿Yo? —exclamé a punto de estallar. Lo que más me fastidiaba es que pensara que era a mí a quien seguían. No era yo la que jugueteaba con azufre y pasaba largas temporadas fuera de casa durmiendo en una ciudad diferente cada noche. No, yo me limitaba a quedarme en la vieja Cincinnati, tropezando una y otra vez con los peces gordos de la ciudad como quien se encuentra con los vecinos en el supermercado.

—¡Qué más da! El caso es que tenemos que irnos —dije pensando que aquello explicaba por qué me habían registrado al entrar.

Robbie emitió un gruñido de conformidad y, mientras yo me colgaba una de sus bolsas y agarraba el instrumento, él me pasó su café y me quitó la guitarra.

—Tú siempre lo rompes todo —se justificó arrebatándome el asa de las manos.

Sentí un escalofrío cuando vi que los polis empezaban a seguirnos, pavoneándose, mientras nos dirigíamos a la recogida de equipajes. Robbie no dijo ni una palabra hasta que llegamos a una cinta desplazadora donde, aprovechando el leve zumbido, tiró de mí hacia él y susurró:

—¿Estás segura de que la SI no anda detrás de ti por haberlos dejado tirados?

—Segurísima —insistí, aunque estaba empezando a tener mis dudas. Estaba trabajando en un doble asesinato en el que estaban involucrados un humano y una banshee. Edden había dicho que no estaban interesados en Mia, pero ¿y si estaban intentando encubrir algo? *Por favor, otra vez no,* me dije a mí misma, abatida. Pero, en ese caso, ya me habrían enviado a Denon para que me amenazara. ¡Quién sabe! Tal vez lo habían ascendido. La última vez que había visto al vampiro necrófago, tenía mejor aspecto que nunca.

Nos estábamos acercando al final de la pasarela móvil, y Robbie levantó un poco más su bolsa de manera que pude echar un vistazo a los hombres armados que nos seguían. Los seis metros se habían convertido en cuatro y medio, y yo estaba cada vez más nerviosa. De pronto escuché el inconfundible chasquido de las alas de Jenks y descubrí que se encontraba en un puesto de flores cercano. Al ver que estaba ocupado, le indiqué que nos íbamos a recoger el equipaje de Robbie y, justo después, incliné la cabeza hacia atrás. Él dejó escapar un resplandor para hacerme saber que lo había entendido, y mi hermano y yo seguimos nuestro camino.

—¿Jenks? —preguntó Robbie en voz baja—. Es tu ayudante, ¿verdad?

—Sí —respondí con el ceño fruncido colocándome la bolsa de Robbie en una posición más cómoda—. Estoy segura de que os vais a caer muy bien. Está intentando conseguir unas cosas para su mujer. No tengo ni idea de por qué nos siguen esos tipos.

—No estarás buscando una excusa para no venir a cenar, ¿verdad? —preguntó Robbie alzando la voz mientras bajábamos de la cinta.

Me esforcé por soltar una sonora carcajada.

—Tal vez —respondí dispuesta a seguirle el juego—. Tengo algunos asuntos que resolver. He de ir a la biblioteca a devolver un libro y me gustaría visitar a un amigo que está ingresado en el hospital.

—¡No te atreverás! —exclamó Robbie para que lo oyeran los miembros de seguridad mientras nos adentrábamos lentamente en un pequeño pasillo que se encontraba junto a las puertas de seguridad—. Necesito que estés allí para interceder cuando mamá decida sacar los álbumes de fotos.

Sonreí burlona. Sabía perfectamente a qué se refería.

—Mmmm, deberías haberte traído a Cindy. Yo voy a llevar a un acompañante.

—¡Eso no es justo! —protestó mientras accedíamos a la parte del aeropuerto no vigilada. Miré atrás y descubrí que nuestros escoltas se habían reducido a uno. *Gracias a Dios, es el brujo. Soy perfectamente capaz de enfrentarme a un brujo, incluso sin la ayuda de Jenks.*

—¡Por supuesto que es justo! Se llama Marshal, y trabaja en la universidad como entrenador del equipo de natación. En una ocasión, me ayudó durante una misión y, de todos los chicos con los que he salido, es el primero que no intenta conseguir nada a cambio, así que sé amable con él.

Robbie se quedó mirándome mientras subíamos las escaleras mecánicas.

—No será…

Al escuchar su tono dubitativo y descubrir que estaba agarrando la barandilla con el dedo meñique delicadamente extendido, lo miré con una sonrisa ladeada.

—¡No! —respondí—. Se trata de un chico tradicional. ¡Dios! Puedo estar con un chico soltero, de los de antes, y no acostarme con él.

—Pues sería la primera vez —comentó Robbie. Le di un empujón, descargando un poco de la adrenalina que había acumulado gracias a los tres tipos de seguridad.

—¡Eh! —exclamó de buen rollo, recuperando el equilibrio justo a tiempo para sortear sin problemas el final de la escalera.

Nos detuvimos en silencio delante de los monitores para comprobar por qué cinta transportadora salían las maletas de su vuelo y, despacio, nos unimos al creciente grupo de personas que intentaba coger un buen sitio.

—¿Sigues viviendo en esa iglesia?

De pronto, sentí que la sangre se me subía a la cabeza y solté su bolsa de golpe.

—¿Quieres decir, con la vampiresa? Pues sí. *¿Cómo es posible que consiga sacarme de quicio con tanta facilidad?*

Con la vista puesta en el lugar del que salían, una por una, todas las maletas, Robbie emitió un sonido gutural.

—¿Y qué piensa mamá al respecto?

—Estoy segura de que, esta noche, te enterarás de todo —dije, cansada de escuchar siempre la misma historia. En realidad mi madre se mostraba bastante comprensiva y, con Marshal delante, cabía la posibilidad de que ni siquiera sacara el tema.

—¡Ahí está! —exclamó de pronto, ahorrándome tener que seguir con aquella conversación. Justo entonces, su rostro adoptó una expresión preocupada—. Creo que es la mía —añadió, y yo me retiré un poco para dejar que se abriera paso entre dos señoras de baja estatura y retirara la maleta de ruedas de la cinta.

En aquel momento escuché el chasquido de las alas de un pixie y, cuando vi que la gente prorrumpía en exclamaciones cargadas de ternura, supe que Jenks se encontraba cerca, de manera que me enrollé la bufanda para darle un lugar donde entrar en calor. La luz era bastante intensa alrededor del puesto de flores, pero en aquel lugar, junto a las puertas, hacía mucha corriente.

—¡Hola, Rachel! —dijo aterrizando en mi hombro con un fuerte olor a fertilizante barato.

—¿Has conseguido lo que buscabas? —le pregunté mientras Robbie tiraba con fuerza de su maleta de ruedas para bajarla de la cinta.

—No —respondió—. Todos los productos estaban llenos de conservantes a base de cera. ¡Por las zapatillas rojas de Campanilla! ¿Por qué tienes a tres policías siguiéndote?

—No tengo ni idea. —Robbie empujó la maleta hasta donde nos encontrábamos, con la cabeza gacha y cara de enfado—. ¡Eh, Robbie! Quiero presentarte a Jenks, uno de mis socios —dije cuando mi hermano se detuvo ante nosotros. Por la forma en que tiró del asa, debía de estar muy cabreado.

—Me han roto el candado de la maleta —se lamentó. A continuación, cuando Jenks descendió para echarle un vistazo, intentó suavizar su expresión.

—¡Pues sí! —confirmó el pixie revoloteando justo delante con los brazos en jarras. Entonces ascendió de golpe obligando a Robbie a apartar la cabeza de golpe—. Me alegro de que por fin nos conozcamos.

—¿Eres tú el que evita que mi hermana se meta en líos? —dijo Robbie extendiendo la palma de la mano para que Jenks pudiera posarse, mientras lo observaba con una amplia y sincera sonrisa—. Gracias. Te debo un gran favor.

—¡Bah! —Al oír sus palabras, las alas de Jenks adquirieron poco a poco un ligero tono rojizo—. Tampoco es tan difícil de vigilar. Son mis hijos los que me llevan por la calle de la amargura.

—¿Tienes hijos? Pero ¡si eres muy joven!

—Casi cuatro docenas —respondió, henchido de orgullo por el hecho de ser capaz de mantener viva una prole tan numerosa—. Bueno, será mejor que nos larguemos de aquí, antes de que a esos inútiles de allí les entren delirios de grandeza e intenten registrarte de nuevo la ropa interior.

Sorprendida, eché un vistazo al agente de seguridad del aeropuerto apostado a unos diez metros de donde nos encontrábamos y descubrí que me observaba con una sonrisa. ¿Qué demonios estaba pasando?

—¿Quieres comprobar si te falta algo? —pregunté a Robbie.

—No —respondió mirando el cerrojo con el ceño fruncido—. Jenks tiene razón. No llevo nada de valor. Tan solo ropa y un montón de música.

—Lo sé —dijo Jenks—. Cuando estaba en el puesto de flores, he podido oír lo que decían por radio. Debí imaginar que estaban hablando de ti, Rachel.

—¿Te has enterado de por qué nos vigilan? —le pregunté con el corazón a punto de salírseme del pecho—. ¿Son de la SI?

Jenks negó con la cabeza.

—No lo han dicho. Pero si os sentáis a tomar otro café, lo averiguaré.

Miré a Robbie con expresión interrogante, pero él no dejaba de cambiar el peso de una pierna a otra, con evidentes muestras de nerviosismo. Entonces eché un vistazo al tipo de seguridad, que estaba con los brazos cruzados sobre el pecho, como si me suplicara que fuera a quejarme.

—No —resolvió Robbie—. No merece la pena. ¿Dónde has aparcado?

—En Idaho —bromeé, a pesar de que, por dentro, estaba cada vez más cabreada. *¿Por qué habían registrado las maletas de mi hermano, si era a mí a quien estaban vigilando?*—. Bueno… ¿Por qué no me cuentas algo de Cindy? —sugerí mientras nos acercábamos a las enormes puertas de cristal. Cuando se abrieron, Jenks se introdujo en mi bufanda y, juntos, salimos a la fría pero luminosa tarde.

Tal y como esperaba, la expresión apesadumbrada de Robbie desapareció por completo y, con el rostro radiante, empezó a charlar alegremente. Mientras buscábamos el coche, tuve que esforzarme por mantener la atención en lo que tenía que contar sobre su novia, asintiendo con la cabeza y alzando las cejas cada vez que la ocasión lo requería.

Aun así, conforme cruzábamos el aparcamiento, me fui fijando en todos y cada uno de los rostros que nos rodeaban, oteando el horizonte, comprobando que nadie nos siguiera e inspirando profundamente con el propósito de distinguir los característicos olores de hombres lobo, vampiros o brujos mientras fingía que no pasaba nada e intervenía en la conversación cuando me preguntaba por los grupos de música que había estado escuchando últimamente. A pesar de que todavía estaba tensa, cuando llegamos al coche y descubrí que Denon no me estaba esperando, respiré aliviada.

Claramente feliz por que nos fuéramos a casa, Robbie continuó charlando mientras metíamos sus cosas en el maletero y se introducía con cierta dificultad en el asiento del copiloto. Una vez dentro, puse la calefacción al máximo para Jenks que, inmediatamente, empezó a despotricar sobre mi perfume y se instaló en el hombro de Robbie. No obstante, creo que la verdadera razón no era mi perfume, sino que mi hermano, cuya ropa primaveral no lo abrigaba lo suficiente, había puesto todas las rejillas apuntando hacia él. La conversación decayó cuando Robbie descubrió el detector de magia de alto nivel que colgaba de mis llaves. Sabía perfectamente lo que era (él también había presenciado cómo mi padre se preparaba para ir al trabajo) y, aunque frunció el gesto, preocupado por el hecho de que su hermana tuviera que llevar un amuleto para protegerse de posibles bombas lapa, no dijo ni una palabra.

No empecé a tranquilizarme hasta que no llegamos a la autopista y nos dirigimos camino a casa. Aun así, me pasé el viaje vigilando por el espejo retrovisor por si divisaba las luces intermitentes de la SI y pensando: *¿Acaso he vuelto a acercarme demasiado a uno de sus chanchullos? Y, si así fuera, ¿debería retroceder o destaparlo todo una vez más?*

Con los ojos guiñados, no solo por la luz del sol, sino también por mi mal humor, recordé la cara de cabreo de Robbie al descubrir que habían estado hurgando en sus cosas. Entonces decidí que sí, que iba a dejar que todo aquel asunto saliera a la luz.

8

Mientras estaba sentada a la antigua mesa de Ivy, ojeando uno de los viejos libros demoníacos de mi padre en busca de una receta para crear un amuleto localizador, la cálida brisa del calefactor hizo que los rizos me empezaran a hacer cosquillas en el cuello. Jenks estaba leyendo por encima de mi hombro, y el hecho de tenerlo allí, suspendido a apenas medio metro de distancia, me estaba sacando de quicio. En mi opinión, no le hacía ninguna gracia que siguiera buscando, a pesar de haber encontrado una receta en mis mundanos, y mucho más seguros, libros de magia terrestre. La mayoría de los hechizos de detección, ya fueran terrestres o de líneas luminosas, hacía uso de la magia simpática, es decir, utilizabas un objeto que estuviera en tu poder para detectar cualquier cosa que pudiera interesarte, ya fueran bombas lapa, carteristas o micrófonos ocultos. No obstante, los localizadores de magia terrestre lo hacían encontrando auras a larga distancia. Era demasiado sofisticado, y esperaba que los demonios tuvieran una versión más sencilla. Si así fuera, las posibilidades de conseguirlo eran mucho mayores.

Me había largado de casa de mi madre hacía como una hora, con la excusa de que tenía trabajo pendiente y prometiendo que volvería a medianoche. Robbie no le había contando nada a mi madre del incidente del aeropuerto, pero seguía cabreada por el hecho de que le hubieran registrado el equipaje. A decir verdad, lo que estaba era preocupada, pero se me daba mejor combatir el enfado que el miedo.

Se estaba poniendo el sol, y la penumbra se había apoderado de la cocina. Al otro lado de las cortinas azules, el cielo tenía un desabrido color gris y, deseando apartar a Jenks de mi hombro, me puse en pie con el libro provocándome un leve cosquilleo en las puntas de los dedos, y moví el interruptor de palanca que había junto al pasaje abovedado. Jenks celebró la potente luz de los fluorescentes con un zumbido de alas, y me dirigí a la isla central arrastrando los pies. Sin levantar la vista de las páginas, dejé caer el libro con un golpe seco, crucé los tobillos y me incliné sobre él, pasando las hojas con la punta de un lápiz. Me hubiera gustado decir que la razón por la que estaba tan frío era porque había estado mucho tiempo en el campanario, pero sabía que no era cierto.

Jenks se acercó zumbando, arreglándoselas para que el ruido de sus alas adquiriera un tono reprobatorio. Rex observaba desde el umbral, con las orejas de punta, mientras la campanilla que le había colocado Jenks el pasado otoño resplandecía con la luz. Aunque sabía muy bien que no funcionaría, intenté convencerla de que entrara. El único motivo por el que estaba allí era Jenks. Colocándose a cinco centímetros de las páginas amarillentas, el pixie se puso las manos sobre las caderas y se me quedó mirando. Era imposible no darse cuenta de que el polvo que despedía hacía brillar las letras de tinta escritas a mano. *Interesante…*

—Raachel —me recriminó.

—Solo estoy mirando —me justifiqué espantándolo con la mano antes de pasar la página. Los libros demoníacos no tenían índice. La mayoría, ni siquiera título. Estaba obligada a ir página por página, y aquello llevaba mucho tiempo. Especialmente si teníamos en cuenta que yo era de las que se entretenían en curiosear lo terribles que podían ser algunas maldiciones, y lo inocuas que resultaban otras. En algunos casos bastaba leer los ingredientes para averiguarlo, pero en otros, la única manera de descubrir que se trataba de una maldición era que mezclara la magia terrestre con líneas luminosas, una característica esencial de los hechizos demoníacos. Se trataba de magia negra solo porque comportaban un importante desequilibrio en el libro de la naturaleza, y esperaba que uno de aquellos fuera el equivalente demoníaco de los amuletos de localización.

El año anterior había decidido que no iba a evitar la utilización de maldiciones demoníacas basándome solo en la mácula. Gracias a Dios, tenía un cerebro, y estaba decidida a usarlo. Desgraciadamente, el resto de la sociedad no pensaba lo mismo, como por ejemplo Jenks, que, aparentemente, había decidido representar el papel de Pepito Grillo y se entretenía en leer las páginas con la misma atención que yo.

—Esta es excelente —reconoció con cierta reticencia, mientras cubría de polvo la maldición en la que se detallaba cómo hacer volar un palo de madera del tamaño de una escoba. Existía un hechizo terrenal que lograba hacer lo mismo, pero era el doble de complicado. Lo había descartado el año anterior por su elevado coste tras decidir que aquella pequeña bruja no estaba dispuesta a volar a no ser que se encontrara cómodamente sentada en el interior de un avión.

—No sé… —dije pasando la página—. Con lo que cuesta el palo, podría pagar el alquiler durante un año.

En la página siguiente había una maldición que permitía convertir la carne humana en madera. ¡Puaj! Jenks se estremeció, y pasé la hoja provocando que el polvo azulado que desprendía aterrizara en el suelo. Lo dicho, en algunos casos resultaba muy sencillo descubrir que se trataba de magia negra.

—Rachel... —me suplicó Jenks, visiblemente afectado.

—Relájate. No pienso hacer algo así.

Agitando las alas a rachas irregulares, el pixie descendió unos tres centímetros impidiéndome que pasara la página. Con un suspiro, me quedé mirándolo fijamente, intentando que se apartara solo con mi fuerza de voluntad. Él se cruzó de brazos y me devolvió la mirada. No estaba dispuesto a ceder ni un milímetro, pero, cuando dos de sus hijos, que estaban delante de la oscura ventana de la cocina, empezaron a discutir por una semilla que habían encontrado en una grieta del suelo, la distracción hizo que se elevara lo suficiente para que pudiera pasar la página.

En aquel momento, las puntas de los dedos, que estaban apoyadas en las páginas amarillentas, empezaron a dormírseme, así que cerré el puño. Entonces el corazón empezó a latirme a toda velocidad cuando creí reconocer un hechizo localizador justo debajo. Si estaba leyendo bien, la maldición demoníaca utilizaba magia simpática, como los conjuros de detección, y no auras, como los hechizos localizadores normales. A pesar de que se trataba de una maldición, parecía mucho más sencilla de realizar que el hechizo del libro de magia terrestre. *Y mucho más tentador, querida.*

—¡Eh! Mira esto —dije con voz queda mientras Jenks chasqueaba las alas para advertir a sus hijos de que debían dejar de discutir. Juntos repasamos los ingredientes—. ¿El objeto sintonizador tiene que ser robado? —pregunté en voz alta. Aquello no me gustaba ni un pelo, de manera que no fue sorprendente que diera un respingo cuando se oyó el timbre de la puerta principal.

Con los brazos en jarras, Jenks nos lanzó una mirada amenazante, tanto a mí como a sus hijos, que tenían las mejillas encendidas y cuyas alas desprendían una neblina negra que caía sobre el fregadero.

—Ya voy yo —dijo antes de que pudiera reaccionar—. Y, cuando vuelva, será mejor que hayáis resuelto vuestras diferencias, o seré yo el que tome la decisión —añadió dirigiéndose a sus pequeños antes de salir disparado.

El volumen de la discusión disminuyó de golpe, y esbocé una sonrisa. Eran casi las seis, lo que significaba que debía de ser un humano o un brujo. Aunque también podía tratarse de un hombre lobo o un vampiro vivo.

—Si es un cliente, lo veré en el santuario —grité a Jenks. No me apetecía nada tener que esconder los libros por si atravesaban la cocina de camino a la sala de estar posterior.

—¡De acuerdo! —se oyó decir a Jenks desde la distancia. Rex había echado a correr tras él, con la cola erguida, las orejas de punta y haciendo sonar su pequeño cascabel. Los dos pixies de la ventana retomaron la discusión, pero esta vez en voz baja, lo que resultaba casi más desagradable que cuando gritaban.

Tras echar un último vistazo a la maldición, dejé una señal y cerré el libro. Tenía todo lo que hacía falta, pero el objeto identificativo, en este caso la lágrima de cristal, tenía que ser robado. Aquello resultaba algo desagradable, pero no lo convertía necesariamente en magia negra. La magia terrestre tenía algunos ingredientes como aquel. La ruda, por ejemplo, funcionaba mejor si se decía un conjuro durante la siembra, y no surtía efecto en un hechizo a menos que la hubieras robado. Esa era la razón por la que había plantado la mía junto a la puerta de la verja, para que fuera más fácil mangarla. La mía se encargaba de robarla Jenks y nunca le había preguntado de dónde. Los hechizos elaborados con ruda robada no se consideraban magia negra, así que, ¿por qué este sí?

Poniéndome en pie, crucé la habitación para sacar del abrigo la lágrima que me había dado Edden. La había sustraído de las pruebas. Preguntándome si eso bastaría, extraje la lágrima, sorprendida por el hecho de que hubiera perdido su transparencia y se hubiera vuelto negra.

—¡Guau! —susurré. Seguidamente levanté la vista al reconocer la voz de Ford en el pasillo. Acto seguido consulté el reloj. ¿Las seis? Mierda, me había olvidado de que habíamos quedado. No estaba de humor para escuchar sus rollos psicológicos, especialmente si funcionaban.

Ford entró con una sonrisa cansada mientras sus deslucidos zapatos de vestir dejaban marcas húmedas en el suelo conforme perdían los últimos restos de nieve. Rex caminaba detrás de él, con un interés felino, olisqueando la mezcla de agua y sal. Les acompañaba un buen puñado de hijos de Jenks, que parloteaban sin cesar formando un remolino de seda y polvo de pixie. Ford tenía el gesto fruncido en una mueca de dolor, y resultaba evidente que tantas emociones lo estaban saturando.

—¡Hola, Rachel! —dijo quitándose el abrigo de tal manera que la mitad de los pixies se retiró, aunque regresó inmediatamente—. ¿Qué es eso de que te han estado siguiendo en el aeropuerto?

Lancé una mirada asesina a Jenks y él se encogió de hombros. A continuación le hice un gesto a Ford para que se sentara, dejé el libro demoníaco en el montón que había bajado del campanario y me limpié las manos en los vaqueros.

—Solo intentaban intimidarme —dije sin saber qué pintaba mi hermano en todo aquello, pero convencida de que era a mí, y no a él, a quien tenían en el punto de mira—. ¡Eh! ¿Qué te parece esto? Esta mañana, cuando me la dio Edden, era de color claro.

Ford se acomodó en la silla de Ivy y extendió la mano, sacudiendo la cabeza cuando un trío de niñas pixie le preguntó si podían hacerle unas trenzas en el pelo. Las ahuyenté con la mano cuando rodeé la encimera para entregarle la lágrima, y las niñas se echaron a volar hacia la repisa de la ventana para tomar partido en la discusión sobre la semilla.

—¡Por los tampones de Campanilla! —exclamó Jenks cuando vio la lágrima en la palma de Ford—. ¿Qué le has hecho, Rachel?

—Nada.

Al menos no tenía un tacto peludo ni se ponía a moverse cuando la tocaba. Ford entornó los ojos mientras la observaba bajo la luz artificial. La discusión del fregadero estaba empezando a extenderse al resto de la habitación y le lancé una mirada a Jenks para que hiciera algo al respecto. No obstante, el pixie estaba junto a Ford, observando fascinado los remolinos negros que atravesaban el cristal grisáceo.

—Me lo dio Edden para que hiciera un hechizo localizador —expliqué—. Pero no tenía este aspecto. Ha debido de ir absorbiendo las emociones de cuando nos estaban siguiendo en el aeropuerto.

Ford se me quedó mirando por encima de la lágrima.

—¿Estabas enfadada?

—Bueno, un poco. Más bien, algo molesta.

Jenks salió disparado hacia la ventana cuando la discusión empezó a alcanzar tal intensidad que me dolían hasta los globos oculares.

—¿Molesta? ¡Ni hablar! Parecía un grano en el culo de un hada, rojo como un tomate, y a punto de estallar —dijo antes de ponerse a hablar con sus hijos a tal velocidad que me fue imposible entender nada. Inmediatamente, los pixies se quedaron en completo silencio.

—¡Por el amor de Dios, Jenks! —exclamé, cada vez más alterada—. ¡Tampoco estaba tan cabreada!

Ford se puso a mover la lágrima con los dedos hacia delante y hacia atrás.

—Debe de haber absorbido un montón de emociones. No solo las tuyas, sino también las de todos los que había allí. —Y tras unos instantes de vacilación, añadió—: La lágrima... ¿te liberó de tus emociones?

Al ver su mirada esperanzada, negué con la cabeza. Pensaba que, tal vez, podría ayudarle a atenuar las suyas.

—No —respondí—. Lo siento.

Apoyándose en la esquina de la mesa, Ford me devolvió la lágrima esforzándose por ocultar su decepción.

—Bueno —dijo sentándose de nuevo en la silla de Ivy y colocándose a Rex en el regazo—, como bien sabes, trabajo por horas. ¿Dónde crees que estaremos más cómodos?

—¿No preferirías que nos tomáramos un café? —sugerí, mientras guardaba de nuevo la lágrima en el bolsillo del abrigo a falta de un lugar mejor—. No me siento de humor para intentar recordar al asesino de Kisten. *¡Estúpida gata! No permite que la toque, pero se deja achuchar por un perfecto desconocido.*

Sus oscuros ojos se dirigieron hacia la cafetera apagada.

—Nunca se está de humor para algo así —dijo quedamente.

—Ford... —gimoteé. En ese preciso instante uno de los pixies soltó un chillido y Ford se estremeció mientras su rostro se volvía completamente blanco. Irritada, miré a Jenks.

—¿Podrías llevarte a tus hijos de aquí? Me están dando dolor de cabeza.

—¡Ya basta! Jumoke se encargará de la semilla —sentenció con rotundidad, zanjando las protestas con un agudo chasquido de las alas—. ¡Ya os había dicho que no os gustaría! —exclamó—. Y ahora, fuera de aquí. Jumoke, pregúntale a tu madre dónde esconde las semillas. Allí estará segura hasta la primavera.

De ese modo, también se aseguraba de que, cuando falleciera, alguien más supiera dónde ocultaba su valiosa reserva de semillas. La esperanza de vida de los pixies era un asco.

—¡Gracias, papá! —gritó el eufórico pixie mientras salía volando de la habitación arrastrando al resto en un torbellino de ruido y de color.

Aliviada, rodeé la encimera central y me senté en mi sitio. Ford empezaba a tener mejor aspecto y, cuando Rex echó a correr tras los pixies, vaciló en su asiento hasta encontrar una posición más cómoda. Jenks descendió de inmediato y se situó frente a él con los brazos en jarras.

—Lo siento —se excusó—. No volverán.

Ford volvió a mirar la cafetera.

—Uno de ellos sigue ahí.

Empujé los libros demoníacos y los coloqué junto a los de la universidad para hacer un poco de espacio.

—¡Qué cabrón! Farfullé levantándome para prepararle un café a Ford.

Jenks frunció el ceño y soltó un agudo silbido. Con una sonrisa burlona, esperé a ver quién era el curioso, pero no apareció nadie. Tal vez podía buscar alguna otra excusa para perder un poco más de tiempo. Quizás podría hablarle de Jenks.

—Gracias, Rachel —dijo Ford con un suspiro—. Me vendría bien un poco de cafeína. Porque espero que sea un café como Dios manda.

Tras llenar una taza, la metí en el microondas y lo puse al máximo.

—El descafeinado es un castigo cruel y poco común.

Jenks recorría la cocina como una luciérnaga escapada del infierno, despidiendo chispas para crear rayos de sol artificiales.

—No lo encuentro —gruñó—. Me estaré haciendo viejo. ¿Estás seguro de que hay alguien?

Ford inclinó la cabeza como si estuviera escuchando.

—Segurísimo. Es una persona.

Jenks esbozó una sonrisa al escuchar que había incluido a los pixies en la categoría de personas. No todo el mundo mostraba la misma sensibilidad.

—Iré a contarles las narices. Enseguida vuelvo.

Acto seguido, abandonó la cocina como una exhalación y abrí el microondas. La taza de Ford se había calentado lo suficiente y, mientras me inclinaba para colocarla junto a él, le susurré:

—¿Te importaría que saliéramos un momento para hablar de Jenks?

—¿Por qué? —preguntó como si supiera que estaba intentando escabullirme—. Sus emociones son estables —añadió bebiendo un sorbo de café—. Son las tuyas las que no dejan de saltar como un montón de conejitos en una freidora.

Fruncí el ceño al escuchar el símil y me senté en mi silla acercándome mi café frío.

—Es por Matalina —respondí en voz baja esperando que el curioso no me oyera, y mucho menos Jenks.

Ford dejó la taza sobre la mesa, aunque siguió rodeándola con los dedos para disfrutar del calor que desprendía.

—Rachel —dijo en un tono aún más bajo—. No quiero sonar manido, pero es ley de vida, y Jenks encontrará el modo de superarlo. Todo el mundo lo hace.

Eché la cabeza hacia atrás y hacia delante sintiendo un escalofrío.

—Ese es el problema —dije—. Él no es humano, ni tampoco un brujo o un vampiro. Es un pixie. Es posible que, cuando su esposa muera, decida abandonarse para marcharse con ella.

Era una idea bastante romántica, pero tenía la sensación de que era algo bastante común entre los pixies.

—Tiene muchos motivos para seguir viviendo. —Los huesudos dedos de Ford apretaron con fuerza la porcelana, y luego se relajaron—. Tú, la empresa, los niños. —Y, con la mirada perdida, sugirió—: Tal vez podrías preguntarle a alguno de sus hijos si es normal.

—Me da miedo —reconocí.

Se oyó el zumbido de las alas de Jenks, que entraba en la sala de estar, y el rostro de Ford adquirió una expresión neutra.

—Me ha contado Edden que Marshal encontró a alguien bajo tu iglesia.

Entorné los ojos.

—Sí. Tom Bansen, un antiguo miembro de la división Arcano, estaba intentando colocar unos amuletos para escuchar lo que se hable aquí. Marshal había venido a devolverme la caja que me dejé en su coche y lo pilló in fraganti —expliqué arreglándomelas para esbozar una sonrisa a pesar del dolor que sentía por haberle pedido que la tirara a la basura—. Por cierto, lo he invitado a cenar esta noche con mi madre y mi hermano.

—Mmmm...

Era un sonido largo y arrastrado y, cuando levanté la vista, descubrí que el psicólogo de la AFI, que por lo general se mostraba muy comedido, me observaba con una tenue sonrisa.

—¿Qué se supone que significa ese «mmmm»? —pregunté con aspereza.

Ford bebió otro trago de café con un brillo malicioso en sus ojos marrones.

—Me alegra saber que has decidido presentarle a tu familia. Significa que estás empezando a superarlo. Estoy orgulloso de ti.

Me quedé mirándolo sorprendida. *Cree que Marshal y yo...*

—¿Marshal y yo? —exclamé con una sonora carcajada—. ¡No seas tonto! La única razón por la que va a acompañarme es porque me sirve de pretexto para que mi madre no me organice una cita a ciegas con el repartidor de periódicos.

Marshal era un tipo genial, pero también resultaba agradable saber que, si me esforzaba, podía dejar las cosas como estaban.

—Como quieras.

Su comentario estaba cargado de incredulidad, y dejé la taza sobre la mesa.

—Marshal no es mi novio. Solo salimos de vez en cuando para que los demás no intenten ligar con nosotros. Es cómodo y agradable y no voy a permitir que lo conviertas en otra cosa con tus chorradas psicológicas.

Ford me miró plácidamente con las cejas arqueadas y me puse tensa cuando Jenks entró como una flecha y dijo:

—No sé lo que le has dicho, *sheriff*, pero, cuando se pone así, es porque has estado a punto de dar en el clavo.

—¡Es solo un amigo! —protesté.

Intentando apaciguar los ánimos, Ford bajó la vista y sacudió la cabeza.

—Es así como empiezan las mejores relaciones, Rachel —dijo con ternura—. Fíjate en ti y en Ivy.

De pronto sentí que los músculos de la cara se me aflojaban de golpe y parpadeé.

—¿Perdona?

—Tenéis una relación estupenda —dijo trasteando de nuevo con la taza de café—. Mejor que la de muchas parejas casadas que conozco. Para alguna gente, el sexo lo echa todo a perder. Me alegra que hayas aprendido que se puede querer a alguien sin necesidad de demostrárselo con el sexo.

—Ya —respondí con cierta inquietud—. Deja que te ponga un poco más de café.

Cuando me di la vuelta para coger la jarra, escuché cómo cambiaba de posición. ¿Y pretendía que me dejara hipnotizar? Ni hablar. Ya sabía demasiadas cosas sobre mí.

—Ford —dijo Jenks bruscamente—. Tus superpoderes están algo atrofiados. Mis hijos están todos en el santuario. Tal vez se trate de Bis. —A continuación se quedó mirando las esquinas—. Bis, ¿estás ahí?

Yo sonreí y llené la taza de Ford hasta la mitad.

—No puede ser él. Nunca entra en casa antes de que se ponga el sol. Esta tarde, cuando he salido a coger el periódico, lo he visto en el alero.

Ford sonrió y tomó otro trago de café.

—Además del mío, hay tres grupos de emociones en esta habitación. Debe de haber sido un error. De todos modos, no importa —añadió al ver que Jenks empezaba a despedir chispas verdes—. Olvídalo.

De pronto, se escucharon los suaves acordes de *Sharp Dressed Man*, de ZZ Top. Era un sonido amortiguado pero molesto. Se trataba del teléfono de Ford, y me quedé mirándolo con interés, pensado que era una música algo extraña para un tipo tan mojigato, hasta que me di cuenta de que provenía de mi bolso. *¿Mi teléfono? ¿Cómo era posible?* Estaba segura de haberlo puesto en vibración. Además, ¡yo no tenía ese tono!

—¡Maldita sea, Jenks! —dije revolviéndolo todo en busca de mi bolso—. ¿Te importaría dejar en paz mi teléfono?

—¡Yo no he tocado tu teléfono para nada! —respondió en tono beligerante—. Y tampoco mis hijos. La última vez les retorcí las alas uno a uno, pero todos dijeron que no habían sido ellos.

Fruncí el ceño, deseando creerlo. A menos que tuvieran ganas de fastidiar, los hijos de Jenks nunca hacían la misma travesura dos veces. Colocándome el bolso en el regazo, saqué el teléfono y descubrí que se trataba de un número desconocido.

—Entonces, ¿por qué se desactiva una y otra vez el modo de vibración? Casi me muero de vergüenza la noche que detuve a Trent. —En ese momento levanté la tapa, y acerté a responder educadamente—: ¿Diga?

Jenks aterrizó en el hombro de Ford con una sonrisa.

—Se puso a sonar *White Wedding*.

Ford se echó a reír y me aparté el teléfono de la oreja. Habían colgado. Entonces accedí al menú y lo puse otra vez en vibración.

—Ya vale —gruñí. Justo en ese momento, empezó a sonar de nuevo.

—¡Jenks! —exclamé.

El pixie salió disparado hasta el techo con una sonrisa de oreja a oreja.

—¡Yo no he sido! —protestó, aunque costaba creerlo, teniendo en cuenta lo bien que se lo estaba pasando.

No merecía la pena intentar cogerlo, así que lo metí en el bolso y lo dejé sonar. Ford estaba muy callado y, cuando lo miré a los ojos, me invadió una sensación de inquietud, casi de miedo.

—Hay alguien más en esta habitación —dijo quedamente, y Jenks dejó de reírse de golpe. Yo observé cómo Ford sacaba su amuleto. Era un torbellino de emociones, confusas y caóticas. No era de extrañar que quisiera trabajar con una sola persona cada vez.

—Será mejor que os pongáis junto al frigorífico —dijo, provocando que el frío se apoderara de mi cuerpo. *Mierda. ¿Qué demonios está pasando?*

—¡Venga! —exclamó agitando la mano. Me quedé de pie, muerta de miedo. *Tal vez sea un demonio*, pensé. No exactamente allí, sino al otro lado de siempre jamás, observándonos con su segunda mirada. El sol todavía no se había puesto, pero faltaba muy poco.

Jenks se posó en mi hombro en silencio y retrocedimos hasta que el amuleto adquirió un frustrante color negro.

—Él o ella siente una extremada frustración —explicó Ford suavemente—. Él, me parece.

No podía creer lo que estaba pasando. ¿Cómo podía estar tan tranquilo?

—¿Estás seguro de que no es un pixie? —pregunté casi en un gemido. Ford sacudió la cabeza y entonces pregunté—: ¿Es un demonio?

El amuleto de Ford adquirió un confuso color naranja.

—Puede ser —admitió Ford y, cuando el amuleto se volvió de color violeta por la rabia, sacudió de nuevo la cabeza—. No es un demonio. Creo que tenéis un fantasma.

—¿Qué? —gritó Jenks despidiendo un montón de polvo amarillo que aterrizó en el suelo para desvanecerse lentamente—. ¿Cómo es posible que no nos hayamos dado cuenta antes? ¡Llevamos un año aquí!

—Vivimos junto a un cementerio. —En ese momento eché un vistazo a la cocina y, de pronto, tuve la sensación de encontrarme en un lugar extraño. ¡Maldición! Debería haber hecho caso de mi instinto cuando vi por primera vez las lápidas. Aquello no me gustaba nada, y las piernas empezaron a fallarme—. ¿Un fantasma? —farfullé—. ¿En mi cocina? —Entonces el corazón me dio un vuelco y me quedé mirando los libros demoníacos que había bajado del campanario—. ¿Es mi padre? —grité.

Ford llevó una mano a la cabeza.

—¡Atrás! ¡Atrás! —gritó—. Estás demasiado cerca.

Con el corazón a punto de salírseme del pecho, me quedé mirando los tres metros que nos separaban y pegué la espalda contra el frigorífico.

—Creo que se lo estaba diciendo al fantasma —dijo Jenks secamente. Las rodillas empezaron a temblarme.

—Esto no me gusta nada, Jenks. Estoy muerta de miedo.

—¡No me digas! —respondió el pixie—. ¡Como si yo estuviera tan campante!

La expresión de Ford se relajó y el amuleto que rodeaba su cuello adquirió un triste color marrón con algunas trazas del rojo de la vergüenza.

—Lo siento mucho —dijo Ford con la mirada perdida para poder concentrarse—. No quería asustarte. —Una sonrisa, inusualmente dulce, se dibujó en su cara—. Tú le gustas.

Parpadeé y Jenks se puso a maldecir con frases de una sola sílaba como solo un pixie es capaz de hacer.

—¿Que le gusto? —balbucí horrorizada—. ¡Dios! —gimoteé—. Tengo un fantasma mirón. ¿Quién es?

El amuleto estaba completamente rojo. Ford bajó la mirada como si necesitara confirmación.

—No diría que se trata de un mirón. Por lo que puedo percibir, está frustrado y es benévolo, y ahora que has descubierto su presencia, empieza a sentirse mejor. —Ford deslizó la vista hasta mi bolso—. Apuesto lo que quieras a que ha sido él el que ha estado cambiando los tonos de tu teléfono.

Estiré los brazos para agarrar una silla, la arrastré hasta el frigorífico y me senté.

—Pero ¡si mi teléfono lleva haciéndolo desde el otoño! —dije mirando a Jenks en busca de confirmación—. ¡Meses! —La rabia estaba empezando a apoderarse de mí—. ¿Lleva aquí todo ese tiempo? ¿Espiándome?

Una vez más, el amuleto se puso de color rojo.

—Intentaba llamar tu atención —explicó Ford en un tono amable, como si el fantasma necesitara un abogado.

Coloqué los codos sobre las rodillas y sumergí la cabeza entre las manos. *Genial.*

Claramente frustrado, Jenks aterrizó sobre la repisa, junto a la pecera de agua salada en la que flotaba su artemia.

—¿Quién es? —inquirió—. Pregúntale cómo se llama.

—Solo capto emociones, Jenks —dijo Ford—. No palabras.

Intentando calmarme, inspiré profundamente y levanté la vista.

—Pues, si no es mi padre... —De pronto me quedé petrificada—. ¿No será Kisten? —farfullé sintiendo que todo mi mundo se tambaleaba. ¡Dios! ¿Y si fuera Kisten? Existía un hechizo que permitía hablar con los muertos que estaban atrapados en el purgatorio, pero el alma de Kisten se había esfumado. ¿O no?

Ford pareció dudar, y contuve la respiración.

—No —sentenció finalmente, y el amuleto empezó a dibujar remolinos violetas y negros—. Y... no me parece que Kisten le cayera muy bien.

Jenks y yo exhalamos al unísono y Ford se irguió en su silla. No sabía muy bien lo que sentía. ¿Alivio? ¿Decepción?

—Señor —dijo Ford dirigiendo la vista hacia un rincón de la cocina mientras yo sentía un hormigueo que me recorría toda la piel—, piense en su contacto en esta dimensión. ¡Ah! Probablemente se trata de Rachel.

Volví a contener la respiración y Jenks despidió un montón de chispas doradas. Los colores se sucedían en el amuleto de Ford, pero no sabía lo suficiente como para interpretarlos cuando estaban así de mezclados.

—Percibo el nerviosismo de un peligro que compartisteis en el pasado —dijo Ford en un tono reposado—. Y cariño y gratitud. Te está profundamente agradecido por algo.

En aquel momento abrió los ojos y reprimí un escalofrío al ver que parecían los de otra persona. No habían cambiado, pero se percibía la sombra del espíritu con el que estaba contactando.

—¿Ha muerto alguno de tus clientes? —preguntó Ford—. ¿Alguien a quien estuvieras intentando ayudar?

—Brett —dijo Jenks.

—¿Peter? —pregunté yo.

Sin embargo, el amuleto se volvió de un negativo color negro.

—Entonces Nick —dijo Jenks con tono despreciativo, y el color del disco de metal adquirió un violento color violeta.

Ford parpadeó, intentando no dejarse llevar por el odio que el fantasma desprendía.

—Diría que no —respondió en un susurro.

Aquello era realmente extraño. Quienquiera que fuera conocía a todos mis exnovios. Entonces sentí una oleada de culpa y cerré los ojos. Había conocido a mucha gente que ahora estaba muerta. Era el jodido albatros.

—Rachel.

La voz de Ford estaba cargada de afecto y amabilidad y, cuando abrí los ojos, me di cuenta de que me miraba con compasión.

—Te mereces a alguien que te quiera tal y como eres —dijo. Me sonrojé.

—¡Deja de espiar mis sentimientos! —musité, y las alas de Jenks empezaron a emitir un zumbido de agitación.

—El fantasma también lo piensa —añadió.

Yo tragué saliva.

—¿Estás seguro de que no es mi padre?

La sonrisa de Ford se volvió benevolente.

—Sí. No es tu padre, pero quiere protegerte. Está frustrado. Ha estado observándote durante estos últimos... ¿meses?, sin poder ayudarte.

Vacié los pulmones con un resoplido. Jenks echó a volar y el ruido de sus alas se volvió más agudo. Lo que me faltaba. Otro caballero andante.

—¿De quién se trata? —preguntó Jenks casi enfadado. Acto seguido, en un estallido de chispas que competía en intensidad con las luces de la cocina, gritó—: ¡Rachel! ¿Dónde está tu güija?

Me quedé mirando cómo el pixie salía disparado fuera de control, y entonces, comprendiendo lo que pretendía hacer, revolví los papeles de Ivy buscando uno que no estuviera escrito por detrás y que no fuera a echar de menos.

—No tengo —respondí dándole la vuelta a un mapa del invernadero dibujado a mano y escribiendo en grande las letras del alfabeto en mayúsculas—. Me dan mala espina.

Sintiéndome algo mareada, coloqué el folio delante de Ford y retrocedí. Él me miró con expresión interrogante.

—Desliza los dedos por debajo de las letras —le expliqué—. Cuando percibas una sensación positiva, significará que es la inicial de su nombre. —A continuación eché un vistazo a la cocina, aparentemente vacía, y pregunté—: ¿Vale?

El amuleto adquirió un tono dorado en señal de confirmación y tomé asiento para ocultar mi temblor de rodillas. Aquello era muy, pero que muy extraño.

—Diría que está de acuerdo con tu propuesta —apuntó Ford, a pesar de que, por primera vez, parecía intranquilo.

Tras colocar el dedo índice bajo la «A», empezó a deslizarlo por las letras con deliberada lentitud. Me quedé mirando cuando se detuvo bajo una de ellas, y entonces reculé.

—Pe —dijo Ford.

De pronto me vino a la mente la imagen de Peter, y luego la de Piscary. El primero estaba muerto; el segundo, realmente muerto. En ambos casos, resultaba imposible. Pero ¿y si se trataba de Peter? Vivía como un no muerto, pero si su alma estaba en el purgatorio y yo conseguía devolverla a su cuerpo, ¿volvería a estar completo? ¿Era esa la solución para Ivy?

Me pasé la lengua por los labios y observé cómo Ford llegaba al final del alfabeto y comenzaba de nuevo.

—I —dijo. Tras unos instantes de vacilación, confirmó—: Eso es; i.

Yo solté una larga exhalación. Aquello excluía a Peter, pero ¿Piscary? Ford había dicho que se trataba de un fantasma benévolo, y el vampiro no lo había sido. A menos que se tratara de un truco. O, quizás, Piscary había sido un buen hombre antes de convertirse en vampiro. ¿Era posible que, una vez muertos, sus almas se renovaran en vez de desintegrarse? ¿Que regresaran a su estado anterior a que todo saliera mal?

Ford llegó al final y empezó de nuevo.

—E —dijo esta vez, en un tono aparentemente más relajado. Entonces, no era Piscary, y yo me sentí mejor.

—Pie —comentó Jenks con sarcasmo—. ¿No habrás matado a un algún podólogo y nos lo has estado ocultando, Rachel?

—Cierra la boca, Jenks —le espeté jadeante, inclinándome hacia delante.

El dedo de Ford se detuvo de nuevo, casi de inmediato.

—Erre —dijo, y yo sentí un escalofrío e inmediatamente una oleada de calor. *No. No puede ser...*

—¡Oh, Dios mío! —grité, poniéndome en pie de un salto. Jenks salió disparado hasta el techo ante mi repentino arrebato y Ford se tapó las orejas y cerró los ojos con expresión de dolor—. ¡Ya sé quién es! —exclamé con los ojos muy abiertos y el corazón latiéndome a mil por hora. No podía creerlo. Era impensable. Pero ¡tenía que ser él!

—¡Rachel! —me gritó Jenks colocándose a pocos centímetros de mi rostro mientras despedía destellos dorados—. ¡Basta ya! ¡Vas a matar a Ford!

Ford se llevó las manos a la cabeza y esbozó una sonrisa forzada.

—No pasa nada. Se trata de algo bueno. Para ambos.

Sin poder dar crédito, sacudí la cabeza y recorrí la cocina con la mirada.

—Increíble —musité. Entonces, alzando la voz, pregunté—: ¿Dónde estás? Creí que habías encontrado la paz. —Me detuve y, algo decepcionada, dejé caer los brazos—. ¿No bastó con que salvaras a Sarah?

Ford tenía la espalda apoyada en el respaldo de la silla, sonriendo como si estuviera presenciando una reunión familiar, pero Jenks estaba cabreadísimo.

—¿Con quién demonios estás hablando, Rachel? ¡Por el amor de Campanilla! Si no me lo dices ahora mismo, te pixearé.

Señalando con la mano hacia el vacío, me quedé en medio de la cocina, todavía incrédula.

—Pierce —respondí mientras el amuleto de Ford despedía un fuerte resplandor—. Se trata de Pierce.

9

La caja polvorienta que me había traído mi madre el pasado otoño estaba prácticamente vacía. Una espantosa camiseta de Disneyland de tamaño reducido, un puñado de baratijas, mi viejo diario, que había empezado poco después de la muerte de mi padre y que me sirvió para comprender que el dolor se podía revivir una vez que lo ponías por escrito, los libros que anteriormente llenaban la caja se encontraban en la cocina, pero el enigmático manual de líneas luminosas de nivel 800 que me había regalado Robbie para el solsticio de invierno no se encontraba entre ellos. En realidad, no esperaba encontrarlo allí, pero tenía que comprobarlo antes de ir a casa de mi madre y provocar que se pusiera de los nervios cuando emprendiera su búsqueda en el ático. Tenía que estar en alguna parte.

Sin embargo, no estaba en mi armario y, poniéndome en cuclillas, me retiré un largo mechón rizado de los ojos y suspiré, mirando a la vidriera de una sola hoja de mi ventana y que en aquel momento presentaba un aspecto opaco por la oscuridad de la noche. Sin el libro, no tenía ninguna posibilidad de volver a realizar el hechizo que había llevado a cabo ocho años atrás para otorgar a un espíritu del purgatorio un cuerpo temporal. Además, también me faltaban unos cuantos útiles de líneas luminosas difíciles de encontrar. Por no hablar de que el hechizo requería una cantidad ingente de energía comunal.

Bastaría encontrarse en el cierre del círculo de Fountain Square en el solsticio. Lo sabía por experiencia, pero el solsticio ya había pasado. Yo tenía la entrada prohibida al campo de los Howlers, de manera que estaba descartado, incluso aunque celebraran un partido bajo la nieve. Lo mejor era confiar en la fiesta de Año Nuevo. No cerraban el círculo, pero se celebraría una fiesta y, cuando la gente se ponía a cantar *Auld Lang Syne*, la energía fluía. Tan solo disponía de tres días para reunirlo todo. La cosa no pintaba nada bien.

—¡Qué fuerte! —comenté. Al oír mis palabras, Jenks, que descansaba en el tocador entre mis perfumes, agitó con fuerza las alas produciendo un sonoro zumbido. El pixie no se había separado de mi lado desde que habíamos descubierto que teníamos un fantasma, lo que me resultaba bastante extraño. Pierce llevaba casi un año en nuestra casa. Lo que no acababa de entender era el motivo por el que Jenks parecía tan molesto.

A pesar de que había pasado más de una hora, Ford seguía en la cocina, hablando letra a letra con Pierce. Yo lo escuchaba en la distancia, mientras preparaba rápidamente un buen puñado de amuletos localizadores que utilizaban magia terrestre. Hubiera resultado más sencillo recurrir a la maldición, pero no pensaba hacer uso de la magia demoníaca delante de Ford. Tenía el presentimiento de que me había equivocado en algo durante la realización del complejo hechizo pues, desde que había invocado la primera poción con una gota de mi sangre y la había vertido sobre el amuleto, no había sucedido nada. Lo más probable era que Mia se encontrara fuera de su radio de actuación, que era de cuatrocientos kilómetros, pero debería haber percibido algún olor.

—¿Crees que el libro se quedó en casa de tu madre? —preguntó Jenks, moviendo las alas a toda velocidad, a pesar de que no se había apartado de mi tocador. A lo lejos se escuchaba el alboroto de sus hijos mientras jugaban con Rex, y me pregunté cuánto tiempo tardaría la gata en correr a esconderse.

—Esta noche lo averiguaré —resolví con firmeza mientras cerraba de nuevo la caja y la introducía entre un motón de botas—. Debí olvidarlo durante la mudanza —añadí estirando la espalda para liberar las contracturas—. Debe de estar en el ático, junto con todo lo necesario para realizarlo. *Espero.*

A continuación me puse en pie y eché un vistazo al despertador. Tenía que estar en casa de Marshal en menos de una hora. Habíamos pensado reunirnos allí e ir juntos a casa de mi madre para que se pareciera más a una cita. No iba a ser nada fácil encontrar una excusa para subir al ático, pero Marshal podría ser de utilidad. No quería preguntarle a mi madre por el libro. La primera vez que lo había utilizado me había metido en un buen lío con la SI.

Con los brazos en jarras, me quedé mirando el inusual aspecto del fondo de mi armario. Había zapatos y botas por todas partes, y la idea de Newt poseyéndome se apoderó de mí. De pronto, presa de los nervios, empujé la caja hasta el fondo y, lentamente, empecé a colocar las botas en su sitio.

Jenks emprendió el vuelo desplegando las alas para alcanzar la parte superior del tocador, y su rostro adquirió una expresión preocupada.

—¿Y por qué quieres darle un cuerpo? Al fin y al cabo, ni siquiera sabes qué está haciendo aquí. ¿Cómo es que Ford no se lo ha preguntado todavía? ¿Eh? ¡Ha estado espiándonos!

Preguntándome a qué se debía aquella actitud, levanté la cabeza.

—Jenks, Pierce lleva cien años muerto. ¿Qué motivos podría tener para espiarnos? —le pregunté malhumorada, colocando de un codazo la última de las botas.

—Y si no está espiándonos, ¿por qué demonios está aquí? —preguntó Jenks cruzando los brazos con actitud beligerante.

Con la mano en la cadera, agité el brazo irritada.

—¡No lo sé! Tal vez porque en una ocasión lo ayudé y piensa que podría hacerlo de nuevo. Es a eso a lo que nos dedicamos, ¿sabes? ¿Se puede saber qué demonios te pasa, Jenks? Llevas toda la noche refunfuñando.

Con un suspiro, el pixie dejó de mover las alas, que adquirieron un aspecto sedoso similar al de las telarañas.

—Todo esto no me gusta un pelo —dijo—. Lleva un año observándonos. Hurgando en tu teléfono.

—Intentaba llamar mi atención.

En aquel momento se produjo un cambio de presión y las pisadas de Ivy retumbaron en el santuario.

—¿Ivy? —exclamó Jenks antes de salir disparado.

Al oír los pasos de mi compañera de piso, empecé a arrojar los zapatos en el interior del armario con intención de cerrarlo antes de que me ofreciera ayuda para ordenarlo. Entonces rememoré la noche del solsticio, intentando recordar el hechizo. Había visto a Robbie coger el curioso cuenco rojo y blanco poco profundo antes de que saliéramos corriendo en dirección a Fountain Square. Pero no sabía lo que había hecho con él desde ese momento hasta que Pierce y yo fuéramos a la casa del vampiro y rescatásemos a la chica. Para cuando tuve fuerzas suficientes para ponerme en pie, la cocina estaba recogida, y di por hecho que los aparejos de líneas luminosas de papá se encontraban de nuevo en el ático. Desde entonces, no había vuelto a ver el libro. Mi madre no había hecho ningún comentario sobre el hecho de que hubiera invocado a un alma del purgatorio, y hubiera sido típico de ella esconderlo todo para evitar que volviera a hacerlo. Especialmente, cuando mi verdadera intención era invocar a mi padre, y no a un joven que había sido enterrado vivo a mediados del siglo XVII acusado de brujería.

En aquel momento divisé la sombra de Ivy, que pasaba por delante de mi puerta, mientras que Jenks se había convertido en un pequeño destello situado en su hombro mientras susurraba algo en tono alarmado.

—¡Hola, Ivy! —exclamé dándole una patada al último de los zapatos e intentando cerrar la puerta del armario. A continuación, consciente de lo poco que le gustaban las sorpresas, añadí—: Ford está en la cocina.

Desde la habitación de Ivy se escuchó un preocupado «Hola, Rachel» e, inmediatamente después, un lacónico «¡Quítate de en medio, Jenks!», seguido por un leve empujón.

—¡Eh! ¿Dónde está mi espada?

Alcé las cejas y, tras meter mis zapatillas de estar por casa bajo la cama de una patada, me dirigí al vestíbulo.

—La última vez que la engrasaste, la dejaste en las escaleras del campanario. —Entonces, tras unos segundos de vacilación, pregunté—: ¿Qué pasa?

Ivy se dirigía de nuevo hacia el santuario, ondeando su largo abrigo invernal, y haciendo sonar sus botas deliberadamente sobre el suelo de madera. Jenks volaba de espaldas frente a ella, moviéndose hacia delante y hacia atrás sin dejar de despedir destellos dorados. Cuando me lo hacía a mí, conseguía sacarme de quicio y, por la rigidez con que movía los brazos, imaginé que a Ivy le sucedía lo mismo.

—¡Es un fantasma, Ivy! —chilló—. Rachel lo invocó cuando era una niña y ha vuelto.

Apoyándome en el marco de la puerta con los brazos cruzados, le espeté:

—No era ninguna niña. Tenía dieciocho años.

De pronto, las chispas que desprendía se tornaron plateadas.

—Y está colado por ella —añadió.

¡Por el amor de Dios!, pensé perdiéndolos de vista en el oscuro vestíbulo, excepto por la luz que despedía Jenks.

—¿Tenemos un fantasma salido? —preguntó Ivy, ligeramente divertida. Entorné los ojos.

—Esto no tiene ninguna gracia —respondió Jenks con brusquedad.

—¡No está salido! —dije alzando la voz, sobre todo por la vergüenza que me estaba haciendo pasar Jenks. Lo más probable era que Pierce lo estuviera oyendo todo—. Es un buen tipo.

No obstante, mi mirada se tornó distante al recordar los ojos de Pierce, su fulgurante color negro, y el escalofrío que sentí cuando me besó en el porche de mi casa, decidido a capturar al malvado vampiro y convencido de que conseguiría que me quedara al margen.

Sonreí, recordando mi antigua inexperiencia en cuestiones del corazón. Tenía dieciocho años, y estaba prendada de un carismático brujo con ojos de granuja. No obstante, aquello había sido un punto de inflexión en mi vida. Juntos habíamos salvado a una pobre niña de las garras de un vampiro pedófilo, el mismo que había hecho que le enterraran vivo en el siglo XVII, lo que me pareció una bonita forma de justicia poética. En su momento pensé que este hecho habría bastado para que su alma descansara en paz, pero, por lo visto, no había sido así.

Aquella noche me había sentido viva por primera vez. El subidón de adrenalina y de endorfinas había provocado que mi cuerpo, que todavía se estaba recuperando de la enfermedad, se sintiera... normal. Fue entonces cuando me di cuenta de que estaba dispuesta a arriesgarlo todo con tal de sentirme así en todo momento. Y la mayoría de los días lo había conseguido.

La ágil figura de Ivy cruzó el lúgubre vestíbulo como si fuera un espectro en dirección a donde me encontraba, seguida por una estela de pixies que la acribillaban a preguntas. En su mano sujetaba la espada enfundada, y la preocupación me invadió.

—¿Para qué te hace falta la espada? —le pregunté. De repente sentí un escalofrío. Había estado en el barco. Había descubierto algo, e iba a seguirle la pista, espada en mano, hasta la salida del sol. *Mierda.*

—Has estado en el barco.

Su perfecto rostro ovalado mostraba una expresión serena, pero el ímpetu y la decisión con que caminaba provocaron que se me hiciera un nudo en la garganta.

—Sí. He estado en el barco —me confirmó—, pero todavía no sé qué es lo que había allí, si es eso lo que quieres saber. ¿Tú no tenías una cita con Marshal?

—No es una cita —respondí ignorando el hecho de que Jenks estuviera suspendido en el aire a poca distancia, despidiendo chispas de frustración—. Me va a rescatar de una madre excesivamente entusiasta. ¿Para qué quieres la espada si no sabes lo que había en el barco?

—¡A la mierda con la espada, Ivy! —gritó Jenks. Y no me sorprendió que sus hijos estuviesen cuchicheando en la oscuridad de las vigas del santuario en ese momento—. ¡Esto es serio! ¡Lleva meses aquí! Ha estado cambiándole los tonos del móvil y asustando a mi gata. ¡Espiándonos!

—Pierce no ha estado espiándonos. ¡Por el amor de Dios, Jenks! ¡Alegra esa cara! —exclamé. Ivy salió de su habitación con la espada, un trapo y el producto que utilizaba para limpiar el acero—. No me importa saltarme la cena en casa de mi madre. ¿Te apetece que salgamos juntas por ahí? ¿Una noche de chicas? —le pregunté dirigiendo la vista hacia su espada.

—No, pero gracias por la propuesta. —Ivy extrajo la hoja un par de centímetros y el olor a metal engrasado hizo que me picara la nariz—. Le he echado un vistazo a la lista de personas que visitaron a Piscary mientras estuvo en prisión. —Su sonrisa hizo que reprimiera un escalofrío y, cuando bajé la vista, añadió—: La espada es solo un pequeño recurso para romper el hielo. Rynn… —Un tenue rubor tiñó su pálida tez y se encaminó hacia la cocina—. No soy una de sus descendientes, pero me va a permitir que me apoye en él.

Apreté los labios, sin poder evitar preguntarme qué le estaba dando ella a cambio. Entonces reprimí mis pensamientos. No era asunto mío. Mientras Ivy fuera feliz, yo también lo era.

Y, por aquel entonces, ya estaba muerto.

—Entonces, ¿has conseguido sacar algo en claro de tu conversación con Ford? —preguntó Ivy por encima de su hombro mientras yo echaba a andar tras ella en dirección a la cocina.

—¡Solo que tenemos un jodido fantasma! —protestó Jenks en un tono lo suficientemente alto como para que me dolieran hasta los globos oculares. Rex caminaba pegada a los talones de Ivy, con las orejas de punta y expresión ansiosa—. ¿Es que no me has oído? Creo que es uno de sus exnovios. Rachel se lo cargó y ahora se dedica a espiarnos.

—Escúchame, Jenks. Pierce y yo nunca fuimos novios —le expliqué, a punto de perder los estribos, sin dejar de seguirlos—. Tan solo pasamos juntos una noche. Y, cuando lo conocí, ya estaba muerto.

Ivy se rió entre dientes.

—Cuando trabajábamos para la SI, tenías suficiente con una noche para enamorarte de alguien —dijo. Tras una breve pausa preguntó—: Pero ¿está muerto?

—¡Es lo que llevo diciéndote desde hace un buen rato! —gritó Jenks, alejándose de mí para acercarse a ella—. ¡Por las bragas verdes de Campanilla! ¿Tienes polvo de hadas en las orejas?

Yo me introduje en la cocina a través de una fina capa de destellos dorados. Estaba hecha un desastre y, cuando vi que Ivy se detenía en seco y se quedaba mirando el desorden, me sonrojé. Los armarios en los que guardaba los utensilios para preparar los hechizos estaban abiertos de par en par, y mis cosas estaban esparcidas por las encimeras, dejando bien claro que había estado elaborando los amuletos localizadores. Debería haber utilizado la maldición. De ese modo, ya habría acabado, pues las últimas dos horas habían sido una completa pérdida de tiempo. Ni siquiera me había molestado en invocar las seis últimas pociones, que se encontraban alineadas en la parte posterior de la encimera.

Ford, que se había situado en la esquina más alejada de la puerta para hablar con Pierce, alzó la vista. Junto a él se encontraba la improvisada güija y un pequeño bloc de notas con una página llena de garabatos. Al vernos, se sacudió las migas de galleta de la ropa y se recostó sobre el respaldo de la silla. En aquel momento me pregunté si debía saludar a Pierce. Al fin y al cabo, se encontraba allí… En alguna parte.

—Se lo diré —musitó mientras Rex entraba alegremente y se acurrucaba alrededor de sus pies. Era evidente que el psiquiatra no estaba hablando con nosotros, y su amuleto adquirió un intenso y profundo tono azul en señal de agradecimiento.

Jenks empezó a dar vueltas a su alrededor como un colibrí hasta arriba de esteroides.

—¿Decirle qué? ¿Qué es lo que ha dicho el fantasma? —preguntó.

Le lancé una mirada asesina. Su paranoia estaba yendo demasiado lejos.

Sin abandonar su expresión de sorpresa, Ivy agarró con delicadeza un saco de hierbas y lo retiró de la encimera para hacer sitio a su espada.

—¿Has estado cocinando? —preguntó en un tono sosegado.

—Ummm, sí. Estaba preparando un amuleto localizador para encontrar a Mia —respondí sin querer reconocer que mi primer intento no había funcionado. Me dispuse a recogerlo todo.

—Si me dejaras ordenar tus cosas, no acabarías con todo revuelto —dijo, y empujó una caja de velas hasta el fondo de la encimera y adelantó la tostadora—. Hola, Ford —añadió dirigiéndose lentamente hasta el frigorífico y sacando una bolsa de *bagels*—. ¿Rachel te ha ocasionado problemas?

—Si no lo hiciera, no sería Rachel.

Inspiré profundamente dispuesta a protestar, pero me detuve cuando Jenks se colocó inesperadamente delante de mí con los brazos en jarras. Su camiseta verde tenía un jirón, algo bastante inusual en el meticuloso pixie.

—¡Cuéntale lo que estabas intentando hacer! —me exigió bajando las manos para taparse el roto cuando se dio cuenta de que lo había notado—. ¡Cuéntaselo!

Puse los ojos en blanco y miré a Ivy.

—Si consigo encontrar el hechizo, voy a darle un cuerpo temporal a Pierce para poder hablar con él.

Ivy se quedó parada con el *bagel* abierto por la mitad en una mano y mi cuchillo ceremonial de líneas luminosas en la otra. El elaborado mango tenía un aspecto extraño entre sus dedos y su rostro mostraba una expresión divertida.

—Pierce es el fantasma, ¿verdad?

Jenks despidió un estallido de luz.

—¡Ha estado espiándonos! —gritó, y yo me pregunté por qué estaba tan desquiciado. Ni Ivy ni Ford parecían estarlo.

—¡Por las tetas de Campanilla! ¿Nadie más se da cuenta de lo que eso supone? ¡Lleva un año aquí! ¡Escuchándolo todo! ¿Tenéis idea del montón de mierda en el que hemos estado metidos durante los últimos doce meses? ¿Y tú quieres darle una voz a este tipo?

Fruncí el ceño. En cierto modo, Jenks tenía razón. Secretos. Gracias a ellos, seguía con vida: el hecho de que Trent fuera un elfo, que yo fuera una protodemonio y también mi pacto con Al. Mierda. Lo más probable era que Pierce conociera el nombre de invocación de Al. Y el mío. Todo.

—Pierce nunca diría nada —repliqué, pero Jenks interpretó el tono quedo de mi voz como signo de inseguridad y voló triunfante hasta Ivy.

Ignorándolo, la vampiresa introdujo el pan en la tostadora.

—¿Puedes hacer algo así? —preguntó sin mirarme a la cara—. ¿Otorgarle un cuerpo a un espíritu…?

En ese momento se le quebró la voz y se giró. El atisbo de esperanza que bordeaba su mirada era tan frágil como una delgada capa de hielo, y su visión me resultaba tremendamente dolorosa. Sabía muy bien en qué estaba pensando. Kisten estaba muerto. Jenks, que había percibido lo mismo que yo, perdió parte de su energía.

Sacudí la cabeza y las comisuras de sus párpados se tensaron de una forma casi imperceptible.

—Se trata de un hechizo temporal —le expliqué de mala gana—. Solo funciona con las almas que se encuentran en el purgatorio. Y se requiere una gran cantidad de energía colectiva para llevarlo a cabo. Tendré que esperar hasta Año Nuevo solo para intentarlo. Lo siento, pero no puedo hacer volver a Kisten, ni siquiera por una noche. —Inspiré profundamente y concluí—: Si Kisten estuviera en el purgatorio, ya lo sabríamos.

Ella asintió con la cabeza como si no le importara, pero cuando estiró el brazo para coger un plato, su rostro estaba teñido de tristeza.

—No sabía que pudieras hablar con los muertos —comentó en tono reposado dirigiéndose a Ford—. No se lo cuentes a nadie o te convertirán en un inframundano y la SI te pondrá a trabajar.

El psiquiatra se revolvió inquieto en su silla; probablemente estaba absorbiendo el abatimiento de Ivy.

—En realidad, no puedo —admitió—. Sin embargo, con este tipo… —Con una tenue sonrisa apuntó hacia donde se encontraba Rex, sentado junto al umbral, mirándome de un modo que hizo que se me pusiera la carne de gallina—. Se expresa con una coherencia inusitada. Nunca me había topado con un fantasma que fuera consciente de que estaba muerto y que se mostrara abierto al diálogo. La mayoría están enganchados a un patrón de comportamiento compulsivo, atrapados en su propio infierno personal.

Arrodillándome, introduje bajo la encimera los pucheros de cobre para realizar hechizos que no había llegado a manchar, con mi pistola de pintura de color rojo cereza en el interior del más pequeño. Los guardaba casi a ras del suelo por una buena razón. Sin embargo, cuando Ivy soltó un grito ahogado, me puse en pie de golpe.

—¡Eso es mío! —exclamó ondeando el mapa del invernadero en el que yo había escrito las letras del alfabeto. Ford estaba encogido contra el respaldo de su silla y los ojos de Ivy se estaban tornando de color negro.

—Lo siento —se disculpó Ford esquivando su mirada como si hubiera sido el culpable del estropicio.

Jenks emprendió el vuelo y yo me sacudí la sal de las rodillas.

—He sido yo —admití—. No sabía que fuera importante. Lo borraré.

Ivy se detuvo a pocos centímetros del psiquiatra con la mirada encolerizada, agitando las puntas doradas de sus negros cabellos y Jenks aterrizó en el hombro de Ford con intención de protegerlo. El pobre hombre se estremeció por la cercanía, pero no se movió de donde estaba mientras Ivy parecía recuperar la compostura.

—No te molestes —dijo bruscamente y, cuando su *bagel* saltó de la tostadora, dejó el papel bocabajo sobre la mesa que había delante de Ford con un sonoro manotazo.

Temblando, limpié las migas de mi cuchillo ceremonial y le acerqué uno de mesa. Permitir que una vampiresa utilizara un instrumento ceremonial de magia negra para cortar por la mitad un panecillo en forma de rosquilla no era una buena idea. Lentamente, mientras extendía una gruesa capa de queso de untar en el *bagel*, Ivy relajó su postura. Luego se quedó mirando el cajón en el que había metido el cuchillo y, con lo que interpreté como una gran concesión por su parte, rompió el silencio con un escueto: «Tampoco era tan importante».

En ese momento, Ford se guardó su amuleto como si hubiera decidido marcharse.

—¿Vas a salir, Ivy? —preguntó.

Ella se giró con el *bagel* en un plato y se apoyó sobre la encimera más distante.

—Tengo pendiente una charla con alguna gente —respondió dándole un cuidadoso bocado al trozo de pan y dejando entrever sus colmillos—. He estado en el barco —comentó con la boca llena—. Por cierto, gracias por esperar. Ha sido todo un detalle por tu parte.

Ford inclinó la cabeza y la tensión del ambiente disminuyó.

—¿Has descubierto algo?

Yo ya conocía la respuesta y me incliné por debajo del nivel de la encimera para volver a guardar en la parte posterior del armario mi bolsa de sal de diez kilos. Una vez quedó oculta tras la freidora, cerré de un portazo pensando que las últimas dos horas habían supuesto una pérdida de tiempo. Ya no recordaba la última vez que había preparado un hechizo sin obtener ningún resultado. Quizás podía preguntarle a mi madre. De ese modo, también tendría una excusa para subir al ático.

—El asesino de Kisten era un vampiro no muerto —declaró Ivy reprimiendo tal cantidad de rabia en su voz de seda gris que sentí un escalofrío—. Pero eso ya lo sabíamos. Sin embargo, su olor me resulta familiar —añadió.

Al oír sus palabras, me giré con un puñado de cucharas de cerámica para realizar hechizos en la mano. Sus ojos volvían a tornarse negros, pero era consciente de que no lo había provocado mi pulso acelerado.

—Es una buena noticia —dijo con una voz algo ronca—. Significa que debe de tratarse de un vampiro de Cincy y probablemente todavía sigue aquí, tal y como sugirió Rynn Cormel. Estoy segura de haberlo olido antes, pero no logro ubicarlo. Tal vez me topara con él en alguna ocasión en una casa de sangre. Hubiera sido más sencillo si el olor no hubiera tenido seis meses.

Sus últimas palabras eran algo más que una acusación velada, y yo me puse de nuevo a recoger sin decir ni una palabra. Me alegraba de no haber presenciado el momento en que Ivy había descubierto que conocía al vampiro que había asesinado a Kisten. Tenía que ser alguien de fuera de su camarilla, o habría percibido el olor la misma mañana que encontramos a Kisten.

—Eso no sería un problema si alguien que yo me sé no me hubiera suministrado una poción para olvidar —dije secamente.

Jenks dejó escapar un intenso destello de luz blanca.

—¡Ya te dije que lo sentía! —gritó. Sus hijos se dispersaron y Ford alzó la cabeza de golpe—. Estabas decidida a intentar atravesar con una estaca a ese cabrón, Rachel, y tenía que detenerte antes de que acabara contigo. Ivy no estaba allí, ¡y yo soy jodidamente pequeño!

Conmocionada, estiré la mano para detenerlo cuando vi que salía disparado.

—¿Jenks? —lo llamé—. ¡Lo siento mucho, Jenks! No pretendía que sonara de ese modo.

Abatida, me giré hacia Ford e Ivy. Me estaba comportando como una fastidiosa insensible. ¡Con razón Jenks estaba de mal humor! Ivy y yo intentábamos encontrar al asesino de Kisten, y Jenks era el que había echado a perder la forma más sencilla de solucionarlo.

—Lo siento —dije con expresión culpable—. Ha sido muy desconsiderado por mi parte.

Ford me miró a los ojos y metió los pies bajo la silla.

—No te mortifiques. No eres la única que toma decisiones precipitadas que acaban pesando sobre su conciencia. Jenks tiene algunos conflictos internos que tiene que resolver. Eso es todo.

Ivy soltó una risotada mientras giraba el *bagel* para poder cogerlo mejor.

—¿Se trata de una opinión profesional?

Ford se rió entre dientes.

—Precisamente tú eres la menos indicada para arrojar piedras a los demás —sentenció—. Ignoraste una pista durante seis meses porque te sentías culpable por no haber salvado a las dos personas que más querías.

Sorprendida, me volví hacia Ivy, que, tras una primera expresión de sorpresa, alzó un hombro para mostrar su indiferencia.

—Ivy —dije, apoyando la espalda en la encimera—, la muerte de Kisten no fue culpa tuya. Ni siquiera estabas allí.

—Pero si lo hubiera estado, tal vez no habría sucedido —respondió quedamente.

Ford se aclaró la garganta y se quedó mirando el pasillo abovedado cuando Jenks entró volando apesadumbrado. Matalina estaba suspendida en el aire a la altura del dintel, con los brazos cruzados y un gesto severo en su rostro. Por lo visto, la juiciosa pixie estaba practicando sus propias técnicas psicoanalíticas y no estaba dispuesta a permitir que su marido se encerrara en el escritorio con cara de malhumor.

—Lo siento, Rachel —dijo él posándose sobre mi hombro—. No debería haberme largado de ese modo.

—No pasa nada —murmuré—. No era mi intención echarte las culpas de nada y ni siquiera me he dado cuenta de lo mal que ha sonado. Me salvaste la vida. Además, antes o después, recuperaré la memoria. Hiciste lo que debías. Solo quiero saber lo que sucedió.

Ford se reclinó sobre la silla y se guardó el lápiz.

—Estoy seguro de que lo conseguirás. Los recuerdos están empezando a aflorar.

—¿Podemos volver al asunto del fantasma? —dijo Jenks revolviéndome el pelo con el batir de sus alas.

En el rostro macilento de Ford se dibujó una sonrisa.

—¡Por cierto! Me ha dicho que quiere darte las gracias —comentó hojeando su bloc de notas—. Para su desgracia, no logró descansar en paz, pero no estaría deambulando por ahí si no hubiera sido porque Al lo liberó.

—¡Al! —exclamé entornando los ojos para ver la sonrisa de Ford a través de la nube de polvo que había creado Jenks, que estaba suspendido en el vacío en estado de choque. Incluso Ivy se detuvo en seco con el *bagel* a pocos centímetros de su boca.

—¿Qué tiene que ver Al con todo esto? —farfullé mientras Jenks emitía unos gemidos de autocomplacencia.

—¡Lo sabía! —se jactó—. ¡Lo supe desde el principio!

No obstante, Ford seguía sonriendo con unas pequeñas arruguitas que se formaban en torno a sus ojos y que le hacían parecer cansado.

—No fue deliberado. Te lo aseguro. ¿Recuerdas la lápida que tu demonio resquebrajó?

Negué con la cabeza intentando tragarme la rabia que me producía que lo hubiera llamado «tu demonio» y, justo entonces, modifiqué el movimiento para transformarlo en un gesto de asentimiento.

—¿La noche que rescaté a Ceri? —pregunté parpadeando—. ¡Oh, Dios mío! ¿Pierce está enterrado aquí? ¿En nuestro jardín trasero?

Si los pixies hubieran sufrido infartos, hubiera jurado que a Jenks le estaba dando uno. Seguía suspendido en el aire, crepitando y con el rostro desencajado, mientras su cuerpo despedía un chorro continuo de chispas negras que formaban un charco en la encimera central que se desbordaba y se arremolinaba sobre mis pies, cubiertos tan solo por los calcetines.

—¿Te refieres a la del ángel con cara de gilipollas? —acertó a decir.

Ford asintió en silencio.

¡No puede ser!, pensé preguntándome si disponía de tiempo suficiente para encontrar mi linterna y salir a echar un vistazo antes de que llegara Marshal.

—¡Habían raspado el nombre! —aulló Jenks.

Rex se desperezó y vino a enroscarse alrededor de mis pies intentando acercarse lo más posible a su diminuto dueño.

—Deberías tomarte una pastilla para enfriarte, Jenks —le sugerí—, antes de que tus chispas empiecen a arder.

—¡Cállate! —me respondió con un grito volando hasta Ivy—. ¡Te lo dije! ¡No digas que no te lo advertí! No se intenta borrar el nombre de un difunto con un cincel a menos que… —De pronto se interrumpió y abrió mucho los ojos—. ¡Y se encuentra en terreno no consagrado! —chilló—. Rachel, ese tipo nos va a traer un montón de problemas. ¡Y, para colmo, está muerto! ¿No se te ha ocurrido preguntarte por qué está muerto?

Los oscuros ojos de Ivy dejaron de mirar a Jenks y se dirigieron hacia mí y luego hacia Ford, que seguía sentado observándolo todo con una expresión bastante cínica.

—Ya estaba muerto cuando lo conocí —respondí secamente—, y me pareció una persona de lo más amable. Además, una buena parte de los habitantes de Cincy están muertos.

—¡Sí, pero no se pasean a hurtadillas por nuestra iglesia para poder espiarnos! —me gritó colocándose justo delante de mis narices—. ¿Por qué quieres convertirlo en un ser de carne y hueso?

Aquello estaba pasando de castaño a oscuro. Cerré la puerta de uno de los armarios de un manotazo y me acerqué a él para obligarlo a retroceder.

—¡Estaba intentando establecer contacto! —le respondí alzando la voz a pocos centímetros de él—. La única manera que tengo de hablar con él sin utilizar una jodida güija es haciéndole volver a la vida. Por si te interesa, lo enterraron vivo porque fue acusado de brujería en el siglo XVII. Probablemente está intentando descubrir el modo de abandonar el purgatorio y morir definitivamente, así que ¡tranquilízate un poquito!

Ivy se aclaró la garganta sujetando el panecillo en alto con las yemas de los dedos.

—¿Lo condenaron por practicar la brujería? —preguntó—. Tenía entendido que los de tu especie erais muy precavidos antes de la Revelación.

Me aparté de Jenks e inspiré profundamente para liberar la tensión.

—El vampiro pedófilo al que denunció, le pagó con la misma moneda —expliqué—. Le contó a todo el mundo que era un brujo. Los hijos de puta ignorantes lo enterraron vivo, pero eso no significa que utilizara la brujería para hacer el mal. Al fin y al cabo, yo también practico la magia negra.

Ford se puso en pie arrastrando la silla unos centímetros, agarró el abrigo y, mientras se lo ponía, se acercó al centro de la cocina.

—Tengo que irme —se justificó dándome un ligero apretón en el hombro—. Te llamaré mañana para concretar lo de la sesión de hipnosis.

—Claro —respondí distraídamente sin apartar la vista de Jenks, que brillaba intensamente junto al frigorífico.

—Pierce me ha pedido que te diga que lleva aquí desde que Al rompió su lápida. Aquello abrió un canal que permitía que cualquier espíritu dispuesto a salir pudiera hacerlo. A partir de entonces, le bastó seguir sus pensamientos para llegar hasta ti.

Ford me miraba con una sonrisa, como si me estuviera dando una buena noticia, pero yo no pude devolvérsela. ¡Maldición! Horas antes me encontraba de un humor excelente, y al final todo se había echado a perder. Primero había fracasado con los hechizos terrestres, y ahora Jenks pensaba que Pierce era un demonio que, por alguna razón, nos estaba espiando.

—Esto no pinta bien, Ivy —dijo Jenks iluminando su hombro—. No me gusta un pelo.

Entonces estallé. Quería que se callara de una maldita vez.

—Me da lo mismo que te guste o no —le espeté—. Pierce es la primera persona a la que ayudé. El primero que me necesitó. Y si necesita mi ayuda de nuevo, se la daré.

Frustrada, arrojé un puñado de bártulos para preparar hechizos de energía luminosa en el interior de un cajón y lo cerré con tanta fuerza que Rex salió huyendo.

Ford cambió el peso de una pierna a otra.

—Tengo que irme.

La cosa no me extrañó, teniendo en cuenta mi repentino arrebato de mal humor. Jenks se interpuso en su camino y el psiquiatra vaciló.

—Ford —dijo en un tono desesperado—. Dile a Rachel que es una mala idea. No se debe revivir a los muertos. Bajo ningún concepto.

Por un momento sentí que el corazón se me encogía, pero Ford alzó la mano para aplacar los ánimos.

—Pienso que es una idea genial. Pierce no es un espíritu maligno. Además, no me parece que Rachel pueda causarle un daño tan terrible en una sola noche.

El zumbido de alas de Jenks alcanzó un tono irreal, y las chispas que desprendía adquirieron una tonalidad gris.

—No creo que hayas captado cómo están realmente las cosas —dijo—. ¡Por el amor de Campanilla! ¡No conocemos de nada a ese tipo! Sin embargo, Rachel ha decidido compadecerse de él y ofrecerle la oportunidad de volver a la vida durante una noche. Lo enterraron vivo en terreno blasfemado. No sabemos cómo traerlo de vuelta del reino de los muertos, pero me juego lo que quieras a que un demonio sí que sabe cómo hacerlo. ¿Y qué le impedirá revelarle a un demonio todos nuestros secretos a cambio de una nueva vida?

—¡Ya basta! —grité—. Jenks, tienes que disculparte con Pierce. ¡Inmediatamente!

Dejando tras de sí una estela de chispas como si se tratara de un caprichoso rayo de sol, Jenks se dirigió a mí.

—¡Ni hablar! —respondió con vehemencia—. ¡No lo hagas, Rachel! No puedes arriesgarte. Ninguno de nosotros puede.

Se encontraba suspendido delante de mí, con una actitud rígida y decidida. Desde detrás de él, Ivy se me quedó mirando. De improviso, no supe qué decir. Había conocido a Pierce y juntos habíamos rescatado a aquella pobre niña, sin embargo, tan solo tenía dieciocho años, y existía la posibilidad de que me hubiera dejado embaucar por la inocencia de la adolescencia.

—Jenks… —dijo Ford, aparentemente dolido por mis repentinos temores.

El diminuto pixie se elevó a toda prisa con evidente frustración.

—¿Podemos hablar en privado? —preguntó con una expresión tan fiera que pensé que iba a pixearlo.

Con la cabeza gacha, Ford asintió, dándose la vuelta con intención de abandonar la cocina.

—Rachel, si no consigues encontrar el hechizo, ponte en contacto conmigo y volveré para que puedas conversar un poco más con Pierce.

—Sí, claro —respondí cruzando los brazos a la altura del pecho y apoyándome en la encimera—. Me sería de gran ayuda.

Tenía los dientes apretados y me dolía la cabeza.

Rex se fue detrás de Jenks y de Ford y me pregunté si la gata los seguía a ellos o a Pierce. El sonido de las pisadas de Ford se perdió en la lejanía e, inmediatamente después, se empezó a escuchar una conversación en voz baja que provenía del santuario y que, más bien, podría haberse definido como un monólogo. Era muy probable que Ivy consiguiera escuchar a Ford con la suficiente claridad como para entender lo que estaba diciendo, pero yo no, y probablemente era ese el principal objetivo de Jenks.

Intentando relajar la mandíbula, me quedé mirando a Ivy, que se encontraba en el extremo opuesto de la cocina. Había sacado otro plato de postre, y cuando asentí con amargura, colocó encima la otra mitad de su cena y me lo entregó. Yo lo agarré con un movimiento rígido.

—Tú no piensas que sea una mala idea, ¿verdad? —le pregunté.

Ivy suspiró con la mirada perdida en el vacío.

—¿Se trata de un hechizo demoníaco? —inquirió—. Me refiero al que se necesita para que Pierce vuelva a la vida de forma temporal.

Yo sacudí la cabeza y di un bocado al *bagel*.

—No. El único inconveniente es su complejidad.

Sus oscuros ojos se posaron en los míos y encogió levemente uno de sus hombros.

—Bien —concluyó—. En ese caso, creo que deberías hacerlo. Jenks es solo un viejo paranoico.

Aliviada, relajé los hombros y logré esbozar una tenue sonrisa. Entonces giré el trozo de pan para acceder a la parte con más cantidad de queso y le di un buen mordisco, llenándome la boca de su intenso sabor agrio.

—Pierce no está planeando nada —le expliqué sin dejar de masticar—. Si puedo, me gustaría echarle un cable. Me ayudó a entender lo que quería hacer con mi vida y, en cierto modo, se lo debo. —En ese momento la miré a los ojos y me di cuenta de que tenía la mirada perdida y su rostro mostraba una expresión pensativa—. ¿Sabes lo que significa sentirse en deuda con alguien por haber cambiado tu vida para mejor?

Ivy volvió la mirada hacia mí.

—Eh… Sí, claro —respondió.

A continuación dejó el plato y se dirigió hacia el frigorífico.

—Sé que puedo hacer el hechizo, solo necesito la receta, el instrumental y una congregación de brujos para absorber la energía necesaria.

En aquel instante me quedé mirando el *bagel* y exhalé un suspiro.

Iba a resultar mucho más difícil de lo que parecía en un principio.

Sin decir una palabra, Ivy se sirvió un vaso de zumo de naranja.

—Lo siento —dijo entonces, adoptando un tono conciliador—. Todo esto significa mucho para ti. Pasa de Jenks. Se está comportando como un capullo.

Mordí de nuevo el panecillo y me quedé en silencio. Pierce era una de las pocas personas que me conocía antes de mis marcas demoníacas, de la mácula en mi alma y de todo lo demás. Si podía, tenía que ayudarlo.

Ivy se acercó al fregadero para sacudir las migas de su plato y, consciente del efecto que provocaba mi desasosiego en sus instintos, me alejé unos metros intentando no hacerme notar.

—¿Y no sería más sencillo comprar el libro? —preguntó dirigiendo la mirada hacia el reflejo de la luz del porche sobre la nieve—. Si no se trata de magia demoníaca, deberían tenerlo en algún sitio.

Negué con la cabeza. Era un alivio que hubiera alguien que no creyera que Pierce nos estaba espiando.

—No lo pongo en duda, pero los manuales arcanos de nivel 800 no son muy comunes. No suelen verse a menos que alguien los utilice con fines didácticos. Conseguir uno antes de Año Nuevo va a ser un problema. Por no hablar del crisol. Si Robbie no sabe dónde está, nos podría llevar meses encontrar uno.

En aquel momento se escuchó un portazo procedente de la puerta principal y Jenks entró en la cocina junto al gélido olor de un prado veraniego en una noche invernal. Parecía de mucho mejor humor, y no pude evitar preguntarme qué le habría dicho Ford.

—Tengo que irme —dije agarrando el bolso de la silla antes de que Jenks intentara comenzar una conversación—. Lo más probable es que no vuelva hasta, por lo menos, las cuatro. Va a ser una noche muy dura —comenté con un suspiro—. Robbie se ha echado novia y a mi madre le encanta escuchar cosas sobre ella.

Ivy esbozó una sonrisa con la boca cerrada.

—Que te diviertas.

Eché un vistazo a la espada que reposaba sobre la encimera pensando que habría preferido irme con ella a enfrentarme a un montón de perversos vampiros en lugar de tener que soportar el inevitable sermón de mi madre sobre cuándo pensaba sentar la cabeza.

—Bueno, me voy —exclamé paseando la mirada por la cocina y preguntándome si les parecería extraño que me despidiera de Pierce—. ¿Tienes algún problema en quedarte a solas con Pierce, Jenks? —me burlé guardando en el bolso el amuleto localizador invocado para preguntarle a mi madre.

Jenks se puso rojo de rabia.

—No te preocupes. Estaré bien —respondió entre dientes—. El señor Fantasma y yo vamos a tener una agradable charla.

—No sé por qué, pero sospecho que solo uno de vosotros tendrá la posibilidad de hablar —dije.

Jenks esbozó una sonrisa, y su expresión de impaciencia me preocupó.

—Exactamente como a mí me gusta. Así no podrá responderme como lo hacen mis hijos.

Tenía el abrigo y las botas en la entrada.

—Si me necesitáis, llamadme —dije.

Ivy me hizo un gesto de despedida con la mano, mientras Jenks se acomodaba en su hombro. Era evidente que tenían cosas que discutir. *Todavía más preocupante*. Echándoles un último vistazo, me dirigí a la parte anterior de la iglesia, escuchando el tintineo de mis llaves al chocar contra mi detector de magia letal.

En una esquina había un numeroso grupo de pixies entretenidos con un pobre ratón muerto de miedo e, ignorando la terrible escena, introduje los pies en las botas y anudé los cordones. A continuación, me puse el abrigo y dirigí la mirada desde el vestíbulo, que se encontraba completamente a oscuras, en dirección a la penumbra del santuario, que todavía lucía los adornos navideños y objetos decorativos del solsticio. Una cálida sensación se apoderó de mí, relajándome, y me pregunté si realmente era capaz de percibir el olor a carbón y a betún de los zapatos o era solo producto de mi imaginación. Entonces escuché el cascabel de Rex, que se unía al alboroto de los pixies; me detuve unos instantes y observé cómo tomaba asiento al comienzo del pasillo, y se quedaba mirándome. ¿Era posible que estuviera contemplando a Pierce?

—Hasta luego, Pierce —musité—. No hagas caso a Jenks. Solo se preocupa por mi seguridad.

Y con una breve sonrisa, abrí la puerta y me adentré en el gélido aire invernal.

10

El paño de cocina llevaba un buen rato empapado, pero estábamos a punto de acabar y no merecía la pena cambiarlo por uno seco. Robbie estaba fregando, yo secaba y Marshal colocaba las cosas en su sitio con ayuda de mi madre. A decir verdad, la auténtica razón por la que estaba allí era para controlar que Robbie y yo no nos enzarzáramos en una de nuestras infames guerras de agua. Sonreí y le pasé un cuenco a Marshal. El olor a *roast beef* y a tarta de caramelo y mantequilla todavía flotaba en el ambiente, despertando en mí los recuerdos de las noches de domingo, cuando Robbie venía a visitarnos. Por aquel entonces, yo tenía doce años y él veinte. Y entonces papá falleció y nada volvió a ser lo mismo.

Robbie se dio cuenta de mi cambio de humor y, apretando el puño, lo sumergió con fuerza en el agua provocando una buena salpicadura que aterrizó directamente en mi parte del fregadero.

—¿De qué vas? —le reproché justo en el preciso instante en que volvía a salpicarme.

—¡Mamá! —grité.

—Robbie... —le recriminó ella sin ni siquiera alzar la vista de las tazas del café que estaba colocando sobre una bandeja.

—¡Pero si no he hecho nada! —protestó.

Mi madre se volvió con un destello en la mirada.

—Siempre la misma historia —se lamentó—. Sinceramente, nunca entendí por qué tardaban tanto en recoger la cocina. Aligerad un poco. El único que está haciendo algo es Marshal —añadió mirándolo con una expresión resplandeciente que provocó que se sonrojara.

—¡Que te den! —farfulló Robbie en tono afable.

La verdad era que Robbie y Marshal habían congeniado casi de inmediato, y habían pasado la mayor parte de la noche charlando sobre música y deportes universitarios. En cuestión de edad, Marshal estaba más cerca de Robbie que de mí, y resultaba agradable comprobar que, por una vez, mi hermano daba el visto bueno a uno de mis novios. Aunque Marshal y yo no estábamos saliendo, verlos juntos me producía cierta melancolía, como si se me hubiera presentado la oportunidad de echar un vistazo a algo a lo que había dado la espalda. Así era como debían de ser las familias normales, en las que los hijos incorporaban nuevos miembros a la familia... y se iba creando la sensación de pertenecer a algo grande.

El hecho de que la conversación durante la cena se hubiera centrado casi exclusivamente en la de Robbie y Cindy tampoco ayudaba mucho. Resultaba obvio que iban en serio, y era evidente que la felicidad de mi madre aumentaba por momentos ante la posibilidad de que Robbie sentara cabeza y entrara a formar parte del «ciclo de la vida». Yo había renunciado a la idea de la familia feliz tras la muerte de Kisten (descubrir que mis hijos serían demonios fue la guinda del pastel), pero ver cómo Robbie recibía un montón de palmaditas en la espalda por hacer algo que, en mi caso, habría resultado una irresponsabilidad, me sacaba de quicio. La rivalidad entre hermanos era un verdadero asco.

Al menos, la presencia de Marshal me permitía fingir. Tanto mamá como Robbie estaban impresionados por el hecho de que la venta de su propio negocio le hubiera proporcionado los suficientes beneficios como para costearse un máster sin necesidad de buscarse un trabajo. Lo de entrenar al equipo de natación era solo una forma de conseguir bajar el importe de la matrícula y disponer de un dinero extra para sus gastos. Había albergado la esperanza de que se hubiera pasado por la secretaría de la universidad para averiguar por qué habían rechazado mi cheque, pero, por lo visto, estaba todo cerrado con motivo de las vacaciones del solsticio.

Tras propinar un suave manotazo a Robbie con el reverso de la mano por haber dicho «que te den», mi madre le indicó a Marshal dónde se colocaban los vasos y empezó a disponer en un plato las últimas galletas de la celebración del solsticio. Eran redondas y, además de presentar los típicos tonos dorados y verdes, todas y cada una de ellas tenían dibujada una runa de la suerte. Mi madre siempre ponía el alma en todo lo que hacía.

Apenas se dio la vuelta, Robbie amenazó con lanzarme otro chorro de agua. Cerré los ojos y lo ignoré. Llevaba toda la noche intentando quedarme a solas con él para preguntarle por el libro, pero, ya fuera por Marshal y otras veces por mi madre, no se había presentado la ocasión. Por lo visto, iba a tener que pedir un poco de ayuda. Marshal no era una persona maliciosa por naturaleza, pero sabía que no tendría inconveniente en seguirme el juego.

Tarareando feliz, mi madre abandonó la cocina con el plato de galletas en la mano. A continuación escuché que encendía el estéreo del salón y esbocé una sonrisa. Tenía treinta segundos. Como máximo.

—Marshal —le dije con ojos suplicantes mientras le entregaba un plato—. Necesito pedirte un gran favor. Te lo explicaré más tarde pero ¿podrías entretener a mi madre durante diez minutos?

Robbie dejó lo que estaba haciendo y se me quedó mirando.

—¿Qué pasa, luciérnaga?

En ese momento mi madre apareció de nuevo y, siguiendo el patrón de conducta que habíamos establecido de niños, cuando nos confabulábamos a espaldas de nuestros padres, Robbie se volvió hacia el fregadero como si no hubiera oído nada.

—¡Por favor…! —le susurré a Marshal cuando regresó de guardar la pila de platos—. Necesito hablar a solas con Robbie.

Ajena a lo que estaba sucediendo, mi madre se puso a trastear con la cafetera y agarró la jarra de cristal. A continuación, con un par de empujones, se hizo un hueco entre Robbie y yo para llenarla de agua y me di cuenta de lo pequeña que parecía a nuestro lado.

—Marshal —dijo Robbie lanzándome una mirada pícara a espaldas de mi madre—, te veo muy cansado. Rachel y yo podemos acabar aquí. ¿Por qué no vais a sentaros al salón mientras se hace el café? Podríais echar un vistazo a los álbumes de fotos.

El rostro de mi madre se iluminó como por arte de magia.

—¡Qué gran idea! Marshal, tienes que ver las fotos que hicimos la última vez que nos fuimos de vacaciones. Rachel tenía once años y empezaba a tener algo de fuerza —comentó agarrándole del codo—. Ya se ocupa ella de traer el café cuando esté listo. —Sonriendo, se giró hacia mí—. No tardéis mucho —dijo en un tono cantarín que me dio qué pensar. Creo que era consciente de que nos estábamos librando de ellos. Mi madre estaba como una cabra, pero no era tonta.

Introduje las manos en el agua templada del fregadero y saqué una fuente. Desde la parte anterior de la casa se escuchaba la sonora voz de Marshal, que producía un efecto armonioso junto a la de mi madre. La cena había sido muy agradable, pero, una vez más, me había resultado casi doloroso escuchar a Robbie hablando sin parar de su relación con Cindy y a mi madre uniéndose a él cuando salió el tema de las dos semanas que pasó con ellos. Estaba celosa, pero tenía la sensación de que, cada vez que me encariñaba con alguien, resultaba herido, muerto o acababa convertido en un granuja. Todos menos Ivy y Jenks, aunque no estaba del todo segura respecto a lo de granujas.

—Y bien, ¿de qué se trata? —preguntó Robbie soltando de golpe la cubertería de plata y provocando que salpicara parte del agua que iba a utilizar para enjuagarlos.

Lentamente, me froté la barbilla con el reverso de la mano. *¡Pues nada! Que estoy intentando resucitar a un fantasma.* Tal vez debía entablar amistad con un espíritu. Al fin y al cabo, no podía cargármelo.

—¿Te acuerdas del libro que me regalaste para el solsticio de invierno? —le pregunté.

—No.

Levanté la vista, pero no conseguí establecer contacto directo con sus ojos porque estaba mirando en otra dirección. Tenía las mandíbulas apretadas, lo que hacía que su rostro pareciera más alargado.

—El que utilicé para… —empecé a decir.

—No. —Fue una respuesta forzada, y la boca se me abrió involuntariamente al darme cuenta de que no quería decir «no lo sé», sino, más bien, «no pienso decírtelo».

—¡Robbie! —exclamé intentando no elevar demasiado la voz—. ¿Lo tienes?

Mi hermano se frotó las cejas. Conocía muy bien ese gesto y, o bien estaba mintiendo, o estaba a punto de hacerlo.

—No sé de qué me hablas —sentenció retirando la espuma de las piezas que acababa de enjabonar.

—Estás mintiendo —lo acusé. Él apretó aún más la mandíbula—. Es mío —añadí bajando la voz cuando Marshal alzó la suya para cubrirnos—. Me lo diste, y ahora lo necesito. ¿Dónde está?

—No —repitió con determinación mientras restregaba la placa del horno en la que había estado el asado—. Cometí un error al dártelo, y se va a quedar donde está.

—Que es… —intenté sonsacarle.

Él se mostró impasible y siguió frotando con fuerza mientras el pelo se le movía hacia delante y hacia atrás.

—¡Me lo diste! —exclamé, frustrada, confiando en que no me respondiera que estaba a cuatro zonas horarias de distancia.

—No tienes derecho a intentar invocar de nuevo a papá. —Me estaba mirando por primera vez desde que habíamos comenzado la conversación, y su enfado era más que evidente—. Mamá tardó más de dos semanas en recuperarse de tu ocurrencia, y me gasté casi quinientos dólares en llamadas de teléfono.

—¿De veras? Pues yo pasé siete años ayudándola a reponerse de tu marcha tras la muerte de papá, así que me parece que estamos en paz.

Robbie dejó caer los hombros de golpe.

—Eso no es justo.

—Tampoco lo fue que nos dejaras por una apestosa carrera profesional —le reproché con el corazón a punto de salírseme del pecho—. ¡Dios! No me extraña que esté para que la encierren. Le hiciste lo mismo que Takata. Sois tal para cual.

De repente, el rostro de mi hermano se puso rígido y giró la cabeza. En ese mismo instante deseé poder retirar mis palabras, incluso aunque tuviera razón.

—No he debido decir algo así. Es solo que… Necesito realmente ese libro.

—Es una imprudencia.

—¡Por el amor de Dios, Robbie! ¡Ya no tengo dieciocho años! —exclamé colocándome el paño de cocina en la cadera.

—Pues te comportas como si los tuvieras.

Exasperada, guardé los cubiertos de plata en el cajón y lo cerré de golpe. Al ver mi frustración, Robbie se enterneció y, con la voz cargada del dolor que compartíamos, dijo:

—El alma de papá descansa en paz. No lo molestes.

Resentida, sacudí la cabeza.

—No pretendo hablar con papá. Con quien necesito contactar es con Pierce.

Mientras vaciaba el fregadero y enjuagaba la placa del horno bajo el grifo, Robbie resopló.

—Él también ha encontrado el descanso eterno. Deja en paz al pobre hombre.

El recuerdo de la noche que pasamos Pierce y yo bajo la nieve de Cincinnati despertó en mi interior una débil oleada de entusiasmo. Había sido la primera vez que me había sentido realmente viva. La primera vez que había sido capaz de ayudar a alguien.

—Te equivocas. Pierce no ha encontrado el descanso eterno. Está en mi iglesia, y lleva allí casi un año, cambiándome los tonos del móvil y haciendo que la gata de Jenks no me quite ojo.

Robbie se dio la vuelta, estupefacto, y estiró el brazo para cerrar el grifo.

—¿Bromeas?

Intenté no poner cara de satisfacción, pero era mi hermano, y tenía todo el derecho a sentirme complacida.

—Quiero ayudarlo a descansar en paz. ¿Dónde está el libro? —le pregunté inclinando la bandeja del horno para retirar el exceso de agua.

Se quedó pensativo mientras revolvía bajo el fregadero en busca del detergente, espolvoreaba un poco en la pila y lo colocaba de nuevo en el sitio en el que llevaba desde, al menos, tres décadas.

—En el ático —respondió finalmente, empezando a restregar—. El crisol de mamá también está ahí. Me refiero al rojo y blanco. Ese que costaba un dineral. Y la botella para poner la poción. Lo que no sé es adónde fue a parar el reloj. ¿Se te perdió?

Eufórica, dejé a un lado la bandeja a medio secar.

—Está en mi tocador —dije intentando no estornudar por culpa del fuerte olor del detergente, al mismo tiempo que colocaba el paño en la barra para que se secara y me dirigía hacia la puerta. Iba a conseguirlo todo de una tirada. La fortuna me sonreía.

Cuando estaba a punto de salir de la cocina, Robbie me agarró del hombro.

—Ya te lo traigo yo —dijo mirando por encima de mi hombro hacia el salón—. No quiero que mamá se entere de lo que estás haciendo. Dile que estoy buscando mi colección de chapas.

Con un bufido, asentí con la cabeza. ¡Claro! ¡Como si fueran a dejarle subir la colección de chapas al avión!

—Diez minutos —le advertí—. Si en ese tiempo no has vuelto, subiré a por ti.

—Me parece justo —dijo con una sonrisa agarrando el paño del colgador para secarse las manos—. Eres un encanto de hermana. Sinceramente, no me explico de dónde provienen todos esos rumores.

Intenté contestarle con una respuesta ocurrente, pero me quedé en blanco cuando tensó el paño agarrándolo por los dos extremos y me sacudió con él.

—¡Eh! —grité.

—¡Robbie! ¡Deja en paz a tu hermana! —se oyó decir a mi madre débilmente desde el salón. Su voz estaba cargada de una firmeza que nos resultaba muy familiar, y tanto mi hermano como yo sonreímos. Había pasado demasiado tiempo. Al ver la expresión de cordero degollado de sus ojos verdes, agarré la esponja y la levanté para ver qué sucedía.

—¡Rachel! —gritó mi madre y, con expresión de victoria, Robbie me tiró el paño y abandonó la cocina con paso firme y moderado. Casi de inmediato, escuché que abría la puerta del ático y el ruido de la escalera al golpear la alfombra de la entrada del dormitorio. A continuación, con el convencimiento de que volvería a casa con todo lo que necesitaba, sequé el fregadero y volví a colgar el paño.

—¡Venga! —susurré olfateando la cafetera y esperando que se espabilara un poco por deferencia con nuestro huésped.

De pronto apareció mi madre, cuyas pisadas habían sido aplacadas por el linóleo.

—¿Qué está haciendo Robbie en el ático?

Me aparté de la cafetera, que seguía expulsando gota a gota el café.

—Buscando su colección de chapas.

De acuerdo, había mentido a mi madre, pero estaba segura de que mi hermano aparecería con algo que encontraría allí arriba, de manera que, al final, no se podría considerar una mentira.

Ella emitió un leve sonido con la boca mientras sacaba cuatro tazas blancas del armario y las colocaba en la bandeja. Era el juego que utilizaba con los invitados de postín, y me pregunté si querría decir algo.

—Es agradable teneros a los dos en casa —dijo quedamente, haciendo que mi tensión se desvaneciera. En realidad lo agradable era tener a Robbie, para fingir por un rato que nada había cambiado.

Mi madre estuvo trasteando con la bandeja hasta que la cafetera dejó de gotear y, una vez más, advertí lo jóvenes que parecían sus manos. Las brujas vivían aproximadamente dos siglos, y casi podíamos pasar por hermanas, especialmente desde que había dejado de vestirse de forma descuidada.

—Cindy es muy maja —dijo sin venir a cuento. Di un respingo y, de golpe y porrazo, volví en mí al oír el nombre de la novia de mi hermano—. A Robbie le gusta tomarle el pelo como hace contigo. —Estaba sonriendo, y yo me acerqué al frigorífico para coger la leche—. Te gustará —añadió con la vista puesta en el jardín trasero, iluminado por la luz de seguridad del vecino—. Trabaja en la universidad mientras termina su licenciatura.

Además inteligente, me dije a mí misma, aunque la cosa no me sorprendía lo más mínimo. Aquello no había surgido en la cena, y me pregunté por qué.

—¿Qué estudia?

Mi madre presionó los labios con gesto meditabundo.

—Criminología.

Verdaderamente inteligente. Demasiado, quizás.

—Le queda un año —comentó mi madre disponiendo un juego de cucharillas sobre las servilletas—. Se les ve muy bien juntos. Sus caracteres se complementan a la perfección. Él es un soñador, mientras que ella tiene los pies en la tierra. Es de una belleza serena. Sin duda, sus hijos serán preciosos.

Su sonrisa se había vuelto más tenue y sonreí a mi vez, al darme cuenta de que, al sentar la cabeza, Robbie estaba haciendo realidad uno de los sueños de mamá. Es posible que hubiera desistido conmigo, pero ahora Robbie iba a cargar con todo el peso. *¡Qué triste…!*

—Dime —preguntó en un tono engañosamente dulce—. ¿Qué tal te va con Marshal?

Mi sonrisa se desvaneció. De acuerdo. Tal vez no había desistido del todo.

—Bien. Estupendamente —respondí con repentino nerviosismo. Había sido ella la que me había dicho que no pegábamos nada y que lo único que podríamos llegar a tener era una relación de transición. No obstante, después de escuchar en la cena cómo Marshal había sacado a Tom de debajo de mi cocina, era posible que hubiera cambiado de opinión.

—A Robbie le ha caído muy bien —continuó—. Y a mí me gusta saber que tienes a alguien que cuida de ti. Alguien capaz de bajar al sótano de tu casa y, por así decirlo, defenderte de posibles peligros.

—¡Mamá…! —De repente me sentí atrapada—. Puedo defenderme yo solita. Marshal y yo somos solo amigos. ¿Por qué no puedo ser amiga de un hombre? ¿Eh? Cada vez que intento ir más allá, lo echo todo a perder. Además, me dijiste que lo nuestro no tenía futuro y que sería solo un entretenimiento provisional.

Estaba gimoteando, y ella dejó el azucarero y se dio la vuelta para mirarme.

—Cariño —dijo tocándome la mandíbula—. No te estoy diciendo que te cases con él. Te estoy diciendo que le dejes las cosas claras. Asegúrate de que sabe lo que está pasando.

El estómago, lleno de asado y de salsa, se me revolvió.

—Me alegro —dije sorprendida—, porque no estamos saliendo juntos y no está pasando nada. Todos los hombres con los que he salido han sido asesinados o se han tirado por un puente.

Ella torció el gesto con una expresión de sarcasmo, agarró la jarra y vertió el café en su mejor cafetera de plata.

—Eso no es cierto —me reprochó—. Marshal me gusta mucho, y te hace mucho bien, pero quizás es demasiado… tranquilo para conseguir mantener tu interés, y quiero estar segura de que no cree que hay algo más de lo que en realidad hay. Es demasiado bueno para que lo engañes y, si le has dado alguna pista…

—Sabe perfectamente que somos solo amigos —la interrumpí. ¡Oh, Dios! ¿Qué coño le pasaba a mi madre?

—Ser amigos es una buena cosa —dijo con firmeza—. Y me tranquiliza saber que puedes contar con él cuando estés en un apuro. Con la historia de Bansen, por ejemplo. Duermo mejor desde que sé que tienes a alguien que acudirá en tu ayuda cuando yo no esté. Estoy preocupada por ti, cariño.

Apreté la mandíbula y sentí que me subía la presión sanguínea. Aquel no era el tema del que quería hablar.

—Si encuentro algún otro bicho bajo los tablones de mi casa, sé a quién llamar. —Entonces vacilé. *¿Cuándo ella no esté?*

—Mamá… —dije al verla ordenar compulsivamente la bandeja—. Te encuentras bien, ¿verdad?

Ella soltó una carcajada que hizo que los hombros se me relajaran.

—¡Pues claro!

No del todo convencida, coloqué la cafetera de plata en la bandeja sabiendo, por fin, lo que significaba. Mi madre consideraba a Marshal una compañía informal, no un futuro yerno, y una parte de mí estaba decepcionada a pesar de que sabía que era lo mejor. De pronto, un golpe en el ático distrajo mi atención. A continuación se oyó un segundo golpe y empecé a inquietarme. Agarré la bandeja cuando el distintivo ruido de la puerta del ático al cerrarse se filtró a través del techo. Estaba bajando.

—Ya lo llevo yo —dijo mi madre enérgicamente quitándome la bandeja de las manos y señalando con la barbilla en dirección al pasillo—. El pobre Marshal debe de estar aburriéndose ahí solo. Ve a ver si Robbie necesita ayuda con lo que quiera que esté bajando del ático. ¡Chapas! ¡Creía que las había tirado todas!

—Gracias, mamá.

Impaciente por tener el libro entre mis manos, la seguí, y tras sonreír con tristeza al alegre comentario de Marshal sobre la bonita cafetera, me fui en dirección contraria y estuve a punto de chocarme con Robbie. Solté un grito ahogado y él me sujetó con ambas manos. Entonces entrecerré los ojos. *¿Con ambas manos?*

—¿Dónde está el libro? —susurré.

Robbie tenía los ojos entornados en la verde penumbra del vestíbulo, y tenía frío por haber estado en el ático.

—No estaba.

—¿Qué? —exclamé. Acto seguido, bajé la voz y me incliné hacia él—. ¿Qué quieres decir con que no estaba?

—Quiero decir que ya no está donde lo dejé. La caja ha desaparecido.

Sin saber si debía creerle o no, rodeé a mi hermano dispuesta a buscarla por mí misma.

—¿Cómo era la caja? —pregunté estirando el brazo para coger la cuerda que abría la trampilla. Una de dos, o mamá la había encontrado o Robbie me estaba mintiendo para que yo no pudiera cogerla.

Robbie me agarró del hombro y me obligó a darme la vuelta.

—Relájate. Tiene que estar ahí arriba —dijo—. Volveré a mirar por la mañana, cuando se haya ido a la cama.

Entrecerré los ojos y vacilé. Desde la habitación de delante se oyó la voz de mi madre.

—¿Has encontrado tus chapas oxidadas, Robbie? ¡Quiero que te las lleves de mi ático!

Robbie me apretó el hombro todavía más y, a continuación, la relajó.

—¡Sí, mamá! —respondió—. ¡Enseguida voy! ¡Tengo algo para ti y para Rachel!

—¿Regalos? —De repente mi madre se encontraba en el vestíbulo, y su rostro se iluminó mientras me agarraba por el brazo—. Sabes de sobra que no quiero que nos compres nada. Tenerte aquí ya es regalo suficiente.

Robbie esbozó una sonrisa pícara y me guiñó un ojo cuando apreté los dientes. Ahora no podría subir para asegurarme de que no se le hubiera «escapado» nada. Mierda. Lo había hecho a propósito.

Pero mi madre parecía encantada, y la seguí de vuelta al salón para tomar café mientras Robbie iba a revolver en su equipaje. Marshal se mostró claramente aliviado cuando me vio aparecer; me dejé caer sobre el sofá tapizado de tela marrón chocándome involuntariamente con él, pero me quedé donde estaba, con nuestros muslos tocándose.

—Me debes un favor —susurró con la boca torcida en un gesto entre divertido y enfadado—. Y grande.

Eché un vistazo al grueso álbum de fotos de cuando Robbie y yo éramos pequeños.

—Dos entradas para el próximo espectáculo de lucha libre en el Coliseum —le respondí en voz baja—. En primera fila.

—Creo que podría bastar —dijo riéndose de mí.

Casi tarareando, mi madre tomó asiento y empezó a mover el pie impaciente hasta que se dio cuenta de que la estaba mirando y dejó de hacerlo.

—Me pregunto qué nos ha traído —comentó, y los restos de mi mal humor se desvanecieron. Me gustaba verla así—. ¡Oh! ¡Aquí llega! —añadió mientras se le iluminaba la cara al oír los pasos de Robbie.

Mi hermano se sentó frente a nosotras y dejó dos sobres, cada uno de ellos con nuestros nombres, escritos con una letra claramente femenina. Su alargado rostro no podía ocultar la emoción y nos los tendió sujetándolos con dos dedos, uno para mi madre y otro para mí.

—Cindy y yo os hemos comprado esto —dijo mientras los cogíamos—. Pero no podéis utilizarlos hasta el mes de junio.

—¿Junio? —farfullé.

—¿Junio? —repitió mi madre. Acto seguido soltó un grito de alegría que me hizo dar un respingo—. ¡Os vais a casar! —exclamó dirigiéndose al otro lado de la mesa de centro—. ¡Robbie! ¡Oh, Robbie! —acertó a decir poniéndose a llorar—. Cindy es un encanto. ¡Estoy segura de que seréis muy felices juntos! ¡Me alegro tanto por vosotros! ¿Ya tenéis la iglesia? ¿Cómo van a ser las invitaciones?

Me separé a toda prisa de Marshal y me quedé mirando los dos billetes de avión de mi sobre. Entonces levanté la vista y mis ojos se toparon con los de Robbie.

—Por favor, dime que vendrás —me pidió con los brazos rodeando a mi madre, que lloraba de felicidad—. Nos harías muy felices.

—Mírame —gorjeó mi madre apartándose para enjugarse las lágrimas—. ¡Serás cabrón! ¡Me has hecho llorar!

Robbie pestañeó al oír su inapropiado lenguaje, pero yo sonreí. Mamá no tenía remedio.

—Por supuesto que iré —dije poniéndome en pie y rodeando la mesa—. No me lo perdería por nada del mundo.

Me importaba una mierda lo que pensara Al. Tendría que conformarse con hacerme viajar a través de una línea luminosa a la que no estaba acostumbrado. En Portland, como en todas partes, había líneas luminosas.

Uniéndome a su abrazo, me sentí bien, segura, con una sensación agridulce. El aroma a lilas y a secuoya de mi madre se mezcló con el olor a los amperios, pero, a pesar de que me sentía feliz, me invadió una nueva preocupación. Tal vez debería renunciar por completo a la magia. Si le sucediera algo a mi hermano, a su prometida… o a sus hijos, jamás me lo perdonaría.

Dándoles un último apretón, los solté y me aparté. Marshal, del que todos parecíamos habernos olvidado, se acercó y le estrechó la mano a Robbie, presentándole sus «condolencias».

—Me alegro mucho por ti —dijo de todo corazón—. ¿Qué día será?

Robbie suspiró, soltando la mano de Marshal. Era evidente que se había relajado por completo.

—Todavía no tenemos fecha. Me temo que dependerá de la empresa de cáterin —respondió con una sonrisa avergonzada.

Sin dejar de llorar, mi madre prometió ayudar en todo lo que pudiera. Robbie se volvió hacia ella, dándome la espalda, y sonreí a Marshal, incómoda. No había nada como que tu hermano anunciara su boda para empeorar una situación ya de por sí embarazosa.

El móvil de alguien empezó a sonar y todos lo ignoramos hasta que me di cuenta de que era el mío. Apreciando la ocasión que se me presentaba de liberarme, salí disparada hacia la puerta principal, donde había dejado el bolso, y lo busqué pensando que lo de *Break on through to the other side* debía de ser una broma de Pierce. No estaba mal, teniendo en cuenta que tenía que ponerse al día de ciento cincuenta años de música.

—Lo siento —respondí cuando descubrí que era el número de Edden—. Tengo que responder. Es el padre de mi amigo el policía. El que está en el hospital.

Mi madre hizo un gesto azorado con la mano y me di la vuelta para tener algo de privacidad. Un torrente de adrenalina me recorrió de arriba abajo. No creía que tuviera que ver con Glenn, pero no quería contarles que estaba intentando echar el guante a una banshee. Robbie ya me consideraba lo suficientemente irresponsable.

La animada conversación de mi madre y Robbie quedó en un segundo plano cuando levanté la tapa del teléfono y me lo acerqué al oído.

—Hola, Edden —lo saludé dándome cuenta de inmediato de que se encontraba en el trabajo por el débil parloteo que se escuchaba de fondo—. ¿Ha pasado algo?

Lo primero que me vino a la cabeza fue que Glenn estaba peor, pero Edden no parecía disgustado, sino más bien exaltado.

—No tienes puesta la televisión, ¿verdad? —dijo provocándome un segundo subidón de adrenalina que se sumó al anterior.

—Mia y su hija están en el Circle —dijo. Rápidamente, dirigí la vista a mi bolso, contenta de haberme traído el hechizo. No lo necesitaba, pero tendría ocasión de comprobar si lo había hecho bien o no.

—Se encontraban en la sección de restauración del centro comercial —prosiguió Edden—, absorbiendo las emociones que flotaban en el ambiente. Imagino que no fue suficiente, porque dio comienzo una pelea que acabó en batalla campal. De no ser por eso, jamás habríamos dado con ella.

—¡No me digas! —exclamé. Acto seguido, me tapé la mano con la boca y mi mirada se cruzó con la de mi madre. Ella soltó un suspiro mientras yo me apoyaba en la pared para ponerme las botas—. ¿También está Remus?

—Ummm… Sí —respondió Edden—. Hemos cerrado el centro y alejado a la mayoría de los curiosos. Es un caos. Voy de camino y me gustaría contar contigo para detenerla. Es una inframundana y, como sabes, no tengo muchos en nómina.

En realidad, la AFI no tenía a ningún inframundano en nómina por cuestiones legales. Las manos me temblaban y, a pesar de que se debía al entusiasmo, me encogí en el abrigo.

—Podría estar allí en diez minutos; cinco si no tengo que buscar aparcamiento.

—Les diré que estás de camino —determinó.

Emití un suave sonido con la boca para evitar que colgara.

—Espera. Creo que tardaré un poco más. Tengo que ir a casa a por Jenks. —Si tenía que capturar a una banshee, iba a necesitar su ayuda. Me hubiera gustado contar también con Ivy, pero había salido.

—Ya he mandado a Alex a recogerlo —dijo Edden. Me subí la cremallera del abrigo y me puse a escarbar en el bolso en busca de las llaves, golpeando el detector de talismanes malignos con los nudillos—. He llamado primero a la iglesia y me dijo que quería venir.

—Gracias, Edden —respondí, sinceramente complacida por que hubiera mandado a alguien a por Jenks, no solo porque me había ahorrado el viaje, sino por haberlo tenido en cuenta—. Eres un cielo.

—Sí, sí —dijo con una entonación que daba a entender que estaba sonriendo—. Apuesto lo que quieras a que se lo dices a todos los capitanes.

—Solo a los que me dejan patear algunos culos —concluí justo antes de colgar el teléfono.

Emocionada, volví al salón. Al ver a mamá, a Robbie y a Marshal sentados juntos en el sofá, sin quitarme ojo, me quedé de piedra. Entonces me miré a mí misma, vestida para salir a la calle, y me sonrojé. Me revolví inquieta y, cuando las llaves tintinearon, esbocé una sonrisa poco convincente. ¡Maldita sea! Estaba lista para salir por la puerta y me había olvidado por completo de ellos. *¡Oh, mierda! Hemos venido con el coche de Marshal.*

—Esto… Tengo que irme —dije guardándome las llaves—. Ha habido un problema en el centro comercial. Ummm… ¿Marshal?

Marshal se puso en pie, sonriendo con una expresión afectuosa que no supe cómo interpretar.

—Iré calentando el coche mientras te despides.

El gesto de Robbie era más bien hosco, como si pensara que debía sentarme y tomar café con ellos en vez de hacer mi trabajo, pero, ¡por todos los demonios!, las misiones surgían cuando surgían, y no podía vivir de acuerdo con su idea de cómo debía ser mi vida.

—Rachel… —comenzó.

Mi madre le puso una mano en la rodilla.

—Robbie, cierra la boca.

Marshal soltó una carcajada que rápidamente se transformó en un ataque de tos.

—No te preocupes —murmuró detrás de mí justo antes de chocarse conmigo intencionadamente mientras se ponía los zapatos—. No pasa nada.

—Pero ¡mamá! —protestó mi hermano.

Mi presión sanguínea aumentó de golpe. Quizás deberíamos haber traído dos coches aunque, en ese caso, habría dejado a Marshal allí solo, y aquello tampoco habría mejorado las cosas.

Apoyándose con fuerza en el hombro de Robbie, mi madre se puso en pie.

—Marshal, te envolveré un trozo de pastel para que te lo lleves. Me ha encantado que volvamos a vernos. Gracias por venir.

—Ha sido un verdadero placer, señora Morgan. Gracias por todo. Me han encantado las fotografías.

Ella vaciló unos instantes, con un atisbo de preocupación en su rostro, asintió y se encaminó a toda prisa hacia la cocina.

—Lo siento —le dije a Marshal.

Él me tocó el hombro por encima del abrigo.

—No te preocupes. Solo te pido que te acuerdes de traerte el pastel. Tu madre hace unas tartas deliciosas.

—De acuerdo —musité.

A continuación se dio la vuelta y se marchó, dejando entrar una bocanada de aire frío. Estaba nevando otra vez. Todavía me sentía culpable y, cuando me di la vuelta tras cerrar la puerta, estuve a punto de darme de bruces con Robbie. Alcé la cabeza de golpe y la preocupación se transformó en enfado. Me estaba mirando fijamente y le devolví la mirada. Teníamos los ojos a la misma altura ya que, mientras yo tenía las botas puestas, sus pies solo estaban protegidos por los calcetines.

—Rachel, a veces te comportas como una imbécil. No puedo creer que te estés largando.

Entrecerré los ojos.

—Es mi trabajo, Bert —dije poniendo énfasis en el apodo—. A mamá no le importa y, teniendo en cuenta que no estás por aquí lo suficiente como para poder opinar, será mejor que te quites de en medio.

Él tomó aire con intención de protestar pero, cuando mamá reapareció con dos trozos de pastel en un plato cubiertos con film transparente, torció el gesto y se apartó.

—Aquí tienes, cariño —dijo apartando a Robbie de un codazo para darme un abrazo de despedida—. Llámanos cuando todo haya terminado para que podamos dormir tranquilos.

En aquel momento me sentí aliviada por no tener que darle explicaciones y porque no intentó hacerme sentir culpable por haberles obligado a acabar la reunión familiar antes de lo previsto.

—Gracias, mamá —respondí inspirando su olor a lilas mientras me daba un achuchón.

—Estoy orgullosa de ti —añadió apartándose y entregándome la tarta—. Ve a darles una buena lección a esos tipos malos.

Los ojos se me llenaron de lágrimas, feliz de que aceptara que no podía ser la hija que le hubiera gustado y se sintiera orgullosa de quién era realmente.

—Gracias —repetí tragando saliva para librarme del nudo que tenía en la garganta. Desgraciadamente, no funcionó.

Seguidamente, lanzándole una severa mirada a Robbie, dijo:

—Y ahora, haced las paces. Inmediatamente. —Y sin añadir nada más, agarró la bandeja del café y se marchó de nuevo a la cocina.

Robbie tenía la mandíbula apretada, sin abandonar su actitud beligerante, y decidí que tenía que relajarme. No me apetecía marcharme enfadada con él. Podrían pasar otros siete años sin verlo.

—Escucha —dije—. Lo siento mucho, pero así es mi trabajo. No tengo un horario de nueve a cinco, y mamá lo entiende y lo respeta. —Estaba mirando el detector de amuletos malignos que había en mi bolso abierto y me lo eché a la espalda—. Intentarás encontrar ese libro, ¿verdad? —le pregunté colocándome la bufanda. De repente, no estaba segura de que fuera a hacerlo.

Robbie vaciló y, sorprendentemente, sus hombros se relajaron.

—Sí, lo haré —respondió con un suspiro—, pero no estoy de acuerdo con lo que estás haciendo.

—¡Cómo si alguna vez lo hubieras estado! —dije esforzándome por sonreír mientras abría la puerta—. Me alegro por ti y por Cindy —dije—. Te aseguro que no veo la hora de que nos conozcamos.

Al oír mis palabras, por fin esbozó una sonrisa.

—Te daré su número de teléfono —dijo haciendo un gesto hacia la oscuridad de la noche—. Así podrás llamarla. Se muere de ganas de conocerte. Le gustaría que su tesis versara sobre ti.

Me detuve de golpe en el umbral y me di la vuelta.

—¿Por qué? —pregunté recelosa.

Él alzó un hombro y lo dejó caer de nuevo.

—Ummm… Le hablé de tus marcas demoníacas —explicó—. Al fin y al cabo, también es una bruja. Habría visto la suciedad de tu aura y lo habría averiguado.

Entré de nuevo y cerré la puerta.

—¡¿Que le dijiste qué?! —exclamé alzando la voz, contenta de que los guantes me cubrieran la marca demoníaca de la muñeca. Tenía que presionar a Al para que recuperara su nombre. De ese modo, al menos, me libraría de una de ellas.

—Lo siento —dijo con aire de suficiencia y sin el menor asomo de arrepentimiento—. Tal vez no debí hacerlo, pero no quería que te conociera sin una explicación de la mácula.

Agité una mano en el aire.

—Está bien, pero ¿por qué quiere hacer una tesis sobre mí?

Robbie parpadeó.

—¡Ah! Porque se va a licenciar en criminología. Le conté que eras una bruja blanca con una mancha demoníaca que te granjeaste salvando una vida. Y que puedes seguir siendo buena a pesar de estar cubierta de suciedad. —Entonces vaciló—. No te importa, ¿verdad?

Obligándome a mí misma a cambiar de actitud, sacudí la cabeza.

—No. Claro que no.

—Aquí tienes —dijo entregándome el sobre con los billetes de avión—. No te los olvides.

—Gracias. —Al guardarme los billetes noté el duro bulto de la lágrima de banshee en mi bolsillo—. Tal vez podría cambiarlos y adelantar el viaje.

—¡Eso sería genial! Nos encantaría que vinieras antes. Solo tienes que decirlo y prepararemos la habitación de invitados —dijo con una amplia sonrisa—. Sabes que puedes venir cuando quieras.

Tras darle un abrazo de despedida, me aparté y abrí la puerta. El seco y cortante frío nocturno me golpeó en la cara y, mientras recorría el camino libre de nieve que me separaba del coche, me quedé mirando a Marshal. La luz del porche se encendió y saludé con la mano a la sombra junto a la ventana. Las últimas palabras de Robbie se quedaron grabadas en mi mente, y las repetí una y otra vez intentando averiguar por qué me incomodaban tanto.

—¿Al centro comercial? —preguntó Marshal alegremente cuando subí al coche. Lo más probable era que se alegrara de que lo hubiera librado de charlar con mi madre. A menudo hablaba por los codos sin dejarte meter baza. Entonces le pasé el pastel y me lo agradeció con un «umm».

—Sí. Al centro comercial —le confirmé antes de abrocharme el cinturón.

Aunque en el interior hacía calor y la escarcha de las ventanillas había desaparecido, un escalofrío me recorrió de arriba abajo y parpadeé rápidamente cuando, por fin, asimilé las palabras de Robbie. *Sabes que puedes venir cuando quieras.* Sabía que su intención era transmitirme que estarían encantados de recibirme, pero el hecho de que hubiera sentido la necesidad de decirlo significaba mucho más. Se iba a casar. Iba a seguir adelante con su vida, zambulléndose de cabeza en el ciclo vital, entrando a formar parte de él. Casándose, dejaba de ser solo mi hermano, se convertía en el marido de alguien. Y aunque discutíamos con frecuencia, el hecho de que ya no estuviera solo había provocado que se rompiera un vínculo. Él formaba parte de algo mucho mayor y, al invitarme a entrar, involuntariamente me había dado a entender que era una extraña.

—Tu madre hace unas tartas que te mueres —dijo Marshal.

Le sonreí a través del largo asiento y él, consciente de la capa de hielo, metió la primera y partió lentamente en dirección al centro comercial.

—Sí —respondí desganada. Tal vez debía intentar verlo desde otro punto de vista. No había perdido un hermano, había ganado una hermana.

Vaaaaale.

11

Sin saber muy bien qué hacer, me detuve unos instantes al borde del gentío y observé al apacible vampiro al que conducían por debajo de la cinta amarilla en dirección a los coches patrulla de la SI que esperaban junto al bordillo.

—No lo sé —comentaba el hombre esposado con expresión de desconcierto—. Me importa una mierda lo que piense un hombre lobo de mi madre. Simplemente, estallé.

Apenas pude entender la respuesta del vampiro no muerto y me quedé mirando mientras desaparecían, entre las luces y el alboroto de los seis coches de la SI, las dos unidades móviles de los informativos, los ocho vehículos de la AFI y toda la gente que iba con ellos. Todos tenían las luces encendidas y se movían de un lado a otro cuando el gentío se lo permitía. El frío aire de la noche lo envolvía todo de forma que creaba una sensación oprimente, y exhalé un suspiro. No soportaba llegar tarde a las peleas.

No tenía intención de esperar a Marshal, que todavía estaba buscando aparcamiento. Al fin y al cabo, no le dejarían entrar. De hecho, me habría sorprendido que me permitieran pasar sin poner alguna que otra pega; invitada o no, la AFI ya no se fiaba de mí. *Estúpidos prejuicios.* ¿Qué más tenía que hacer para demostrarles que podían confiar en mí?

Con la barbilla bien alta y los ojos bien abiertos, me abrí paso entre la multitud en dirección al lugar donde la cinta amarilla se encontraba con la pared, decidiendo que pasaría por debajo esperando que todo fuera bien. No obstante, justo cuando iba a agacharme, me vi obligada a detenerme. Había estado a punto de chocar mi cabeza contra la de una cara que me resultaba familiar y que estaba haciendo lo mismo.

—Hola, Tom —dije con sarcasmo—. Últimamente te veo en todas partes.

El antiguo agente de la SI soltó la cinta y su expresión de asombro se transformó en frustración. Entonces tomó aire para decir algo, pero apretó la mandíbula y, tras llevarse las manos a los bolsillos, se marchó sin decir nada.

Sorprendida, me quedé mirándolo hasta que se desvaneció entre la nieve y la multitud.

—¡Vaya! —murmuré.

A continuación, algo decepcionada porque no se hubiera quedado para intercambiar insultos, me introduje por debajo de la cinta amarilla y atravesé la puerta abierta más cercana, deseosa de escapar del frío. El aire estaba en calma en el espacio entre las dos puertas gemelas y oí voces que resonaban, alzadas por la rabia y la frustración. Al otro lado de la segunda puerta se había congregado un grupo de agentes uniformados de la AFI y decidí que era mi mejor opción.

—Lo siento, señorita —me dijo una voz grave e, instintivamente, solté la puerta interior y di un paso atrás antes de que una mano de dedos gruesos pudiera tocarme.

Se trataba de un vampiro no muerto que, a juzgar por su aspecto, debía de ser bastante joven y al que habían colocado allí para vigilar la entrada. Con el corazón a mil, ladeé la cadera con actitud altiva y lo miré de arriba abajo.

—Estoy con la AFI —dije.

—Las brujas no trabajan para la AFI —respondió—. Tiene más pinta de reportera. Colóquese tras la línea, señorita.

—Trabajo a este lado de las líneas, y no soy reportera —le espeté alzando la vista para mirar su rostro pulcramente rasurado. En otras circunstancias me habría quedado un rato para disfrutar de las vistas, pero tenía prisa—. Y deja de hacer eso con mi aura —le solté, cabreada—. Mi compañera de piso podría comerte para desayunar.

Los ojos del vampiro se volvieron negros. El ruido de fondo de gente enfadada cesó de golpe. Palidecí y, antes de que quisiera darme cuenta, me encontré con la espalda contra la puerta exterior.

—Yo preferiría beberte a sorbitos para desayunar —murmuró el vampiro no muerto con una voz que penetró en mi alma como una niebla helada. El latido de mi cicatriz me hizo volver en mí de golpe. ¡Maldición! Detestaba que los vampiros no me reconocieran.

Me había tapado el cuello con la mano enguantada, y me obligué a bajarla y a abrir los ojos.

—Ve y búscate una rata —le dije a pesar de que la forma en que jugaba con mi cicatriz me estaba resultando tremendamente placentera. Entonces pensé en Ivy y tragué saliva. Aquello era lo último que necesitaba.

El joven vampiro parpadeó ante mi insólita resistencia y, con expresión desconcertada, me soltó. ¡Dios! Tenía que dejar de coquetear con los muertos.

—¡Eh, Farcus! —gritó una voz masculina desde el otro lado del cristal. Él se volvió, aunque sin quitarme ojo de encima—. Deja en paz a la bruja. Es Morgan, la zorra de la AFI.

Farcus, aparentemente, desistió y la aureola azul de sus ojos aumentó por la sorpresa.

—¿Eres Rachel Morgan? —preguntó. Acto seguido se echó a reír mostrando sus afilados colmillos. En cierto modo, aquello me molestó aún más que el que hubiera jugueteado con mi cicatriz.

Me abrí paso.

—Y tú eres Farcus, que rima con Marcus, otro vampiro lameculos. Y ahora, apártate de mi camino.

Su risa cesó de golpe cuando le empujé, y soltó un gruñido mientras me apoyaba en la puerta y me adentraba en el calor del centro comercial.

En comparación con otros centros similares, el sitio no estaba nada mal. En la parte delantera se extendía una espaciosa zona de restauración de amplios pasillos que ocupaba dos plantas y que lo convertían en un lugar agradable para ir de compras. Lentamente, me desabroché el abrigo y me aflojé la bufanda mientras recorría con la mirada el espacio abierto. Ya no había nada que hacer. El ambiente estaba cargado del asfixiante hedor a hombre lobo rabioso y del penetrante saborcillo especiado que despedían los vampiros cuando estaban enfadados, todo ello mezclado con el olor a hamburguesas, patatas fritas y comida china echada a perder por un exceso de grasa. De fondo se escuchaba una versión instrumental de música pop de los ochenta. *Surrealista.*

Las tiendas que rodeaban la zona tenían los cierres echados y los empleados se apiñaban tras ellos, cotilleando en voz alta. La planta inferior era un caos, con varias mesas luciendo las patas rotas y todo retirado a empujones. El suelo estaba cubierto de manchas y restregones de color rojo que hicieron que me detuviera hasta que decidí que, por la forma de las salpicaduras, no podía ser sangre. Se trataba de kétchup, lo que explicaría el hecho de que los humanos se hubieran apelotonado junto a la barra de los helados. La mayoría eran adolescentes vestidos principalmente de negro, pero también había algunos compradores rezagados desafiando los abusivos horarios comerciales de los inframundanos.

En el otro extremo de la zona de restauración se encontraban los inframundanos, y era de allí de donde provendrían las demandas. La mayoría tenía los brazos o las piernas cubiertos de vendajes improvisados. Uno estaba tirado en el suelo inconsciente. Hombres lobo y vampiros. No había ningún brujo, que en ese aspecto eran como los humanos, que se quitaban de en medio cuando los depredadores se peleaban. En ese momento reinaba la tranquilidad, y la mayoría parecían confundidos, no enfadados. Era evidente que la trifulca había terminado con la misma rapidez con la que había empezado. *¿Y bien? ¿Dónde está la pequeña instigadora?*, me pregunté al no ver entre los heridos que se movían de un lado a otro a nadie que se correspondiera con la descripción de Mia.

Me detuve en mitad del espacio abierto y saqué el amuleto localizador de mi bolso con una ligera e ingenua sensación de optimismo. Cabía la posibilidad de que lo hubiera hecho bien y no me hubiera dado cuenta. Sin embargo, cuando sostuve el disco de madera pulida entre mis manos, siguió siendo un disco de madera ligeramente húmedo. Ni brillo, ni hormigueo. Nada. Una de dos, o había cometido un error durante la elaboración del hechizo, o ella no estaba allí.

—¡Maldita sea! —mascullé con el ceño fruncido. Hacía mucho tiempo que no me equivocaba al realizar un conjuro. Las dudas sobre las propias capacidades no eran saludables cuando se trabaja con magia de alto nivel. La inseguridad hace cometer errores. *Mierda, mierda, mierda.* ¿Y si un día metía la pata hasta el fondo y explotaba en pedacitos?

Al escuchar la familiar cadencia de las botas de Ivy, me di la vuelta y volví a guardar el amuleto en el bolso. Me alegraba mucho de que hubiera venido. Echarle el guante a una banshee, incluso aunque estuviera esposada, no era tan sencillo como podría parecer, y probablemente esa era la razón por la que la SI o bien ignoraba sus actividades o las encubría.

—Creía que estabas trabajando —le dije alzando la voz mientras se acercaba. Ella se encogió de hombros.

—He acabado pronto. —Esperaba que explicara algo más, y me llevé una decepción cuando sacudió la cabeza y añadió—: Nada. No he descubierto nada.

Jenks estaba con ella, e iluminó el puño que le tendí, con aspecto cansado y triste.

—Llegas tarde —dijo—. Te has perdido toda la diversión.

Un vampiro que pasaba con las manos esposadas nos soltó un gruñido intentando rascarse las recientes ampollas de su cuello.

Ivy me agarró del codo y tiró de mí para alejarme de la zona donde se encontraban los inframundanos. Los agentes de la SI me estaban mirando y me sentía incómoda.

—¿Por qué has tardado tanto? —me preguntó—. Edden dijo que te había llamado.

—Estaba en casa de mi madre. Se tarda el triple de lo normal en salir de allí. —A continuación solté un sonoro suspiro al no ver a Mia por ninguna parte—. ¿Ya ha acabado todo? ¿Dónde está Mia? ¿Estaba Remus con ella?

Jenks chasqueó las alas para llamar mi atención y apuntó hacia la zona en la que se congregaban los humanos. La boca se me abrió de forma involuntaria y parpadeé. La niña que no paraba de quejarse debería haberme hecho sospechar, incluso aunque el hombre que estaba de pie con actitud protectora junto a la diminuta y elegante mujer no lo hubiera hecho. *¡Joder! Parece que tuviera treinta años, no trescientos,* pensé cuando me fijé en su figura estilizada, de un aspecto casi frágil, junto a aquel hombre del montón que sostenía entre sus brazos a una niña pequeña embutida en un traje de nieve rosa. Probablemente, lo único que le pasaba a la niña es que tenía calor, y me pregunté por qué no le quitaba aquel mono acolchado.

Remus iba vestido con unos vaqueros y un abrigo de paño y, salvo por sus ojos, que se movían de un lado a otro sin parar, no había nada en él que llamara especialmente la atención. No era ni feo ni guapo, tal vez algo alto y corpulento, pero no demasiado. Costaba creer que le hubiera dado una paliza a Glenn, pero si tenía los conocimientos para hacer daño a alguien y la voluntad de utilizarlos, y los unía al factor sorpresa, podía resultar letal. Para ser honesta, me pareció que tenía un aspecto bastante inofensivo hasta que lo vi seguir con la mirada a un agente de la AFI, el odio en el modo en que apretaba la mandíbula y las ansias de hacer daño reflejadas en sus ojos. Entonces apartó la mirada y arrastró los pies, transformándose en un conserje junto a una mujer muy por encima de sus posibilidades.

—¿Qué hacen ahí sentados? —pregunté dándome la vuelta antes de que se dieran cuenta de que los estaba mirando—. ¿No han conseguido la orden de arresto?

Jenks alzó el vuelo lentamente desde el hombro de Ivy para verlos mejor.

—No, ya la tienen, pero en este momento están tranquilos, y Edden prefiere no hacer nada hasta conseguir evacuar más gente. He estado escuchando, y a la SI le da lo mismo que Mia se dedique a matar humanos.

Una punzada de preocupación hizo que me pusiera rígida por la tensión.

—¿La están encubriendo?

—Nooo. Solo la ignoran. Todo el mundo tiene que matar para poder comer, ¿no?

Lo dijo con la cantidad justa de sarcasmo, y yo sabía que no estaba de acuerdo con su política. Todo el mundo tenía que comer, pero zamparse a la gente no era muy correcto que digamos.

Las alas de Jenks agitaron el aire enviándome un olor a jabón. Llevaba puesta la capa que le envolvía todo el cuerpo en lugar de su ropa de trabajo habitual, lo que le daba un aspecto exótico, y me pregunté qué tal se las estaría arreglando Bis al tener que vigilar la casa él solo.

—Creo que tanto ella como Remus piensan que van a conseguir escabullirse junto a los humanos —dijo aterrizando en mi hombro.

Ivy se rió por lo bajo.

—Me pido al más grande.

—No estoy tan segura —dije tratando de leer el lenguaje gestual de Mia a través de la amplia sala—. Tienen que imaginar que sabemos quiénes son. Quiero decir, hemos estado en su casa. Creo que están esperando porque es lo que estamos haciendo nosotros.

Ivy sonrió mostrando una delgada hilera de dientes, especialmente potentes después de que Farcus se hubiera interesado por mi sangre.

—Sigo pidiéndome al más grande.

—Rachel —intervino Jenks con voz preocupada—. Échale un vistazo al aura de Mia. ¿Has visto alguna vez algo así?

Inspirando lentamente, activé mi segunda vista. Todos los brujos podían ver las auras, mientras que los vampiros y los hombres lobo no. Algunos humanos también tenían esa capacidad, con la que conseguían la habilidad de hibridarse con los elfos. Los pixies las veían en todo momento, tanto si querían como si no. Si interceptaba una línea y me concentraba en ella, podía ver que siempre jamás se superponía a la realidad, pero estábamos tan lejos de Cincinnati que, posiblemente, solo hubiera árboles raquíticos y un montón de maleza congelada. En los primeros años de mi adolescencia pasaba las horas muertas superponiendo siempre jamás sobre la realidad hasta que una visita al zoo hizo que se me quitara la costumbre. Los tigres se habían dado cuenta de lo que estaba haciendo y echaron a correr tras de mí como si pudieran atravesar el cristal para alcanzarme.

Por lo general, no solía mirar las auras de la gente. Era ilegal seleccionar a los candidatos a un puesto de trabajo por sus auras, pero sabía con certeza que algunas cadenas de restaurantes lo hacían. Las agencias de contactos confiaban plenamente en ellas, pero yo era de la opinión de que se podía saber mucho más de una persona con una conversación de cinco minutos que mirándole el aura. La mayoría de los psiquiatras estaban de acuerdo conmigo, tanto si eran humanos como inframundanos.

Expulsando lentamente el aire de los pulmones con un largo suspiro, me di la vuelta hacia el grupo de los humanos. Los colores predominantes eran el azul, el verde y el amarillo, acompañados por algunos destellos de rojo y negro que evidenciaban su condición de humanos. Había una cantidad inusual de naranja en los márgenes exteriores de algunos de ellos, pero todo el mundo estaba disgustado, de manera que no me sorprendió.

El aura de Remus presentaba un repulsivo y obsceno color rojo con un ligero lustre morado y el amarillo del amor en el centro. Era una combinación peligrosa, pues significaba que vivía en un mundo que lo confundía y que se movía por la pasión. Si creías en ese tipo de cosas, claro está. En cuanto a Mia…

Jenks agitó las alas con fuerza, casi temblando. Mia no estaba allí, por así decirlo. En realidad sí que estaba, pero era como si no estuviese. Observar su aura, en su mayor parte de color azul, era como mirar las velas de un círculo protector, que existían tanto en el mundo real como en siempre jamás. Estaba ahí, pero, en cierto modo, desplazada hacia los lados. Y estaba succionando el aura de todos los que le rodeaban con la misma sutileza con la que la marea inundaba una marisma. La de la niña era exactamente igual.

—Mira a Remus —dijo Jenks haciéndome cosquillas en el cuello al agitar las alas—. Su aura permanece intacta. Ni siquiera la niña la toca, y eso que la tiene en brazos.

—Eso explicaría por qué sigue vivo —observé preguntándome cómo se las arreglaban. Me habían dicho que las banshees no podían controlar a quién le succionaban el aura cuando absorbían las emociones de un ambiente, pero era evidente que, en su caso, no era así.

Ivy se situó junto a nosotros con la cadera ladeada. Parecía molesta porque estuviéramos discutiendo sobre cosas que no podía ver. Entonces, con un entusiasmo al que no estaba acostumbrada, se irguió y sonrió, diciendo en voz alta a alguien que estaba tras de mí:

—¡Edden, mira! ¡Al final lo ha conseguido!

Me desprendí de mi segunda visión y observé al musculoso y achaparrado agente acercándose hacia donde nos encontrábamos.

—¡Hola, Edden! —dije subiéndome el bolso y obligando a Jenks a emprender el vuelo a pesar de que no era mi intención.

El capitán del departamento de la AFI de Cincinnati se detuvo. Sus pantalones de pinzas y su camisa almidonada indicaban que estaba al mando tanto como la placa enganchada a su cinturón y el sombrero azul que cubría sus cabellos grises. En aquel momento me pareció que el número de canas había aumentado considerablemente y que las arrugas de su rostro se habían acentuado.

—Rachel —dijo estirando el brazo y tendiéndome la mano—, ¿por qué has tardado tanto?

—Estaba en casa de mi madre —dije, y observé que los polis que estaban detrás de él empezaban a cuchichear sobre nosotros. Él alzó las cejas con gesto de complicidad.

—No me digas más —respondió.

A continuación se quedó en silencio cuando un hombre lobo pasó cojeando junto a nosotros, con un corte en la frente que tenía muy mal aspecto.

—Tienes que separarlos del resto —murmuró Ivy. Entonces se giró hacia nosotros con expresión severa—. ¿De veras crees que tener a esos dos junto a los humanos es una buena idea?

Edden apoyó una de sus robustas manos en mi hombro y nos alejó de donde estábamos, conduciéndonos lentamente hacia el grupo de agentes de la AFI que se había congregado junto a las máquinas recreativas infantiles.

—Tengo a tres agentes de paisano con ellos. Estamos sacando a todos los individuos, de uno en uno. De manera cuidadosa y efectiva.

Asentí con la cabeza al descubrir a los agentes infiltrados. Ivy no parecía muy convencida y, al oír que suspiraba, Edden levantó una mano.

—Estamos esperando a los servicios sociales para que se ocupen de la niña —explicó—. No quiero que presenten cargos por desamparo si la cosa acaba en los tribunales.

Lo dijo en un tono malhumorado, y recordé que aquella gente era la que había mandado a su hijo al hospital.

—Eso está muy bien —dijo Ivy con los ojos puestos en el grupo—, pero no creo que la cosa pueda esperar mucho más.

Jenks despidió un espeso polvo amarillo y Edden y yo nos giramos. Remus observaba con el ceño fruncido que se llevaban a otras dos personas para «interrogarlas». Mientras lo hacía, empezó a levantar la voz tanto que casi retumbaba. La niña rompió a llorar y Mia la cogió y la abrazó con fuerza, claramente molesta.

—Edden, haz algo —dije dispuesta a ir hasta allí yo misma. Remus se mostraba muy delicado a la hora de cuidar al bebé, pero también había mandado al hospital a un experimentado agente de la AFI. No me gustaba un pelo que se encontrara rodeado de inocentes que ignoraban lo que estaba pasando. Y si yo había sido capaz de distinguir a los agentes de paisano, él también podría hacerlo. Era un hijo del sistema que, creciendo, se había convertido en un asesino. Al igual que un lobo que se hubiera criado entre humanos, la sociedad había transformado a un ser ya de por sí peligroso, en algo el doble de amenazante.

Edden miró a los tres agentes que se encontraban entre los humanos y, frunciendo el ceño, hizo con la cabeza un gesto de asentimiento de lo más elocuente. De inmediato, la única mujer se situó entre Remus y los pocos humanos que quedaban. Dos corpulentos hombres vestidos con abrigos idénticos fueron a por Remus, uno de ellos decidido a apartarlo de su mujer y de la niña y el otro sacando las esposas. Era demasiado pronto, y Remus perdió el control.

Con un fuerte alarido, lanzó un puñetazo que estuvo a punto de alcanzar al más bajo de los agentes que, aturdido, dio un traspié hacia atrás. Remus se abalanzó sobre él golpeándole brutalmente con el codo en la cabeza y, tras agarrar la mano del desconcertado agente, se la retorció hasta derribarlo. A continuación, le clavó la rodilla en el hombro y, justo en el mismo instante en que se oyó un crujido de la articulación, el agente abatido soltó un aullido de dolor. El estómago se me encogió. Había sonado como si le hubiera dislocado el hombro. Jenks e Ivy salieron disparados, dejándome inesperadamente sola.

—¡Jenks, no! —grité con el corazón a punto de salírseme del pecho al imaginar la mano de Remus aplastando al pequeño pixie. Por suerte, se detuvo a medio metro del conflicto. Ivy también se paró en seco y los repentinos gritos de miedo hicieron que todos los vampiros del lugar se volvieran hacia nosotros con los ojos completamente negros.

Remus se había hecho con un rehén y, con una mano, extrajo la pistola de la funda del agente que yacía en el suelo y se puso en pie sin soltar la muñeca del oficial de policía y con un pie en su hombro. *Mierda. ¿Por qué he vuelto a acceder a algo así?*

La segunda agente tenía agarradas a Mia y a la niña y las alejaba lentamente. Hubiera podido matarlos a todos en un abrir y cerrar de ojos, pero solo parecía disgustada. El tercer agente se ocupaba de los humanos y los incitaba a salir de allí a toda prisa. El chasquido de los seguros de seis armas de fuego soltándose al mismo tiempo resonó en el lugar y, en ese momento, Edden gritó:

—¡No lo hagas, Remus! ¡Suéltalo y tírate al suelo!

—¡Atrás! —gritó Remus mientras los humanos restantes y los inframundanos se ponían a cubierto—. ¡Soltad a mi mujer! ¡Si no la soltáis, juro que lo mataré! Le he roto el jodido hombro y, como no os alejéis, le vuelo la cabeza.

Ivy se encontraba entre Remus y yo, con las piernas entreabiertas y las manos a la vista como gesto de buena voluntad. Con su cuerpo en tensión, estaba a unos tres metros; demasiado lejos para reducirlo con facilidad pero a una distancia lo bastante grande como para esquivar las balas si se ponía a disparar a diestro y siniestro. Jenks había desaparecido y hubiera apostado lo que fuera a que hubiera podido cegar a alguien con su polvo si hubiera querido. Edden y el resto de la AFI se habían quedado inmóviles para evitar que Remus cumpliera su promesa, pero la verdadera amenaza era Mia. Desde el otro extremo de la sala, los agentes de la SI lo observaban todo con preocupación, sin querer intervenir. Una cosa era hacer la vista gorda cuando Mia absorbía el alma de los humanos por los rincones o en algún callejón oscuro para evitarse problemas, pero otra era que mataran a un oficial de la AFI en un centro comercial, lo que los obligaría a actuar, y ninguna de las partes tenía ganas de comenzar una guerra.

Mia tenía la boca entreabierta y sus pálidos ojos fruncidos por la rabia. Holly, por su parte, se quejaba a voz en grito, y la banshee pareció ofendida mientras se zafaba de la agente que la retenía. En la planta superior, la gente se apiñó aún más intentando ver lo que sucedía, convencidos de que se encontraban a salvo. Una fría corriente de aire acompañó la huida de humanos e inframundanos.

—¡He dicho atrás! —gritó Remus, alzando la vista para mirar a la gente que susurraba en la segunda planta—. ¡Soltad a mi mujer! ¡Estáis haciendo daño a mi hija! ¡Dejad que se marchen! —Y, con los ojos muy abiertos y la mirada desatada, dirigió la vista hacia la parte delantera del centro comercial—. ¡Quiero un coche! ¡Conseguidme un coche!

Edden sacudió la cabeza.

—Remus, no podemos dejarte marchar. Deja la pistola en el suelo y túmbate con las manos en la cabeza. Te prometo que nadie hará daño ni a tu mujer ni a tu hija.

Remus parecía presa del pánico. El agente al que retenía con la rodilla estaba sudando, resollando de dolor, con la expresión tensa y, probablemente, mortificándose por haber dejado que Remus le quitara la pistola. El personal de la SI empezó a aproximarse lentamente. Ivy no se movió, pero me di cuenta de que estaba tensa. Al igual que Mia.

—¡Basta! —gritó dejando a la niña cuidadosamente en el suelo. Esta se quedó en el sitio y se aferró a la pierna de su madre con los ojos muy abiertos y, finalmente, en silencio—. Déjalo, Remus —dijo quedamente, con una voz elegante y un acento extraño—. Esto no me va a ayudar. Ni tampoco a Holly. Escúchame. Si sigues con esto, le harás mucho daño a Holly. Necesita un padre de verdad, no el recuerdo de alguien que murió. ¡Te necesita!

El hombre dejó de mirar al piso superior y se concentró en su esposa.

—¡Nos separarán! —dijo con voz suplicante—. Puedo hacer que salgamos de esta, Mia. Puedo ponerte a salvo.

—No —respondió Mia caminando hacia él. Ivy la interceptó, agarrándole el brazo con firmeza pero sin apretar demasiado, obligándola a mantenerse a unos dos metros de distancia. Holly echó a andar tras ella tambaleándose, sujetándose de nuevo a la pierna de su madre para no caer. Los agentes de la SI se limitaron a observar, cada vez más tensos.

Con una mano en la cabeza rubia de su hija, Mia le lanzó a Ivy una mirada burlona y, a continuación, se concentró en su marido.

—Amor mío —dijo con su voz de chica de buena familia y sus mejores dotes de persuasión—, todo va a salir bien. —Acto seguido miró a Ivy y, con un tono cargado de convicción, le pidió—: Suéltame. Puedo conseguir que se calme. Si no lo haces, matará a ese agente antes de que tengas tiempo de reaccionar y perderé al único hombre al que puedo amar. Tú sabes lo mucho que significa para mí. Suéltame.

Ivy le apretó el brazo aún más y Mia frunció el ceño.

—Puedo darle paz —insistió—. Es a lo que me dedico.

—Le hiciste daño a un amigo mío —respondió Ivy quedamente. Un escalofrío me recorrió de arriba abajo al percibir su rabia.

—Fue un accidente —se justificó Mia con frialdad—. Dejarlo allí en esas condiciones fue un error. Reconoceremos nuestro error y haremos todo lo que esté en nuestras manos para repararlo. No he conseguido vivir todos estos años arriesgando mi vida o dejándome llevar por mis instintos. Puedo calmarle. —Su voz cambió, tornándose más dulce, pero sus ojos se volvieron prácticamente negros con lo que parecía hambre vampírica—. Nadie saldrá herido —añadió—. Suéltame. La ley decidirá lo que es justo.

Sí, claro. Y yo me lo creo.

La respiración de Remus era afanosa y el hombre que tenía debajo jadeaba de dolor, intentando mantener los ojos abiertos a pesar de que su agonía le obligaba a cerrarlos. Mia no había dicho «confía en mí», pero a mí me pareció oírlo. Probablemente Ivy tuvo la misma sensación, pues, tras vacilar unos instantes, liberó lentamente a la banshee. El corazón empezó a latirme con fuerza apenas estuvo libre y se sacudió el abrigo como si estuviera deshaciéndose del recuerdo de la mano de Ivy.

—¡Atrás! —gritó Edden. Sentí el aumento de la presión ambiental incluso antes de que todos se retiraran. Luego, una cascada de polvo cayó sobre mí y Jenks aterrizó en mi hombro.

Mia alzó en brazos a Holly y, con la niña sobre la cadera, se acercó a Remus con la misma tranquilidad que si estuviera comprando mantequilla de cacahuete.

—Suelta al agente —dijo posando una mano en su hombro.

—¡Nos separarán! —se lamentó él. A sus espaldas, los agentes de la AFI se acercaban a hurtadillas, pero Edden les hizo un gesto con la mano para que se detuvieran cuando Mia los descubrió—. Te quiero, Mia —dijo Remus, desesperado—. Y también quiero a Holly. No puedo vivir sin vosotras. No puedo regresar a ese lugar en mi mente.

Mia hizo un suave ruidito con la boca para que se callara y esbozó una sonrisa.

—Deja que se marche —dijo, y me pregunté si se habría producido una escena similar en su salón antes de abandonar a Glenn a su suerte—. En cuanto les contemos lo que ha pasado, volveremos a nuestra vida anterior.

Yo no estaba tan segura, pero Remus se revolvió indeciso. A mi alrededor, los agentes se pusieron tensos.

—Deja que te pongan las esposas —le susurró poniéndose de puntillas para acercarse a su oído—. Yo te protegeré. No nos separarán. Si me quieres, debes confiar en mí.

Entrecerré los ojos con recelo. *¿Confiar en mí?* Jenks chasqueó las alas y me volví a mirarlo.

—Esto no me gusta naaaada —canturreó.

No. Ni a mí tampoco. Yo solo era una bruja, maldita sea. Las banshees estaban completamente fuera de mi alcance.

Mia colocó una de sus pequeñas manos en la mejilla de su marido y, con Holly balbuceando feliz entre ambos, Remus exhaló, dejó caer los hombros y apoyó la barbilla sobre el pecho.

—Lo siento —dijo apretando cuidadosamente el seguro de la pistola antes de dejarla en el suelo y lanzarla lo más lejos posible.

—Gracias, cariño —dijo ella, sonriendo, y me pregunté si aquella anciana mujer de aspecto juvenil iba a dejarlo en manos de la justicia y permitir que cargara con la culpa de lo que le había pasado a Glenn mientras ella se escondía tras la excusa de haber sido una simple espectadora. Estaba tramando algo. Lo sentía.

Remus soltó la muñeca del agente, que gritó aliviado. Edden hizo un gesto y los hombres situados detrás de él se acercaron, lo apartaron de su compañero y lo esposaron. Desde el otro extremo de la zona de restauración los agentes de la SI se pusieron a cuchichear. Algunos soltaban improperios, pero la mayoría se reía. Ivy se irguió intentando recobrar su habitual elegancia. Sus ojos estaban negros cuando se cruzaron con los míos. Una sensación de miedo recorrió todo mi cuerpo, pero se desvaneció de inmediato. Entonces apartó la vista y decidí mantener las distancias durante un rato. *Debería haber traído mi perfume...*

—¡Tened cuidado! —imploró Mia a los agentes que trataban a Remus con brusquedad.

Una agente le cerraba el paso a ella y a Holly y, al verlo, Remus se detuvo y tensó los músculos de los brazos mirándola con fiereza.

—¡No! —pidió Mia alzando la voz antes de que Remus pudiera reaccionar—. No nos separéis. Puedo conseguir que mantenga la calma. Nunca pretendimos causar problemas. Tan solo estábamos aquí sentados.

Jenks se rió disimuladamente desde mi hombro.

—¿No pretendían causar problemas? ¿De verdad cree que nos vamos a tragar esa mierda?

—Sí, pero míralo a él —dije señalando al hombre con la barbilla. Bajo la atenta mirada de Ivy, Mia se había reunido con él y volvía a mostrarse dócil. Bueno, casi. Aquello resultaba verdaderamente espeluznante. Era más sencillo de aquel modo, y menos embarazoso, teniendo en cuenta que la SI lo estaba presenciando todo. Por no hablar de las unidades móviles de las noticias aparcadas justo enfrente. Si no hubiera sido por Ivy, todo habría resultado mucho más complicado. Mientras Mia no tuviera intención de causar problemas, Ivy podría mantenerla a raya y, en consecuencia, Remus haría lo mismo.

Junto a mí, Edden resopló de satisfacción.

—Los hemos capturado a los dos, mientras que ellos ni siquiera se atrevían a intentarlo —me dijo señalando con la barbilla a la SI. Pero yo tenía mis dudas de que aquello hubiera terminado. A juzgar por las palabras de Mia, creía que solo queríamos a Remus. Cuando averiguara que también la queríamos a ella, las cosas podrían ponerse muy feas.

—Esto no me gusta —le susurré a Edden, pensando que había sido demasiado sencillo, pero él me lanzó una mirada ofendida. De acuerdo, en ese momento caminaba tranquilamente hacia la puerta, pero no se iba a mostrar tan sumisa cuando le quitáramos a su hija. ¡Por todos los demonios! Vivía con un asesino en serie, y el hecho de que lo manejara de esa manera debería poner en guardia a Edden—. La cosa no acaba aquí.

Edden soltó un bufido.

—¿Qué quieres que haga? ¿Esposar a la niña? —preguntó. Entonces se giró y gritó—: Nos vamos.

La gente se puso en marcha y sus hombres condujeron a Remus hacia la puerta delantera. Iba con la cabeza gacha y con las manos esposadas en el regazo, tenía un aspecto derrotado. Ivy y Mia caminaban seis pasos más atrás, y Jenks y yo echamos a andar tras ellas. La niña seguía en la cadera de Mia, mirándome desde sus brazos con unos ojos tan pálidos que parecían los de un albino. Por debajo de la capucha rosa asomaban unos finos mechones de pelo rubio que me recordaron a los de Trent, y que no se parecían en nada a los cabellos negro azabache de su madre. Se estaba chupando el pulgar, y la forma en que me observaba, sin ni siquiera parpadear, estaba empezando a ponerme nerviosa. Apenas aparté la vista se puso a lloriquear, y su madre la zarandeó. La tensión hizo que se me formara un nudo en la garganta. Era demasiado sencillo.

—La estás perdiendo, pixie —dijo Mia lanzándonos una mirada por encima del hombro.

Jenks soltó una repentina ráfaga de polvo verde.

—¿Qué? —preguntó. A mí me sorprendió lo aterrorizado que parecía.

—De hecho, ya la has perdido —dijo la banshee con un hilo de voz, como si estuviera observando el futuro desde una pequeña rendija—. Lo ves en sus ojos, y esa certeza te está matando poco a poco.

Ivy tiró de ella para obligarla a darse la vuelta.

—¡Déjalo en paz! —le ordenó, y miró a Jenks con los ojos entornados por el asco—. Está intentando alimentarse de ti —dijo—. No la escuches. Es una mentirosa.

Mia se rió por lo bajo y Jenks agitó las alas acariciándome el cuello.

—No necesito mentir, y me da lo mismo que me escuche o que no. Ella morirá de todos modos. ¿Y qué me dices de ti, estúpida vampiresa? —añadió mirando a Ivy con expresión interrogante—. Te dije que eras débil. ¿Qué es lo que has hecho en los últimos cinco años? Nada. Crees que eres feliz, pero te engañas. Podrías tenerlo todo, pero ella se ha ido, aunque esté justo a tu lado, y todo porque tuviste miedo. Se ha terminado. Te mostraste pasiva y perdiste. Sí, es posible que te hayas convertido en lo que la gente esperaba de ti, pero solo porque no tuviste el valor de ser quien querías ser.

De repente, sentí que la sangre de mi rostro desaparecía de golpe. Ivy tenía la mandíbula apretada, pero continuó caminando con el mismo ritmo pausado. Holly gorjeó de felicidad. Enfadada por el hecho de que Mia hiriera los sentimientos de mis amigos, le espeté:

—¿Y qué pasa conmigo, señora Harbor? ¿No tienes nada para mí en esa bolsa llena de odio?

Ella giró sus fríos ojos azules hacia mí y las comisuras de sus labios se curvaron. Luego alzó levemente las cejas con una expresión de satisfacción y de pura maldad. Justo en ese momento, Ivy empujó la puerta de doble hoja y desaparecieron.

Seguía nevando y yo me detuve unos instantes en el frío espacio entre las dos puertas.

—Métete en mi bolso, Jenks —dije quedándome allí de pie mientras el personal de la AFI empezaba a arremolinarse delante de nosotros. El pixie parecía encontrarse en estado de choque, incapaz de moverse, de manera que estiré la mano para cogerlo.

—¡Ya voy! —me espetó chasqueando las alas mientras se introducía en mi bolso justo antes de que cerrara la cremallera. Le había puesto un calentador de manos de los que utilizaban los cazadores de ciervos de la zona y sabía que estaría bien.

Al dejar el centro comercial y pisar la nieve, sentí que las rodillas me fallaban ligeramente y aminoré la marcha para intentar localizar a Marshal. Ni rastro. Ni de él, ni de Tom, solo un montón de desconocidos que estiraban el cuello para tratar de ver algo. Al respirar, exhalaba vaho por la boca y, cuando me puse a buscar los guantes, la furgoneta de asuntos sociales pasó por debajo de la cinta que había colocado la AFI.

—¡Mia! —gritó Remus mientras dos hombres intentaban obligarlo a entrar en la parte trasera de un coche patrulla. Su voz sonaba desesperada, y vi que la banshee, que seguía bajo la custodia de Ivy, se ponía rígida. Acababa de darse cuenta de que también la queríamos a ella.

—¡Remus! ¡Corre! —chilló.

La niña rompió a llorar y Remus reaccionó de inmediato. Su rostro cambió por completo. El pánico había desaparecido, dando paso a una expresión de profunda satisfacción. Entonces pasó un pie por detrás de uno de sus captores y tiró con fuerza. El hombre resbaló y, una vez tendido sobre la nieve, Remus se abalanzó sobre él y, con ambos puños, le asestó un fuerte golpe en la garganta. Desde ahí, echó a rodar para derribar al otro agente y, antes de que pudiéramos darnos cuenta, pasó por debajo del coche y se abrió paso entre la multitud.

—¡Cogedlo! —grité viendo que se ponía en pie y echaba a correr con torpeza por culpa de las esposas.

—¡Corre, Remus! —gritó Mia, animándolo.

Ivy la empujó en dirección al agente de la AFI más cercano y se lanzó de un salto sobre el todoterreno. Aterrizó sobre el capó, y los amortiguadores chirriaron cuando se apeó de un salto. Entonces escuché el sonido de sus botas golpeando el suelo a toda velocidad, y después nada.

Aunque con cierto retraso, algunos agentes la AFI echaron a correr tras ellos, mientras que otros se introdujeron apresuradamente en sus coches. En apenas tres segundos, Edden lo había perdido. Los reporteros de los informativos se estaban volviendo locos y yo busqué un lugar donde esconderme. No soportaba las unidades móviles.

De pronto, un golpe amortiguado proveniente del aparcamiento llamó mi atención. Alguien soltó un grito ahogado y señaló con el dedo; al mirar hacia el lugar que indicaba el propietario de la manopla, descubrí un bulto de color azul sobre el asfalto cubierto de nieve.

—¿Edden? —grité, aunque el ruido de la multitud impidió que se me oyera. Era el oficial de la AFI hacia el que Ivy había empujado a Mia. La banshee había desaparecido. Al ver que un grupo de personas intentaba ayudarlo, escruté el aparcamiento en busca del abrigo azul de Mia y de un mono de nieve rosa. ¡Mierda! Sabía que no podía ser tan sencillo.

—¡Edden! —grité. Entonces divisé a Mia a menos de diez metros de distancia caminando a toda prisa con la cabeza gacha. ¡Por todos los demonios! ¿Cómo lo había hecho?

En ese momento un torrente de adrenalina me recorrió todo el cuerpo y, durante una décima de segundo, vacilé. *Es una banshee. No debería estar haciendo esto...* Pero ¿quién lo iba a hacer si no?

—¡Espera un momento, Jenks! —dije en voz alta—. ¡Edden! —grité de nuevo. El capitán de policía alzó la vista y dejé caer el bolso—. ¡Cuida de Jenks! —exclamé cuando lo cogió. A continuación eché a correr detrás de Mia. *¿Por qué estoy haciendo esto? Ni siquiera confían en mí.*

—¡Señorita! ¡Oh, señorita! —dijo una reportera colocándose justo delante de mí. Sin pensármelo dos veces, la aparté de un codazo entre los gritos de la gente y una sonrisa se dibujó en mi rostro.

En apenas tres segundos había atravesado el cerco de curiosos. La luz dio paso a la oscuridad, el silencio amortiguado reemplazó al bullicio, y la actividad sustituyó a una frustrante inactividad. Me había puesto en marcha y tenía un objetivo muy concreto. Mia había partido con ventaja, y probablemente disponía de un coche, pero también tenía una niña, y Holly no estaba nada contenta.

Siguiendo el sonido de una niña que no paraba de llorar, corrí entre los coches aparcados mientras la neblina grisácea de la nieve que caía rápidamente daba paso a la nada más absoluta. Los círculos de luz sobre mi cabeza brillaban de forma intermitente y corrí, persiguiendo una presa fácil y ganando terreno a cada paso que daba. El llanto de Holly aumentó levemente en el preciso instante en que avisté la figura de Mia corriendo torpemente hasta desaparecer tras un contenedor situado junto a una puerta de carga y descarga de mercancías. En seis segundos estaba allí, y me detuve en la entrada del aparcamiento amurallado. No quería recibir un inesperado golpe en la cabeza. Mis ojos escudriñaron la zona restringida y encontraron a Mia con la espalda apoyada en una puerta cerrada con candado y a Holly aferrada a ella. Una pequeña luz iluminaba su orgullosa y aterrorizada determinación y me esforcé por llenar mis pulmones de aire. No tenía escapatoria. Ivy cogería a Remus, yo volvería con Mia y todo habría acabado.

Ojalá fuera tan sencillo.

La frecuencia de mis pulsaciones disminuyó y alcé una mano para calmar los ánimos.

—Mia, piénsalo.

La mujer se aferró a su hija con tal fuerza que la niña rompió a llorar.

—La mataréis —dijo la banshee. Su enfado se había transformado en un ataque de cólera—. No podéis ocuparos de ella. Si me la quitáis, morirá con la misma seguridad que si la ahogarais en un pozo como a un gato.

—Holly estará bien —dije dando un paso atrás. Los altos muros que ocultaban la zona de carga y descarga me rodeaban. La ausencia de viento hacía que disminuyera la sensación de frío y la nieve caía apaciblemente entre nosotras—. La gente de los servicios sociales cuidará de ella. No puedes criar a una niña en la calle. Si huyes, lo perderás todo. He visto tu casa, Mia, y sé que no podrás vivir así. No quiero que Holly se vea obligada a vivir de ese modo. Dame a la niña y regresaremos. Todo saldrá bien. Podemos terminar esto de forma pacífica.

Por muy indefensa que pareciera, no podía llevarme a una banshee a la fuerza, pero si tenía a su hija, no volvería a escapar. Le había ido ganando terreno durante un buen rato y, en ese momento, nos separaban solo un par de metros.

—¿Qué sabrás tú de la paz? —preguntó Mia con acritud, zarandeando en vano a Holly para que dejara de lloriquear—. Te has pasado la vida corriendo. Es lo único que haces; correr, correr y correr. Sabes que no puedes parar, de lo contrario, morirías.

Me detuve, sorprendida.

—Tú no sabes nada de mí.

Ella alzó la barbilla y cambió de posición a Holly de manera que ambas miraban ahora hacia donde me encontraba. Finalmente, la niña dejó de quejarse y se me quedó mirando.

—Lo sé todo sobre ti —dijo—. Puedo ver en tu interior. Fluye a través de ti. No dejarás que nadie te ame. Al igual que esa vampiresa. Pero, a diferencia de Ivy, que solo está asustada, tú eres incapaz de amar a nadie. Nunca tendrás un final feliz. *Nunca.* No importa lo mucho que lo busques, está fuera de tu alcance. Cada vez que te enamores de alguien, acabarás matándolo. Estás sola, el problema es que no quieres darte cuenta.

—No funcionará, Mia —dije con la mandíbula apretada y los puños cerrados, convencida de que estaba haciéndome enfadar para hacerse más fuerte—. Deja a la niña en el suelo y pon las manos detrás de la cabeza. Me aseguraré de que Holly esté bien.

¡Maldición! ¿Por qué no me habría traído la pistola de pintura?

—¿Quieres a mi hija? —se burló Mia—. De acuerdo. Cógela.

Me estaba ofreciendo a su niña y, pensando que empezaba a entrar en razón, extendí los brazos para cogerla. Holly gorjeó de felicidad y percibí la desconocida sensación de sostener entre mis brazos el peso de una persona completamente nueva. Mia dio un paso atrás con un fiero brillo en sus ojos y se quedó mirando el aparcamiento que quedaba detrás de mí. Se acercaba un coche, y sus faros iluminaron el callejón sin salida haciéndolo brillar.

—Gracias, Mia —dije estirando el brazo para coger la mano de Holly antes de que me diera un golpe en la cara—. Haré todo lo que esté en mi mano para que no te la quiten.

Los dedos fríos y pegajosos de Holly se juntaron con los míos e, instintivamente, mi mano los rodeó.

En aquel momento un dolor difuso me invadió. El corazón me dio un vuelco y solté un grito ahogado, incapaz de emitir sonido alguno. Un intenso fuego recorrió cada centímetro de mi piel y recuperé la voz.

Un grito gutural desgarró la gélida noche y caí de rodillas. Tenía la piel ardiendo y el alma en llamas. Era un fuego que surgía de mi pecho y se extendía hacia el exterior.

El dolor me impedía inspirar de nuevo. Podía oír los gritos de la gente, pero estaban demasiado lejos. La sangre me ardía con una intensidad insoportable y, con cada latido, el fuego me salía por los poros. Me la estaban arrancando; me estaban arrebatando el aura y el miedo que sentía la alimentaba.

Escuché a Holly gorjear de felicidad, pero no conseguía moverme. Me estaba matando. ¡Mia estaba dejando que Holly me matara y no podía detenerla!

Logré emitir un sonido ronco y entonces, con la misma velocidad con la que había llegado, el dolor desapareció. Sentí que una oleada negra que recorría mi cuerpo al mismo tiempo que mi pulso se desvanecía. Holly gorjeó y sentí que la retiraban de mis brazos. Al desprenderme del peso de su cuerpo perdí el equilibrio y, lentamente, me derrumbé sobre el asfalto. Aun así, la oleada negra seguía recorriendo mi cuerpo y era como si pudiera sentir el aterrador vacío de mi interior, creciendo cada vez más. No podía detenerlo. Ni siquiera sabía cómo hacerlo.

Mia me ayudó a tumbarme y, agradecida por su pequeño gesto, me quedé mirando sus elegantes botas. ¡Dios! Debían de costar más que mis tres últimos meses de alquiler. Podía sentir el frío aire de la noche directamente sobre mi alma y, finalmente, Holly me arrebató los últimos restos y la marea negra se redujo a un leve goteo hasta detenerse por completo dejando solo un vacío y mortecino calor.

Intenté respirar, pero no fue suficiente. El contacto de la nieve con mi piel me dolía y gimoteé.

—No permitiré que me quiten a Holly —dijo Mia poniéndose en pie—. Sois unos animales inmundos, y la mataríais, aunque fuera de forma accidental. He trabajado muy duro por ella. Es mía.

Mis dedos se crisparon haciendo rodar una piedrecita gris entre mi fría piel y el asfalto. Mia echó a andar y desapareció, y sus pisadas se desvanecieron rápidamente. Entonces escuché el sonido de la puerta de un coche al cerrarse de golpe y después el coche marchándose al ralentí. Todo lo que quedó fue la nieve que caía, y cada copo dando un ligero golpecito al aterrizar sobre mis párpados y mis mejillas.

No podía cerrar los ojos, pero no pareció importar cuando los dedos dejaron de moverse y, finalmente, la pesada oscuridad me sofocó.

12

Se percibía un débil olor a antiséptico, y el ir y venir de una voz que hablaba desde la lejanía expresándose en un tono profesional. Más cerca, se escuchaba el murmullo de una televisión, aunque solo se oían los sonidos más graves, como si se encontrara detrás de una gruesa pared. Estaba sumergida en un agradable estado de duermevela, confortable y somnoliento. Había sentido frío y dolor, pero ahora sentía calidez y un profundo bienestar, y estaba encantada de zambullirme en una actitud de indolencia.

Sin embargo, el distintivo olor de las sábanas que me cubrían hasta la barbilla provocó un cosquilleo en mi memoria, abriéndose paso insidiosamente a través de mi cerebro en busca de un pensamiento consciente. Y entonces encontró uno.

—¡Mierda! —gruñí sintiendo un torrente de adrenalina. Entonces me erguí, con los ojos muy abiertos, y un miedo irracional me sacó de golpe de mi aturdimiento. Estaba en el hospital.

—¿Rachel?

Presa del pánico, me giré hacia el sonido de las alas de pixie, con el sudor empezando a gotear sobre mí. Jenks se encontraba a pocos centímetros de mi nariz. Sus diminutos ojos estaban contraídos y asustados, y me infundieron temor.

—Tranquila, Rachel—dijo despidiendo una neblina anaranjada que coloreó mis rodillas dobladas—. Estás bien. ¡Mírame! ¡Estás bien!

Entreabriendo la boca, me concentré en él y me obligué a respirar lentamente. Estaba bien y, tan pronto como lo asimilé, asentí con la cabeza. Unos rizos deshilachados y sucios me cayeron sobre los ojos y me bloquearon la vista; los retiré con una mano temblorosa. El esfuerzo pareció pasarme factura y me dejé caer sobre la cama, ligeramente alzada.

—Lo siento —dije quedamente. Él aterrizó sobre mi rodilla, cubierta por una manta—. Creí que estaba en el hospital.

Jenks me miró con expresión preocupada y sus alas se detuvieron.

—Y lo estás.

—No —dije encontrando el mando y levantando aún más la cabecera de la cama—. Me refiero a que creía… —vacilé—. No importa —me corregí exhalando para librarme de los últimos resquicios de adrenalina. No podía decirle que pensaba que estaba en el ala infantil, donde no era capaz de cruzar la habitación para encender la tele sin que me faltara el aliento. Había sido aquel recuerdo el que me había sacado de golpe de mi estado de ensoñación y arreglé las sábanas para cubrir en la medida de lo posible el camisón blanco y azul diamante. *¡Genial! Robbie viene a vernos por primera vez en ocho años y a mí me ingresan en el hospital.*

Jenks voló hasta la mesita alargada que habían apartado a un lado. Sus alas se detuvieron, y la neblina roja que había estado revoloteando en una de sus alas se convirtió en un trozo de esparadrapo. Recordé vagamente una ambulancia. Tenía puesta una vía, y me vino a la memoria el momento en el que me la colocó el paramédico. Me había dado algo y, después, la nada más absoluta. Me habían puesto vías en otras ocasiones, pero normalmente, cuando el paciente era una bruja, llevaban un amuleto incorporado. Tal vez estaba peor de lo que pensaba.

Mi mirada se detuvo en el reloj, que se encontraba exactamente en el lugar en el que siempre lo ponían. Mediodía. No tenía la sensación de haber estado inconsciente más de una noche. Del frío asfalto al hospital. Había estado allí, y ahora estaba aquí.

Sobre la estrecha mesa de ruedas había una jirafa de peluche, probablemente de mi madre. Los peluches eran muy de su estilo. Junto a él había una pequeña rosa de piedra esculpida. ¿De Bis, quizás? Tomé el peluche entre mis manos, sintiendo la suavidad en las yemas de mis dedos, en un estado de melancolía.

—¿Mia? —pregunté a Jenks.

Las alas del pixie se encorvaron y adquirieron un débil tono azulado.

—Huyó.

Fruncí el ceño y le miré a los ojos, para descubrir que él también tenía el gesto torcido.

—¿Y Remus?

—También. —Recorrió la pequeña distancia que lo separaba de los barrotes de la cama y se posó sobre ellos, resbalando ligeramente—. Golpeó a Ivy con una tubería, aunque solo de refilón. De no ser por eso, lo habríamos capturado.

Alarmada, mi cuerpo se puso rígido, pero al ver que no reaccionaba, di por hecho que estaba bien.

—Está más loca que un trol al que le han dado calabazas —dijo con una expresión irónica en su rostro—, pero se encuentra bien. No tiene nada roto. Cuando quiso levantarse, se habían largado. Los siguió hasta una calle concurrida y luego… ¡zas! Por lo visto puntearon un coche e, inexplicablemente, consiguieron sortear los controles policiales de la AFI. Edden está que echa humo por las orejas.

Pues ya somos tres, me dije a mí misma dejando la jirafa en su sitio. ¡Maldita sea! Podían estar a cientos de kilómetros. Ojalá Audrey estuviera en lo cierto y las banshees nunca abandonaran su ciudad; de lo contrario, no los encontraremos nunca.

Jenks alargó el brazo para recolocarse el trozo de esparadrapo color rojo y me sonrojé al recordar el momento en que le había lanzado el bolso a Edden con él dentro.

—Oye, siento mucho lo de tu ala —me disculpé. Él se me quedó mirando con los ojos de un profundo color verde bajo un mechón de pelo amarillo—. Porque te lo hice yo, ¿verdad? —añadí apuntando hacia la herida con la mirada—. Lo siento.

—Baah, no es nada —dijo arrastrando las palabras mientras volvía a poner el brazo delante de su cuerpo—. Ha servido para que Matalina tenga algo que hacer además de gritarles a los niños. Además, me lo hice en el coche de Edden, persiguiendo a Remus.

No estaba segura de si debía creerle.

—¿Y qué me dices de ti? —preguntó Jenks sentándose con las piernas cruzadas junto a un vaso de agua más grande que su gata—. ¿Te encuentras bien? Tienes el aura... increíblemente delgada.

Alcé una mano y la coloqué frente a mi cara deseando poder vérmela. Entonces advertí el terrible aspecto de la marca demoníaca de mi muñeca y bajé el brazo.

—Fue Holly. Me la succionó junto con mi energía vital. Por eso me desmayé. Creo. ¿Sabes si alguien le ha echado un vistazo a la de Glenn? Probablemente le ocurrió lo mismo.

Jenks asintió con un gesto de la cabeza.

—En cuanto te oyeron murmurar que te habían quitado el aura. Ya se ha despertado. Lo he visto. La tiene llena de agujeros pero, con el tiempo, se irá espesando. Esa niña es espeluznante. Todavía no sabe hablar, y ya es una asesina en toda regla. En realidad, lo normal hubiera sido que te matara. Los doctores no se explican cómo sobreviviste. Ni tampoco por qué te despertaste tres días antes que Glenn. Han estado aquí, mirándote, haciéndose todo tipo de preguntas los unos a los otros y examinando tus cicatrices demoníacas... —Entonces apretó los labios haciendo que me invadiera una terrible sensación de angustia—. Esto no me gusta, Rachel.

—Ni a mí.

Sintiéndome ultrajada, me subí un poco más las sábanas. ¿Me habrían salvado las marcas demoníacas? ¿Era posible que mi alma tuviera mal sabor? Entonces recordé que, mientras Holly me arrebataba el alma como si estuviera apurando los restos de un biberón, burbujas incluidas, había sentido cómo me recorría una especie de sustancia negra. No quería que algo malvado me hubiera salvado la vida. Ya tenía bastante con tener que cargar con las cicatrices. La idea de tener que sentirme agradecida por evitarme una muerte segura me parecía… pervertida.

Las alas de Jenks empezaron a zumbar de forma intermitente y, alzando el vuelo, dijo esforzándose por parecer alegre:

—Tienes visita. Se oyen voces en el vestíbulo.

¿Edden?, me pregunté mientras me aseguraba de estar tapada justo en el mismo instante en que el leve golpeteo de la maltrecha puerta daba paso a un suave chirrido.

—¡Marsh-man! —exclamó Jenks dirigiéndose hacia la puerta y dejando tras de sí una estela de polvo brillante—. ¿Qué tal te va? Rachel se alegra mucho de verte.

Con las cejas arqueadas, eché una mirada de soslayo al pixie. *¿Me alegro de verlo?* Apenas entró, me senté más derecha y lo saludé tímidamente con la mano. Llevaba el abrigo abierto, dejando al descubierto una camisa de franela con una brizna de pelo negro y rizado que asomaba por debajo del cuello. El informal corte de la camisa de leñador se adaptaba perfectamente a sus anchos hombros de nadador y marcaba su estilizada cintura al llevar los faldones por dentro del pantalón. Sostenía un ramo de flores en cada mano y, cuando se detuvo delante de mí, me dio la impresión de que se sentía incómodo.

—Hola, Rachel —dijo con una sonrisa insegura, como si no supiera lo que estaba haciendo allí—. ¿Encontraste lo que buscabas en el centro comercial?

Solté una carcajada y me erguí un poco más. Sabía muy bien el aspecto que tenía vestida de azul diamante, y no se podía decir que me quedara bien.

—Gracias —dije con amargura—. Lo siento mucho. Echó a correr y decidí perseguirla. *¡Qué imbécil!*

—Y comprobaste cómo se las gastan las banshees —dijo dejando los ramos y sentándose en el borde de la cama—. ¿Te encuentras bien? No me dejaron subir a la ambulancia. Estabas delirando. —Entonces dudó unos instantes—. ¿De veras robaste el pez al señor Ray?

Parpadeé.

—¡Ah, sí! Pero creía que pertenecía a los Howlers.

Aparté la vista de su expresión preocupada y me quedé mirando los ramos. Uno de ellos era de margaritas de color malva; el otro parecía el típico arreglo de claveles que se regala el día de la madre.

—Gracias —dije estirando el brazo para tocarlas—. Son preciosas, pero no hacía falta que me trajeras flores. Por cierto, ¿te han ofrecido un dos por uno?

Lo dije en un tono desenfadado y Marshal sonrió.

—No te hagas ilusiones por lo de las flores. Si no te las llego a traer, mi madre me habría arrancado la piel a tiras. Además, solo uno de los ramos es mío. El de las margaritas lo tenían abajo y, como llevaba tu nombre, decidí subírtelo.

Desvié la mirada hacia la tarjeta del ramo, que estaba guardada en un sobre, y asentí. Es posible que fueran de Robbie. Quizás pretendía advertirme de que si seguía así me seguiría enviando flores, pero tal vez tuviera que hacerlo a un lugar aún más tétrico que un hospital.

—Gracias —repetí.

De pronto dio un respingo, como si se acabara de acordar de algo.

—También te he traído esto —dijo metiendo la mano en un bolsillo del abrigo y sacando un pálido tomate de invierno. Era una tradición inframundana y, al verlo, en mis labios se dibujó una amplia sonrisa—. Para que te dé salud —explicó. Acto seguido, se giró hacia la puerta cerrada y añadió—: Ummm, estás en la planta de los humanos, así que ten cuidado de dónde lo pones.

Sintiendo el frío tacto de la hortaliza en mis dedos, mi sonrisa se desvaneció. *¿Por qué me han puesto en la planta de los humanos?*

El zumbido de las alas de Jenks aumentó de volumen y, justo en ese momento, alzó el vuelo.

—Tengo que irme —comentó—. Prometí a Ivy que la avisaría cuando te despertaras.

—Jenks, ¿se encuentra bien? —pregunté. Desgraciadamente, para cuando quise terminar la frase, ya se había ido. Poniendo los ojos en blanco, me incliné para poner el tomate sobre la mesita y mis rodillas se chocaron contra las de Marshal. Entonces miré las flores y en mi mente saltaron las alarmas. Estaba sentado demasiado cerca para mi gusto.

—Ummm, ha sido todo un detalle que vinieras a verme —dije, nerviosa—. De todos modos, no voy a estar aquí mucho tiempo. Estaba a punto de levantarme para ir a atosigar a las enfermeras.

Era consciente de que hablaba sin ton ni son para evitar que se creara un silencio incómodo e, impulsivamente, retiré las sábanas y, tras levantar las rodillas, pasé las piernas por delante de él para poner los pies en el suelo. Entonces me quedé paralizada al ver los estúpidos calcetines antideslizantes de hospital. ¡Maldición! Tenía puesta una sonda y, lo que es peor, el pequeño esfuerzo había hecho que me mareara.

—Cálmate, Rachel —dijo Marshal, que ya se había puesto en pie, sujetándome los hombros con las manos—. No creo que estés lista para levantarte. Tienes el aura hecha jirones.

El embriagador aroma a secuoya, que conseguía superponerse a los olores estériles del hospital, invadió mis sentidos.

—Estoy bien, Marshal. Estoy bien —me quejé apenas desapareció el mareo. Era como si, cada vez que me movía, dejara atrás una parte de mí y, hasta que no lograba alcanzarme, estuviera desnuda. Exhausta, me senté con los pies colgando y apoyé la cabeza en su pecho mientras intentaba no desmayarme. Entonces apoyó sus manos en mí y me sentí increíblemente bien. No de un modo sexual, (¡Dios! Estaba en una cama de hospital con el pelo estropajoso y vestida con un camisón azul diamante), sino, más bien, como si su preocupación me ayudara a recobrar las fuerzas.

Después de que sus insistentes y nerviosas manos me ayudaran a tumbarme de nuevo, me rodeó con la manta. Me quedé quieta y dejé que se ocupara de mí. Probablemente, mi actitud alimentó su complejo de caballero andante, pero ¿qué otra cosa podía hacer? Si mi aura estaba hecha trizas, lo más seguro es me estuviera ayudando a recuperar una parte. Los gestos de cariño genuinos ayudaban a reparar los desgarros, de la misma manera que la energía negativa de alguien que me cayera mal podría aumentar el daño.

—De verdad —dije mientras me entregaba el enorme vaso de agua helada como si aquello fuera a mejorar las cosas—, estoy bien. Solo tengo que evitar los movimientos bruscos.

No obstante, las manos me temblaban y sentía náuseas. El agua parecía ayudar, así que tomé un buen trago notando cómo me bajaba por la garganta.

—Si se entera que te he dejado poner los pies en el suelo, Ivy me romperá uno a uno todos los dedos —rezongó, cogiendo de nuevo el vaso cuando se lo tendí—. Y ahora, sé buena durante los próximos veinte minutos y no hagas que me meta en un lío, ¿vale?

Intenté esbozar una sonrisa, pero por dentro estaba temblando. La fatiga se estaba apoderando de mí, trayéndome a la memoria los años que pasé entrando y saliendo de los hospitales.

—Ni siquiera sé muy bien lo que pasó —me quejé—. Quiero decir, recuerdo que todo se volvió negro, pero luego... ¡zas!

Marshal volvió a sentarse en el borde de la cama como si pensara que iba a intentar levantarme de nuevo.

—No me extraña. Es una banshee, Rachel. ¿En qué estabas pensando? Tienes suerte de seguir con vida.

Levanté el hombro derecho y lo dejé caer de nuevo. ¿Quién más tenía alguna posibilidad de atraparla? Probablemente había sido Edden el que había hecho que me ingresaran. Y quizá esa era la razón por la que estaba en la planta de los humanos. Podía pasar la convalecencia en casa por mucho menos dinero. David se iba a cabrear de lo lindo cuando me subieran la prima de la póliza.

Recordando a Marshal, suspiré.

—Así es, una banshee. Y su hija. Y su marido el asesino. Ni más ni menos que en el centro comercial.

Él esbozó una sonrisa en la que se percibía un pequeño atisbo de orgullo.

—Te sacaron en las noticias tumbando a aquella reportera.

En aquel momento le miré a los ojos y parpadeé.

—¿Grabaron eso?

Inclinándose hacia delante, me colocó un mechón de pelo detrás de la oreja, haciéndome sentir un escalofrío cuando recordé el barco de Kisten.

—Le diste de lleno en el trasero —dijo, ajeno a mis pensamientos—. Me encantó verte en plena acción. Otra vez.

Su sonrisa se desvaneció y me di cuenta de que era la segunda vez que me veía en las noticias; la primera, me llevaban esposada.

—Ummm, gracias por venir a verme —dije sintiendo una incomodidad creciente, como si acabara de traspasar los límites que nos habíamos impuesto.

Con una expresión seria, se echó atrás y se puso a mirar en todas direcciones excepto hacia donde estaba yo.

—¿Ya has probado el pudín?

—No, pero dudo mucho que haya cambiado desde la última vez que estuve aquí.

Él soltó una risa ahogada mientras yo intentaba decidir si me arriesgaba a quitarme la sonda. La única vez que lo había hecho, me había dolido mucho más de lo que jamás habría podido imaginar. No quería quedarme allí, y si mis constantes vitales eran normales, no me dejarían ingresada por una simple fatiga.

El sonido de Jenks, que regresaba, se introdujo en el incómodo silencio que se había creado entre Marshal y yo, y nos intercambiamos una sonrisa cómplice. Jenks era como un niño pequeño al que se le escuchaba mucho antes de que llegara. Hablaba en un tono excesivamente alto con alguien cuya voz era apenas un monótono murmullo y ambos se acercaban lentamente a la habitación. Tal vez se trataba de Ivy.

El pulso se me aceleró y, cuando la enorme y pesada puerta se abrió con un chirrido, Marshal se puso en pie. Parecía nervioso, pero no me extrañó lo más mínimo. Ivy no le tenía mucha simpatía, y la vampiresa no hacía muchos esfuerzos por disimularlo.

—¡Eh! —gritó Jenks mientras daba tres vueltas a la habitación—. ¡Mira a quién me he encontrado!

Apenas entraron, esbocé una sonrisa. Lo acompañaban Ivy y Glenn, que caminaba despacio apoyándose tanto en mi compañera de piso como en el soporte para el suero. Tenía un aspecto horrible, y no solo por el camisón de hospital. Aun así, cuando levantó la vista, estaba sonriendo, claramente complacido por poder valerse por sí mismo, a pesar de que su movilidad fuera reducida. Su rostro mostraba unas horribles manchas moradas, tenía hinchado el brazo con el que se agarraba a Ivy y los cortes cubiertos con vendajes de un intenso color blanco.

—¡Hola, Rachel! —exhaló. A continuación bajó la vista hacia las baldosas y avanzó unos pasos.

Marshal saludó a Ivy con un leve gesto de la cabeza y, tras esconder el tomate detrás de las flores antes de que Glenn lo descubriera, se dirigió hacia el sofá bajo la ventana para que el agente de la AFI pudiera sentarse en la silla más cercana a la cama. Curiosamente, Ivy se comportaba como si supiera lo que estaba haciendo, ayudándole a desplazarse y asegurándose de que no se le enredara el tubo del suero. Incluso supo cómo mantener el camisón cerrado cuando hizo amago de sentarse.

Los músculos de los brazos de Glenn se tensaron y, cuando finalmente dejó caer el peso de su cuerpo sobre el asiento, soltó un largo y sonoro suspiro.

—Rachel —dijo antes de haber recuperado del todo el aliento—. Ivy me dijo que estabas aquí y quise comprobarlo con mis propios ojos. No tienes buen aspecto, chica. Pareces tan jodida como yo.

—¿Ah, sí? —le respondí—. Dame un par de horas y te reto a ver quién da más vueltas al mostrador de las enfermeras. Te voy a dar una paliza que te vas a enterar.

Por lo que a mí respectaba, estaba mucho más hecho polvo que yo, pero su aspecto había mejorado una barbaridad desde la última vez que lo había visto, inconsciente y rodeado de sábanas blancas. El hecho de que todavía no pudiera ponerme de pie no significaba nada. Iba a marcharme de allí antes del anochecer, aunque tuviera que irme a rastras.

Ivy se acercó y el corazón me dio un vuelco. La silla en la que se encontraba Glenn estaba pegada a la cama cuando me desperté y habría apostado cualquier cosa a que había pasado toda la noche allí sentada.

—¡Hola, Ivy! —dije estirando el brazo a pesar de que sabía que no haría lo mismo—. Jenks me ha dicho que Remus te golpeó. ¿Estás bien?

El pixie chasqueó las alas desde detrás de las flores y el rostro de Ivy, que se había mostrado sereno hasta aquel momento, se crispó.

—¡Oh, sí! Solo algo cabreada conmigo misma. —Sus dedos tocaron los míos dándome a entender todo lo que no estaba dispuesta a decir—. Me alegro de que te hayas despertado —dijo quedamente—. Nos tenías muy preocupados.

—Mi orgullo se ha llevado un buen mazazo —dije—, pero en cuanto consiga levantarme, estaré bien.

Jenks echó un vistazo al otro lado de un jarrón de plástico con una expresión interrogante. Tenía las manos llenas de polen y Marshal hizo crujir los nudillos. Al darme cuenta de que todos los hombres de la habitación se sentían incómodos, me sonrojé y solté los dedos de Ivy.

—Marshal, conoces Glenn, ¿verdad? —dije de pronto—. Es el especialista en asuntos inframundanos de la AFI del que te hablé. Glenn, Marshal es el entrenador del equipo de natación de la universidad.

Marshal se acercó e, inclinándose por encima de la esquina de la cama, estrechó la mano vendada de Glenn con sumo cuidado.

—Encantado de conocerte —dijo.

No pude evitar fijarme en que, a diferencia de Nick, no había mostrado ni el más mínimo asomo de preocupación o reticencia al conocer a un agente de la AFI y esbocé una sonrisa.

—Es un placer —respondió Glenn—. ¿Hace mucho que conoces a Rachel?

—No —dijo Marshal rápidamente, pero yo sentí que merecía un reconocimiento mayor.

—Más o menos —intervine antes de que Jenks, que se había elevado por encima de las flores, pudiera decir nada—. Marshal nos ayudó a Jenks y a mí cuando estuvimos en Míchigan. Lleva en Cincinnati desde Halloween, sacando las culebras de debajo de mi casa y enseñándome a escalar rocas.

Ivy se rió por lo bajo al escuchar la referencia a Tom, y Glenn asintió lentamente con la cabeza como si estuviera evaluando la cuestión mientras su mirada se volvía más receptiva. Estaba convencido de que el hijo de puta de Nick seguía con vida (lo que, por otro lado, era cierto) y, teniendo en cuenta que mi exnovio era un ladrón profesional y tenía un expediente más grueso que el listín telefónico, no me hubiera sorprendido que el detective de la AFI lo friera más tarde a preguntas para averiguar qué sabía sobre Nick.

Ivy hizo un pequeño ruidito de interés cuando abrió la tarjeta del otro ramo de flores. Me hubiera gustado preguntarle por su pierna pero no se la veía muy dispuesta a afrontar la cuestión y sabía que no le habría hecho ninguna gracia que sacara el tema delante de otra gente.

—Cobarde —le dije a Glenn, y, cuando esbozó una cansada sonrisa de medio lado, añadí—: ¿Cómo está tu aura? —le pregunté entonces.

—Delgada. No sé cómo se supone que debería sentirme, pero me noto… extraño. Después de que te ingresaran, vinieron a verme tres brujas, y todas coincidieron en que tenía suerte de estar vivo.

Jenks soltó un bufido.

—También estuvieron toqueteando a Rachel —dijo—. Y cuando se fueron, no hacían más que cuchichear.

Exhalé lentamente y accedí a mi segunda visión, eso sí, sin interceptar ninguna línea luminosa para no correr el riesgo de vislumbrar siempre jamás. No podía hacerlo en un hospital de seis pisos. No cabía la menor duda de que el aura de Glenn estaba hecha una piltrafa. A través de los bordes rotos se filtraban algunos restos de rojo y su aspecto era más parecido al de una aurora boreal que al de una capa continua. Tener un aura llena de huecos no era nada saludable y, hasta que no sanaran, estaría expuesto a todo tipo de cosas metafísicas. Pensar que yo me encontraba en las mismas condiciones hizo que se me revolviera el estómago. *Y, para colmo, mañana, al amanecer, tengo una cita con Al.* Debía hacer algo. Seguramente Al no tendría inconveniente en darme un día de permiso, pero habría de pedir un justificante médico.

—¿Estás bien? —pregunté a Glenn, seriamente preocupada. No se parecía en nada a la persona que yo conocía. Entonces se obligó a sí mismo a sentarse más derecho y el exmilitar que había en él asomó ligeramente, con su cara recién afeitada y despidiendo un leve olor a champú.

—Lo estaré —dijo jadeando—. ¿Fuiste tras ellos?

—Sabes que sí.

—¿Y tocaste a la niña? —preguntó, y le solté un bufido—. *Don't touch the baby...* —se puso a canturrear, haciendo que las comisuras de mis labios se curvaran ligeramente.

—*Don't touch the baby...* —repetí percatándome de que, probablemente, fue aquello lo que hizo que cayera redonda al suelo.

—Es ella la que trae locos a los médicos —dijo Glenn haciendo amago de cruzar las piernas justo antes de recordar que llevaba un camisón «con vistas»—. Me dijeron que las banshees carecen completamente de control hasta que cumplen los cinco años. Sin embargo, ese tipo la tenía en brazos mientras hablaba conmigo.

Jenks chasqueó las alas para que le prestáramos atención.

—Nosotros también lo vimos con la niña. Su aura estaba intacta. Yo se la vi, y Rachel también.

Asentí con la cabeza, consciente de que aquello no tenía ningún sentido.

—Quizás no tenía hambre.

—Puede ser —dijo Glenn—, pero a mí me consumió a una velocidad asombrosa. Y a ti también.

Ivy fue a sentarse en el largo banco bajo la ventana.

—Dinos, ¿qué sucedió exactamente en la casa? —preguntó mirando al exterior. Habría jurado que estaba intentado cambiar de tema. Tenía la boca entreabierta y respiraba algo más rápido de lo habitual. Además, en sus ojos se percibía un asomo de... ¿culpa, quizás?

Glenn torció el gesto.

—Fui para hablar con la sospechosa sobre la muerte de mi amigo.

Sospechosa, pensé, y consideré lo desagradable que sonaba. Para él no era «la señora Harbor», ni siquiera «esa mujer», sino «la sospechosa». Una vez más, todo apuntaba a que Mia había matado a su amigo, había mandado a Glenn al hospital y había permitido que su hija estuviera a punto de matarme.

—Lo siento —dije.

Él hizo una mueca, como si no quisiera que lo compadecieran.

—Algunas de mis preguntas no fueron del agrado de su marido, ¿Remus, verdad? —preguntó. Ivy asintió con la cabeza y Glenn continuó—: Remus quiso echarme de la casa y, cuando intentó golpearme, los dos acabamos rodando por el suelo. De hecho, había conseguido esposarlo, pero entonces…

—Tocaste a la niña —terminó Jenks desde algún lugar entre las flores.

Glenn se quedó mirándose las rodillas, cubiertas por el estampado azul diamante.

—Sí. Toqué a la niña.

—*Don´t touch the baby* —intervine intentando rebajar la tensión. No me extrañaba que Mia no dejara que la gente tocara a su hija. Ni que no quisiera tener más hijos hasta que Holly creciera y tuviera algún control. En aquel momento, era como una plaga andante. Sin embargo, Remus podía tenerla en brazos. ¿Qué sería lo que lo hacía tan especial?

Glenn movió los pies protegidos por los calcetines antideslizantes que daban a los enfermos.

—Fue la niña la que me dejó sin sentido, no Remus —dijo—. Una vez en el suelo, apenas intentaba ponerme en pie, volvía a caer. Creo que me golpeó lentamente para que ellas pudieran vaciarme por completo. De no ser por la placa, estoy seguro de que me habrían matado y se habrían deshecho del cadáver. —Al ver el horror en mis ojos, intentó sonreír—. Tú, sin embargo, tienes un aspecto estupendo —añadió señalándome con la barbilla—. Quizás las brujas tienen el aura más gruesa.

—Puede ser —respondí sintiéndome incapaz de mirar a nadie. Por supuesto que tenía mejor aspecto; yo no había tenido que soportar que un psicópata me diera una paliza para alimentar a su familia.

Marshal, que estaba junto a los pies de la cama con expresión incómoda, pareció recuperar la compostura.

—Rachel, debo irme —dijo. Evidentemente, su comentario no me sorprendió lo más mínimo—. Tengo algunas cosas que hacer esta tarde. Solo me he pasado un momento para asegurarme de que estabas bien. —Entonces agitó los pies y añadió—: Ummm… ya nos vemos en otro momento.

Glenn se reclinó sobre el respaldo de la silla y, una vez más, tuvo que parar cuando se dio cuenta de que no debía cruzar las piernas.

—Espero que no te vayas por mi culpa —dijo, a pesar de que su lenguaje corporal daba a entender todo lo contrario—. Tengo que volver a mi habitación antes de que me den por desaparecido. No les gusta que los tipos duros pasemos por delante del mostrador de las enfermeras para venirnos al ala de las mujeres.

Marshal se movió hacia delante y hacia atrás y entonces, como si hubiera tomado una decisión, se inclinó hacia delante y me dio un torpe abrazo. Se lo devolví, violenta, esperando que no intentara cambiar el tipo de relación que teníamos solo porque era vulnerable y me había ayudado con Tom. Lo de Tom era una insignificancia en comparación con lo que podía presentarse sin avisar en mi cocina. No obstante, el aroma a secuoya me resultó reconfortante y, desprendiéndome de la necesidad de volver a mis raíces, inspiré profundamente.

—Nos vemos en otro momento —insistió queriendo dejarlo bien claro—. Todavía estoy intentando resolver lo de tus clases, pero si hay algo que pueda hacer por ti, compras, recados, lo que sea, llámame.

Esbocé una sonrisa, conmovida por su preocupación. Entonces me vino a la cabeza el comentario de mi madre, que decía que era un hombre para divertirse, pero no para tener algo serio, pero también la agradable velada que habíamos pasado con ella y con Robbie. Marshal era un tipo muy majo y no se me presentaban muchas oportunidades de hacer cosas con tipos majos. No quería que corriera ningún peligro por tener una relación estrecha conmigo, pero lo que salió de mi boca fue:

—Lo haré. Adiós, Marshal. Y gracias por las flores.

Él asintió con la cabeza, dijo adiós con la mano y se marchó con la cabeza gacha dejando la puerta entreabierta.

Glenn pilló a Ivy y a Jenks mirándome con gesto de desaprobación y, tras aclararse la garganta, dijo:

—¿Te has apuntado a un curso en la universidad? Eso está muy bien. ¿Sobre el protocolo que hay que seguir en la escena de un crimen?

Me froté el entrecejo sintiendo un creciente dolor de cabeza.

—Líneas luminosas —dije—. Ha habido un error en el proceso de inscripción y Marshal está intentando solucionarlo.

—Eso no es lo único que está intentado solucionar —farfulló Jenks. Le lancé una mirada asesina mientras él se cambiaba a los crisantemos. El aroma a pradera en verano aumentó de golpe; su camisa verde estaba llena de marcas de polen—. Va a querer cambiar las cosas —dijo el pixie mientras Glenn se recostaba sobre el respaldo, con la boca cerrada, dispuesto a escuchar—. Tu ingreso en el hospital va a provocar que active la modalidad de rescate. Igual que en su barco. Lo noté justo después de que sacara a Tom de debajo de nuestra cocina. Soy un pixie, Rachel. Quizás tenga aspecto de tipo duro, pero tengo alas, y sé reconocer el enamoramiento cuando lo veo.

En ese momento suspiré. No me sorprendió que me estuviera previniendo en contra de Marshal. *¿Y qué tienen que ver las alas con todo esto?*

—Bueno, tampoco se puede decir que sea ningún inútil —dije poniéndome a la defensiva—. Echarle el guante a un brujo de líneas luminosas no es nada fácil.

Jenks se cruzó de brazos y frunció el ceño, mientras que Ivy dejó la jirafa y me miró también.

—Vale, lo que tú digas —musité, aunque mis pensamientos se dirigieron a Mia de pie en la oscuridad con su hija lloriqueando y abrazada a ella diciéndome que nunca podría amar a alguien sin acabar con su vida—. Se merece a alguien mejor que yo. Sé muy bien cómo acaban siempre mis relaciones.

Ivy se agitó inquieta y, deshaciéndome de mis pensamientos infelices, me volví hacia Glenn. El detective era todo un experto en leer los pensamientos de la gente, y aquello resultaba muy embarazoso.

—Bueno, ¿qué tal está el pudín? —pregunté estirándole el brazo y tendiéndole el tomate.

Por lo general los humanos detestaban los tomates, pues había sido una de sus variedades lo que había acabado con una buena parte de su especie apenas cuarenta años antes. Glenn, sin embargo, había aprendido a disfrutar de las virtudes de esta hortaliza de color rojo, y estaba totalmente enganchado. Después de hacer malabarismos nerviosamente para evitar que cayera al suelo, se lo colocó con cuidado en el pliegue del brazo, como si estuviera acunando un bebé.

—Asqueroso —respondió, contento de que hubiera cambiado de tema—. No lleva azúcar. Y gracias. No es fácil conseguir uno de estos.

—Es una tradición inframundana —le expliqué, preguntándome si me había perdido el desayuno y me tocaría esperar otras seis horas. Todavía no había visto ningún menú, pero, antes o después, tendrían que darme algo de comer.

Ivy se sentó a los pies de la cama, mucho más relajada una vez que éramos menos en la habitación.

—¿Trent te ha mandado flores? —preguntó tendiéndome la tarjeta con las cejas arqueadas.

Sorprendida, eché un vistazo a las margaritas y la cogí.

—Ha sido Ceri —dije al reconocer su diminuta letra—. Probablemente ni siquiera ha puesto su nombre.

Jenks aterrizó en mis rodillas.

—Apuesto lo que quieras a que sí —dijo con una risotada.

Justo entonces todas nuestras miradas, guiadas por un delicado golpeteo, se dirigieron a la puerta y a la mujer vestida de calle que entró inmediatamente.

—Señorita Morgan —dijo mientras se acercaba con decisión—. Soy la doctora Mape, ¿cómo se encuentra hoy?

Siempre hacían la misma pregunta y esbocé una sonrisa neutra. Por la ausencia de olor a secuoya pude comprobar que ni siquiera los antisépticos más potentes eran capaces de ocultar que no era una bruja. No era muy habitual que permitieran que un humano tratara a una bruja con sus medicamentos, pero, si me habían golpeado con lo mismo que a Glenn, probablemente me habían asignado a su misma doctora. Mis sospechas parecieron confirmarse cuando Glenn se encogió en la silla con expresión culpable. El tomate, por su parte, estaba escondido en alguna parte y, sinceramente, prefería no saber dónde.

—Mucho mejor —respondí de manera insulsa—. ¿Qué es lo que me dieron para tenerme atontada?

La doctora Mape cogió el tensiómetro de la pared y saqué el brazo obedientemente.

—Ahora mismo no lo recuerdo —respondió con voz preocupada mientras me apretaba el brazo con la presión del aire—, pero si quiere, puedo consultar su historial.

—No se moleste. —Al fin y al cabo, entendía de amuletos, no de medicinas—. Una cosa, ¿podrían darme un justificante por enfermedad?

La doctora no respondió, y cuando despegó de golpe el cierre del tensiómetro, Glenn dio un respingo.

—Señor Glenn —lo interpeló en un tono muy significativo, y habría jurado que él contuvo la respiración—, todavía no está preparado para recorrer distancias tan largas.

—Sí, señora —gruñó él.

Sonreí intentando que no me vieran.

—¿Tengo que restringirle las salidas? —preguntó.

Él negó con la cabeza.

—No, señora.

—Espéreme fuera —dijo con severidad—. Le llevaré a su habitación.

Ivy se revolvió en la esquina. ¡Vaya! Ni siquiera me había dado cuenta de que se había ido hasta allí.

—Ya lo acompaño yo —se ofreció.

La rápida negativa de la mujer se desvaneció cuando cayó en la cuenta de quién era.

—¿Es usted Ivy Tamwood? —preguntó justo antes de anotar los valores de mi tensión en el historial—. Gracias. Es muy amable por su parte. Su aura no es tan gruesa como para que ande paseándose por ahí.

Jenks se alzó de entre las flores, esta vez cubierto de polen.

—¡Ah! Somos todos amigos suyos —dijo el pixie sacudiéndose en el aire y creando una nube de polvo.

La doctora Mape dio un respingo.

—¿Qué hace que no está hibernando? —preguntó, sorprendida.

Me aclaré la garganta con sequedad.

—Esto… está viviendo en mi escritorio —expliqué.

En ese momento la doctora me puso un termómetro en la boca obligándome a cerrarla.

—Apuesto a que debe ser muy divertido —masculló la mujer mientras esperaba a que el instrumento funcionara.

Me lo cambié al otro lado de la boca.

—Son sus hijos los que me están sacando de quicio —farfullé.

En ese momento el termómetro empezó a pitar y, tras escribir de nuevo en mi historial, la doctora Mape se inclinó para mirar debajo de la cama.

—Sus riñones parecen funcionar bien —dijo—. Voy a dejarle la vía, pero le quitaré la sonda ahora mismo.

Glenn se puso tenso.

—Ummm, Rachel —dijo incómodo—. Nos vemos luego, ¿de acuerdo? Dame un día antes de echar carreras por los pasillos.

Ivy se situó detrás de Glenn y le sujetó el camisón mientras él agarraba el soporte del suero para ponerse en pie.

—¿Jenks? —dijo mientras se ponían en marcha—. Mueve el culo y espera en el pasillo.

Él me lanzó una sonrisa ladeada y salió disparado, dibujando círculos alrededor de Ivy y Glenn. La puerta se cerró y su voz se desvaneció.

Empecé a hacerme un ovillo para facilitarle la tarea a la doctora, pero me detuve cuando agarró la silla de Glenn y tomó asiento, observándome en silencio. De pronto me sentí intimidada y, como no decía nada, pregunté en tono dubitativo:

—Va a quitarme esto, ¿verdad?

La mujer suspiró y adoptó una postura más cómoda.

—Quería hablar con usted, y era la forma más sencilla de conseguir que se marcharan.

El tono que utilizó no me gustó en absoluto, y una oleada de miedo me recorrió de arriba abajo dejándome una sensación de inquietud.

—Pasé mis primeros años de vida yendo de un hospital a otro, doctora Mape —le dije con atrevimiento mientras me sentaba—. Me han dicho que iba a morir más veces que pares de botas tengo en mi armario. Y le aseguro que tengo muchas. Nada de lo que pueda decirme conseguirá asustarme.

Era mentira, pero sonaba bien.

—Usted sobrevivió al síndrome de Rosewood —dijo hojeando de nuevo mi historial. Yo me puse rígida cuando me tomó la muñeca y le dio la vuelta para echar un vistazo a mi marca demoníaca—. Tal vez sea esa la razón por la que esa niña no acabó con su vida.

¿Se refiere a mi enfermedad sanguínea o a la marca demoníaca? Incómoda, estiré el brazo para que lo soltara. En cualquier caso, yo era diferente, y no en el buen sentido.

—¿Cree que mi aura podría saber mal?

La doctora me estaba mirando las manos, y yo deseé esconderlas.

—No sabría decirle —dijo—. Tengo entendido que las auras no saben a nada. Lo que sí sé es que las crías de banshee tardan mucho en saciarse, y eso es más que suficiente para matar a una persona. Tanto usted como el señor Glenn tienen mucha suerte de seguir con vida. La señora Harbor se preocupa de que su hija esté bien alimentada.

¿Bien alimentada? ¡No te jode! ¡Estuvo a punto de matarme!

Recostándose sobre el respaldo, la doctora Mape miró por la ventana en dirección a la otra ala.

—Debería reconocérsele el mérito de criar a una hija hasta que alcance la madurez, en lugar de perseguirla como a un animal cuando se produce un accidente. ¿Sabía usted que hasta que no cumplen los cinco años, cualquiera que la toque a excepción de su madre viene a ser considerada una fuente de alimentación? Incluido su padre humano.

—¿Ah, sí? —dije pensando en que Remus la había tenido en brazos sin que le succionara ni una pizca de su aura mientras que todos los que se encontraban a su alrededor estaban siendo exprimidos lentamente—. Disculpe si no me muestro todo lo comprensiva que cabría esperar con sus problemas. Esa mujer me entregó a su hija a sabiendas de que me mataría. Y esa misma niña estuvo a punto de acabar con la vida de Glenn. Es más, la propia Mia ha matado a gente, solo que todavía no han conseguido encontrar pruebas que la impliquen en los asesinatos. Yo también hago todo lo que está en mi mano para mantenerme con vida, pero no por ello me dedico a matar gente.

La doctora Mape me miró con gesto impasible.

—Comprendo perfectamente cómo se sienten tanto usted como su amigo Glenn, pero, en la mayoría de las situaciones, las banshees solo se apropian de la escoria de la sociedad. He visto comportamientos de humano a humano mucho más dañinos, y lo que hizo Mia fue solo para sobrevivir.

—¿En opinión de quién? —le espeté con descaro. A continuación me obligué a relajarme. Aquella era la persona que tenía que darme el justificante de enfermedad.

Una vez más, la doctora Mape se mostró imperturbable y se inclinó para apoyar uno de sus codos sobre la rodilla a fin de estudiarme con detenimiento.

—La cuestión es por qué sufrió usted un daño significativamente menor que el señor Glenn. Las auras de los humanos y de los brujos tienen una fuerza similar.

—Lo sabe todo sobre nosotros, ¿verdad? —dije, y me tuve que morder la lengua. *Ella no es el enemigo. Ella no es el enemigo.*

—A decir verdad, sí. Esa es la razón por la que decidí hacerme cargo de su caso. —A continuación, tras un breve instante de indecisión, añadió—: Lo siento, señorita Morgan. Ya no le permiten estar en la planta de los brujos por culpa de sus cicatrices demoníacas. Soy lo único que le queda.

Yo me quedé mirándola fijamente. *¿Cómo dice?* ¿No aceptan tratarme por culpa de mis cicatrices? ¿Qué tienen que ver las cicatrices con todo esto? Su existencia no indicaba que fuera una bruja negra.

—¿Y usted sí? —pregunté con acritud.

—Hice un juramento para salvar la vida de la gente. La misma creencia que hace que sienta compasión por la banshee es lo que hace que haya aceptado tratarla a usted. Prefiero juzgar a las personas por las razones que les llevan a actuar de una determinada manera en lugar de por sus acciones.

Me recosté preguntándome si su respuesta era propia de un sabio o si, en realidad, estaba tratando de rehuir mi pregunta. La doctora se puso en pie y la seguí con la mirada.

—Conozco al capitán Edden desde que atacaron a su esposa —dijo—. Fue él quien me explicó las razones de sus cicatrices. He visto lo que queda de su aura y acabo de conocer a sus amigos. Los pixies no otorgan su fidelidad a cualquiera.

Fruncí el ceño cuando se dio la vuelta para marcharse. Entonces se detuvo y dijo:

—¿Por qué cree que llegó usted aquí semiinconsciente mientras que el señor Glenn permaneció en coma durante tres días?

—No tengo ni idea.

Sinceramente, no creía que tuviera nada que ver con las marcas demoníacas. Si así fuera, las banshees no podrían hacerles ningún daño a las brujas negras y sabía que no era cierto. Tenía que ser porque era… una protodemonio, pero no estaba dispuesta a decírselo.

—¿Porque sobrevivió al síndrome de Rosewood? —inquirió—. Eso es lo que sostienen mis colegas.

Se acercaba mucho a mis sospechas e hice un esfuerzo por mirarla y encogerme de hombros.

Ella vaciló un instante y, cuando estuvo segura de que no iba a decirle nada más, se volvió hacia la puerta.

—¡Oiga! ¿Qué hay de la sonda? —le solté deseando volver a ser yo misma, aunque solo fuera un poco.

—Ahora mismo le mando a una enfermera —dijo—. Va a quedarse con nosotros varios días más, señorita Morgan. Espero que pronto se sienta lo bastante cómoda como para hablar conmigo.

Me quedé boquiabierta mientras cerraba la puerta con un golpe firme. Así que ese era su juego. No me daría el alta hasta que satisficiera su curiosidad. Pues lo llevaba claro. Yo tenía cosas que hacer.

El débil y familiar aleteo de pixie hizo que dirigiera la atención hacia la parte superior del enorme armario.

—¡Jenks! —exclamé con afecto—. ¡Creí que te habías ido!

Él descendió moviéndose hacia delante y hacia atrás antes de aterrizar en mi rodilla.

—Nunca he visto quitar una sonda —sentenció con petulancia.

—Ni lo verás. ¡Por el amor de Dios! Sal de aquí antes de que llegue la enfermera.

No obstante, se limitó a dirigirse hacia las flores y a arrancarles los pétalos mustios.

—Te van a tener aquí encerrada hasta que te decidas a hablar, ¿verdad? —dijo—. ¿Te importa si te tomo prestado el joyero? Matalina y yo necesitamos pasar un poco de tiempo a solas, sin los niños.

—¡Por lo que más quieras, Jenks! —No quería oír lo que tenían pensado hacer—. Voy a salir de aquí en cuanto pueda ponerme de pie —dije mientras intentaba quitarme de la cabeza la imagen de Matalina con los pies entre mis pendientes—. A las seis, como mucho.

Entonces, intenté estirar los músculos y sentí una punzada de dolor. De un modo u otro, iba a marcharme. Al me esperaba para nuestras clases, y si no aparecía en la línea luminosa, vendría a buscarme. La aparición de un demonio en el hospital podría hacer maravillas en mi reputación. Aunque, pensándolo bien, era una manera de salir de allí.

Jenks se giró con un pétalo de margarita lleno de polen entre sus diestras manos.

—¿Ah, sí? ¿De verdad crees que te van a dejar largarte así como así? La doctora Frankenstein te necesita para su experimento científico.

Sonreí, sintiendo que el pulso empezaba a acelerárseme y la emoción hacía que la sangre fluyera con facilidad hasta los dedos de los pies.

—Largarme es precisamente lo que pienso hacer. Si de algo me sirvió pasar toda la infancia en el hospital, fue para aprender a escapar sin ser descubierta.

Jenks se limitó a sonreír.

Mis cabellos rizados estaban casi secos y, con una lentitud enervante, utilicé el peine del kit de higiene personal del hospital para intentar deshacer los nudos. El champú y el acondicionador también eran los del kit, y no quería ni pensar cuánto me iban a costar las botellas del tamaño de un dedo pulgar. Mínimo, cinco dólares cada una. Era peor que los productos del minibar de los hoteles de cinco estrellas. Sin embargo, no podía pedirle a Ivy que se acercara a casa para traerme mis cosas. Cuanto menos llevara conmigo, menos probabilidades había de que se dieran cuenta de que estaba huyendo.

Antes de la Revelación hubiera bastado con solicitar un alta voluntaria, pero, después de que la pandemia hubiera diezmado la población en un abrir y cerrar de ojos, las leyes habían reducido alegremente los derechos de los pacientes. A menos que realizaras el papeleo con suficiente antelación, tardaban una eternidad en concederte el permiso. Si quería largarme, tenía que hacerlo sin que nadie se enterara. Probablemente, el hospital mandaría a un montón de policías en mi búsqueda para evitarse posibles demandas, pero me dejarían en paz apenas tramitaran el alta voluntaria.

La ducha previa, que debía haber sido un pequeño lujo de cuarenta y cinco minutos derrochando agua caliente sin tener que preocuparme de la factura, se había transformado en un chaparrón de cinco minutos. La fuerza del agua golpeándome había hecho que me mareara y, cuando me enjuagué, tuve la sensación de que, junto con el jabón, me desprendía también de mi aura. Pero en aquel momento estaba sentada, razonablemente cómoda, en el duro sofá que estaba junto a la ventana, vestida con la ropa que me había traído Ivy: unos vaqueros y una camiseta negra que había alabado la primera vez que me la puse.

En un principio, creí que una ducha caliente era justo lo que necesitaba, pero se convirtió en una especie de prueba en la que debía averiguar con qué rapidez era capaz de moverme. O, para ser más exactos, con qué lentitud. La delgadez de mi aura era alarmante, y cada vez que realizaba un movimiento brusco, tenía la sensación de que iba a perder el equilibrio. Para colmo, sentía mucho frío. Por curioso que pudiera parecer, casi resultaba doloroso. «Extraño», había dicho Glenn. Esa era la palabra que mejor lo definía.

Finalmente, me rendí y tiré el peine a la papelera preguntándome si alguien se habría tomado la molestia de contarle a Pierce lo que había pasado y de decirle que estaba bien. Probablemente no. Había mucha corriente junto a la ventana y, cuando descorrí las cortinas para echar un vistazo al exterior, el destello de las luces del coche rojo y blanco sobre la nieve hizo que aumentara mi sensación de frío.

Estiré el brazo para ponerme el abrigo y descubrí un nuevo desgarrón en la manga derecha. *Mierda.* Con el ceño fruncido, me lo puse, me impulsé cuidadosamente con las botas sobre el sofá y me senté con los brazos rodeándome las rodillas. La jirafa sonriente estaba enfrente de mí, a la altura de los ojos, y los recuerdos se abrieron paso en mi mente, recuerdos de estar sentada en aquella misma posición esperando que mi padre mejorara o muriera, recuerdos aún más lejanos en los que esperaba que mamá viniera a buscarme y me llevara a casa. Suspirando, apoyé la barbilla sobre las rodillas.

Mi madre y Robbie se habían pasado a verme por la tarde. Mamá se había llevado un buen susto cuando le conté que me había atacado una banshee; y Robbie, como era de esperar, se puso hecho una fiera. Sus palabras exactas incluían maldiciones y numerosas referencias al infierno, pero él nunca había aprobado el trabajo que había elegido, así que sus opiniones no contaban. Lo quería mucho, pero se volvía un coñazo cuando intentaba que encajara con su idea de cómo quería que fuera. Se había marchado cuando yo tenía trece años y, en su mente, siempre sería una niña pequeña.

Al menos, cuando Marshal se enterara de que me había escapado, se ofrecería a ayudarme. Después de verle capturar a Tom, estaba considerando la posibilidad de aceptar su oferta, pero prefería reservármelo por si tenía que huir de mi «seguro hogar» a otro sitio una vez que la policía viniera a por mí.

El chirrido casi imperceptible de la enorme puerta hizo que levantara la vista en la penumbra, tan solo iluminada por la tenue luz de la habitación. Eran Ivy y Jenks y, con una sonrisa, apoyé los pies en el suelo. Jenks fue el primero en llegar adonde me encontraba, dejando un débil rastro de polvo luminoso en la oscura estancia.

—¿Estás lista? —preguntó revoloteando alrededor de mi pelo húmedo antes de posarse en mi hombro. Llevaba puesto el último intento de Matalina de hacer un traje de invierno para pixie y el pobre estaba envuelto en tal cantidad de tela azul que apenas podía bajar los brazos.

—Solo me falta atarme las botas —dije, metiendo la jirafa en mi bolso junto a la rosa tallada de Bis—. ¿Lo habéis concretado todo con Keasley?

Ivy asintió con la cabeza mientras yo deslizaba los dedos por entre los cordones. El primer lugar que revisarían los polis sería la iglesia. La casa de mi madre estaba descartada también, incluso aunque hubiera estado dispuesta a soportar las pullas de Robbie, pero Keasley podía alojarnos durante unos días. Ceri pasaba la mayor parte del tiempo en la residencia de Kalamack y sabía que disfrutaría de la compañía, así como de la despensa llena que le dejaríamos cuando nos marcháramos.

Ivy llevaba su abrigo largo de cuero sobre unos vaqueros y un suéter marrón. Sabía que era un intento de pasar desapercibida, pero podría llevar ropa de terceras rebajas y seguir provocando que la gente girara la cabeza a su paso. Se había puesto algo de maquillaje y tenía el pelo recogido. Por lo visto, estaba intentando dejárselo largo otra vez y se lo había teñido para cubrir los destellos dorados. Cuando se acercó, descubrí un atisbo de preocupación en sus oscuros ojos y que sus pupilas estaban dilatadas por la falta de luz y no porque estuviera hambrienta. Me hubiera preocupado que estuviera deseando morderme para librarse del estrés, pero los vampiros trataban a los enfermos y heridos con una amabilidad inquietante. Creo que era un instinto que habían desarrollado para evitar que mataran accidentalmente a sus selectos amantes. El último lugar en el que un vampiro saciaría sus ansias de sangre sería un hospital.

En ese momento se detuvo delante de mí, evaluando mi fatiga con la mano en la cadera, mientras yo me ataba las botas entre resoplidos.

—¿Estás segura de que no quieres un poco de azufre? —preguntó.

Negué con la cabeza. El azufre me habría acelerado el metabolismo, pero me habría hecho daño al provocar que me sintiera mejor de lo que en realidad estaba. El problema no era el metabolismo, sino los daños que había sufrido mi aura, y no había nada que pudiera repararla excepto el tiempo.

—Segurísima —respondí haciendo hincapié en la palabra cuando frunció el ceño—. No me lo habrás metido en la bebida sin que me dé cuenta, ¿verdad?

—Pues claro que no. ¡Por el amor de Dios, Rachel! Yo te respeto.

Me estaba mirando con gesto desafiante, así que supuse que me estaba diciendo la verdad. En los sutiles movimientos de Ivy se percibía un ligero deje de dolor y, cuando Jenks chasqueó las alas para llamar mi atención, añadí:

—Quizás más tarde. Cuando hayamos salido de aquí. Gracias.

Aquello pareció convencerla y me puse en pie guardando las manos en los bolsillos de mi abrigo, donde encontré inesperadamente los billetes de avión de Robbie. Sintiendo amargura por el desprecio que había mostrado horas antes a la profesión que yo había elegido, saqué el sobre con intención de meterlo en el bolso. Justo entonces, la lágrima de banshee, que había estado allí todo el tiempo, salió disparada, dibujando un arco en el aire.

—¡Lo tengo! —exclamó Jenks. Y, al darse cuenta de lo que era, soltó un grito y se apartó de golpe haciendo que la lágrima cayera al suelo y terminara debajo de la cama—. ¿Es la lágrima de banshee que te dio Edden? —chilló inusitadamente afectado.

Asentí con la cabeza e Ivy se abalanzó hasta el borde de la cama, lanzándole una mirada asesina a Jenks antes de asomarse por debajo del colchón y recuperarla.

—Ha recuperado el color claro —dijo con los ojos muy abiertos mientras se levantaba y la depositaba en la palma de mi mano.

—¡Dios! Esto es muy raro —exclamé, incómoda, colocándola bajo una franja de luz que entraba por la ventana.

El pequeño pixie se quedó suspendido sobre mis dedos agitando las alas a gran velocidad.

—¡Ahora lo entiendo, Rachel! —dijo situándose justo delante de mis ojos—. La razón por la que sobreviviste era la lágrima, no tus marcas demoníacas. La niña la encontró…

—Y se la bebió como si fuera un biberón —deduje, sintiendo un profundo alivio al descubrir que no habían sido las cicatrices las que me habían salvado—. Sentí que algo negro me atravesaba. Pensé que era la mácula de mi aura. —Temblando de miedo, dejé caer la lágrima en el interior de mi bolso prometiéndome que la sacaría en cuanto llegara a casa—. Tal vez sea así como mantienen con vida a Remus —musité. El rostro de Ivy mostró una expresión de perplejidad casi aterradora. La miré con gesto interrogante y, sintiendo un escalofrío, dije—: Jenks, acércate a ver si Glenn está preparado.

—¡Enseguida! —obedeció el pixie, ajeno a lo que estaba pasando, justo antes de introducirse por el diminuto resquicio, de apenas dos centímetros de anchura, que quedaba entre la puerta y el suelo.

Me senté de nuevo sobre la cama y, cruzándome de brazos, me quedé mirando a Ivy, que se había convertido en una sombra contra la oscuridad de la ventana.

—Ummm, ¿hay algo que quieras contarme? —pregunté.

Ivy inspiró lentamente. A continuación, exhalando, se sentó en la esquina del largo sofá y se quedó mirando al techo con la mirada perdida.

—Es culpa mía —dijo con los ojos completamente negros cuando volvieron a posarse sobre mí—. Me refiero al hecho de que Mia vaya por ahí matando gente para criar a su hija.

—¿Culpa tuya? —pregunté—. ¿Por qué?

El pelo le cayó hacia delante escondiendo su rostro.

—Le di mi deseo. El que tú me regalaste.

Descrucé los brazos y volví a cruzarlos al contrario.

—¿Te refieres al del duende que dejé en libertad para salir de la SI? —Ivy asintió, con la cabeza gacha, y entrecerré los ojos sin entender nada—. ¿Le diste tu deseo a una banshee? ¿Por qué? ¡Podrías haber pedido lo que quisieras!

Ivy movió los hombros. Era un tic nervioso que raras veces padecía.

—Fue una especie de gesto de agradecimiento. Le debía un gran favor. Conocí a Mia antes que a ti. Mi jefe, Art, me estaba puteando. Las cosas me iban de maravilla, pero no estaba dispuesto a permitir que me ascendieran por encima de él hasta que... —En ese momento se interrumpió y, en su silencio, percibí que había algo que no se atrevía a decir. Su jefe quería probarla antes de que consiguiera un cargo por encima del suyo. En ese momento sentí que me sonrojaba y me alegré de que la habitación estuviera en penumbra.

»Intrigas laborales —dijo Ivy curvando los hombros—. Yo no quería entrar en el juego. Me creía demasiado buena para ello y, cuando pillé a Art intentando encubrir un asesinato cometido por una banshee para engordar su cuenta corriente, recurrí a Mia para que averiguara lo que estaba pasando. En aquel momento trabajaba para la SI vigilando a las de su especie. Resumiendo, hice que encarcelaran a Art para no tenerlo como superior. A partir de ese momento, supe que las cosas se pondrían feas para mí en la SI, pero al menos no tenía que tenderle una trampa a mi supervisor para ascender.

—Y te degradaron para que me hicieras de canguro —dije, avergonzada.

Ivy negó con la cabeza y se inclinó hacia delante colocándose en la franja de luz. No estaba llorando, pero se la veía destrozada.

—No. Quiero decir, sí. Pero Rachel, aquella mujer me dijo cosas sobre mí misma que estaba demasiado asustada para admitir. Ya sabes cómo son las banshees. Te dicen verdades como puños solo para que te enfades y, así, poder alimentarse de tus emociones. Ella me sacó de quicio diciéndome que me daba miedo ser la persona que quería ser, alguien capaz de amar a otro. Me avergonzó de tal manera que dejó de gustarme la sangre.

—¡Por el amor de Dios, Ivy! —le dije, sin poder creer todavía que le hubiera dado su deseo nada más y nada menos que a una... banshee—. ¿Creíste que renunciar a tu deseo de sangre era una buena cosa? ¡Pero si casi te vuelves loca!

Sus ojos se volvieron negros en la reducida luz de la medianoche, y reprimí un escalofrío.

—No era la falta de sangre lo que me estaba volviendo loca —dijo—. Y sí que fue una buena cosa. La fuerza y la confianza en mí misma que conseguí era todo lo que tenía para enfrentarme a Piscary. Me dio la voluntad que uso día a día. Mia dijo... —De pronto vaciló y, entonces, en un tono de voz más bajo y con una rabia que venía de antaño, continuó—: Mia me llamó cobarde, diciéndome que ella nunca podría amar a alguien sin acabar con su vida y que yo era una llorica por tener la oportunidad de amar pero carecer del valor para hacerlo. Entonces, cuando te conocí —dijo encogiéndose de hombros—, me di cuenta de que, tal vez, podrías corresponder al amor que yo sentía; que, en cierto modo, podrías hacer que mi vida fuera mejor. —Avergonzada, se frotó las sienes—. Le regalé mi deseo para que también ella tuviera la oportunidad de amar a alguien. Es culpa mía que vaya por ahí matando gente.

—Ivy —le dije con voz queda, incapaz de moverme del sitio—, lo siento. Sí que te quiero.

—Para. —Alzando una de sus delicadas manos como si quisiera detener mis palabras—. Lo sé. —Entonces se me quedó mirando con la mandíbula apretada y suficiente rabia en sus ojos como para evitar que me moviera—. Piscary tenía razón —añadió con una amarga carcajada que me dejó helada—. El muy cabrón estuvo en lo cierto desde el primer momento. Pero yo también. Si Mia no hubiera hecho que me sintiera avergonzada, no hubiera reunido el valor suficiente para joder a Art y permitirme a mí misma amarte.

—Ivy —¡Oh, Dios! Ivy nunca abría su corazón de aquel modo voluntariamente. Había debido de pasar mucho miedo por mí la noche anterior.

—Eres como un maestro vampírico, ¿sabes?—Ivy se retiró hasta la esquina del sofá y se quedó mirando, con una expresión casi de enfado—. Consigues que sienta pavor, incluso aunque me muera por acurrucarme en tu alma y sentirme segura. Estoy loca al desear algo que me da miedo.

—No quiero hacerte daño —dije, sin saber muy bien adónde nos iba a conducir aquella conversación.

—Pero lo has hecho —repuso con los brazos rodeando sus piernas encogidas y la barbilla alta—. Y lo volverás a hacer. Y lo peor de todo es que no me importa. Por eso digo que estoy enferma. Esa es la razón por la que ya no te toco. Me he vuelto adicta a tus pequeñas mentiras piadosas. Quiero amor, pero no podré seguir viviendo conmigo misma si te permito que vuelvas a hacerme daño. No quiero acabar identificando el dolor con el amor. Se supone que no debe ser así.

En ese momento me vino a la mente el momento en que Farcus había jugueteado con mi cicatriz. Demasiado cerca. Se había acercado demasiado. Me había utilizado como una cerilla para encender su propia libido. El dolor se había transformado en placer. ¿Era realmente pervertido si resultaba tan placentero?

—Lo siento, Ivy. No puedo darte más —susurré.

Ivy se giró hacia la ventana y descorrió levemente la cortina para mirar hacia el exterior.

—No te estoy pidiendo que lo hagas, miedica —dijo suavemente mientras volvía a cerrar sus emociones—. No te preocupes. Me gusta cómo están las cosas. No te lo he contado para que te culpes, sino porque pensé que debías conocer el motivo por el que el marido de Mia es inmune a los ataques de las banshee. Le regalé el deseo porque se lo debía. Me dio el valor para luchar por lo que quería. Que lo consiguiera o no es lo de menos. La única forma que tenía de agradecérselo era dándole la posibilidad de amar. Y creo que de verdad lo quiere. Al menos, dentro de lo que una banshee es capaz de amar.

En ese momento liberé los brazos; los estaba cruzando con tal fuerza que casi me cortaba la circulación.

—Está enamorada de un jodido asesino en serie —dije, alegrándome de que la conversación cambiara de rumbo.

Ivy esbozó una sonrisa lánguida bajo la luz de las farolas. Su mano soltó la cortina y la sombra volvió a ocultar su rostro.

—Eso no lo hace menos verdadero. Holly no es especial. Remus, sí. Lo siento. No debí regalárselo. No tenía ni idea de que lo utilizaría para matar gente. A pesar de su fuerza, es un monstruo. Le debo un favor, pero estoy decidida a apresarla.

Poniéndome en pie, estiré el brazo para ayudarla a levantarse. Estaba deseando darle un abrazo para que se liberara de aquella horrible rigidez.

—No te preocupes. No sabías que lo utilizaría para hacer el mal.

—Sigue siendo culpa mía.

Mi mano tocó su hombro, pero la retiré cuando Jenks entró de nuevo por debajo de la puerta dejando tras de sí una estela de polvo dorado y se alzó para ponerse a nuestra altura.

—Glenn está en el pasillo —dijo con un inusual brillo en los ojos que se percibió en la habitación en penumbra.

—Bien —dije débilmente, mientras alcanzaba el bolso. Tenía la cara ardiendo y me llevé la mano a la mejilla.

—¡Oh! —exclamó el pixie, revoloteando inseguro en la oscuridad—. ¿Me he perdido algo?

Ivy me cogió la bolsa, tras tirar con fuerza para que la soltara.

—No —dijo girándose hacia mí—. Espera a que te traiga una silla de ruedas.

—Ni hablar. —Me había confundido, y en ese momento no sabía cómo evitar que me llevara por ahí como una inválida—. La silla no entraba en los planes.

—No consigues estar en pie sin tambalearte —dijo Ivy.

Negué con la cabeza. Había tomado una decisión y no pensaba ceder.

—No puedo escaparme en una silla de ruedas —dije con los ojos puestos en el suelo hasta que estuve segura de que no iba a perder el equilibrio—. Tengo que caminar. Aunque sea muy, muy despacio.

Jenks se situó delante de nosotras. Parecía Lawrence de Arabia con alas.

—De ninguna manera, Rachel —me espetó con los ojos guiñados por la preocupación—. Tienes menos fuerza que la erección de un hado.

—Puedo hacerlo —exhalé. Entonces vacilé unos instantes y sacudí la cabeza. *Esa ha sido buena, Jenks.* Cuando eché a andar hacia la puerta, llevaba la cabeza gacha mientras repasaba mentalmente mi lista de tareas: convencer a Al para que me diera un día de permiso; rehacer el hechizo para resucitar temporalmente a Pierce; recordarle a Marshal que no íbamos a ir más allá en nuestra relación solo porque, uno, había estado a punto de morir, dos, le había dado una buena tunda a Tom, y tres, habíamos disfrutado de una agradable cena con mi familia. También tenía que intentar de nuevo el hechizo localizador, por no hablar de que debía buscar pistas sobre el asesino de Kisten, examinando cuidadosamente los archivos para averiguar los nombres de todo aquel con quien Piscary había compartido sangre o cama durante el periodo que pasó en prisión. Podía hacerlo. Podía hacerlo todo. *¡Oh, Dios! ¿Cómo voy a hacer todo eso?*

Jenks volaba de espaldas delante de mí mientras me desplazaba desde el sofá hasta la cama, pasando por el armario, sin duda calibrando mi aura.

—¿Has avisado a Glenn de que nos vamos? —pregunté dándole un manotazo a Ivy cuando amenazó con ayudarme a avanzar a pequeños pasos.

—Sí —respondió Jenks posándose jadeante en mi hombro por culpa del peso constante de su ropa—. Le debes un gran favor, Rachel. Le iban a dar el alta mañana.

Me aferré al bolso y miré a Ivy, aplastando mis sentimientos de culpa.

—Entonces, vámonos.

Ivy hizo un gesto de asentimiento y, tras tocarme levemente el hombro, se encaminó hacia el exterior.

—Nos vemos en el ascensor, Rachel —exclamó Jenks, saliendo disparado de la habitación justo antes de que la puerta se cerrara de golpe tras Ivy.

Una vez sola, me apoyé en la pared, exhausta. Respiraba con dificultad y avanzaba muy lentamente. Pero no pasaba nada. En realidad, había hecho aquello un montón de veces con mi madre, cuando quería irme a casa y todavía no habían tramitado el alta voluntaria.

Escaparse del hospital es como montar en bicicleta, pensé mientras escuchaba a Ivy hablar con la enfermera del mostrador. Entonces recordé que, en realidad, no sabía montar en bicicleta.

—Al ascensor —susurré fijándomelo como objetivo. Una vez allí, podría descansar. Subir y bajar hasta que me sintiera con fuerzas para salir caminando. Esperé junto a la puerta casi cerrada, escuchando furtivamente. Era casi medianoche y, teniendo en cuenta que me encontraba en la sección humana, no se oía nada. Perfecto.

—¡Llamen a una enfermera! —gritó alguien e, inmediatamente después, se oyó un ruido metálico, como si algo hubiera chocado contra la pared. Jenks empezó a gritar y me acerqué algo más a la puerta para asomarme por el resquicio. Entonces se oyó el gemido de una voz masculina, y un pesado celador pasó por delante a toda prisa agitando sus rastas.

Abrí la puerta con el peso de mi cuerpo estremeciéndome cuando sentí cómo la madera pintada me arrebataba el calor a través del abrigo.

Entonces miré hacia la derecha, siguiendo el sonido del revuelo, sonriendo a Glenn, que estaba tirado en el suelo al final del pasillo. Ivy se encontraba con él, acompañada de Jenks, dos celadores y una enfermera. El chico que repartía la comida también estaba con ellos.

Mientras observaba, Glenn volvió a gemir convincentemente. Lo saludé con dos dedos, haciéndole el gesto de las orejas de conejo, y él me correspondió sacándome el dedo mientras su sonrisa se transformaba en un quejido de dolor. Jenks tenía razón, le debía un gran favor.

Con el pulso acelerado, caminé renqueante hacia el ascensor que se encontraba a la vuelta de la esquina. Ni siquiera tenía que pasar por delante del mostrador de las enfermeras. Poco a poco conseguí acelerar un poco el ritmo y erguir la espalda mientras combatía la fatiga y la leve sensación de ir caminando a través de una gruesa capa de nieve, intentando parecer sosegada en vez de sedada.

Cuando doblé la esquina, el ruido que había a mis espaldas se debilitó. El pasillo estaba vacío, pero no me atrevía a utilizar la barandilla que estaba a la altura de mi cintura. Además, tenía el ascensor justo delante. Entonces pulsé el botón una y otra vez hasta que se encendió la luz.

Las puertas se abrieron casi de inmediato y el corazón me dio un vuelco cuando vi que se bajaba una pareja. Tras mirarme de soslayo, alzaron la vista al oír los gemidos de Glenn. La curiosidad les pudo cuando me acerqué tambaleante a la parte trasera del ascensor y me apoyé en la esquina apretando el bolso contra mi pecho. Cuanto más deprisa me movía, más me dolía, lo que resultaba muy frustrante, teniendo en cuenta que me desplazaba a paso de tortuga.

Inspirando de forma superficial, me quedé mirando las espaldas de la pareja mientras las puertas se cerraban. *Jenks, ¿dónde estás? Habías dicho que nos veríamos aquí.*

El pixie entró como una flecha en el último momento y estuvo a punto de estrellarse contra el fondo del ascensor.

—¡Rachel! —exclamó entusiasmado, y el vértigo se apoderó de mí cuando me llevé las manos a los oídos.

—¡No grites! —dije.

Él bajó para quedarse suspendido a la altura de mis ojos.

—Lo siento —se disculpó, aunque su expresión decía lo contrario. Siguió mi mirada recelosa hacia el panel oscuro, y luego voló hasta él y apretó el botón del piso inferior con los pies. Escuché el gañido de la maquinaria poniéndose en marcha y empezamos a descender.

»Glenn es muy bueno —dijo mientras se giraba para posarse en mi hombro—. No creo que se den cuenta de que te has ido hasta que consigan a alguien que lo lleve a su habitación.

—Genial.

En ese momento cerré los ojos para combatir el vértigo. Tenía miedo de que el ascensor se moviera demasiado rápido como para que mi estómago lo soportara, pero no podría bajar por las escaleras ni aunque consiguiera arrastrar el aura conmigo a medida que descendíamos.

—¿Qué tal vas? —preguntó en un tono seriamente preocupado.

—Bien —respondí sin moverme del rincón—. Es solo fatiga —añadí entrecerrando los ojos para conseguir enfocarlo bien. Entonces sentí como si todo a mi alrededor se recompusiera de golpe cuando el ascensor se detuvo con un ruido metálico y el aura se me recolocó. Inspiré profundamente y expulsé el aire despacio—. Tengo un montón de cosas que hacer. No puedo pasarme el día vagueando en una cama que se mueve arriba y abajo.

Jenks soltó una carcajada y me aparté de la pared cuando las puertas se abrieron. Si todo salía como habíamos previsto, Ivy debía de estar allí esperándonos, y no quería que pensara que era una quejica.

Efectivamente, la vampiresa se encontraba justo detrás de las puertas y, tras echarme una mirada de arriba abajo, entró a toda velocidad y apretó el botón para cerrar la puerta.

—¿Todo bien? —preguntó.

—De maravilla.

Ivy intercambió una mirada con Jenks y presionó el botón del vestíbulo con una serie de golpecitos tan rápidos que casi no se distinguían entre sí. *¡Vaya! Estamos un poquito nerviosos, ¿no?*

Esta vez el descenso fue peor, y cerré los ojos y me apoyé en la esquina mientras el ascensor cogía velocidad y recorría prácticamente toda la altura del edificio.

—Rachel, ¿te encuentras bien? —preguntó Jenks. Hice un pequeño gesto con los dedos por miedo a lo que pudiera suceder si asentía con la cabeza. El estómago me dolía horrores.

—Demasiado rápido —exhalé preocupada por el recorrido en coche hasta mi casa. Si nos veíamos obligados a ir a más de treinta kilómetros por hora, iba a echar hasta el hígado.

Empecé a temblar y me aferré de nuevo al bolso, sintiendo cada músculo que había contraído cuando el ascensor se detuvo de golpe. A continuación se abrieron las puertas. Aliviada, abrí los ojos y vi a Jenks suspendido delante del sensor para evitar que las puertas se cerraran. Los leves sonidos de un vestíbulo casi vacío penetraron en el cubículo e Ivy me cogió del brazo. Habría protestado de no ser porque realmente lo necesitaba. Juntas empezamos a salir del ascensor. ¡Dios! Me sentía como si tuviera ciento sesenta años, con el corazón latiéndome a toda velocidad y las rodillas fallándome.

No obstante, el lento desplazamiento empezó a sentarme bien y, cuanto más avanzábamos, más convencida estaba de que hacíamos lo correcto. Miré a mi alrededor, disimulando, intentando distinguir lo que no era en absoluto casual, como habría dicho Jenks. Había algunas personas atravesando el vestíbulo, incluso a medianoche, y las luces de la entrada iluminaban la vegetación cubierta de nieve convirtiéndola en una masa informe. Se podía definir casi como bucólico, con las luces de color ámbar de la grúa.

¿La grúa?

—¡Eh! ¡Ese es mi coche! —exclamé al verlo aparcado junto al bordillo en la zona reservada para la recepción de pacientes. No obstante, según parecía, no iba a seguir allí mucho tiempo.

Al oír mi voz, dos personas miraron desde las ventanas de vidrio laminado. Estaban observando cómo el tipo de la grúa disponía lo necesario para llevarse el vehículo, y entrecerré los ojos al descubrir que se trataba de la doctora Mape y del policía de guardia. Un enorme vampiro de la SI. Genial. Jodidamente genial.

—Plan B, Ivy —dijo Jenks metiéndose de nuevo en el ascensor.

—¡Ese es mi coche! —grité de nuevo. Acto seguido, solté un grito ahogado cuando Ivy me obligó a darme la vuelta y me empujó hacia el interior del ascensor. Mi espalda chocó contra el fondo y me llevé la mano al estómago.

—¿Quién te ha dado permiso... —pregunté jadeante sintiendo un nuevo ataque de vértigo— ...para coger mi coche?

Las puertas se cerraron truncando las protestas de la doctora. Me agarré con fuerza a la pared cuando el ascensor empezó a elevarse y luego me obligué a soltarme. *¡Maldita sea! No puedo vomitar ahora.*

—¿Quién te ha dado permiso para coger mi coche? —pregunté de nuevo, alzando la voz, como si así pudiera contener el mareo.

Las alas de Jenks empezaron a zumbar nerviosamente e Ivy se ruborizó.

—¿Cómo se suponía que debía venir a recogerte? ¿En bicicleta? —farfulló—. Lo había aparcado en una zona permitida. Podía dejarlo treinta minutos.

—¡La grúa se está llevando mi coche! —grité de nuevo, señalando con el dedo hacia el exterior.

Ella se encogió de hombros.

—Yo me encargaré de recogerlo y pagar la fianza.

—¿Y cómo se supone que nos vamos a ir ahora? —le grité. No me gustaba la sensación de indefensión e Ivy sacó el móvil de un delgado bolsillo de su cinturón. ¡Dios! Era del tamaño de una tarjeta de crédito.

—Llamaré a Kist... —Su voz se truncó y yo me quedé mirando su rostro, repentinamente desencajado—. Quiero decir, Erica —se corrigió quedamente—. Trabaja cerca de aquí.

¡Que te den! Mareada y con el corazón roto, me apoyé con fuerza en la esquina del ascensor intentando recobrar el equilibrio.

Jenks aterrizó en mi hombro.

—Relájate, Rachel —dijo Jenks mirando de reojo a Ivy, que estaba encorvada por el dolor, escribiendo un mensaje de texto a la misma velocidad que si se hubiera tratado de un teclado convencional—. No es culpa de Ivy. Esa doctora es una arpía. Sabían que intentarías escapar.

Con las manos extendidas, me apoyé en las dos paredes que me rodeaban. Me sentía como si estuviéramos atravesando miles de alfileres de hielo mientras el mundo me golpeaba con crudeza al carecer de la protección de un aura completa. No me encontraba en condiciones de hacer nada, y la doctora Mape habría resultado ser una estúpida si no se hubiera esperado algo así. En mi expediente constaban numerosas fugas. Mi madre me sacaba a escondidas de los hospitales continuamente.

—¿Adónde vamos? —acerté a decir obligándome a mantener los ojos abiertos a pesar de que se movían por cuenta propia, como si hubiera pasado demasiado tiempo en un tiovivo.

—A la terraza.

Miré a Ivy de arriba abajo y me incliné para pulsar el botón del tercer piso.

—En la tercera planta hay una pasarela que conduce al ala infantil. Saldremos por allí —farfullé justo antes de cerrar los ojos. Solo por un momento. El silencio de Ivy y Jenks me obligó a abrirlos de nuevo.

—¿Qué pasa? —pregunté—. ¿Qué sentido tiene que nos tiremos por el conducto de la ropa sucia hasta el sótano si puedo pasear tranquilamente en una silla de ruedas?

Ivy se revolvió inquieta.

—¿Te sentarás? —preguntó.

Mientras no me caiga, ni lo sueñes.

—Sí —respondí aceptando el brazo de Ivy cuando el ascensor se detuvo y el mundo volvió a la normalidad como por arte de magia.

—Allí hay una silla —dijo.

Las puertas se abrieron con una campanada y Jenks salió disparado regresando de improviso antes de que hubiéramos avanzado tres pasos.

Me apoyé en la pared junto a una planta de plástico mientras Ivy me sujetaba con una mano para que no me cayera y con la otra tiraba de la silla con tal fuerza que casi la vuelca. Los resortes se colocaron en su sitio por la repentina sacudida al haberla detenido de golpe.

—Siéntate —me ordenó, y yo obedecí agradecida. Tenía que irme a casa. Todo iría mucho mejor si conseguía llegar a casa.

Ivy se puso en marcha aprovechando que el vestíbulo estaba vacío; y avanzamos a toda velocidad por el pasillo. El mareo me golpeó por todos los flancos, surgiendo de las esquinas en las que las paredes se juntaban con el suelo, persiguiéndome mientras Ivy avanzaba a toda prisa.

—Más despacio —susurré. Pero no se detuvo hasta que se dio cuenta de que yo había dejado la cabeza colgando. O eso o los gritos de Jenks:

—¿Qué demonios estás haciendo?

Apreté los dientes esforzándome por no vomitar.

—Sacarla de aquí —le espetó ella desde algún lugar lejano.

—¡No puedes moverla tan deprisa! —vociferó cubriéndome de polvo, como si pudiera proporcionarme un aura falsa—. No va tan despacio porque sienta dolor, sino para no perder el aura. ¡Acabas de dejársela en el ascensor!

—¡Oh, Dios mío! —exclamó Ivy con un hilillo de voz. Entonces sentí el calor de una mano sobre mi hombro—. ¡Lo siento, Rachel! ¿Estás bien?

Me estaba recuperando a una velocidad asombrosa, y el mundo dejó de dar vueltas. Levantando la vista, guiñé los ojos hasta que conseguí enfocarla.

—Sí —respondí inspirando con cuidado—. Pero no corras tanto.

Mierda. ¿Cómo iba a resistir el viaje en coche?

Ivy tenía una expresión asustada y alargué el brazo para tocarle la mano, que seguía sobre mi hombro.

—Estoy bien —insistí arriesgándome una vez más a inspirar profundamente—. ¿Dónde estamos?

Ivy se puso en marcha de nuevo, pero esta vez a paso de tortuga. Jenks, que volaba junto a nosotras, asintió con la cabeza.

—En el ala infantil —susurró ella.

14

Impaciente, apreté con fuerza las rodillas mientras Ivy me empujaba por el pasillo. Habíamos dejado atrás el largo corredor que pasaba por encima de la entrada de ambulancias y, como bien había dicho Jenks, nos encontrábamos en el ala infantil. Una horrible sensación de temor y de familiaridad se apoderó de mí, haciendo que se me formara un nudo en la garganta.

El olor era diferente al del resto del hospital, pues se mezclaba con el aroma a polvo de talco y a ceras de colores. Las paredes estaban pintadas de un tono amarillo mucho más cálido, y las barandillas… en ese momento me quedé mirándolas mientras pasábamos junto a ellas. Además de la habitual, había otra algo más abajo, y su presencia me partió el corazón. La parte inferior estaba decorada con dibujos de cachorritos de perro y gatitos. Y también un arcoíris. Los niños no deberían enfermar. Pero lo hacían. De hecho, muchos morían allí, y no era justo.

Sentí que los ojos se me llenaban de lágrimas y Jenks se posó en mi hombro.

—¿Te encuentras bien?

¡No es justo! ¡Maldita sea!

—No —dije esforzándome por sonreír para que no le pidiera a Ivy que parara. Podía oír a los niños hablando en voz alta, con la intensidad propia de los pequeños cuando saben que les queda poco tiempo para hacerse oír.

Estábamos pasando por delante de la sala de juegos, con las cortinas de sus altas ventanas descorridas para que se viera la nieve, y las luces del techo encendidas haciendo que la estancia estuviera tan iluminada como si fuera mediodía. Era poco después de la medianoche, y solo los niños inframundandos estarían despiertos, la mayoría de ellos cenando en su habitación con al menos uno de sus padres, si no los dos. Si podían permitírselo, la mayoría de los padres visitaban a sus hijos en las horas de las comidas para comer con ellos y recrear así una parte de la convivencia familiar, y los niños, sin excepción, tenían demasiado corazón como para decirles que lo único que conseguían era que su hogar les pareciera aún más lejano.

Lentamente, avanzamos por delante de la iluminada habitación con sus ventanas negras por la oscuridad de la noche. No me sorprendió verla prácticamente vacía, salvo por un puñado de niños cuyos padres estaban demasiado lejos para pasarse a la hora de comer o tenían otras responsabilidades. Estaban solos y no paraban de hablar. Sonreí cuando nos vieron, pero me quedé estupefacta cuando uno de ellos gritó el nombre de mi amiga.

De inmediato, la mesa de la esquina del fondo se quedó vacía, y los miré asombrada cuando, antes de que pudiéramos darnos cuenta, nos encontramos rodeadas de niños con pijamas de colores vivos. Una de ellos arrastraba entusiasmada el soporte del suero y tres habían perdido el pelo por culpa de la quimioterapia, que seguía siendo legal después de la Revelación, a diferencia de otros biomedicamentos mucho más efectivos. La mayor de los tres, una niña delgaducha con la mandíbula apretada, se quedó atrás con una hastiada determinación. Llevaba un pañuelo rojo atado al cuello a juego con el pijama que le confería el aspecto de una encantadora chica mala.

—¡Ivy, Ivy, Ivy! —gritó de nuevo un niño de mejillas sonrosadas de unos seis años, que me pegó un susto de muerte cuando se lanzó a abrazarse a las piernas de Ivy con entusiasmo. Ivy se puso como un tomate y Jenks se echó a reír, despidiendo una lámina de polvo dorado.

—¿Has venido a comer con nosotros y a lanzarle guisantes al loro? —preguntó la niña con el suero, y yo me giré para ver mejor a Ivy.

—¡Un pixie, un pixie! —exclamó el niño aferrado a las piernas de Ivy, y Jenks salió disparado para escapar de su alcance.

—Eh…, voy a echar un vistazo a las enfermeras —dijo nerviosamente, elevándose hasta el techo. Entonces se escuchó un coro de quejas e Ivy se desembarazó del niño y se arrodilló haciendo que todos estuviéramos al mismo nivel.

—No, Daryl —dijo—. Estoy ayudando a mi amiga a salir de aquí para que se tome un helado, así que bajad la voz antes de que nos descubran.

De inmediato los gritos se convirtieron en risitas ahogadas. Uno de los niños sin pelo, el del pijama con dibujos de *cowboys*, echó una carrera hasta el final del pasillo y se asomó a la esquina. En ese momento nos hizo un gesto con los pulgares hacia arriba y todos suspiramos. Eran solo cinco, pero parecía que todos conocían a Ivy, y se arremolinaban a nuestro alrededor como lo que eran, niños.

—Es una bruja —dijo el niño de las mejillas sonrosadas, que había vuelto a aferrarse a las piernas de Ivy, alzando el tono de voz de un modo despótico. Tenía una mano en la cadera y estaba claro que se había autoproclamado rey del lugar—. No puede ser tu amiga. Las vampiresas y las brujas no se llevan bien.

—Tiene el aura de color negro —añadió la niña con el suero, mientras reculaba. Sus ojos eran saltones, pero, cuando observé su cuerpo, rellenito y saludable, supe que sobreviviría. Era una de esas pequeñas que llegaban y, tras pasar allí una temporada, se marchaban para no volver jamás. Debía de ser muy especial para que la hubieran admitido en la pandilla de los que… no iban a disfrutar de un final feliz.

—¿Eres una bruja negra? —preguntó la niña que había mantenido las distancias. Tenía unos enormes ojos marrones que contrastaban con su demacrado rostro, castigado por la medicación. No se apreciaba ni un atisbo de miedo en su mirada, pero no porque desconociera su realidad, sino porque sabía que se estaba muriendo y que yo no sería la causa. Sentí una gran pena por ella. Anticipaba lo que le esperaba, pero todavía no estaba preparada para marcharse. Otra cosa más de la que ocuparme.

Al escuchar la pregunta, Ivy se revolvió nerviosa.

—Rachel es mi amiga —dijo con sencillez—. ¿Crees que yo tendría amistad con una bruja negra?

—¡Quién sabe! —sentenció Daryl con altivez. En ese momento alguien le dio un pisotón que le hizo soltar un quejido—. ¡Pero si su aura es negra! —protestó—. Y tiene una marca demoníaca. ¿Lo ves?

Todos se retiraron asustados excepto la niña alta del pijama rojo; ella se limitó a quedarse delante de mí, mirándome la muñeca y, en lugar de esconderla como solía hacer cuando alguien la señalaba, giré la mano para que todos pudieran verla.

—Me la hice cuando un demonio intentó matarme. —Consciente de que la mayoría de ellos tenía que conseguir la sabiduría de toda una vida en unos pocos años y no tenía tiempo para fingir, a pesar de que el fingimiento era lo único que les quedaba—. Tuve que aceptar algo horrible para sobrevivir.

Los pequeños asintieron con los ojos muy abiertos, pero el reyezuelo alzó la barbilla y, con los brazos en jarras, me miró con una actitud terriblemente encantadora. Era como una versión regordeta y con mofletes de Jenks.

—Eso es malvado —declaró absolutamente convencido de que estaba en posesión de la verdad—. No deberías hacer nunca algo malvado. Si lo haces, te conviertes en una persona maléfica y vas al infierno. Me lo ha dicho mi madre.

Me sentí morir cuando la más pequeña, la del suero, se alejó aún más tirando de su amiga para que se apartara con ella.

—Lo siento —susurró Ivy poniéndose en pie y agarrando las empuñaduras de la silla de ruedas—. No pensé que fueran a acercársenos. No pueden entenderlo.

Pero el caso era que sí lo entendían. En sus ojos se leía la sabiduría del mundo. Lo entendían demasiado bien y, al percibir su miedo, sentí que el corazón se me volvía de color gris.

Ivy hizo amago de espantarlos con las manos y los niños rompieron el círculo. Todos menos la niña flacucha con el pijama rojo. Al ver mi amargura, extendió su minúscula y suave manita y, con el dedo meñique estirado, me cogió la muñeca con delicadeza. Acto seguido me la giró y comenzó a pasar el índice por el círculo y la línea.

—La amiga de Ivy no es mala por haber hecho algo para sobrevivir que le hace daño. Tú te tomas un veneno para matar las células malas que hay en ti, Daryl. Igual que yo. Te hace daño, te cansa y te da ganas de vomitar, pero si no lo hicieras, morirías. La amiga de Ivy aceptó una marca demoníaca para salvar su vida. Es lo mismo.

La expresión imperturbable de Daryl flaqueó y comenzó a avanzar hacia mí. No quería parecer cobarde o, peor aún, cruel. Entonces se asomó por encima de la silla de ruedas para verme la cicatriz y alzó la vista. En su pequeño rostro redondeado se dibujó una sonrisa de aceptación. Yo era una de ellos, y lo sabía. Entonces relajé la mandíbula y le devolví la sonrisa.

—Lo siento —dijo escalando para sentarse en mi regazo. La respiración se me aceleró por la sorpresa, pero mis manos rodearon su cuerpo con naturalidad para colocarlo de manera que no se cayera. Él, por su parte, dio un saltito y se acomodó, colocando su cabecita bajo mi barbilla y dibujando con el dedo las líneas de la cicatriz como si quisiera memorizarlas. Bajo el olor a jabón se percibía un lejano olor a verdes campos. Entonces parpadeé para no derramar las lágrimas que se agolpaban en mis ojos e Ivy me puso una mano en el hombro.

La sonrisa de la niña del pijama rojo era como la de Ceri, sabia y frágil.

—En tu interior no eres mala —dijo dándome golpecitos en la muñeca—, solo estás herida. Entonces puso una mano sobre el hombro de Daryl y, mirando al vacío, murmuró—: Todo se arreglará. No se debe perder la esperanza, siempre queda una posibilidad.

Su comentario se acercaba tanto a cómo me había sentido mientras crecía que me incliné hacia delante y, con Daryl entre medias, le di un abrazo.

Daryl se deslizó hacia abajo, contoneándose para zafarse de nosotras, y se hizo a un lado con expresión incómoda, aunque visiblemente complacido por que lo hubiéramos incluido.

—Gracias —dije cerrando los ojos mientras la estrechaba entre mis brazos—. Necesitaba que me lo recordaran. Eres muy sabia.

—Mi madre dice lo mismo —dijo la niña con expresión seria y los ojos muy abiertos—. Me ha contado que los ángeles quieren que vuelva para que les enseñe cosas sobre el amor.

En ese momento cerré de nuevo los ojos, pero no sirvió de nada, pues una cálida lágrima empezó a descender por mi mejilla.

—Lo siento —me disculpé enjugándomela. Acababa de infringir una de las normas secretas—. Hace mucho que no vengo por aquí.

—No pasa nada —dijo ella—. Puedes hacerlo siempre que no haya padres delante.

La garganta se me cerró y le agarré la mano. Era lo único que podía hacer. Jenks chasqueó las alas a modo de advertencia y los niños suspiraron al unísono y se apartaron cuando aterrizó en mi mano tendida.

—Saben dónde estáis —dijo.

Ivy, que casi se había olvidado de nuestros perseguidores, dio la vuelta a la silla y, echándola ligeramente hacia atrás, se volvió para mirar a nuestras espaldas.

—Tenemos que irnos —comunicó a los niños.

En lugar de las quejas que cabía esperar, se retiraron respetuosamente, volviéndose en dirección al distante taconeo. El rey se irguió y sugirió:

—¿Queréis que los entretengamos?

Alcé la vista para mirar a Ivy, cuya sonrisa había transformado por completo su rostro.

—Si conseguimos escapar, la próxima vez os contaré dos cuentos —les prometió haciendo que se iluminaran sus infantiles rostros.

—Marchaos —dijo la niña del pijama rojo, apartando al rey para que nos dejara pasar con las amables manos de la madre que nunca llegaría a ser.

—¡Salvemos a la princesa bruja! —gritó el niño echando a correr por el pasillo. Los demás se dispersaron como mejor pudieron, algunos desplazándose a toda velocidad y otros despacio, con los vivos colores de la infancia degradados por las cabezas sin pelo y los andares demasiado lentos en comparación con su entusiasmo.

—Se me saltan las lágrimas —dijo Jenks sorbiéndose la nariz mientras volaba hasta Ivy—. ¡Joder! ¡Voy a llorar!

Mientras los observaba, el rostro de Ivy mostraba una profunda emoción que no había visto jamás, pero se deshizo de ella, apretó los labios y se puso en marcha. Miré hacia donde nos dirigíamos y sus rápidos pasos parecían cargar con la desesperación de no poder hacer nada por salvar a los niños.

Jenks se nos adelantó, llamó al ascensor y se situó delante del sensor para retenerlo mientras Ivy me introducía en él y me daba media vuelta. Las puertas se cerraron dejando atrás la trágica sabiduría del ala infantil. Inspiré profundamente y sentí una opresión en la garganta.

—No pensé que fueras a entenderlos —dijo quedamente—. Les has caído muy bien.

—¿Entenderlos? —dije con el corazón hecho trizas y sin que se hubiera deshecho todavía el nudo de mi garganta—. Soy una de ellos. —Y, tras un instante de vacilación, le pregunté—: ¿Vienes mucho por aquí?

El ascensor se abrió mostrando un vestíbulo más pequeño y acogedor, con un árbol de Navidad y objetos decorativos del solsticio; y más allá, junto a la acera nevada, un enorme Hummer negro con el motor encendido.

—Más o menos, una vez a la semana —dijo empujándome hacia la puerta.

Jenks canturreaba feliz algo sobre un caballo sin nombre mientras la mujer del mostrador estaba al teléfono, sin quitarnos ojo de encima. No obstante, mis miedos se disiparon por completo cuando la vi agitar una mano para indicarle a quienquiera que hablara con ella que no había nadie en el pasillo. Tan solo Dan.

Dan era un chico joven vestido con el uniforme de celador que nos franqueó la puerta con una amplia sonrisa.

—¡Deprisa! —nos exhortó mientras Jenks se zambullía en el interior de mi chaqueta y yo me subía la cremallera—. Os están pisando los talones.

Ivy sonrió.

—Gracias, Dan. Te traeré un poco de helado.

—Más te vale —respondió sonriendo de oreja a oreja—. Voy a contarles que me has golpeado.

Ella soltó una carcajada y, con ese agradable sonido en mis oídos, salimos del hospital.

Hacía un frío infernal, pero las puertas del Hummer se abrieron de golpe y dos vampiros vivos saltaron de él.

—¡Oye, Ivy! Esa no es Erica —dije cuando vi que se dirigían derechitos hacia nosotros. Iban vestidos con vaqueros negros y camisetas a juego que resultaban intimidantes, y me puse tensa.

—Ha traído ayuda —dijo Ivy mientras Erica salía del asiento trasero. La hermana de Ivy parecía una versión más joven de ella sin su bagaje emocional: vivaracha, jovial y dinámica. Piscary nunca se había fijado en ella porque Ivy se había preocupado de distraer su atención. A diferencia de Ivy, que era cínica y reservada, la joven y dicharachera vampiresa viva era la personificación de la inocencia, y mi amiga habría hecho cualquier cosa por que siguiera siendo así, incluso inmolarse si era necesario.

—¡Oh, Dios mío! —chilló la joven—. ¿De veras te estás fugando del hospital? Me ha llamado Ivy y le he dicho: «¡Oh, Dios mío! Pues claro que iré a recogeros». Entonces Rynn se ha ofrecido a traerme con su coche y me ha parecido una idea genial. Al fin y al cabo, a nadie le gusta que vayan a recogerlo en la furgoneta de su madre.

—¿Rynn Cormel está aquí? —murmuré, poniéndome nerviosa de repente. Entonces di un respingo cuando los dos fornidos vampiros vivos vestidos con vaqueros negros y camisetas a juego entrelazaron los brazos a mi alrededor y me cogieron en volandas. El frío no parecía afectarles, lo que me pareció muy injusto. Unas cicatrices antiguas convertían el cuello de uno de ellos en una masa informe, pero el otro tenía solo una, y era relativamente vieja.

»¿Qué le ha pasado al coche de tu madre? —pregunté a Ivy, y Erica se puso a juguetear con el cuello de su abrigo mientras sus botas de punta fina hacían un pequeño agujero en la nieve.

—Se estampó contra un árbol —explicó—. Siniestro total. Pero no fue culpa mía. Fue una ardilla kármica.

¿Ardilla kármica?

—Luego te lo explico —dijo Ivy inclinándose hacia mí. La embriagadora mezcla de incienso vampírico y calor masculino me rodeó y casi me llevé una decepción cuando los dos hombres me dejaron en el asiento trasero y se largaron. No los había visto en mi vida; no pertenecían a la antigua camarilla de Piscary.

—¿Estás bien? —pregunté a Erica mientras se acercaba a mí deslizándose por el asiento.

—¡Oh, sí! Pero mi madre casi se muere por segunda vez.

Ivy se había subido al asiento delantero y, con una expresión excepcionalmente relajada, se asomó a la parte posterior.

—La única persona que estuvo a punto de morir dos veces fuiste tú —le dijo a su hermana, que se puso a jugar con las delgadas tiras de cuero negro que le colgaban de las orejas. Seguía vistiéndose al estilo gótico, con el cuello cubierto con un atrevido encaje, y un collar con unos tomatitos intercalados con la calavera y los huesos cruzados. Me pregunté qué estaba haciendo con Rynn Cormel, demasiado sofisticado para ella, pero Ivy no parecía preocupada y a Erica se la veía más feliz que nunca.

Sobre el asiento había un periódico doblado; mi suspiro al ver la fotografía del centro comercial se tornó en un gesto de desagrado cuando leí: «Bruja huye del Circle, ¿causa de la trifulca?». *¡Qué guay!*

—¿Estamos todos? —preguntó una voz con un herrumbroso acento neoyorquino desde mi izquierda, y yo di un respingo. No me había dado cuenta de que Rynn Cormel estaba en la esquina. ¡Joder! El atractivo y madurito político retirado estaba justo a mi lado y, ¡Dios!, olía de maravilla. Su corbata de vivos colores estaba aflojada e iba algo despeinado, como si Erica hubiera estado toqueteándole el pelo. Con su sonrisa universalmente conocida, capaz de cambiar el mundo, y que mostraba tan solo un ligero asomo de sus colmillos, dobló el periódico y lo escondió. Dirigió la vista hacia el espejo retrovisor e hizo un gesto a la conductora para que nos fuéramos de allí.

La puerta de la derecha se cerró con un portazo obligándome a acercarme aún más al vampiro muerto y provocando que se me acelerara el pulso. Ivy se desplazó hasta el centro del asiento delantero y el otro vampiro se acomodó a su lado. Con el ruido de la puerta al cerrarse, la inquietud se apoderó de mí. Estaba en un coche con un vampiro muerto y cinco vivos. Empezaba a oler increíblemente bien allí dentro y, si a mí me gustaba cómo olían, a ellos también les gustaría el olor que percibían; es decir, el mío.

—Oh, oh —masculló en el mismo momento en que empezábamos a movernos y Rynn se echó a reír con la diplomacia de un veterano en la materia.

—No debe tenerme ningún miedo, señorita Morgan —dijo con los ojos de un tranquilizador marrón bajo la luz de las farolas—. Tengo otros planes para usted.

Sus palabras podrían haberse interpretado como una amenaza, pero sabía de sobra cuáles eran sus planes, y no incluían que sus dientes se clavaran en mi cuello. Más bien lo contrario.

—Lo sé, pero… —protesté cuando Erica me empujó aún más hacia él y, a juzgar por las risitas y los botes que daba, se lo estaba pasando en grande. Llevaba mallas negras y minifalda y no parecía tener ni pizca de frío.

—Reduce un poco —pidió Ivy—. Si vas demasiado rápido, se marea.

En aquel momento me quedé con la mirada perdida y, de pronto, me di cuenta de que apenas me quedaba un remoto vestigio de vértigo, a pesar de que nos movíamos a mucha más velocidad que en el ascensor.

—Estoy bien —dije quedamente.

Ivy se volvió para mirarme con cara de sorpresa justo en el momento en que pasábamos lentamente bajo una farola. Asentí con la cabeza y se volvió de nuevo.

—Gracias, Ivy. Y gracias también a ti, Jenks —dije en el momento en que la conductora aminoraba la marcha para entrar en la carretera.

—Para eso estamos, ¿no? —respondió la voz amortiguada del pixie—. Y ahora, ¿qué te parece si me dejas respirar un poco?

Me bajé la cremallera del abrigo hasta que me gritó que ya era suficiente. Entonces recordé a los niños y me incliné para echar un vistazo al enorme edificio que se erguía a nuestras espaldas, sabiendo exactamente hacia dónde mirar. Apiñados junto al enorme ventanal de cristal blindado, había cinco rostros pegados al vidrio. Los saludé con la mano y uno de ellos me devolvió el saludo. Satisfecha, me acomodé en el asiento del coche de Rynn Cormel prometiéndome a mí misma que volvería y les traería mi antiguo juego de café. O quizás los muñecos de peluche. Y helado.

—Gracias por venir a recogernos, señor Cormel —dije.

El vampiro inspiró profundamente y el sonido, casi inaudible, pareció penetrar hasta lo más profundo de mi ser y arrancar un largo y silencioso acorde. Un calor me invadió y me descubrí mirando al vacío, relajada del todo, deleitándome en el atisbo de promesa que despedía. No se parecía en nada al patético sondeo del joven vampiro no muerto del centro comercial y el cuello de Ivy se puso rígido.

Rynn Cormel se inclinó hacia delante para tocarle el hombro.

—Ha sido un placer —me dijo, a pesar de que sus dedos reposaban sobre Ivy—. En realidad venía de camino para hacerle una visita. Tengo cierta información que darles.

Los ojos de Ivy estaban completamente negros cuando se dio la vuelta para mirarnos.

—¿Sabes quién mató a Kisten?

Contuve la respiración, pero el vampiro sacudió la cabeza.

—Sé quién no lo hizo.

15

El ambiente del interior del Hummer cambió radicalmente cuando dejamos a Erica en su trabajo. Aliviada, observé que la alegre vampiresa se despedía con la mano y entraba airosamente en la empresa de seguridad informática mientras el conserje armado le sujetaba la puerta y nos hacía una breve señal de asentimiento con la cabeza. Se comportaba como una ingenua, hablaba como una ingenua y vestía como una adinerada ingenua; sin embargo, pegado a aquel elaborado disfraz gótico y a su apariencia superficial, había un cerebro. Y, a diferencia de lo que sucedía con Ivy, el comportamiento de Erica de cara al exterior no era una máscara para ocultar una profunda depresión.

—¡Por el amor de Dios! —masculló uno de los guardaespaldas de Cormel cuando arrancamos de nuevo—. Esa chica no calla la boca ni un momento.

En otras circunstancias le habría respondido con algo como que las mujeres tenían que compensar las carencias masculinas en esa área, pero tenía razón. El único momento del día en que Erica no estaba dándole a la lengua era cuando dormía.

Relajando los hombros, me recosté sobre la tapicería de cuero para disfrutar del espacio que había dejado Erica. Estaba caliente, y despedía una gran cantidad de feromonas vampíricas. Hacía mucho tiempo que no me había visto expuesta a una cantidad como aquella. Mis relaciones con los vampiros habían descendido drásticamente desde la muerte de Kisten.

De repente, un sentimiento de desasosiego cundió en mi interior y abrí los ojos. No quería codearme de nuevo con vampiros, por muy agradable que hubiera sido... y que lo estuviera siendo. Habría supuesto un lento declive hacia la pasividad y, una de dos, o me habría matado lentamente u obligado a reaccionar de forma explosiva. Lo sabía. E Ivy también. Tal vez la muerte de Kisten había sido una bendición, por muy duro que hubiera resultado. No podía decir que hubiera sido malo para mí; me había fortalecido en cosas que no sabía que fuera débil y me había enseñado una cultura que, por lo general, se adquiría solo mediante la experiencia. Su muerte me rompió el corazón, desbancó mi ignorancia y me salvó de mí misma... y no quería restarle importancia olvidando lo que me había enseñado.

Los recuerdos agridulces se arremolinaron en mi mente y me erguí en mi asiento para sujetar con firmeza el bolso que reposaba en mi regazo. Junto a mí, el elegante Rynn Cormel se tocó la boca con el dorso de la mano. Creo que estaba sonriendo y me sonrojó el suponer que había visto cómo me ponía en guardia.

Rynn Cormel no era un maestro vampírico al uso. No llevaba muerto el tiempo suficiente para superar la difícil barrera de los cuarenta años, y no intentaba disimular la edad a la que había muerto, pues mantenía una atlética apariencia de cuarentón, con su pelo negro azabache con ligeros destellos plateados y su rostro mostrando las primeras y sutiles arrugas que ayudaban a los hombres a conseguir trabajos mejor pagados y que las mujeres trataban de ocultar. Sabía que había empezado a desconfiar, pero no fingía no haberse dado cuenta. No se dedicaba a hacer afirmaciones enigmáticas del tipo «no serviría de nada», haciendo que pudiera interpretarse a la vez como una promesa o una amenaza. Era tan condenadamente… normal. Político.

Lo miré de arriba abajo, desde su pelo recién peinado, pasando por su abrigo negro de cachemir, hasta sus relucientes zapatos negros. El calzado era muy poco apropiado para el clima, pero tampoco se podía decir que fuera a pillarse un resfriado. Todo era por mantener su imagen.

Al ver la atención que le prestaba, Cormel sonrió. Era alto, iba bien vestido y tenía un buen cuerpo. Su sonrisa era agradable y sus modales acogedores, pero no era guapo ni tampoco destacaba en nada, pues era demasiado pálido y demacrado para resultar atractivo…, hasta que sonreía, con lo que conseguía cortarle la respiración a cualquiera. Su sonrisa había salvado el mundo literalmente, pues había conseguido mantenerlo unido en un momento en el que todo saltaba por los aires y cohesionarlo de un modo diferente después de la Revelación. Era la promesa de amable honestidad, seguridad, protección, libertad y prosperidad. Y al verla dirigida a mí, me obligué a apartar la mirada y me coloqué un mechón de pelo detrás de la oreja.

Ivy se había puesto tensa al percibir lo que estaba sucediendo en el asiento trasero por las señales que yo estaba enviándole de forma inconsciente. ¡Maldición! Todo el coche podía hacerlo. Cuando se volvió para vernos, tenía el ceño fruncido por la preocupación.

—El hospital mandará a la poli en su busca hasta que consigamos tramitar el papeleo para la baja voluntaria —dijo—. No quieren que les pongan una demanda si sufre un colapso.

Jenks soltó una carcajada desde mi abrigo y di un respingo, pues había olvidado que estaba allí.

—¿Qué posibilidades tenemos de que no suceda? —preguntó con sarcasmo justo antes de salir para sentarse en mi hombro, en el calor de mi bufanda, aprovechando que Erica no estaba.

—Lo hemos arreglado para quedarnos en casa de un amigo, no muy lejos de la iglesia, y así Jenks puede responder los teléfonos —explicó Ivy nerviosamente apartando la mirada de Cormel para dirigirla hacia mí. Por la forma en que lo hizo se percibía una mezcla de miedo e indefensión, no el miedo cerval que le había provocado Piscary cuando me había mirado, sino el miedo a que Cormel pudiera empezar a interesarse por mí. No se trataba de celos, era miedo al abandono—. Si te diriges hacia la iglesia, te indicaré el camino conforme nos acerquemos —concluyó.

Jenks soltó una risita socarrona.

—¿Cuántas veces has perdido el conocimiento este año, Rachel?

Ofendida, intenté verlo, pero estaba demasiado cerca.

—¿Quieres perder tú el conocimiento ahora mismo, Jenks?

—Me encantaría que os alojarais en mi casa —dijo Cormel, con sus manos enguantadas reposando tranquilamente en su regazo—. Dispongo de mucho espacio desde que he vuelto a convertir las plantas superiores en un apartamento. Desgraciadamente, solo hay una cama, pero una de vosotras puede dormir en el sofá.

¿En el sofá?, pensé lacónicamente. Sabía de sobra que deseaba que Ivy y yo compartiéramos algo más que el alquiler, pero no percibí ni el más mínimo asomo de insinuación en el tono de su voz. Además, no podía pasar la noche en su casa. Tenía que coger mi espejo adivinador para llamar a Al y pedirle un día libre, y todo eso antes del amanecer. En aquella época del año, el sol salía sobre las ocho, y estaba empezando a impacientarme.

—La semana pasada nos trajeron el Chickering —dijo Rynn Cormel situándose de manera que toda su atención recayó sobre mí—. ¿Has oído a Ivy tocar el piano, Rachel? Tiene una sensibilidad extraordinaria. Deberían haberla estimulado para dedicarse a ello de manera profesional. —Entonces sonrió—. Aunque aún dispondrá de varios siglos para emprender ese camino si en algún momento lo deseara.

—Sí —respondí recordando las pocas veces que había llegado a casa y la había encontrado perdida entre las teclas. Siempre paraba, pues el piano la dejaba más expuesta y desnuda de lo que quería que yo la viera.

—¡Estupendo! —dijo Cormel inclinándose para tocar el hombro de la conductora—. Haz el favor de llamar y pedir que enciendan la calefacción.

Cerré los ojos brevemente ante el malentendido y sacudí la cabeza.

—Oh, no. Me refería a que sí la he oído tocar, pero no podemos quedarnos.

—Gracias de todos modos, Rynn —intervino Ivy quedamente, como si hubiera estado esperando a que fuera yo la que dijera que no—. Jenks necesita poder ir a casa para ocuparse de la empresa. Nadie arrestará a un pixie, pero es probable que surjan problemas y no quiero estar en mitad de los Hollows cuando llamen a nuestra puerta.

Cormel arqueó sus oscuras cejas, que, debido a la palidez de su piel, parecían más marcadas en la penumbra.

—¿Os puedo invitar a cenar, al menos? Desde que dejé la oficina no he tenido tiempo de organizar eventos sociales tanto como estoy acostumbrado. Curiosamente, he descubierto que lo echo de menos. —En aquel momento esbozó una tenue sonrisa y se acomodó con el sonido del cachemir deslizándose—. Es sorprendente cuántos acuerdos políticos se pueden conseguir con una copa de buen vino. Tasha está fuera, y no creo que pueda soportar otra noche escuchando hablar de nuestros métodos de seguridad y de cómo mejorarlos.

La conductora se rió por lo bajo, pero cuando inspiré para rechazar la oferta educadamente, Cormel inclinó la cabeza, deteniéndome.

—Necesito unas cuantas horas para conseguir agilizar los trámites de tu baja voluntaria. Podrás estar durmiendo tranquilamente en tu iglesia mañana por la mañana. Déjame que haga esto por ti. Además, necesito hablar con Ivy de lo que he descubierto.

Ivy me miró a los ojos suplicándome que dijera que sí. Era obvio que le gustaba aquel hombre y, sabiendo cómo la había tratado Piscary, me resultaba difícil negarme. Por otra parte, yo también quería saber quién había matado a Kisten. En ese momento, pensando que dudaba, Jenks susurró:

—¿Por qué demonios no aceptas?

La cena era el pequeño precio que tenía que pagar por mi baja voluntaria y por la información sobre Kisten, de manera que asentí, y la expectación sustituyó a mi débil cautela. Ivy sonrió y la conductora realizó un lento giro de ciento ochenta grados para dirigirse hacia el puerto de los Hollows.

—¡Excelente! —dijo Cormel dedicándonos una sincera sonrisa con los labios cerrados—. Jeff, ¿te importaría llamar para asegurarte de que nos dejan algo de cenar? Y cerciórate de que preparen dos sitios más en la mesa y de que guarden algo para Jenks.

El vampiro vivo sentado junto a Ivy sacó su móvil y apretó un único número. Jeff era el que solo mostraba una cicatriz, pero habría apostado cualquier cosa a que tenía otras bajo la camiseta. Su agradable voz grave apenas se oía por el ruido de la calefacción, que había subido para Jenks o, posiblemente, para mí. Cormel e Ivy hablaban de cosas superficiales mientras las tripas se me cerraron aún más hasta que Cormel abrió una rendija de la ventana para librarse de la tensión que yo despedía. Creía que mi entusiasmo se debía a que iba a enterarme de lo que había averiguado Cormel sobre la muerte de Kisten, pero apenas divisamos el puerto, me di cuenta de dónde provenía realmente la adrenalina.

Apenas las ruedas entraron en la calle menos transitada, un antiguo miedo empezó a abrirse paso a través de mí, prendiendo un recuerdo. Nos dirigíamos al Piscary's.

Al bajar la vista, descubrí que tenía las manos agarradas con fuerza y me obligué a separarlas cuando redujimos la marcha. El lugar tenía más o menos el mismo aspecto, una apacible taberna de dos pisos rodeada por quince centímetros de nieve intacta. Las luces del piso superior estaban encendidas y alguien corría las cortinas en ese momento. Habían eliminado parte del aparcamiento y unos árboles jóvenes se erguían donde antiguamente se veían oxidados coches de dos puertas. Un pequeño muro en construcción debía de servir de valla a un jardín que todavía no existía, a la espera de la primavera y sus temperaturas más cálidas. No había ninguna embarcación atracada.

—¿Te encuentras bien, Rachel? —preguntó Jenks.

Exhalé al mismo tiempo que me esforzaba por separar de nuevo las manos.

—Sí —respondí quedamente—. Es que no había estado aquí desde la muerte de Kisten.

—Yo tampoco —dijo él, aunque en realidad no había estado allí en su puñetera vida. Excepto cuando yo estaba aquí metiéndome en líos.

Lancé una mirada a Ivy mientras nos desplazábamos lentamente hacia la entrada lateral donde antaño los camiones descargaban productos provenientes del mundo entero. Tenía buen aspecto, pero había estado allí con la suficiente frecuencia como para que el dolor se hubiera disipado. Todo el mundo estaba en silencio cuando nos detuvimos delante de la puerta cerrada que conducía a la zona de carga. Un vampiro se bajó para abrirla, y las alas de Jenks me hicieron cosquillas en el cuello cuando se acurrucó para protegerse del frío.

—Rachel, ¿preferirías que fuéramos a un restaurante? —preguntó Cormel solícito mientras se elevaba la puerta automática—. No se me había ocurrido que mi casa podía traerte malos recuerdos. He hecho algunos cambios —añadió, intentando engatusarme—. No es la misma.

Ivy me observaba como si pensara que era una miedica y yo lo miré fijamente a los ojos, casi negros en la tenue luz.

—Son solo recuerdos —dije.

—Espero que además de los malos, haya alguno bueno —dijo mientras el coche entraba en la fría, seca y oscura zona de carga. Sentí un leve hormigueo en mi cicatriz cuando la oscuridad nos rodeó. Ofendida, me quedé mirándolo hasta que el hormigueo desapareció. ¿Acaso estaba intentando conquistarme? Si me ataba a él, haría todo lo que él quisiera, convencida de que había sido idea mía. Y cuando el vampiro cerró de nuevo la puerta automática sumiéndonos en la más absoluta oscuridad excepto por los faros, me di cuenta de lo vulnerable que era. *Mierda*.

—Entremos. Así podrás ver los cambios que he hecho —dijo Cormel afablemente y, mientras el pulso se me aceleraba, las puertas del Hummer empezaron a abrirse.

Me deslicé por el largo asiento en dirección a la puerta con el bolso en la mano y, cuando todos empezaron a moverse de un lado a otro para acercarse lentamente a los escalones de cemento que conducían a la puerta trasera, fingí que me arreglaba el abrigo antes de bajar. Aquella podía ser la última ocasión que tenía de hablar a solas con Jenks hasta que llegáramos a casa.

—¿Cómo está mi aura? —le pregunté.

Él respondió con un suspiro del tamaño de un pixie.

—Delgada, pero sin agujeros. Creo que los sentimientos que los niños han despertado en ti han contribuido a reforzarla.

—¿Así que se debe a los sentimientos? —murmuré, decidiendo en el último momento dejar el bolso en el Hummer mientras cogía la mano del vampiro que me sujetaba la puerta y me deslizaba cuidadosamente hasta el suelo de cemento.

—¿A qué creías que se debía? —preguntó, riéndose, desde mi bufanda—. ¿A los pedos de algún hada?

Suspiré y sacudí la cabeza cuando advertí la mirada inquisitiva de Ivy. No me gustaba ir dando tumbos por ahí con un aura tan tenue, pero Jenks decía que había mejorado y confiaba en que nadie me mordiera. Era evidente que estaba indispuesta, y eso suponía un freno en el mundo de los vampiros, pues les despertaba un profundo, casi desbordante instinto protector tanto en los no muertos como en los que seguían vivos. Tal vez era aquello lo que percibía.

Uno a uno, los vampiros encargados de la seguridad se agolparon para tomar posiciones hasta que se encontraron tanto delante como detrás de nosotros. Me dirigí obedientemente hacia las escaleras, viendo las ruedas de la bici de Ivy asomando por debajo de una lona. La había aparcado allí durante el invierno después de que yo estuviera a punto de darle un golpe mientras intentaba conducir el coche al interior de nuestra cochera. Las máquinas quitanieves me habían bloqueado el paso y había tenido que acelerar al máximo para abrirme paso a través del grueso montículo artificial.

El pulso se me aceleró por el esfuerzo, y seguí a Cormel hasta la cocina. Al menos, me decía a mí misma, se debía al esfuerzo y no a la expectación. No estaba ansiosa por ver a Kisten por todas partes.

El calor de la cocina me sorprendió y, mientras entrábamos, levanté la vista de las baldosas blancas. Habían quitado la mayoría de los hornos y una buena parte de la encimera. En su lugar, una enorme y cómoda mesa ocupaba la esquina junto a la escalera que conducía a los apartamentos subterráneos. La nueva luz de color ámbar que colgaba encima de ella y la alfombra de algodón de debajo convertían el rincón en un agradable lugar para relajarse y comer en compañía, al calor de los hornos y la posibilidad de conversar.

Inspiré profundamente y descubrí que ya no olía a restaurante, con sus innumerables especias y los persistentes olores de vampiros que no conocía.

Ahora, tan solo percibía el olor cada vez más familiar de Rynn Cormel y el aroma de otra media docena de vampiros entre los que se encontraba Ivy.

Me di cuenta de que mis botas eran las únicas que hacían algún ruido y me ajusté el cuello nerviosamente hasta que Jenks echó a volar.

—Podríamos comer aquí, pero creo que estaremos más a gusto junto a la chimenea —dijo Cormel observando al pixie con una expresión cordial pero cauta—. Jeff, ¿te importaría averiguar por qué Mai todavía no ha empezado con el aperitivo?

Mi preocupación se desvaneció cuando Ivy se quitó el abrigo y, tras dejarlo sobre la mesa, atravesó la antigua puerta de doble hoja. Jenks iba con ella y, movida por la curiosidad, los seguí. Todos mis recelos desaparecieron cuando vi unos cócteles y pizzas *gourmet* en la enorme sala que antiguamente había servido para entretener a los juerguistas más distinguidos de Cincy.

La reluciente barra seguía allí, ocupando una de las paredes, y el techo bajo hacía que la oscura madera de roble pareciera aún más oscura. Las luces que debían iluminar la barra estaban todas apagadas, de manera que era la chimenea encendida la que atraía todas las miradas. Las mesas altas y pequeñas habían sido sustituidas por mobiliario más confortable, mesas de café y alguna que otra mesa auxiliar para los aperitivos, arreglos florales o posibles copas de vino vacías.

Cormel arrojó su abrigo sobre una silla, recordándome a mi padre cuando volvía a casa y se ponía cómodo. Casi se derrumbó en una de las cómodas sillas junto a la chimenea y nos hizo un gesto para que nos uniéramos a él. Su pálida piel y su oscuro pelo entrecano le otorgaban el aspecto de un próspero hombre de negocios que volvía a casa después del trabajo. *Sí, claro.*

Me quité la bufanda y me bajé la cremallera del abrigo, pero todavía no había conseguido desprenderme del frío invernal, y me lo dejé puesto. Mis ojos se movían de un lado a otro mientras seguía a Ivy hacia el hogar. A la derecha de la chimenea, una de las puertas que conducían hacia lo que en otros tiempos había sido un comedor privado estaba abierta; pude ver una alfombra y parte de una cama en el lugar donde antiguamente se erguía una enorme mesa. Un vampiro de seguridad cerró la puerta con despreocupación al pasar por delante, y supuse que la habían convertido en una habitación para invitados. El suelo estaba rayado en las zonas en las que antiguamente el tráfico era mayor y los apliques de luz seguían estando a una distancia similar a la longitud de una mesa, pero aquella estancia tenía el aspecto de una sala de estar, enorme, de techos bajos, decorada al estilo del norte, con sus muebles de madera redondeada y sus paneles oscuros.

Cormel había elegido una silla e Ivy se había acomodado en el sofá que estaba delante del fuego. Pensando que iban a juzgar el lugar en el que me sentaba, lo hice cuidadosamente junto a Ivy, no demasiado cerca de ella, pero sin que tampoco pareciera que me apretujaba en la esquina.

El vampiro no muerto esbozó una sonrisa ladeada e, inclinándose hacia delante, se frotó las manos y alzó las palmas delante del fuego como si tuviera frío. ¡Maldición! Era muy bueno.

Me sentía fuera de lugar con el abrigo puesto, así que me lo quité y descubrí que la temperatura era muy agradable. Rynn había hecho un gesto a uno de sus empleados para que se acercara e Ivy le estaba dando todos mis datos personales para que solicitara la baja voluntaria. Estaba empezando a notar el calor suficiente para prestar atención cuando Jenks bajó volando por las escaleras despidiendo una estela de polvo dorado que revelaba que se sentía satisfecho.

—No tendrás que preocuparte por la policía durante un tiempo —dijo mientras se desenrollaba la ropa invernal y dejaba al descubierto el ajustado traje negro que llevaba debajo—. Tiene a cinco vampiros encargados de la seguridad: los tres que vinieron con nosotros más los dos que estaban aquí. Incluso, por la forma en que lanza los cuchillos, no me extrañaría que la mujer de la cocina también fuera miembro del equipo de seguridad.

—Gracias, Jenks —dije, consciente de que no me lo decía solo porque estuviera preocupado por la AFI o por la SI, sino para dar a entender a nuestro anfitrión que no éramos estúpidos y que controlábamos la situación.

—Cormel tiene un equipo de seguridad excelente —aseguró, añadiendo más tela azul con su traje de invierno, Jenks se unió al brazo del sofá—. Profesional. El equipamiento es nuevo y no confundas las sonrisas que ves con compasión en una situación de estrés.

—Ya lo he pillado —dije, y luego alcé la vista cuando el asistente de Cormel asintió con la cabeza y se marchó.

—Adoro la cinta roja —intervino Cormel reclinándose sobre el respaldo con expresión complacida— atada con un nudo gordiano. —Me quedé mirándolo fijamente y añadió—: Cualquier nudo puede cortarse con una espada lo bastante grande. Tendrás lo que necesitas en diez minutos.

Jenks se alzó unos tres centímetros y descendió de golpe cuando el tipo con el cuello destrozado que nos había traído hasta allí entró con una botella de vino blanco abierta. Tomé mi copa, prometiéndome que no bebería, pero cuando Cormel se puso en pie, supe que iba a hacer un brindis.

—¡Por la inmortalidad! —exclamó en un tono que casi sonaba desesperado—. Para algunos, una carga; para otros, una alegría. ¡Brindo por las largas vidas y los largos amores!

Todos nos llevamos las copas a los labios y Jenks murmuró:

—Y porque los mujeriegos la tengan aún más larga.

Me atraganté, y Jenks se elevó sobre una brillante columna de risas.

Ivy lo había oído, y se inclinó hacia atrás con una mirada severa en su rostro, pero Cormel seguía en pie y di un respingo cuando una de sus manos se posó sobre mi hombro y la otra me quitó la copa mientras tosía como una condenada.

—¿Quieres un vino más suave? —preguntó solícito dejándola sobre la mesa—. Perdóname. Todavía estás convaleciente. Jeff, trae un vino más dulce —dijo, y yo agité la mano a modo de protesta.

—No hace falta —acerté a decir—. Se me ha ido por el conducto equivocado. Eso es todo.

Ivy descruzó las piernas y bebió otro trago.

—¿Necesitas esperar en el coche, Jenks?

A través de las lágrimas que se acumulaban en mis ojos, vi que el pixie esbozaba una sonrisa burlona. Debía de estar más roja que el almohadón con el que me hubiera gustado pegarle. Siguiendo sus movimientos hasta la cálida repisa y lejos de mi alcance, tomé otro trago para aclararme la garganta. El vino era magnífico, y mi promesa de evitarlo se vio mitigada por la convicción de que probablemente jamás podría permitirme una botella como aquella. Además, una sola copa bebida a pequeños sorbos no me haría daño...

Ivy dejó su copa y se acercó al fuego para arreglarlo, lo que dejó un amplio espacio entre Rynn Cormel y yo.

—¿Estás segura de que no quieres quedarte a pasar la mañana? —preguntó a través del sofá vacío—. Me sobra de todo menos compañía.

—Solo cenar, Rynn —dijo Ivy. Su silueta contrastaba enormemente con la luz del fuego y, cuando bajó la mano pasando muy cerca de Jenks, este alzó el vuelo mascullando blasfemias—. Has dicho que sabías quién mató a Kisten. ¿Se trata de alguien cuya ausencia se notaría? —quiso saber.

En realidad, lo que estaba preguntando es si podía reclamar que pagara con su vida, y reprimí un escalofrío al darme cuenta de lo profundo que era su dolor.

Cormel dejó escapar un suspiro, aunque no necesitaba respirar, sino hablar.

—No es que sepa quién lo mató, sino que sé quién no lo hizo. —Ivy abrió la boca para protestar y el vampiro alzó una mano para que esperara—. Piscary no debía ningún favor a nadie —explicó Cormel—. No había tenido contacto con ningún vampiro de fuera de la ciudad, de manera que debe de tratarse de un nativo de Cincy, y probablemente siga aquí.

Al ver su preocupación paternal, algo en mí saltó.

—Como tú —le solté a bocajarro—. Tal vez fuiste tú.

Jenks chasqueó las alas a modo de nerviosa advertencia, pero el vampiro no muerto sonrió y apenas dejó entrever un leve atisbo de temblor en un párpado que delataba su enfado.

—Tengo entendido que estás empezando a recordar algunas cosas —afirmó con rotundidad, consiguiendo que mi bravuconada se desvaneciera por completo—. Y dime, ¿mi olor te resulta familiar? No te olvidarías de mí si te hubiera inmovilizado contra la pared. —Su mirada se endureció—. Lo sé.

Volví a respirar cuando se giró hacia Ivy, con su caparazón de humanidad de vuelta a su lugar.

—Tú has estado en el barco, Ivy —dijo con voz dulce—. ¿Alguna vez he estado allí?

Ivy estaba tensa, pero negó con la cabeza.

No argüí que podría haber enviado a alguien para que lo hiciera porque los vampiros no trabajaban así. Si Kisten hubiera sido un regalo para Cormel, lo habría aceptado sin pensárselo dos veces y no tendría ningún inconveniente en admitirlo. Estaba cenando con un jodido animal, así que incliné la cabeza con un falso gesto de arrepentimiento y dije en voz baja:

—Disculpa. Tenía que preguntar.

—Lo entiendo. No me has ofendido.

Aquello empezaba a provocarme náuseas. Todos estábamos fingiendo. Bueno, al menos Cormel y yo. Es posible que Ivy todavía estuviera viviendo la mentira. Le sonreí y Cormel me devolvió la sonrisa; encarnó la viva imagen de la elegancia y la comprensión cuando se adelantó a llenarme la copa de vino, yo me incliné a mi vez para aceptarla.

—A excepción de mí —dijo mientras se retiraba e Ivy se relajaba—, no ha entrado en la ciudad ningún otro político poderoso, ni ninguno que buscara ascender en la escala de lo que cabría esperar cuando un maestro vampírico muere definitivamente. Nadie tiene más poder del que debería, lo que no sería el caso si Piscary hubiera mostrado preferencia por alguien. —En ese momento tomó un trago, considerando el sabor, o quizás lo que estaba a punto de decir—. Mucha gente estaba en deuda con Piscary, pero él no le debía nada a nadie.

Ivy regresó del fuego en silencio. No habíamos descubierto nada nuevo y estaba empezando a preguntarme si la muerte de Kisten no sería otra más de sus «jodidas lecciones vitales». Al verla juguetear nerviosamente con movimientos tan sutiles que solo Jenks o yo éramos capaces de reconocer, esperé que no fuera así. En ese caso, es posible que desenterrara al cabrón de Piscary y volviera a clavarle una estaca. Después haría un collar con sus dientes y patitos de baño con sus cojones resecos…

—Lo conozco —dijo Ivy buscando alguna traza de esperanza a la que aferrarse—. El problema es que no consigo ubicarlo.

—¿Tienes algún nombre? —preguntó Cormel.

Podía oír una leve actividad en la cocina, y Jenks se fue volando para investigar.

—No. El olor es demasiado viejo y no es exactamente el mismo. Es como si hubiera estado vivo cuando lo conocí y ahora estuviese muerto. O tal vez un importante cambio en su estatus le haya hecho cambiar de dieta y, en consecuencia, su olor. —En ese momento alzó la cabeza y nos permitió ver que tenía los ojos rojos—. Tal vez intentó disimular su olor para que no pudiera reconocerlo.

Cormel agitó la mano con expresión iracunda como si desechara la posibilidad.

—Entonces no tienes nada —sentenció sin bajar la mano para inducirla a sentarse de nuevo—. Estoy seguro de que la respuesta está aquí, pero he agotado todas mis pistas. Está claro que no he preguntando a la persona correcta. Sin embargo, tú podrías hacerlo.

Ivy exhaló intentando recobrar la compostura.

—¿Y quién es la persona correcta? —preguntó asiendo la mano con la que la agarraba y sentándose.

—Skimmer —dijo Cormel, y yo alcé la vista de golpe—. Conoce todos los secretos políticos de Piscary. Abogados… —El vampiro suspiró de forma elocuente.

—Skimmer está en la cárcel —dijo Jenks volviendo hacia el fuego apresuradamente—. No accederá a ver a Ivy.

Ivy bajó la cabeza con el ceño fruncido. El rechazo de Skimmer la tenía destrozada.

—Es posible que acceda a verte si Rachel te acompaña —sugirió Rynn Cormel, y la esperanza de una posibilidad suavizó el gesto de Ivy. Mi boca, en cambio, se secó.

—¿Crees que cambiaría algo? —pregunté.

Él se encogió de hombros mientras bebía un trago de vino.

—No quiere que Ivy vea cómo ha fracasado, pero espero que tenga algunas cosas que hablar contigo.

Jenks emitió un silbido al inspirar, pero Rynn tenía razón. El rostro de Ivy mostraba la esperanza de que Skimmer quisiera hablar con ella, y aparté a un lado la aversión que sentía por la pequeña y peligrosa vampiresa. Por Ivy. Hablaría con ella por Ivy. *Y para averiguar quién mató a Kisten.*

—Merece la pena intentarlo —dije, pensando que entrar allí con un aura tan débil no era la mejor idea del mundo.

Cormel agitó los pies inquieto. Había sido un gesto muy sutil, y quizás ni siquiera sabía que lo había hecho, pero yo lo vi, y también Jenks.

—Bien —dijo, como si todo estuviera decidido—, creo que están trayéndonos un poco de sushi.

Sus palabras debían de ser una señal, pues las puertas de la cocina se abrieron de inmediato y Jeff y otro vampiro, con un delantal, entraron portando bandejas. Jenks agitó las alas con un resplandor, sin moverse del brazo del sofá.

—No sabía que te gustara el sushi —dije.

—Y no me gusta, pero una de las salsas para mojar lleva miel.

—Jeeeenks —le advertí, mientras Cormel e Ivy hacían un hueco en la mesa de centro que había ante el fuego.

—¿Queeeé? —se quejó, disminuyendo la velocidad de las alas hasta que casi pude ver el esparadrapo rojo—. No pensaba probarla. Iba a coger un poco para llevársela a Matalina. Le ayuda a dormir mejor.

Al ver el atisbo de preocupación en sus ojos, decidí creerle.

Las bandejas tenían un aspecto fantástico y, alegrándome de haber dicho que sí a la invitación a cenar, tomé mis palillos complacida de no tener que romper la madera para utilizarlos. Parecían caros. Los únicos que teníamos en casa eran los que nos sobraban de cuando pedíamos comida china a domicilio.

Observé a Ivy, que manejaba los palillos con la destreza de alguien que se hubiera pasado la vida haciéndolo y, con lo que parecían las extensiones de sus dedos, tomaba tres pedazos diferentes de sashimi y varios rollos con crema de queso y un pescado que debía de ser atún. Al recordar nuestra desastrosa primera cena como compañeras de piso, bajé la vista y puse unos cuantos trozos en mi plato a los que añadí un montón de jengibre. Jenks se quedó suspendido sobre una salsa de color ámbar y puse un poco en mi plato; se la señalé con los palillos para asegurarme de que sabía que era para él, aunque no imaginaba cómo iba a llevársela a casa.

Para cuando Ivy y yo nos retiramos con los platos servidos, Cormel seguía poniéndose salsas.

—Me alegro mucho de que hayáis decidido quedaros —comentó mientras se movía con la espeluznante velocidad vampírica y ponía tres trozos en su plato—. El sushi, cuando estás solo, no es lo mismo. No se llega a captar la variedad.

Ivy estaba sonriendo, pero la demostración de velocidad vampírica me tenía con los nervios de punta. No necesitaba que me recordara que era más fuerte que yo. Y no necesitaba comer. Y el hecho de que estuviera haciéndolo en cierto modo me molestaba.

—Me encanta el sushi —comenté. No quería que se diera cuenta de que me estaba sacando de quicio—. Desde que era niña.

—¿Ah, sí? —Cormel se puso un trozo en la boca y empezó a masticarlo—. Estoy sorprendido.

—Tenía ocho años —dije cogiendo una lámina de jengibre y disfrutando del gusto dulzón—. Creía que estaba muriéndome. Bueno, así era, y lo que no sabía era que me iba a poner mejor. A mi hermano se le metió entre ceja y ceja que tenía que hacer de todo. Lo convirtió en su objetivo un verano.

Mis intentos por coger un rollo se ralentizaron cuando pensé en la niña del hospital y en la forma en que me miraba. Debía regresar y decirle que la esperanza era real. Si yo había sobrevivido, ella también podría hacerlo. Ni siquiera sabía cómo se llamaba.

—Todavía lo estás, ¿sabes? —dijo Cormel, dejándome estupefacta.

—¿Muriéndome? —barboté. Él se echó a reír e Ivy esbozó una tenue sonrisa, sin apreciar la broma.

—Supongo —dijo con los ojos puestos en un segundo rollo—. Yo soy el único de los presentes que no va a volver a realizar ese particular engaño, pero me refería a que todavía te sientes empujada a probar cosas nuevas.

Mis ojos se dirigieron a Ivy.

—No, ya no.

Ivy se revolvió incómoda entre nosotros. Decidida a no admitir la posibilidad de una derrota, tomé un crujiente trozo mucho más mundano de gamba frita y lo comí haciendo mucho ruido.

Cormel sonrió y dejó su plato a un lado habiendo comido un solo rollo.

—Te encuentras en una situación delicada y tengo curiosidad por saber cómo piensas salir de ella.

Jenks chasqueó las alas a modo de advertencia y la tensión aumentó.

—Conseguiré el alta voluntaria tanto si me ayudas como si no… —empecé a decir.

—Te he prometido el formulario y lo tendrás —me interrumpió, sonando ofendido—. Es una forma de sobrevivir a corto plazo, y yo estoy hablando de progresar. De avanzar. De establecerte en una situación segura a largo plazo. —En ese momento agarró la copa y bebió un trago—. Se te ha visto relacionándote con demonios. Se te negó un tratamiento tradicional en la planta de los brujos debido a tus cicatrices demoníacas. ¿Qué crees que significa eso?

—Significa que son idiotas —respondí, alzando la barbilla y dejando el plato de sushi sobre la mesa—. Las medicinas humanas funcionaron de maravilla.

—A los humanos les gustan tan poco los demonios como a los demás —dijo—. De hecho, aún menos. Si continúas tratando con ellos abiertamente, acabarán silenciándote. Probablemente los brujos.

En ese momento, me eché a reír.

—¡Para el carro! —exclamé agitando los palillos—. No sé de dónde sacas tus informaciones, pero los brujos no hacen ese tipo de cosas a sus congéneres. Nunca lo han hecho.

—¿Y cómo lo sabes? —preguntó—. Además, aunque así fuera, no te estás comportando de acuerdo con lo que se espera de ti, y eso los obligará a hacer lo mismo.

Resoplé a modo de burla y volví a concentrarme en la comida. *¿Por qué harán los rollos tan condenadamente grandes? Parezco una jodida ardilla.*

—Ten cuidado, Rachel —dijo Cormel, pero lo ignoré mientras continuaba intentando masticar una bola de arroz y algas demasiado grande para mi boca—. Los humanos pueden ser muy crueles cuando se les acorrala. Esa es la razón por la que ellos sobreviven y nosotros no. Llegaron primero y es probable que sigan aquí mucho después de que hayamos desaparecido. Las ratas, las cucarachas y los humanos.

Ivy puso los ojos en blanco y se llevó a la boca un pegote de una sustancia de color verde. Al ver su incredulidad, Cormel sonrió.

—Ivy no está de acuerdo —dijo—, pero he tenido que interceder en tu favor más de una vez.

En ese momento estaba a punto de sumergir en la salsa mi último rollo de pepino y vacilé.

—Nunca te pedí que lo hicieras.

—No estabas en condiciones de darme tu permiso —dijo—. No te estoy contando esto para que sientas que estás en deuda conmigo, sino para informarte de tu situación. Si los brujos no reaccionan sobre el hecho de que estés negociando con demonios, los vampiros se verán obligados a hacerlo por otra razón.

Dejé los palillos sintiendo náuseas. No tenía más remedio que negociar con demonios, tras haberles comprado la libertad de Trent a condición de que les prometiera convertirme en la discípula de Al.

—Y si no os molesta lo de los demonios, ¿qué es lo que os disgusta tanto?

—Lo que estás haciendo para ayudar a los elfos, naturalmente.

Ivy exhaló y de repente entendí todo.

—¡Oh! —exclamé mientras inspiraba para tranquilizarme y apartaba mi plato. Se me había quitado el hambre. Piscary había matado a mi padre y al de Trent solo porque habían intentado ayudar a los elfos. Y yo había ido más allá de un simple intento, porque los había salvado. Es decir, había conseguido la muestra que Trent había utilizado para hacerlo.

—En los últimos tres meses se han concebido tres elfos —continuó Cormel, y mis pensamientos se trasladaron a Ceri—. Por lo que tengo entendido, todos sanos. Su población aumentará paulatinamente. Los lobos también están en disposición de explotar si las circunstancias lo permiten. Puedes imaginar por qué los vampiros están ligeramente preocupados.

—David no quiere una manada —dije, mientras mi mandíbula empezaba a apretarse.

Cormel cruzó las piernas y su rostro se contrajo en un gesto de desagrado.

—Los humanos se reproducen como conejos en llamas provenientes del infierno, pero llevamos siglos ocupándonos de ello. Tú, en cambio, eres responsable de los elfos y los hombres lobo. En lo que se refiere al aumento de su población, claro está —se corrigió antes de que me diera tiempo a protestar—. Por lo que tengo entendido, los elfos preferirían verte muerta por alguna razón que todavía no he conseguido comprender, lo que significa que los únicos que te podrían proteger son los lobos, y si lo hacen, será con el poder del foco. —En ese momento hizo una pausa—. Lo que incrementaría su número —concluyó.

Yo me dejé caer sobre el respaldo del sofá y solté un suspiro. *No por una buena obra ni nada parecido…*

Rynn Cormel imitó mi posición, pero lo hizo con pausada elegancia, en vez de con la brusquedad nacida del desaliento.

—¿Qué puedes hacer por nosotros, Rachel? —preguntó con los ojos puestos en una silenciosa Ivy—. Necesitamos algo que mejore la opinión que tenemos de ti.

Sabía lo que me estaba pidiendo, quería que encontrara la manera de que los vampiros conservaran su alma después de muertos, y pensaba que lo haría para salvar a Ivy.

—Estoy trabajando en ello —musité con los brazos cruzados a la altura del pecho y la vista puesta en el fuego.

—No me parece que hayas avanzado mucho.

Entonces fruncí el ceño y lo miré fijamente.

—Ivy…

—A Ivy le gusta cómo están las cosas —me interrumpió como si no se hallara sentada entre nosotros—. Tienes que ser más agresiva.

—¡Oye! —exclamé—. Eso no es asunto tuyo.

Jenks alzó el vuelo y se quedó suspendido a un prudencial metro de distancia de Cormel.

—Tienes que aprender a mantener el palo en tu propio tiesto —le recriminó con los brazos en jarras.

—Rynn —le suplicó Ivy—. Por favor.

Pero el hombre demostró quién era (y lo que era) cuando sus ojos se volvieron negros y su aura me golpeó con fuerza.

—Dime que esto no te gusta… —susurró.

Solté un grito ahogado apartándome de él cuando sus ojos tocaron mi marca demoníaca. Me encontraba aprisionada entre la parte posterior del sofá y uno de sus brazos, y no podía alejarme más. Mi exhalación se transformó en un gemido cuando un escalofrío me recorrió y ahondó aún más en las zonas en las que la ropa tocaba mi piel. No podía pensar, jamás había sentido algo tan sorprendentemente íntimo, y la sangre me golpeaba con una fuerza inusitada, diciéndome que me entregara, que me rindiera, que aceptara lo que me ofrecía y disfrutara de ello.

—¡Para! —aulló Jenks—. ¡Para de una maldita vez o te juro que te meteré el palillo por la nariz hasta dejarte el cerebro como un queso gruyer!

—Por favor… —supliqué entre jadeos con las rodillas en la barbilla mientras casi me retorcía en el sofá sintiendo el tacto del cuero como si fuera piel. La sensación provenía de algún lugar que no conocía y… ¡Dios! Era fantástico. ¿Cómo podía ignorarlo? Había saltado sobre mí, situándose a pocos centímetros de mi rostro, y me había mostrado lo que Ivy y yo estábamos eludiendo.

—Rynn, por favor —susurró Ivy, y de pronto la sensación desapareció con la brusquedad de un bofetón.

Mi grito ahogado fue ronco, y sentí la humedad de las lágrimas. Entonces me di cuenta de que tenía la cara apoyada en el sofá y que estaba hecha un ovillo, escondiéndome de la pasión y del éxtasis. Respirando con dificultad, desenredé los brazos y las piernas. No podía enfocar bien, pero lo encontré con la suficiente facilidad, sentando en su silla. Jenks estaba suspendido entre nosotros armado con un palillo. ¡Dios! El vampiro parecía tan imperturbable como una piedra y, más o menos, igual de compasivo. Llevaba una máscara soberbia, pero era un animal.

—Si vuelves a tocarme la cicatriz… —lo amenacé. Sin embargo, ¿qué podía hacer? Era el protector de Ivy y también el mío. Lentamente, el pulso se me moderó, pero el temblor de las piernas no. Sabía que mis amenazas no significaban nada, y me ignoró.

Observé cómo dirigía su mirada hacia Ivy y sentí que la sangre abandonaba mi rostro.

—Ivy —susurré con el corazón hecho pedazos. Sus ojos estaban negros y teñidos por la desesperación. Estaba luchando contra sus instintos. Su maestro había ido a por mí delante de ella, y luego se había retirado, como si estuviera diciéndole: «Acaba tú». Ambas luchábamos contra aquello, y el hecho de que estuviera destrozando sin compasión todo lo que habíamos conseguido hasta ese momento me sacaba de quicio.

—No tienes derecho —dije con voz temblorosa.

—Tú me gustas, Rachel —dijo de pronto, pillándome por sorpresa—. Me gustas desde la primera vez que oí a Ivy hacer una apasionada descripción de ti y luego descubrí que se ajustaba a la realidad. Eres ingeniosa, inteligente y peligrosa. No puedo mantenerte con vida si sigues ignorando que tus actos tienen consecuencias que van más allá de la próxima semana.

—¡No vuelvas a hacernos esto a Ivy y a mí! —le reproché a punto de estallar—. ¿Me has oído?

—¿Por qué? —preguntó con una expresión de confusión demasiado real para que fuera fingida—. No he hecho nada que no te haya hecho disfrutar. Ivy es buena para ti, y tú eres buena para ella. No entiendo por qué os empeñáis en ignorar… la estupenda pareja que hacéis.

No podía alejarme poco a poco de Ivy. Había encontrado el equilibrio. Ignorarla era la mejor armadura que podía proporcionarle.

—Ivy sabe que no es posible un intercambio de sangre sin que exista una relación de dominación. Yo no estoy dispuesta a aceptarla y ella es incapaz de hacerlo.

Él pareció reflexionar unos segundos sobre lo que acababa de decirle.

—Entonces, una de vosotras tendrá que aprender a doblegarse —sentenció como si aquella fuera la solución—. A convertirse en segunda.

Pensé en su vástago, a la que había mandado lejos porque era más sencillo hacer aquello sin su presencia.

—Ninguna de las dos lo hará —dije—. Esa es la razón por la que podemos vivir juntas. Deja. En paz. A Ivy.

Él emitió un leve ruidito.

—Estaba hablando de que Ivy se doblegara, no tú.

Sacudí la cabeza, asqueada.

—Eso es lo que amo de ella —dije—. Si se doblega, me marcharé. Y si soy yo la que se doblega, no conseguirá nada más que un cascarón vacío.

Cormel frunció el ceño y el fuego chasqueó mientras pensaba.

—¿Estás segura? —preguntó. Asentí, sin saber muy bien si aquella respuesta nos salvaría o nos condenaría—. Entonces, es posible que esto no vaya a funcionar —añadió distante.

Jenks, que se había mantenido en silencio hasta ese momento, soltó el palillo.

—¡Sí que lo hará! —protestó mientras chasqueaba las alas—. Me refiero a que Rachel ya ha descubierto muchas cosas. Está trabajando con un demonio muy sabio. ¡Encontrará la manera de que Ivy conserve su alma!

—¡Jenks, no! —dije, pero Cormel estaba pensando, incluso pude ver su inquietud al considerar que la respuesta para salvar a su especie residiera en los demonios.

—Al podría saber la forma de retener las almas después de la muerte —alegó Jenks con sus rasgos angulosos fruncidos por la preocupación por mí.

—¡Cállate! —le grité.

Ivy respiraba con menos dificultad y me arriesgué a mirarla. Sus puños ya no estaban cerrados, pero seguía mirando al suelo y respirando de forma superficial.

—Pregúntale a tu demonio —dijo Cormel mientras Jeff entraba con cautela con un fax en la mano. El hombre miró a Ivy sobresaltado y luego se lo entregó a su maestro. Sin ni siquiera mirarlo, el vampiro no muerto me lo pasó fríamente por encima de Ivy—. Tu alta voluntaria.

La guardé en mi bolsillo.

—Gracias.

—¡Qué oportuno! —exclamó Cormel con ligereza, pero ahora lo veía todo. Sus amables palabras y sus sonrisas no conseguirían engañarme—. Ahora podemos comer con el estómago relajado.

Sí. Claro.

Entonces me volví hacia Ivy y, cuando sus ojos se encontraron con los míos con una creciente aureola marrón alrededor de sus pupilas, me puse en pie.

—Gracias, Rynn, pero tenemos que irnos.

Jenks descendió hasta el brazo del sillón y se envolvió precipitadamente con el trozo de tela, subiendo y bajando las alas mientras lo hacía.

—Ivy… —dijo Rynn Cormel, como si estuviera confundido.

Ella se apartó de él y se aproximó a mí.

—Soy feliz —dijo quedamente pasándome mi abrigo—. Por favor, déjame en paz.

Echamos a andar hacia la cocina con Jenks volando detrás de nosotras, a modo de retaguardia, y arrastrando el trozo de tela que le sobraba en lugar de su habitual estela de polvo.

—Hay muchas cosas que considerar además de la felicidad de dos personas —dijo Cormel alzando la voz, e Ivy se detuvo, con la mano puesta en las puertas batientes.

—Rachel no permitirá que la presionen —dijo.

—Entonces tendrás que arrastrarla, antes de que lo haga algún otro.

Como si fuéramos una sola persona, nos dimos la vuelta y nos marchamos. Detrás de nosotros se oía el ruido incisivo de los palillos y los platos de cerámica al chocar contra la chimenea de piedra. La cocina estaba vacía e imaginé que todo el mundo se había ido a algún otro sitio intentando huir del enfado de Cormel. Jenks se zambulló en mi bufanda y, tras enrollármela alrededor del cuello, suspiré al recordar lo erótico que resultaba un cuello cubierto a los vampiros. ¡Dios! ¡Qué estúpida era!

Ivy vaciló al llegar a la puerta que conducía a la zona de carga.

—Enseguida vuelvo —dijo con un peligroso sesgo en su mirada.

—¿Estás segura? —le pregunté mientras se alejaba. Incómoda, me metí a toda prisa en el frío garaje. No íbamos a volver a casa en el Hummer, así que saqué mi bolso del asiento trasero y, con un gruñido, empujé la puerta hacia arriba, jadeando mientras afrontaba la silenciosa noche. Tendríamos que coger la bici de Ivy, y el viaje iba a ser muy largo y muy frío.

Pero tenía que llegar a casa. Teníamos. Las dos necesitábamos volver a la iglesia y a las pautas de comportamiento que nos mantenían alejadas y, al mismo tiempo, juntas y cuerdas. Tenía que llamar a Al antes de que saliera el sol y suplicarle que me diera un día de descanso. Y ahora tenía que preguntarle si conocía alguna forma de salvar el alma de un vampiro porque, si no lo hacía, podría acabar muerta.

El sonido de las botas de Ivy hizo que alzara la vista y la vi bajar las escaleras con los brazos cruzados.

—¿Estás bien? —le pregunté mientras retiraba la lona de su bicicleta.

Ella asintió con la cabeza.

—Yo estoy bien, tú estás bien e Ivy está jodidamente bien —se escuchó decir a Jenks desde mi bufanda con una voz nasal que indicaba que tenía la nariz tapada—. Todos estamos bien. ¿Podemos salir de aquí de una puñetera vez?

Ivy puso mi bolso a buen recaudo, se subió a la bici y se dio la vuelta para mirarme con expresión expectante.

—¿Vas a llevarme a rastras? —le pregunté con el pulso acelerado y los pies helados.

En la penumbra, sus ojos parecían de un marrón líquido y pude ver lo desgraciada que se sentía.

—No.

Tenía que confiar en ella. Alzando la pierna, me subí a la bici detrás de ella y me agarré con fuerza mientras Ivy sacaba la bicicleta del calor de la zona cubierta y se adentraba en la fría nieve de los últimos días del año.

16

En la cocina hacía calor, y olía a azúcar moreno, pepitas de chocolate y mantequilla. Estaba haciendo galletas con la excusa de que servirían para ablandar a Al, pero la realidad era que quería que Jenks tuviera la oportunidad de entrar en calor. El viaje de regreso a casa había sido muy frío y, aunque nunca lo admitiría, cuando Ivy aparcó la bicicleta en la cabaña del jardín y yo lo entraba a toda prisa en la iglesia, él estaba casi azul. Hacía un buen rato que sus hijos se habían cansado de jugar en la corriente de aire que salía del horno, pero él seguía allí, moviendo las alas lentamente hacia delante y hacia atrás.

Como era de esperar, apenas entramos con la bicicleta descubrimos a un agente de la SI haciendo guardia con gesto severo. Tras hacerse con su copia del alta voluntaria, y sin mediar palabra, se marchó en su coche.

Si no hubiera sido por ese estúpido trozo de papel, en aquel momento estaría de nuevo en el hospital bajo vigilancia, pero gracias a él, estaba allí, sacando la última bandeja de galletas y encontrándome cada vez mejor. Cansada, pero mejor. *¡Toma esa, doctora Mape!*

Eran casi las cuatro de la mañana, la hora a la que solía irme a la cama arrastrando los pies. Ivy estaba delante de su ordenador; cada vez se le hacía más difícil presionar las teclas mientras esperaba, no muy pacientemente, a que llamara a Al y poder pedirle el día libre, pero hablar con los demonios no era tan sencillo. Antes quería que Jenks hubiera entrado en calor y que no tuviera problemas de movilidad. Y un poco de comida reconfortante nunca había hecho daño a nadie.

—Se está haciendo tarde —musitó Ivy, y la aureola marrón que rodeaba sus pupilas se estrechó mientras seguía la pista de algo en el monitor—. ¿Piensas hacerlo pronto?

—Aún faltan varias horas —dije deslizando la última galleta en la fuente que utilizaba para que se enfriaran. Coloqué la bandeja del horno en el fregadero para ponerla en remojo y alcé la vista hacia el reloj que tenía encima—. Relájate. Dispones, exactamente, de cuatro horas y dieciséis minutos. —Su mirada se dirigió hacia mí y colocó los lápices de colores en la jarrita de cerámica que utilizaba como portalápices—. Acabo de arrancar la página del almanaque.

Puse cinco galletas en un plato que coloqué junto al teclado de su ordenador y tomé la de más arriba.

—Quería hacer galletas. A todo el mundo le gustan las galletas —dije.

Ella esbozó una sonrisa y probó delicadamente una galleta con sus largos y delgados dedos.

Jenks se elevó para alejarse del horno. Por fin había entrado en calor.

—¡Oh, sí! Las galletas son la solución —comentó riéndose mientras despedía un poco de polvo—. A Al casi le da un síncope la última vez que le pediste un día de permiso. Y te recuerdo que dijo que no.

—Pues por eso he hecho las galletas, listo. Además, tampoco estaba recuperándome del ataque de una banshee. Esta noche será diferente. *Espero*.

Con los brazos en jarras, el rostro de Jenks adoptó un gesto inusualmente agrio mientras aterrizaba en la isla central junto a mi espejo adivinador.

—Quizás deberías ofrecerle un bocado de alguna otra cosa. Apuesto lo que quieras a que te daría todo un año libre.

—¡Jenks! —le espetó Ivy haciendo que el pixie nos diera la espalda y se quedara mirando por la oscura ventana.

—¿Qué pasa, Jenks? —le pregunté en un tono tirante—. ¿No quieres que hable con el «demonio sabio»? Creo recordar que le dijiste a Rynn Cormel que era un demonio «muy sabio».

De acuerdo, tal vez me había pasado un poco, pero se había estado metiendo conmigo toda la noche y quería saber por qué.

Él se quedó donde estaba, moviendo las alas de manera irregular y, cansada de aquella historia, me senté en mi silla y me incliné sobre la mesa hacia Ivy.

—¿Qué coño le pasa? —pregunté en un tono lo bastante alto como para que me oyera. Ivy se encogió de hombros y me limpié las migas de galleta de los dedos. Rex me miraba desde el umbral y, por si tenía suerte esa vez, le tendí la mano a modo de invitación.

—¡Oh, Dios mío! —susurré cuando la gata se puso en pie y, agitando la cola alegremente, vino hacia mí—. ¡Mira! —exclamé mientras el animal de color naranja golpeaba la palma de mi mano con la cabeza como si fuéramos grandes amigas. Ivy se asomó para verlo y, sintiéndome cada vez más valiente, le coloqué la mano bajo el lomo. Conteniendo la respiración, me alcé y, sin retorcerse siquiera, la gata estaba en mi regazo.

»¡Oh, Dios mío! —susurré de nuevo. El maldito felino estaba ronroneando.

—Es el jodido Apocalipsis —musitó Jenks, y yo acaricié las orejas de la joven gata. Mi sorpresa se transformó en satisfacción cuando Rex se acomodó apoyando el cuerpo sobre las patas. Ivy sacudió la cabeza y se puso a trabajar de nuevo. De ninguna manera iba a echar a perder aquello llamando a Al. Al podía esperar. Sospechaba que Pierce estaba en la cocina y que estaba feliz.

Con Rex todavía en mi regazo, me comí otra galleta mientras me dejaba llevar por los recuerdos de Pierce. Habían pasado diez años y, aunque había cambiado (me había ido de casa, había estudiado, conseguido un trabajo, me habían despedido, había tenido que huir, había salvado una vida, había enterrado a mi novio y aprendido de nuevo a vivir), lo más probable es que él no hubiera cambiado en absoluto. La última vez que lo había visto constituía una atractiva mezcla de fuerza e indefensión, no mucho mayor que mi edad actual.

Sentí crecer una sonrisa y lo recordé haciendo pedazos la puerta del edificio de la SI con un conjuro, noqueando a los guardias de seguridad y alzando un muro a su alrededor para encerrarlos. Todo ello con una extraña torpeza que despertó mi instinto protector. Había derribado a un vampiro no muerto con la energía que había canalizado a través de mí con tal delicadeza que ni lo había sentido, a pesar de que era consciente de que lo estaba haciendo.

Rex ronroneó y seguí deslizando los dedos por su pelo para que no se marchara. No era estúpida. Sabía que Pierce, incluso como fantasma, tenía una mezcla de fuerza y vulnerabilidad que era un auténtico imán para Rachel. Y no estaba tan ciega como para no admitir que sentía un pellizco de atracción. No obstante, a aquella atracción se impuso una inesperada sensación de paz. No iba a meterme de cabeza en una relación, aunque hubiera sido posible. Kisten me había enseñado los riesgos de dejarme llevar por el corazón. Ya fuera porque era una cobarde, o porque había crecido, el caso es que me sentía feliz como estaba. No tenía prisa. Y me gustaba aquella sensación.

Ivy alzó la vista para mirarme y dejó de teclear cuando se dio cuenta de que el aire había cambiado. Con expresión apacible, miró a Jenks. Las alas del pixie se volvieron rojas por la agitación y, tras volar hasta el plato de las galletas, requirió mi atención.

—Ha llamado Marshal —comentó como si fuera la cosa más importante del mundo—. Estabas en el trono. Ha dicho que, si consigues librarte de tu cita con el Gran Al, mañana se pasará a desayunar y traerá dónuts.

—De acuerdo —dije rascándole la mandíbula a Rex y recordando con una sonrisa que, aunque Pierce no era el chico al que había dado mi primer beso, sí era el primero al que había besado como Dios manda.

—Lo acompañará Trent —añadió Jenks con los brazos en jarras—. Y Jonathan.

—Me alegro —respondí acariciando a Rex. A continuación la acerqué a mi nariz para oler el dulce pelo de gata—. Qué gatita tan buena —canturreé—. Qué gatita tan lista que sabe que hay un fantasma en la iglesia.

Jenks batió las alas hasta convertirlas en una neblina, aunque sin moverse ni un centímetro.

—¿Lo ves? —le dijo a Ivy consternado—. Le gusta. ¡Rachel! ¡Ha estado espiándonos! ¿Por qué no empiezas a pensar con la cabeza?

Una oleada de rabia me invadió, pero fue Ivy la que dijo: «Ya basta, Jenks», en un tono rayano con el aburrimiento.

—No está espiándonos.

—¡Pero le gusta! —protestó Jenks agitando las alas tan deprisa que al final el trozo de esparadrapo rojo salió disparado.

Ivy suspiró, mirando primero a Jenks y luego a mí.

—Estamos hablando de Rachel —dijo con una sonrisa—. Le doy tres meses como máximo.

—Sí, pero a este no se lo puede cargar —rezongó Jenks.

Aquello había sido de un extraordinario mal gusto, pero lo ignoré, encantada de que, finalmente, la gata hubiera dejado que la cogiera.

—No les hagas caso, Rexy —dije arrullándola mientras me olfateaba la nariz—. Rachel es una chica sensata. No va a salir con un fantasma por muy sexi que sea. Tiene sentido común como para hacer algo así. Y al quejica de Jenks, que le den. —En ese momento miré con expresión radiante al pixie, que respondió con un gesto de enfado.

—Rachel, suelta a mi gata antes de que metas un montón de ideas extrañas en su cerebro felino.

Con una sonrisa, dejé que Rex saliera del abrigo de mis brazos y se bajara al suelo. Ella se frotó contra mí y se marchó despacio. Se oyeron los vítores de los pixies desde lo alto del santuario y su sombra atravesó sigilosamente la puerta hasta desaparecer bajo el sofá de la sala de estar de la parte posterior de la iglesia.

Cuanto más turbado parecía Jenks, más satisfecha me sentía. Sonriendo, me lavé las manos, puse en una bolsa una docena de galletas para Al y la cerré con un trozo de alambre recubierto de plástico antes de colocarla junto al espejo adivinador. Al ver que me estaba preparando, Ivy cerró el ordenador.

—Voy a por los abrigos —dijo.

Jenks chasqueó las alas, enfadado porque se iba a quedar atrás.

No necesito vuestra ayuda —dije de improviso—. Gracias de todos modos.

—Tu aura es demasiado delgada. Ponnos en un círculo y hazlo aquí —dijo Ivy poniéndose en pie.

En realidad, ponerlos en un círculo no hacía que estuvieran más seguros. A Al le bastaba empujarme hacia dentro y se habría derrumbado. Lo mismo que si hubiera alzado un círculo con nosotros dos en nuestro interior. Y poner a Al solo en un círculo quedaba fuera de toda consideración desde que había empezado a tratarme como una persona, cuando le dije que no volvería a encerrarlo en un círculo. Una persona de segunda clase, pero persona al fin y al cabo.

—¿Qué necesidad hay de arriesgarse? —pregunté, pensando en los hijos de Jenks. Por lo que yo sabía, el demonio podía convertirlos en un montón de palomitas de maíz—. Podéis mirar desde la ventana. *El abrigo... ¡Ah, sí! En el vestíbulo.* ¡Tampoco es para tanto! —grité por encima de mi hombro mientras caminaba hacia la puerta principal. Mis botas también estaban allí. Eran las cuatro de la mañana, el momento más frío del día, e iba a sentarme en un cementerio y hablar con Al. *¡Ohhh! Me encanta mi vida.*

Ivy me alcanzó en el momento en que me ponía el abrigo. Había cogido las botas, cuando di un paso atrás y estuve a punto de chocarme con ella.

—Voy contigo —dijo, con los ojos cada vez más oscuros.

Agucé el oído para escuchar las alas de Jenks y, al no oír nada, susurré:

—No se te ocurra dejar a Jenks aquí solo.

Ella apretó la mandíbula, mientras la aureola marrón de sus ojos se estrechó aún más. Pasé rozándola y me dirigí a la cocina.

—Solo voy a pedirle una noche libre. ¡No es para tanto!

—Entonces, ¿por qué no lo haces aquí? —me respondió a gritos, y se paró al principio del pasillo.

Ivy se encontraba de pie junto al piano. Los tenues destellos luminosos sobre mi escritorio formaban un punto de luz verde con pixies asomando la cabeza desde todos los recovecos.

—¡Porque la última vez perdí el control y pensé que estabais muertos y no voy a arriesgarme si no es necesario! —Ivy inspiró profundamente y se dio la vuelta—. ¡Enseguida vuelvo! —añadí mientras entraba en la cocina.

Jenks seguía en lo alto del monitor de Ivy, con las alas desdibujadas y, por el aumento de la circulación, haciendo que se volvieran de un rojo intenso.

—No me mires así, Jenks —murmuré mientras dejaba caer las botas para ponérmelas y metía los talones con fuerza en su interior, y él me dio la espalda—. Jenks... —le supliqué, deteniéndome cuando sus alas empezaron a zumbar—. No me va a pasar nada —dije, y él giró la cabeza al oír el ruido áspero de la cremallera subiéndose.

—¡Y una mierda de hada! —exclamó, elevándose y poniéndose a dar vueltas a mi alrededor—. ¡Una mierda de hada verde...!

—Cubierta de salpicaduras —terminé por él mientras escarbaba en los bolsillos en busca de mis guantes—. Pasamos por esto todas las semanas. Unas veces aparezco al amanecer, y otras viene él a buscarme. Esconderme en terreno consagrado solo hará que se cabree y le haga una visita a mi madre. Con un poco de suerte, me dará la noche libre, en caso contrario, mandaré a Bis a recoger mis cosas, ¿de acuerdo?

Jenks se quedó suspendido frente a mí con los brazos en jarras. Lo ignoré y recogí el espejo adivinatorio y las galletas. Sabía cuánto detestaba verse atrapado por culpa del frío, pero no iba a poner en peligro a su familia. Era increíblemente bueno en todo lo demás, y no conseguía entender por qué aquello le molestaba tanto.

—Bis estará conmigo —intenté tranquilizarlo y, cuando cruzó los brazos y me dio la espalda, le grité—: ¡No me pasará nada, maldita sea! —Y salí hecha una furia hacia la puerta trasera. *¿Qué demonios le pasa?*

Encendí la luz del porche y tiré con fuerza de la puerta para que se bajara el cerrojo. Vacilando en el rellano, me tomé unos segundos para calmarme, dándome cuenta de lo tranquilo que estaba todo allí fuera mientras me ponía los guantes. La luna se encontraba ya a una distancia considerable del horizonte con un contorno tan afilado que parecía que pudiera cortar papel. De mi boca salía vaho y, la segunda vez que me llené los pulmones, sentí cómo el frío me calaba los huesos. Incluso Cincinnati, distante al otro lado del río, parecía congelada. Si la muerte se podía percibir, era aquello.

Todavía resentida, bajé los escalones cubiertos de sal que conducían hacia el jardín y seguí el mismo camino que había recorrido la semana anterior. Había muchas posibilidades de que Al no accediera a mi petición y me viera obligada a mandar a Bis de vuelta a casa para coger la bolsa que solía llevarme cuando pasaba la noche fuera provocando que Al se echara unas risas y que yo realizara diez hechizos más antes del amanecer del día siguiente.

Miré hacia atrás y descubrí la ventana de la cocina cubierta de pixies, pero Jenks no se encontraba entre ellos. Poco a poco me liberé del sentimiento de culpa por haberme marchado a sabiendas de que no podía seguirme, pero tampoco me iba a enfrentar a ninguna situación peligrosa. Era como cuando le pedías a tu entrenador saltarte la carrera ese día para descansar. Podía llevarme un tortazo, pero no me jugaba la vida.

—No va a colar —me dije entre dientes mientras pasaba por encima del pequeño muro que separaba el jardín en el que cultivaba las hierbas para los hechizos del cementerio. El frío parecía clavarse en mi pecho como un cuchillo, y aminoré la marcha para no congelarme la nariz por respirar demasiado rápido. La fatiga no era nada nuevo y disponía de todos los trucos para mantenerla a raya. Podía sentir la línea luminosa brillando de forma tenue en mi mente, pero en lugar de acercarme a ella, me dirigí hacia la estatua de Pierce. No necesitaba estar encima de una línea para hablar con Al, y el área de tierra no consagrada rodeada por terreno santificado evitaría que Al pudiera deambular por ahí si decidía pasar a este lado.

El monolito de Pierce, que representaba a un ángel de rodillas agotado tras la batalla, resultaba espeluznante; con un aspecto no del todo humano, con los brazos demasiado largos y los rasgos que empezaban a consumirse a causa de la polución y la baja calidad de la piedra. Aquella sería la tercera vez que utilizaba aquel trozo de cemento de color rojo para invocar demonios, y el hecho de que empezara a tomármelo como una costumbre más resultaba preocupante.

—¿Bis? —exclamé alzando la voz. Entonces di un respingo cuando la gárgola aterrizó en el hombro del ángel como una exhalación, levantando una leve ráfaga de aire que olía a polvo de roca.

—¡Por todos los demonios! —grité, volviéndome hacia la iglesia para ver si alguien había notado mi sobresalto—. ¿Qué me dices de una advertencia, tío?

—Lo siento —se disculpó el ser adolescente de treinta centímetros de altura, pero sus ojos rojos giraban divertidos a tal velocidad que supe que no lo sentía en absoluto. Su piel pedregosa se había vuelto negra al absorber todo el calor nocturno que había podido, pero sería capaz de cambiarla, incluso si se encontraba en un estado letárgico, a la salida del sol. Cuando creciera, tendría un mayor control sobre su sueño, pero en aquel momento, como la mayoría de los adolescentes, durante las horas de sol dormía como un lirón. Jenks le permitía vivir en nuestra iglesia a cambio de que vigilara el terreno durante las cuatro horas, alrededor de medianoche, en las que los pixies solían dormir. Había estado haciendo mucho más que eso desde que las temperaturas habían descendido por debajo del nivel de tolerancia de los pixies. Él y Jenks se llevaban de maravilla, puesto que a Bis lo habían echado de su antigua basílica por escupir a la gente y a Jenks eso le parecía estupendo.

—¿Por qué está Jenks enfadado con usted? —preguntó plegando las alas.

Torcí el gesto.

—Porque cree que tiene que protegerme y voy a sitios a los que él no puede venir —expliqué—. ¿Se nos oye desde aquí?

La gárgola se encogió de hombros y miró hacia la iglesia.

—Solo cuando gritan.

Solo cuando gritamos.

Tras sacudir la nieve de la base de la estatua del ángel, dejé las galletas en el suelo y saqué el espejo.

—¡Guau! ¡Qué alucine! —exclamó Bis en el momento en que el cristal de color vino devolvió el reflejo de la luz de la luna. Bajé la vista para mirarlo y sentí cómo el frío atravesaba la piel de mis guantes. Estaba de acuerdo con él, aunque era de la opinión de que algo que se utilizaba para invocar demonios no debería ser hermoso. Aquel era mi segundo espejo, hecho con un palo de madera de tejo, un poco de sal, vino, una pizca de magia y un montón de ayuda de Ceri. El primero lo había estrellado contra la cabeza de Minias cuando el demonio me había dado un susto de muerte. Ceri también me había ayudado a hacerlo. Era un glifo de contacto, no una maldición invocadora, y el pentáculo rodeado por un doble círculo junto con los símbolos podía abrir una senda hasta siempre jamás y con cualquier demonio con el que quisiera hablar. No necesitaba conocer su nombre de invocación, solo el común. Eso, y la palabra mágica que permitía entrar en contacto con la magia comunal del demonio. Algunos días deseaba no conocer aquella palabra.

Con los nervios a flor de piel, me encorvé para sentarme en el borde del monolito, junto a las galletas, y coloqué el espejo sobre mis rodillas intentando que no se cayera. A continuación, me quité el guante de la mano derecha y coloqué la palma en la cavidad del amplio pentáculo. El cristal tintado me pareció congelado sobre mis dedos desnudos, y el espejo hechizado trasladó el frío de la noche a mi interior. Alzando la vista hacia Bis, que me vigilaba muy de cerca, dije:

—Si Al se presentara, sitúate en terreno consagrado, ¿de acuerdo?

La gárgola, del tamaño de un gato, agitó nerviosamente las alas.

—Vale.

Satisfecha, presioné con mayor firmeza y estiré la mano para tocar la cercana línea luminosa.

La energía que parecía haber captado el frío de la noche se abrió paso y se contrarrestó en mi interior con una inusual oleada de vértigo. Sorprendida, me incliné hacia atrás hasta que mis hombros chocaron con la estatua en busca de equilibrio. *¿Qué demonios es esto?* El flujo de energía era irregular y hacía que me sintiera casi mareada. La extraña sensación podía deberse a la delgadez de mi aura. Tal vez las auras funcionaban como filtros para nivelar las subidas y bajadas y convertirlos en una corriente constante. Cuanto más tiempo sujetaba la línea, peor me sentía.

Bis descendió y se situó junto a mi rodilla con expresión preocupada; las garras de sus zarpas parecieron aumentar de tamaño al entrar en contacto con la nieve.

—¿Se encuentra bien, señorita Morgan? —preguntó.

Asentí lentamente con la cabeza.

—Estoy algo mareada —dije apoyando de nuevo el espejo sobre las rodillas para esconder detrás de mi oreja el mechón de pelo que flotaba en el aire.

—Su aura sigue siendo demasiado fina —dijo Bis—. ¿Está segura de que es una buena idea hacer esto?

Lo miré pestañeando para librarme de los restos del vértigo.

—¿Puedes ver las auras? —pregunté. Apenas terminé de decirlo, puse los ojos en blanco. Bis era capaz de ver todas y cada una de las líneas luminosas de Cincinnati, del mismo modo que yo podía ver auras en el cielo diurno. Cuando él me tocaba, yo también podía verlas. ¿Cómo no iba a ver las auras?

Allí fuera hacía un frío glacial, y dado que ya estaba conectada a una línea, solo me faltaba llamar a Al. Con un ligero temblor de manos producido por el mareo, presioné fuertemente con la mano y pensé: *Mater tintinnabulum* para abrir una conexión. La energía de la línea luminosa penetró en mi interior y mis labios se separaron cuando jadeé. ¡Dios! Tener un aura tan fina era una mierda (sentía que iba a marearme de nuevo) y me pregunté cuánto tardaría en volver a la normalidad.

Cerrar los ojos era aún peor, de manera que me esforcé por mantenerlos abiertos. Era como si me encontrara en un enorme espacio abierto, pero a diferencia de las ocasiones anteriores, en las que me parecía escuchar a un montón de gente hablando en susurros, solo percibía unas pocas voces. *Al*, pensé de nuevo, concretando mi objetivo, y sentí que una parte de mí salía volando en una dirección desconocida mientras una débil vibración parecía retumbar en mi mente.

Estaba contactando con el demonio, lo que era diferente de invocarlo. Si invocaba a Al en el interior de un círculo, estaría sometido a mis caprichos y se vería atrapado en el interior hasta que saliera el sol o consiguiera escapar por medio de algún engaño o por falta de interacción con la persona que lo había invocado. Por otro lado, también estaría cabreado, puesto que tendría que pagar el precio de cruzar las líneas. No, estaba llamándolo, que resultaba mucho más barato desde el punto de vista de las máculas demoníacas. Podía ignorarme, aunque nunca renunciaba a la oportunidad de charlar un poco y de lucirse. También podía utilizar la conexión para dar el salto hasta nuestra realidad, y aquella era la razón por la que lo hacía allí fuera. Por mucho que hubiéramos llegado a un acuerdo, Algaliarept era un demonio, y no tendría el más mínimo inconveniente en hacer daño a Ivy o a Jenks solo para que me enfadara y verme impotente.

Como era de esperar, el demonio respondió de inmediato, y el inusual vértigo debido a la delgadez de mi aura se desvaneció. Mi visión periférica se restringió hasta que mi campo visual quedó reducido a una especie de túnel.

¿Bruja piruja?, retumbaron sus pensamientos en los míos. Parecía sorprendido y confundido, y fue casi como si pudiera escuchar el elegante y preciso acento de la televisión británica que solía utilizar. No tenía ni idea de por qué hablaba así. *Es pronto*, pensó, dándome la impresión de que se esforzaba por ordenar las ideas que flotaban en su mente. *Es pronto, ¿verdad?* A continuación vaciló unos instantes y pensó: *¡Maldita sea! ¡Pero si son las cuatro de la mañana! Si lo que quieres es que intercambiemos mi nombre de invocación por esa vieja marca de Newt, la respuesta es no. Me gusta la idea de que me debas dos marcas, y estoy disfrutando de que no me obliguen cada dos por tres a cruzar las líneas para contestar a alguna pregunta estúpida proveniente de alguna persona estúpida. Incluida tú.*

La preocupación de que nunca cumpliera nuestro acuerdo se apoderó de mí, pero necesitaba su nombre para ganarse la vida y, antes o después, querría recuperarlo. Estaba endeudado hasta las cejas y, por si no bastara, tenía que sufrir la humillación de no disponer de un familiar que le preparara los hechizos y maldiciones. Para colmo, ahora vivía en un cuchitril de mala muerte en lugar de en la mansión subterránea de diez habitaciones de la que se quejaba continuamente. Había tenido que venderla toda, a excepción de la cocina y la habitación delantera, para sobornar a los peces gordos demoníacos y que le dejaran en libertad condicional.

A pesar de sus continuas quejas, no era tan desdichado, pero yo era la única bruja viva cuyos hijos, técnicamente, podían ser demonios... y le pertenecía. Bueno, más o menos. Era su discípula, no su familiar, y solo disponía de mí una vez a la semana. Por desgracia para mí, era los sábados. No es que estuviera saliendo con nadie, pero a las chicas les gusta tener los fines de semana libres por si acaso.

El hecho de que todavía estuviera en posesión de su nombre de invocación implicaba que no podía seguir ejerciendo por cuenta propia su trabajo de engañar a gente estúpida para que se convirtieran en siervos demoníacos y venderlos al mejor postor. La posibilidad de que pudieran invocarme a través de su nombre no me resultaba tan molesta como había pensado en un principio. Se me daba tan bien hacer que se aterrorizaran que no se les volvería a ocurrir invocar a Al y estarían a salvo. Tan pronto como Al se enterara, querría recuperar su nombre. Esperaba.

La curiosidad se apoderó de él cuando me quedé en silencio, y finalmente añadió: *¿Qué quieres? Si crees que voy a dejarte volver antes mañana por haber empezado antes hoy, te equivocas.*

Busqué a Bis con la mirada. La gárgola parecía preocupada, movía inquieta sus zarpas y utilizaba la punta de una de sus alas para rascarse la espalda.

—Esto... —dije en voz alta para que el joven ser de piedra pudiera escuchar, al menos, la mitad de la conversación—. ¿Podrías darme la noche libre? No me encuentro muy bien.

Percibí una ligera confusión de fondo, pero Al estaba solo, de lo contrario habría captado sus pensamientos sobre quienquiera que estuviera con él. *¿Que no te encuentras bien?*, pensó. Entonces vaciló y tuve la impresión de que no estaba contento con su aspecto. Sentí un ligero aumento de energía en su mente, seguido por un arrebato de satisfacción, entonces añadió: *¿Quieres que te dé la noche libre porque no te encuentras bien? No.*

Percibí que estaba a punto de interrumpir la conexión y le espeté:

—Pero ¡si te he hecho galletas! —gimoteé sabiendo que si me hacía la tonta, tal vez cediera. Sabía de sobra que no era estúpida, pero le gustaba que me lo hiciera, como si pudiera manipularlo. Y, al fin al cabo, era eso lo que hacía, de manera que estaba por ver quién era el más listo de los dos.

El leve cosquilleo que provenía de él tocó los faldones de terciopelo verde y encaje, y supuse que se estaba acicalando.

¿Y qué demonios me importa?, pensó, pero había surgido un destello de interés oculto y sonreí al ver la expresión preocupada de Bis.

Exhalé, sin importarme que Al pudiera percibir mi alivio por el hecho de que no se hubiera largado dejándome con la palabra en la boca.

—Escucha, ayer me atacó una banshee y me succionó la mayor parte del aura. No me encuentro bien y me mareo cuando intercepto una línea, de manera que no creo que pueda serte de mucha utilidad.

Se me ocurren otras muchas cosas que hacer, pensó, *y para ninguna de ellas hace falta estar de pie.*

—Muy gracioso, pero estoy hablando en serio —le dije preguntándome a mí misma por qué lo había interrumpido. Su mente estaba concentrada en... ¿ordenar su casa? *¡Por Dios bendito! ¿Iba a ordenar su casa para mí?*—. Me hubiera gustado traerte la baja, pero he tenido que escaparme del hospital para venir a hablar contigo.

Sentí un arrebato de rabia y luego, de forma totalmente inesperada, se desvaneció. Entonces desvié la vista hacia Bis. Mierda. ¿Al iba a cruzar la línea?

—¡Márchate, Bis! —exclamé alarmada. Entonces solté un grito ahogado cuando una oleada de vértigo me sobrepasó como si hubiera sido una enorme ola.

—¡Señorita Morgan! —gritó Bis.

Aparté el espejo de mi regazo mientras luchaba por no vomitar. El dolor siguió a las náuseas. Sentía como si tuviera la piel ardiendo, y la energía vibrante me golpeó con fuerza al no contar con el aura para nivelar las subidas y bajadas. Las piernas no me respondían y, cuando intenté ponerme en pie, caí al suelo. Golpeé con el costado el pavimento cubierto de nieve arreglándomelas para estirar los brazos y no partirme la nariz.

—¿Señorita Morgan? —insistió Bis, y yo me encogí de dolor cuando me tocó y me sentí a punto de explotar. ¡Maldición! Me había encontrado bien hasta que Al me había tocado para que el viaje le saliera más barato. La losa de cemento que tenía debajo estaba dura, y la mejilla me ardía en contacto con la nieve.

Percibí el olor a ámbar quemado y, de pronto, aparecieron un par de relucientes zapatos con hebillas ante mis ojos apretados por el dolor.

—¡Corre, Bis! —acerté a decir entre jadeos. A continuación inspiré fuertemente cuando el dolor desapareció con una brusquedad que me llenó de alegría. La energía de la línea había desaparecido, y solo quedaba yo, tirada sobre la nieve.

—¡Por todos los demonios! ¿Qué estoy haciendo sobre la nieve? —escuché decir a Al con su refinado acento británico—. Levántate, Morgan. Ahí tirada, pareces una fregona.

—¡Au! —me quejé mientras me agarraba el hombro con una de sus manos enguantadas y me alzaba de un tirón. Me tambaleé, pues durante uno o dos segundos, mis pies no encontraron el suelo.

—¡Deja en paz a la señorita Morgan! —dijo una voz grave y profunda desde detrás de mí, y a pesar de que todavía no me había soltado, me las arreglé para mirar a mis espaldas.

—¿Bis? —farfullé, y Al me dejó caer. Tambaleándome, conseguí recobrar el equilibrio poniendo una mano en el pecho de Al, estupefacta. Bis había utilizado el calor de su cuerpo para derretir un trozo de nieve y había aprovechado el agua para aumentar de tamaño. En aquel momento era de mi misma altura, su piel era de un negro veteado y tenía las alas extendidas para parecer aún más grande. Sus músculos, henchidos de agua, se contraían y se relajaban desde sus curtidos pies hasta sus nudosas manos. Probablemente pesaba demasiado como para echar a volar y, cuando Al dio un paso atrás, la gárgola emitió un silbido mostrando una larga y bífida lengua. ¡Maldición! Le salía vapor por todos los poros de su cuerpo.

Sentí cómo Al tocaba la pequeña línea que cruzaba el cementerio y di un respingo.

—¡Al! ¡No! —grité, sintiéndome indefensa entre un par de ojos rojos y una gárgola con los ojos del mismo color, afilados cuernos, y sus brazos extendidos en dirección a cada uno de ellos. *¿Desde cuándo Bis tenía cuernos?*

—¡Es solo un niño! —le grité a Al—. ¡No le hagas daño, Al! ¡Es solo un niño!

Al vaciló y miré a Bis por encima del hombro, sorprendida por el cambio. Los trols de los puentes también podían cambiar de tamaño con agua.

—Bis, no tienes de qué preocuparte. No me hará daño. Ivy no me habría dejado salir sola si no fuera así. Relájate…

La tensión disminuyó cuando Bis dejó de silbar. Poco a poco se irguió y su tamaño se redujo ligeramente por el repliegue de las alas. Las manos de Al dejaron de brillar, y percibí una extraña sensación cuando empujó un montón de energía de vuelta a la línea.

Al resopló con fuerza mientras se ajustaba el abrigo y se recolocaba las chorreras.

—¿Desde cuándo tienes una gárgola? —preguntó con sarcasmo—. Me lo has estado ocultando, bruja piruja. Tráetela esta noche, y podrá tomar té y galletas de argamasa con la mía. Hace siglos que la pobre Treble no tiene nadie con quien jugar.

—¿Tienes una gárgola? —pregunté mientras Bis se movía con torpeza. No estaba acostumbrado a tal cantidad de masa.

—¿Cómo, si no, sería capaz de interceptar una línea subterránea de semejante profundidad? —preguntó el demonio con forzada satisfacción—.

Por cierto, es muy inteligente de tu parte disponer ya de una. —Este último comentario lo hizo con acritud, y me pregunté qué otras desagradables sorpresas se estaba reservando.

—Bis no es mi familiar —dije esforzándome por mantenerme erguida después de que la fatiga se hubiera apoderado de nuevo de mí tras el brusco descenso de adrenalina—. Al, de veras necesito que me des la noche libre.

Al escuchar mis palabras, el demonio apartó la vista de la oscuridad de la noche y pareció concentrarse de nuevo en mí.

—¡Levántate! —dijo tirando de mí una vez más—. Y sacúdete la nieve —añadió dándole golpes a mi abrigo para deshacerse de la capa crujiente—. ¿Cómo demonios se te ocurre llamarme en mitad de la nieve teniendo una cocina tan adorable?

—No me fío de lo que puedas hacerles a mis amigos —dije—. ¿Podemos saltarnos esta semana?

Su mano enguantada se abalanzó hacia mí y me agarró de la barbilla antes de que se me pasara por la cabeza la idea de apartarme. Entonces reprimí un grito ahogado y Bis se puso a gruñir.

—Tu aura está tan delgada que casi podría rasgarse… —dijo el demonio quedamente, tirando de mi rostro hacia delante y hacia atrás mientras sus ojos de pupilas rasgadas se asomaban a ocho centímetros fuera del contorno de mi cuerpo—. Es demasiado delgada para trabajar con las líneas, por no hablar de viajar por ellas —sentenció con expresión asqueada soltándome la barbilla—. No me extraña que te hayas dado de narices contra el suelo. Duele, ¿verdad?

Di un paso atrás y me froté donde me había tocado, como si todavía pudiera sentirlo.

—Entonces, ¿me das la noche libre?

Él se rió.

—No seas ingenua, por supuesto que no. Simplemente me acercaré un momento a casa y traeré una cosita que hará que mi querida bruja piruja se sienta muuuuucho mejor.

Aquello no sonaba nada bien. Ya había consultado mis libros, y había descubierto que no existía ningún hechizo de magia blanca que ayudara a recuperar el aura de una persona. Y tampoco sabía de ninguno de magia negra. Si hubiera existido, los vampiros lo conocerían, teniendo en cuenta que era eso lo que los no muertos chupaban de sus víctimas junto con la sangre.

—¿Una maldición? —pregunté reculando hasta que sentí a Bis detrás de mí.

—Si no lo fuera, no funcionaría —declaró Al mientras me observaba por encima de los cristales ahumados de sus gafas y mostraba sus compactos dientes en una sonrisa—. Puede que no me queden muchas cosas, pero lo que sí tengo es una buena colección de auras, guardadas en bonitos tarros alineados, de la misma manera que alguna gente colecciona vino. Me he especializado en el siglo XVIII. Fue un buen siglo para las almas.

Reprimí un escalofrío y me dije a mí misma que se debía al frío.

—Gracias, pero prefiero esperar a que la mía se recupere por sí sola.

—Como si me importara algo lo que tú prefieras. —Dándose la vuelta para agarrarse los faldones de la levita, Al miró a través del cementerio hacia la cercana línea luminosa—. Vuelvo en cinco minutos —dijo empezando a desvanecerse—. En cuanto recuerde dónde escondió Ceri esas pequeñas cositas. Espérame aquí —ordenó señalando la línea como si yo fuera un perro—. No quiero que te desmayes cuando regrese. Y coge tu bolsa. Tendrás que pagar por esto empezando temprano hoy. Enseguida vuelvo.

—Al… —me quejé, cabreada por que intentara disimular su tacañería con un supuesto interés por mi bienestar. No le importaba si me desmayaba o no, pero no le saldría demasiado caro regresar a siempre jamás si estaba en una línea y, aunque no lo reconocería, la situación económica de Al era tan delicada que incluso aquella minúscula diferencia resultaba importante.

—Ahí —dijo Al apuntando hacia el suelo. Acto seguido, un tenue resplandor cayó en cascada sobre él y desapareció, dejando solo las huellas de sus zapatos en la nieve y un persistente olor a ámbar quemado.

Irritada, solté un bufido y miré el alto muro que rodeaba la propiedad. Iba a tener que esperar otras veinticuatro horas para acompañar a Ivy a hablar con Skimmer. Por no hablar de que la SI podría encontrar a Mia durante ese tiempo y alguien más podría acabar muerto. Preocupada por el sonido de un chorro de agua, me giré hacia Bis, sorprendida al encontrarlo escupiendo por todo el cementerio y cubriendo las lápidas de hielo. Estaba reduciendo su tamaño por segundos, volviéndose blanco mientras aumentaba la temperatura del cuerpo gracias a que absorbía el calor del agua antes de expulsarla. A propósito de cosas extrañas…

—No pienso apropiarme del aura de nadie —masculló imaginándome a Al sentado sobre mí, tapándome la nariz para que mantuviera la boca abierta. Lo cierto era que había visitado sus moradas las suficientes veces como para que ya tuviera un mechón de mi pelo y pudiera dirigir un hechizo contra mí. Lo único que tenía que hacer era invocar la maldición y llevaría el aura de otra persona. Genial.

Bis escupió unos pequeños cubitos de hielo para recuperar por completo la estabilidad y echó a volar para posarse en el hombro del ángel. A juzgar por su aspecto, parecía que no se encontraba bien.

—¿Quieres que te acompañe? ¿A siempre jamás?

El pobre adolescente estaba muerto de miedo y me compadecí de él.

—No. De ninguna manera —declaré con firmeza buscando el espejo que había tirado anteriormente y la bolsa de galletas que casi había olvidado—.

Al te estaba tomando el pelo. No te llevaría conmigo ni aunque fueras tú el que me lo pidiera. Es un lugar muy desagradable. —Replegó sus alas, aliviado, y añadí—: Escucha, no me apetece entrar en la iglesia. No quiero que Al se presente y nos cause problemas. ¿Podrías decirle a Ivy que no ha funcionado y traerme mi bolsa? Está en mi armario, ya está todo preparado. ¡Ah! Y asegúrate de que llama al centro penitenciario para solicitar cita para el lunes.

La seguridad era una buena razón para no volver a la iglesia, pero la verdad era que no quería tener que enfrentarme a Jenks. Mierda. No tenía tiempo para perder todo un día en siempre jamás asistiendo a fiestas y manteniéndome a una distancia prudencial de Al. Tenía la sensación de que era lo único que hacíamos. Al lo llamaba «ampliar su red de contactos». No me extrañaba que estuviera arruinado.

—¡Por supuesto, señorita Morgan! —dijo la gárgola cabizbaja, como si supiera la razón por la que lo mandaba a él en lugar de ir yo misma. Bis extendió las alas y se volvió negro mientras atraía todo su calor hacia sus entrañas para mantener la temperatura de su cuerpo mientras realizaba el corto vuelo que le separaba de la iglesia. Apenas batió sus alas coriáceas por primera vez, se elevó en el aire y, con expresión asustada, voló hacia la iglesia.

Una vez sola, recogí del suelo el espejo adivinatorio y la bolsa de galletas con gesto airado. No tenía ninguna gana de llevar el aura de otra persona. Prefería soportar el dolor estoicamente. Con la cabeza gacha, eché a andar por la nieve con dificultad y me estremecí cuando el gélido calor de la línea se apoderó de mí. Normalmente era difícil sentirlas de aquel modo, pero mi aura era muy fina y la única persona que utilizaba aquella línea era yo, ya que era bastante pequeña y estaba rodeada de muertos. La gente era muy supersticiosa.

Al descubrir las huellas que yo misma había dejado la semana pasada, avancé unos pasos y dejé las galletas y el espejo en una lápida cercana.

—Gracias, Beatrice —susurré leyendo el nombre grabado sobre la lápida.

Me rodeé la cintura con los brazos y me quedé mirando la oscuridad de la noche con el deseo de no quedarme helada. Era casi como esperar en una parada de autobús, y me descubrí con la mirada perdida. Con una sonrisa irónica, desenfoqué cuidadosamente la vista (lentamente, hasta que me aseguré de que no me dolería) para activar mi segunda visión, esperando divisar a Al antes de que se presentara sin avisar y me diera un susto de muerte.

De improviso, la cinta roja de energía me rodeó con el aspecto de una aurora boreal mientras se henchía y menguaba, fluctuando sin cesar y propagándose hasta quién sabe dónde. A su alrededor se extendía un paisaje destartalado de maleza raquítica y frías rocas. Todo estaba cubierto de una capa rojiza, excepto la luna y las inscripciones de las lápidas, y aunque la primera mostraba en aquel momento su habitual color plateado, apenas cruzaba a siempre jamás, se cubría de una espantosa capa rojiza. Aunque no es que pasáramos demasiado tiempo en la superficie.

Me estremecí al sentir que mi pelo empezaba a moverse por efecto del viento de siempre jamás. No había ni rastro de nieve, pero hubiera apostado lo que fuera a que el frío era aún más intenso.

—Cuando quieras, Al —exclamé apoyándome en la lápida de Beatrice. Me iba a hacer esperar. Hijo de puta.

—¡Ah! ¡Mi adorada bruja! —suspiró una voz que me resultaba vagamente familiar—. Eres tan astuta como un cepo de acero, pero, en mi humilde opinión, no lograrás mantener unidos tu cuerpo y tu alma por mucho tiempo. Y yo no podré ayudarte si insistes en seguir por esos derroteros.

Me volví de repente y me sonrojé al descubrir a Al delante de mí, apoyado de manera informal sobre una lápida con uno de los pies reposando sobre la punta de la bota. Se había presentado bajo la apariencia de Pierce; con las mejillas encendidas, apreté los dientes fuertemente. Pero entonces caí en la cuenta de que Al no sabía nada de Pierce, que no podía saber cuál era la imagen que tenía de él en mi cerebro, ni cómo solía llamarme o cómo sonaba su peculiar acento, una mezcla entre jerga callejera y el inglés anterior a la Revelación.

Sin poder salir de mi asombro, me quedé mirando al fantasma, vestido con un anticuado traje de tres piezas y el recuerdo del abrigo largo que tiempo atrás había pertenecido a mi hermano. En esta ocasión no llevaba ni barba ni bigote, y lucía un sombrero de aspecto curioso. Al darse cuenta de que lo estaba mirando, se irguió de golpe, abriendo mucho los ojos bajo la luz de luna.

—¿Pierce? —dije, insegura—. ¿Eres tú?

La boca del pequeño hombre se abrió y se quitó el sombrero mientras descendía de la losa. No había ninguna huella tras él.

—Debe de ser por la línea —susurró sin salir de su asombro—. Los dos estamos encima, y tú estás comunicándote con ella… utilizando tu segunda visión, ¿verdad? —Su rostro se iluminó bajo la luz del porche trasero—. No lo haces muy a menudo, quedarte de pie sobre una línea.

La incredulidad me impedía moverme.

—Mi padre me aconsejó que no lo hiciera porque nunca se sabe lo que te vas a encontrar —comenté alegremente. Me sentía irreal, y también mareada.

Él se encogió de hombros y, con una rápida inspiración, sentí que me invadía un inmenso placer. Entonces crucé el espacio que nos separaba y, de pronto, me detuve en seco y mi sonrisa se desvaneció. Tenía que ser una broma. Una de las típicas bromas de mal gusto de Al.

—¿Cuáles son las palabras que abren el relicario de mi padre? —le pregunté con cautela.

Pierce se inclinó hacia delante y, cuando me di cuenta de que su respiración era fría, y no cálida como habría sido la de Al, sentí un atisbo de esperanza.

—Blanco como las azucenas —susurró, tocándose la nariz, y yo, alborozada, estiré un dedo cubierto por los guantes y le di un leve empujoncito en el hombro. Por lo visto él también lo sintió, y se meció hacia atrás.

—¡Pierce! —exclamé, dándole un tremendo abrazo que hizo que gruñera de sorpresa—. ¡Dios mío! ¡Puedo tocarte! —Entonces lo solté y le di una palmada en el hombro—. ¿Por qué no lo has hecho antes? ¡Me refiero a ponerte de pie en la línea! Vengo aquí todas las semanas. Iba a intentar invocar de nuevo aquel hechizo, pero ahora ya no hace falta. ¡Maldita sea! ¡Cuánto me alegro de verte!

El pequeño hombre se acercó a mi rostro, sonriente al percibir el olor a polvo de carbón, betún para los zapatos y secuoya.

—He estado en una línea al mismo tiempo que tú —dijo—. Me quedo aquí la mayoría de las veces que te marchas a cumplir tu trato con el demonio y también me quedo aquí cuando regresas.

—¿Has estado espiándome? —le pregunté sonrojándome al recordar que cinco minutos antes, cuando estábamos en la cocina, había dicho que era muy sexi. La teoría de Jenks de que iba a vender nuestros secretos era ridícula, pero habían pasado muchas cosas en la iglesia últimamente que no me hubiera gustado que mi madre supiera, y mucho menos un fantasma del siglo XIX al que apenas conocía.

—¿Espiándote? —exclamó Pierce visiblemente ofendido mientras se colocaba de nuevo el sombrero—. No, he pasado la mayor parte del tiempo en el campanario. Excepto cuando la televisión estaba embrujada. Es una magia excelente, y muy poderosa. —La expresión de su rostro cambió cuando se fijó en mí y, con semblante de satisfacción, me examinó de los pies a la cabeza—. ¡Maldita sea! Te has convertido en toda una señorita, mi adorada bruja.

—Bueno, yo también me alegro de verte.

Mis cejas se alzaron cuando retiré mi mano de la suya, convencida ya de que había estado en la cocina justo antes de que saliera.

Repasé mentalmente lo que había dicho antes de salir y llegué a la conclusión de que no había nada que no me hubiera gustado que oyera y, probablemente, muchas cosas que debía saber, a excepción, tal vez, de cuando le había dicho a Jenks que le dieran. Esbozando una sonrisa taimada, me incliné hacia atrás apoyada sobre los talones y me situé a propósito a unos centímetros de distancia para sugerirle que ya no era la jovencita de dieciocho años que había conocido. Lo más preocupante fue que parecía contento de que así fuera.

Sin duda, su sonrisa se hizo más amplia cuando se dio cuenta de que me distanciaba. Con mirada penetrante, inclinó la cabeza. La luz del porche iluminó sus brillantes ojos, que se demoraron en mi rostro, haciendo que me preguntara si tenía restos de la masa de chocolate de las galletas en la barbilla.

—¡Caramba! ¿Cómo es posible que hayas caído tan bajo en tan poco tiempo? —dijo cambiando de tema y frunciendo el ceño mientras sacudía la cabeza con consternación—. ¿En deuda con un demonio? ¡Eras tan inocente cuando te dejé!

Sus fríos dedos me colocaron un mechón de pelo detrás de la oreja y un escalofrío me recorrió de arriba abajo cuando retiró la mano de mis rizos y me agarró los dedos.

—Esto… —murmuré. Entonces recordé lo que iba a decir—. Tenía que salvar a Trent. Le prometí que le traería de vuelta a casa sano y salvo. Todavía estoy en posesión de mi alma. No pertenezco a Al.

El ruido de la puerta trasera al cerrarse hizo que me diera la vuelta de golpe, pero solo era Bis. Su asustada silueta, similar a la de un murciélago, se acercaba tambaleándose, moviéndose lentamente debido al peso de la bolsa que llevaba. Entonces tomé aire para pedirle que llamara a Ivy y Pierce me asió la barbilla y me volvió la cara para que lo mirara.

—Tu demonio está a punto de volver a buscarte —dijo con una repentina expresión de urgencia en su rostro—. Te ruego que me busques cuando regreses de tu clase. De momento, me conformo con que podamos hablar. No merece la pena recurrir a un aquelarre para reunir la energía suficiente con la que darme un cuerpo para una sola noche hasta que encuentre una manera de estar completo de nuevo. Supondría un martirio innecesario. Pero tienes que prometerme que no le hablarás de mí a tu demonio. No quiero que le pidas ayuda. Puedo arreglármelas solito.

Bis aterrizó pesadamente encima de mi bolsa de lona, con la piel negra y fría y los ojos muy abiertos al ver a Pierce. *¿No quiere que le pida ayuda a Al?*, pensé. *¿De dónde, si no, va a sacar un conjuro capaz de devolverle la vida?* De pronto recordé los comentarios de Jenks sobre que estaba espiándonos para descubrir nuestros secretos y mi sonrisa se desvaneció. La gente no te pide que hagas cosas a no ser que tenga una razón.

Al verme vacilar, Pierce frunció el ceño, mirando entre la sorprendida gárgola y yo.

—Es solo por una pequeñez, Rachel. Tengo intención de explicarte el motivo, pero no ahora.

—Pues tu intención podría ser explicármelo ahora mismo —respondí empezando a sentir un ligero sofoco.

Sentí un leve estallido en los oídos y emití un grito ahogado cuando, de pronto, Al apareció detrás de Pierce alargando una de sus manos enguantadas con los ojos brillantes. Pierce se agachó intentando alcanzar el extremo más lejano de la línea, pero era demasiado tarde.

—¡Cuidado, Rachel! —gritó Bis. Me tambaleé hacia atrás y caí sobre mi bolsa golpeando las galletas con el codo. Se escuchó un soplido sibilante cuando Bis se elevó y dirigí la mirada hacia la gárgola que estaba suspendida entre Al y yo. El brazo elegantemente ataviado de Al se encontraba alrededor del cuello de Pierce, y apretaba hasta que a este le colgaron los pies, mientras su rostro se volvía rojo al resistirse.

Bis aterrizó entre Al y yo, con las alas extendidas para parecer más grande, pues tenía demasiado frío para derretir nieve.

—¡Al! —grité acercándome al demonio hasta que Bis me siseó—. ¿Qué estás haciendo?

El demonio nos miró por encima de los cristales ahumados de sus gafas, con una expresión de satisfacción en sus ojos rojos, cuyas pupilas recordaban a las de las cabras.

—Conseguir un apartamento mejor —refunfuñó dirigiendo un bufido a Bis a modo de advertencia.

¡Oh, mierda!

—¡Al, tienes que parar! —dije con el pulso acelerado mientras lanzaba una mirada a la iglesia, pero no había nadie en la ventana—. ¡No puedes llevarte a la gente que está hablando conmigo!

El demonio sonrió mostrando su gruesa y compacta dentadura.

—¿Ah, no?

Pierce forcejeó intentando liberarse, y el sombrero se le cayó al suelo, desvaneciéndose antes de tocar la nieve.

—No te preocupes, mi adorada bruja —dijo entre jadeos con el rostro enrojecido y los pies intentando encontrar el suelo—. Este demonio de tres al cuarto no pinta nada. Estaré…

Al apretó el brazo, interrumpiendo las palabras de Pierce, y me estremecí.

—Ocupado —dijo el demonio—. Estarás ocupado. —Sin apartar la vista de mis ojos, Al deslizó la mano sugerentemente bajo el abrigo de Pierce, y el pequeño hombre dio un respingo.

—¡Eh! —grité, pero Bis no me dejaba acercarme, moviéndose de un lado a otro con las alas extendidas y situando las zarpas sobre una línea imaginaria con una extraña rigidez—. ¡Suéltalo! ¡Esto no es justo! Tenemos que establecer ciertas reglas para regular tus apariciones sin aviso previo y tus raptos injustificados. ¡Lo digo en serio!

—¿Lo dices en serio? —preguntó Al con una carcajada, cambiando la manera en que sujetaba a Pierce hasta que gruñó y se quedó quieto—. Pues a mí me parece que, después de todo, no voy a necesitar mi nombre para conseguir familiares —me desafió en tono cantarín.

La imagen de Pierce en una subasta demoníaca fue como un trozo de hielo que recorriera mi espalda, pero la posibilidad de que Al empezara a presentarse sin avisar y raptara a quienquiera que estuviera conmigo resultaba aterradora.

—¡De ninguna manera! —dije empezando a enfadarme—. No voy a dejar que me uses como cebo. Suéltalo. Si lo quieres, tendrás que cogerlo a la manera tradicional, pero no me vas a utilizar para esto. ¿Me oyes, ojos de cabra?

Estaba tan furiosa que tenía ganas de ponerme a chillar. Pierce pareció dolido por mis palabras, pero Al se limitó a reírse de nuevo.

—¿Utilizarte como cebo? ¡Qué gran idea! —exclamó el demonio. A continuación le hizo una mueca a Bis, que seguía caminando con paso impetuoso entre nosotros—. No se me había ocurrido. Simplemente he visto algo que me gustaba y lo he cogido. —Entonces entrecerró los ojos—. Es lo que siempre he hecho.

—Pero ¡él no tiene ningún valor! —exclamé a punto de dar un zapatazo en el suelo y no creyéndome ni una palabra de lo que decía—. Pierce es un fantasma. No puede interceptar líneas. ¡Suéltalo! Estás haciendo esto para fastidiarme.

Lentamente, una sonrisa se dibujó en el rostro de Al y acarició el pelo alrededor de la oreja de Pierce provocando que se pusiera rígido.

—No tienes ni idea de quién es, ¿verdad? —dijo Al sembrando en mi interior la semilla de la duda. Parecía demasiado satisfecho—. Hay maldiciones capaces de resolver el pequeño problema de ser todo espíritu y carecer de cuerpo, y este pedazo de mierda de brujo… —Al dio una sacudida a Pierce—. El aquí presente se merece un poco más de tiempo en la cocina. Solo es cuestión de dar con la maldición adecuada. Se trata del niño bonito, el que se escapó, y va a servir para pagar mis deudas durante los próximos treinta años.

Cerré los puños, fríos en el interior de mis guantes. *¿Pierce tenía una historia con los demonios? ¡Maldición!*

—¿Lo conoces? —dije mientras mis palabras se rodeaban de una neblina blanca. Aquello explicaría por qué se le daban tan bien las líneas luminosas. Pero ¡era tan agradable! ¡Tan… normal!

—¡Yo no practico la demonología! —exclamó el fantasma—. Suéltame ahora mismo, pedazo de hígado de cabra lleno de gusanos, o sufrirás una monumental derrota. Tú no vales para nada. Eres un demonio de segunda categoría…

Al flexionó el brazo y Pierce se atragantó.

—Jamás había conseguido dar con él antes —explicó Al recobrando su habitual actitud altanera a pesar de que Pierce intentaba separar los dedos del demonio de su garganta—, pero he oído hablar de él, bruja piruja. Todo el mundo ha oído hablar de Gordian Nathaniel Pierce. Estuvo a punto de matar a Newt, y esa es la razón por la que voy a sacar tanto dinero de él que podrás quedarte mi nombre de invocación durante la próxima década.

Alguien pagará una buena cantidad por él. —Y, bajando la voz, añadió—: Aunque lo único que hagan sea molerle a palos.

No practica magia negra, sino que es un asesino de demonios, pensé con una extraña sensación de tenso alivio. Incluso Bis parecía aliviado. Entonces miré hacia la iglesia, pero seguí sin percibir movimiento alguno.

—Al, no puedes llevarte a la gente que habla conmigo —dije y, cuando Al se rió, le espeté—: ¡Entonces lo compraré yo!

Bis se volvió hacia mí con los ojos como platos, e incluso Pierce abrió la boca para protestar, gruñendo cuando Al tiró de él.

—Ni por lo más remoto —canturreó tirando de Pierce hacia sí hasta que el fantasma apretó los labios con gesto desafiante y sus ojos brillaron de odio—. Bueno, tal vez… —masculló Al justo antes de sacudir la cabeza—. No, ni por lo más remoto —se reafirmó—. No te lo venderé. A pesar de la limitación que le supone su categoría de brujo, en este momento es más peligroso que tú. Está en su momento álgido. Además, ¿cuántos pequeños y desagradables hombrecitos necesitas como familiares? —dijo, mirando a Bis—. Es una mala persona a la que le gusta matar demonios.

—No soy un demonio —dije, con voz temblorosa.

Al entrecerró los ojos.

—Pero yo sí —entonó—. Considera tu noche libre como una muestra de agradecimiento por atraerlo hasta mí, bruja piruja. Tus clases han sido canceladas hasta nueva orden. Voy a estar ocupado durante una temporada.

—¡Al! —grité cuando empezaron a desvanecerse—. ¡No puedes dejarme así!

Sonriéndome por encima de sus gafas, Al sacudió la cabeza.

—No eres tú la que tiene el control, Rachel. Soy yo. De todo.

—¡Estás abusando de tu derecho a controlarme, y lo sabes! —le grité furiosa—. Devuélvelo y deja de secuestrar a la gente que está conmigo o te aseguro que voy a… a…

Al vaciló y me eché a temblar.

—¿A qué? —preguntó, y Pierce cerró los ojos con expresión desdichada—. No puedes viajar a través de las líneas hasta que tu aura no se haya recuperado, y yo no pienso arreglártela. —Miró a Bis y se le aproximó lentamente hasta que la gárgola emitió un sonido sibilante—. No hay nada que puedas hacer, Rachel Mariana Morgan.

Al oír sus palabras di un paso atrás, bloqueada. ¡Maldición! Cuando me llamaba por mi nombre completo se trataba de una advertencia, probablemente, la única que me haría. Si lo invocaba, podría salirme con la mía, pero perdería el poco respeto que me tenía y volvería a tratarme como a una invocadora de demonios. Y me gustaba el respeto con el que me trataba ahora, por poco que fuera. Disfrutaba de no tener que asustarme cada vez que cambiaba la presión del aire. Y aunque las fiestas de siempre jamás eran un coñazo, la cocina de Al era un remanso de paz. No quería que aquello terminara. Pero tenía que dejar de raptar a gente.

—Esto no acaba así —lo amenacé, temblando por la frustración—. Vamos a resolver este asunto y tendrás que soltarlo.

—¿Y cómo vas a hacerlo, bruja piruja? —se mofó.

Torcí el gesto y busqué una respuesta que no estaba allí.

Me había quedado sin palabras, entonces Al tiró de Pierce hasta casi levantarlo del suelo.

—No me llames. Ya lo haré yo —concluyó antes de que el fantasma y él se desvanecieran.

Con el corazón a mil, me quedé mirando el lugar en el que habían estado.

—¡Maldito sea una y mil veces! —grité. Frustrada, me giré hacia la iglesia, pero no había nada allí que pudiera ayudarme. Las luces brillaban intensamente, derramándose sobre la silenciosa nieve. Entonces agarré el espejo y mi bolsa, y me dirigí a grandes zancadas hacia la puerta trasera recordando en el último momento recoger las galletas. Al iba a estar ocupado con Pierce durante una buena temporada, pero mientras no solucionara aquello, todos los que me conocían eran posibles objetivos.

Justo lo que necesitaba.

17

—Ignórame, ¿vale?—mascullé intentando parecer enfadada en vez de asustada mientras dejaba reposar el espejo y las galletas sobre la encimera y le daba una patada a la bolsa para meterla debajo de la mesa, donde no molestara. El saco de lona chirrió al pasar por encima de una delgada capa de sal, dejando un restregón de nieve y barro, y me volví hacia los armarios. Sal. No sabía cómo saltar una línea, pero iba a utilizar el espejo adivinatorio para conectar con Al y quería encontrarme dentro de un círculo y saltar primero. De un modo u otro, nos veríamos las caras.

Desde lo alto del frigorífico, Bis agitó las alas nerviosamente. Ni siquiera lo había visto entrar conmigo. El sensible muchacho sabía que estaba asustada, pero si Al no venía a mí, yo iría a buscarlo. Había arrojado el guante al burlarse de mi inexperiencia y diciéndome que no tenía nada que hacer. Me había fiado de él durante tres meses, cada vez. Tenía una idea bastante clara de cómo viajar a través de las líneas. No podía permitir que se saliera con la suya o tendría que soportar que me pisoteara durante el resto de mi vida. Había traspasado los límites, y me correspondía a mí obligarle a retroceder.

Un susurro me anunció la presencia de alguien a mi alrededor y me sacó de mis elucubraciones y, con un respingo, me volví y descubrí a Ivy en el pasillo, con una mano en el arco y una expresión interrogante en los ojos.

—Tenía entendido que te ibas. ¿Todavía estás aquí?

—Se ha llevado a Pierce —le expliqué con amargura. Su boca se entreabrió—. Lo sacó de la línea de un tirón. ¡Maldita sea! No creí que fuera posible.

Sus ojos se dirigieron a las galletas aplastadas y regresaron a mí.

—¿Pierce estaba en la línea luminosa? —preguntó dirigiéndose al frigorífico y regresando con un zumo de naranja—. ¿Lo viste? ¿Viste su espíritu?

Asentí con la cabeza mientras paseaba la mirada por la cocina en busca de mi tiza.

—Era de carne y hueso y Al se lo llevó. ¡Estoy tan cabreada!

El chasquido de las alas de libélula se hizo cada vez más evidente y Jenks entró como una exhalación, seguido por tres de sus hijos, que se divertían intentando alcanzarlo. Apenas me vio, se detuvo en seco mientras los pequeños corrían a esconderse en lo alto del frigorífico, detrás de Bis, entre risas.

—¡Rachel! —exclamó claramente sorprendido—. ¿Ya has vuelto?

—En realidad, ni siquiera me he ido —respondí con acritud—. ¿Dónde está mi tiza magnética? —pregunté abriendo un cajón y rebuscando en su interior. Había descartado lo del círculo de sal. El suelo estaba lleno de nieve derretida. La sal iba muy bien, pero el agua salada, fatal—. Tengo que ir a hablar con Al.

La mirada del pixie recayó sobre el espejo adivinatorio.

—¿Ir? ¿Adónde?

En aquel momento cerré el cajón de golpe y Bis dio un respingo.

—A siempre jamás.

Ivy, que se estaba sirviendo un vaso de zumo, se volvió con los ojos muy abiertos. Jenks, por su parte, chasqueó las alas y se acercó lo suficiente para que pudiera percibir el olor a ozono.

—¡No me hagas reír! —exclamó—. ¡Por los zapatitos rojos de Campanilla! ¿Se puede saber de qué estás hablando? No sabes cómo saltar las líneas.

Furiosa, me quité el abrigo y lo tiré encima de mi silla.

—Al se ha llevado a Pierce. Estaba hablando con él y se lo ha llevado. He intentado hablar con él, pero no ha querido escucharme, así que iré a buscarlo. Fin de la historia.

—¡Y que lo digas! ¡Fin de la historia! ¿Has estado esnifando pedos de hada? —gritó Jenks en el mismo momento en que Matalina entraba en la cocina y, tras reunir a sus alucinados niños y a Bis, los animaba a abandonar el lugar, cosa que hicieron formando un remolino de seda y de alas coriáceas—. ¿Vas a jugarte la vida por ese tipo? Deja que se lo quede, Rachel. ¡No puedes rescatar a todo el mundo. Ivy, dile que acabará muerta.

Cerré otro cajón de golpe y abrí un tercero.

—No lo hago por rescatar a Pierce —dije removiendo la cubertería de plata y las velas bendecidas—. Lo hago porque Al es un capullo. Ha utilizado la excusa de venir a recogerme para raptar a alguien. Si no le obligo a respetar los límites, me pisoteará una y otra vez. ¡Y dónde demonios está mi tiza magnética!

En estado de choque, Jenks retrocedió aproximadamente un metro. Ivy se puso en marcha y, tras abrir el cajón de los trastos, colocó un trozo de tiza en la palma de mi mano y reculó. Los dedos de la mano con los que sujetaba el zumo estaban blancos por la presión.

Mi enfado se esfumó bruscamente mientras observaba cómo regresaba a su esquina de la cocina. Caminaba despacio con aire seductor y los ojos casi negros. Sabía que mi mal humor tenía un fuerte efecto en sus instintos y exhalé intentando tranquilizarme. No quería que se marchara de allí. Podía hablar a solas con Al en el jardín sin correr ningún riesgo, pero aquello podía resultar peligroso y tendría que hacerlo con ellos cerca.

—¿Por qué no te limitas a llamar a Dali y quejarte? —sugirió Jenks.

Un atisbo de preocupación se apoderó de mí y se esfumó.

—Podría —comenté mientras me agachaba para trazar una gruesa capa de tiza brillante sobre la línea grabada en el suelo de la cocina—, pero entonces me comportaría como una llorica que busca que le solucionen los problemas. Al seguiría sin tomarme en serio y le debería un favor a Dali. Si no lo obligo a tratarme con respeto, nunca lo hará. Ha estado mangoneándome durante semanas. Ahora me doy cuenta.

Al dejar la tiza sobre la encimera, junto al espejo adivinador, las manos me temblaban. *¿Cómo voy a hacer esto?*

Las alas de Jenks empezaron a moverse a toda velocidad hasta ser casi imperceptibles, pero él no se movió de la encimera. Preocupada, me apoyé en el fregadero y me quité las botas. Nadie dijo nada cuando les di una patada, primero a una y luego a la otra, lanzándolas hacia la mesa hasta que se detuvieron junto a mi bolsa de lona. La sal arenosa se percibía a través de mis calcetines, y me estremecí cuando sentí el linóleo. Si conseguía averiguar cómo hacerlo, sería libre. Y cuando me presentara en la cocina de Al, tendría que negociar conmigo. Tenía que estarle agradecida por haberme obligado a hacerlo.

Si es que lo lograba. Inspirando profundamente, me situé en el interior del círculo.

Jenks se elevó en el aire, despidiendo chispas de color rojo.

—Ivy, dile que esto es una mala idea.

Con el zumo de naranja sin probar junto a ella, Ivy sacudió la cabeza.

—Si consigue hacerlo, correrá menos peligro y no tendrá que depender tanto de nosotros. Opino que no pasa nada por intentarlo.

El pixie soltó un sonoro bufido, y sus hijos, que se arremolinaban junto a la puerta, se desvanecieron.

Un escalofrío recorrió mi cuerpo; nerviosa, me acerqué el espejo adivinador y coloqué la mano en la cavidad del pentáculo. Los dedos se me quedaron helados y el frío que ascendía desde el cristal tintado casi hizo que se me agarrotaran.

—Puedo hacerlo —dije, intentando convencerme a mí misma—. Dijiste que las líneas eran tiempo desplazado. He visto hacerlo a Al miles de veces. *Quod erat demonstrandum.*

Piensa en cosas agradables. En la cocina de Al. En el olor a ozono. La paz. El señor Pez.

Jenks cambió de lugar llenando de polvo rojo mi círculo de invocación. Si se quedaba donde estaba, quedaría atrapado en el círculo conmigo.

—Jenks, ve a sentarte con Ivy.

Él sacudió la cabeza y cruzó los brazos por encima del pecho.

—No. Tu aura no es lo bastante gruesa. Podrías morir. Espera a que se haya recuperado.

Retiré el polvo rojo del espejo con un soplido y aumenté la presión de la mano.

—No tengo tiempo. Tengo que solucionarlo ahora o tendré que soportar que me pisotee durante el resto de mi vida. Apártate.

Las piernas me temblaban y me alegré de que la encimera se interpusiera entre Ivy y yo.

—No. No voy a dejar que lo hagas. ¡Ivy! ¡Dile que es una mala idea!

—Sal del círculo, Jenks —le ordené con firmeza—. ¿Qué pasaría si de pronto Al decidiera que quiere un pixie? ¿O si a alguien que conoce empezaran a gustarle las vampiresas? ¿Qué le impediría presentarse sin avisar durante la cena y raptarte a ti o a uno de tus hijos? Creí que tenía ciertos escrúpulos al respecto, pero me equivocaba. Y, como que me llamo Rachel, voy a hacer que me trate con un mínimo respeto. La única razón por la que no lo había hecho antes es porque hasta ahora no me había visto con nadie que le resultara interesante. Pero ahora está arruinado, y empezará a raptar gente a diestro y siniestro. Y ahora, ¡sal de mi círculo!

Jenks emitió un sonido de frustración y, con una explosión de polvo que iluminó la cocina, se marchó. Desde el santuario se escuchó una breve algarada de gritos de pixie y después nada.

La presión de la sangre me bajó de golpe e Ivy abrió los ojos cuando la miré. Estaban negros por el miedo.

—¿Cuánto tiempo quieres que espere hasta hacer que Keasley te invoque de vuelta?

Miré hacia la ventana y luego al reloj.

—Justo antes del amanecer.

Me dolía la cabeza y obligué a mi mandíbula a relajarse. Aquello iba a ser la cosa más complicada que había hecho en toda mi vida. Y ni siquiera sabía si era capaz de ello. Miré el reloj que estaba colgado sobre el fregadero y, exhalando lentamente, intercepté la línea que tenía justo detrás.

Me estremecí cuando penetró en mi interior con esa nueva y cortante frialdad de metal dentado que serraba mis nervios. La sensación me pareció peor que antes, y la nauseabunda irregularidad hizo que sintiera ganas de vomitar.

Las alas de Jenks emitieron un zumbido cuando volvió a entrar, suspendido junto a Ivy despidiendo chispas de color negro. Todavía no había alzado el círculo, pero permaneció junto a Ivy. Parpadeando y temblando, esperé a que regresara la sensación de equilibrio.

—Mareada —dije recordando la sensación—, pero estoy bien. *Puedo hacerlo. No puede ser tan difícil. Tom es capaz de hacerlo.*

—Es por la delgadez de tu aura —dijo el pixie—. Rachel. Por favor.

Con la mandíbula apretada y notando cómo aumentaba la sensación de vértigo, sacudí la cabeza, cada vez más mareada. Me obligué a mantenerme erguida y, cuando Ivy me hizo un gesto de asentimiento con la cabeza, me quité torpemente el calcetín del pie izquierdo y apoyé el dedo gordo sobre el suave olor de la tiza magnética.

Rhombus, pensé con decisión. La palabra mágica alzaría el círculo en un abrir y cerrar de ojos.

El miedo me partió en dos y aparté la mano del espejo, doblándome cuando la energía de la línea entró en mí con un estruendo, sin filtro alguno y sin que mi aura pudiera amortiguarla.

—¡Oh, Dios…! —gimoteé justo antes de derrumbarme sobre el frío linóleo cuando una nueva oleada me golpeó. Y dolía. Mantener el círculo dolía, y mucho, pues las vertiginosas pulsaciones penetraban en mi interior con la fuerza de un tráiler. Se podía sobrevivir al impacto de un tráiler. Yo lo había hecho. Pero no sin la protección de un *airbag* y un hechizo de inercia. Mi aura había hecho de *airbag*, pero en aquel momento era tan delgada que casi no servía de nada.

—¡Ivy! —estaba gritando Jenks en el preciso instante en que mi mejilla aterrizó sobre el linóleo cubierto de sal cuando sufrí otro espasmo—. ¡Haz algo! ¡No puedo llegar hasta ella!

En lugar de soltar la línea, la empujé lejos de mí. Una silenciosa oleada de fuerza explotó desde mi *chi* y, aliviada, emití un grito ahogado cuando el dolor se desvaneció. Justo entonces, la luz se fue y un inesperado chasquido retumbó en toda la iglesia.

—¡Al suelo! —gritó Jenks, y un agudo estallido hizo que me dolieran los oídos.

—Mierda —susurró Ivy, y mi mejilla arañó el suelo cubierto de sal cuando alcé la vista cansadamente al oír sus pasos apresurados hacia la despensa que había detrás de mí. Mis ojos, sin embargo, no se apartaban del frigorífico. Estaba ardiendo y el fantasmal brillo dorado y negro de mi magia iluminaba la cocina a oscuras mientras la puerta estaba abierta de par en par sujeta solo por un perno. *¡Me he cargado el frigorífico!*

—¿Jenks? —lo llamé en voz baja, recordando la fuerza de la línea que había alejado de mí de un empujón. *Me parece que he fundido todos los plomos de la iglesia.*

Escuché el zumbido de las alas de pixie sobre mí mientras Ivy usaba el extintor contra el fuego inducido por medio de magia. Detrás de mí, podía oír a los otros pixies, pero cerré los ojos, feliz de encontrarme en el suelo en posición fetal cuando las luces se encendieron de nuevo. El silbido ahogado del extintor cesó y lo único que quedó fue mi respiración entrecortada. Nadie se movió.

—¡Maldita sea, Ivy! ¡Haz algo! —exclamó Jenks mientras la corriente de aire de sus alas me hacía daño en la piel—. ¡Levántala! Yo no puedo ayudarla. ¡Soy demasiado pequeño, maldita sea!

En los límites de mi conciencia, las botas de Ivy molieron la sal con movimientos repetitivos debidos a los nervios.

—No puedo —susurró—. ¡Mírame, Jenks! ¡No puedo tocarla!

Inspiré de nuevo, agradecida porque el dolor hubiera desaparecido. Entonces me senté, me abracé las piernas a la altura de las pantorrillas y apoyé la cabeza sobre las rodillas, temblando por el persistente recuerdo del dolor y la conmoción. *¡Maldita sea! Me he cargado el frigorífico.*

No me extrañaba que Al se hubiera mostrado tan seguro de sí mismo. Me había dicho que no había nada que pudiera hacer y tenía razón. Y allí sentada, apaleada, sentí cómo la primera lágrima de frustración me bajaba por la mejilla. Si no conseguía que Al me tratara con más respeto, me quedaría sola. No podría profundizar en mi relación con Marshal porque se convertiría en un posible objetivo. Pierce ni siquiera estaba vivo y, después de que lo raptara de mi jardín trasero, se pasaría el resto de la eternidad en siempre jamás. Al acabaría fijándose en Jenks y en Ivy. A menos que lo obligara a adaptarse a las normas del civismo más elemental, todos los que me rodeaban vivirían a merced de los caprichos de un demonio.

No parecía que hubiera manera de poder tomarme un respiro.

Deprimida, me senté en el suelo de la cocina intentando no temblar. Necesitaba que alguien me abrazara, que me rodeara con una manta y cuidara de mí hasta que descubriera cómo resolver aquello. Y al no tener a nadie, me abracé yo misma, conteniendo la respiración para evitar que se me escaparan más lágrimas. Sentía un profundo dolor, tanto en el cuerpo como en el alma. ¡Maldita sea! ¡Podía llorar si me daba la gana!

—¡Ivy! —exclamó la vocecita de Jenks, presa del pánico—. ¡Cógela! Yo soy demasiado pequeño. Soy demasiado pequeño. Necesita que alguien la toque o creerá que está sola.

Es que estoy sola.

—¡No puedo! —gritó Ivy haciéndome dar un respingo—. ¡Mírame! Si la toco…

Con los ojos húmedos, alcé la vista. Un escalofrío me recorrió de arriba abajo cuando la vi delante del frigorífico roto, cuyas bandejas interiores liberaban nieve carbónica. Tenía las pupilas dilatadas y sus ojos de un negro vampírico; apretaba los puños por efecto de la necesidad contenida. El instinto que había despertado Rynn Cormel aquella misma noche luchaba contra el deseo de consolarme. Y los instintos iban ganando. Si hacía el más mínimo amago de ayudarme, acabaría con los dientes en mi cuello.

—¡No puedo tocarte! —dijo con las mejillas llenas de lágrimas que hacían que estuviera preciosa—. Lo siento, Rachel, no puedo…

Jenks salió disparado hacia el techo cuando ella se puso en movimiento. Intentaba escapar de allí y, en un abrir y cerrar de ojos, la cocina se quedó vacía. Tambaleándome, me puse en pie. Había salido huyendo, pero sabía que no abandonaría la iglesia. Solo necesitaba tiempo y espacio para recobrar la compostura.

—No pasa nada —susurré sin mirar a Jenks y luchando por no perder el equilibrio—. No es culpa suya. Jenks, voy a darme una ducha. Me encontraré mucho mejor después de una ducha caliente. No dejes que tus hijos se me acerquen hasta que salga el sol, ¿vale? No podría vivir conmigo misma si Al los raptara.

Jenks se quedó suspendido en el mismo lugar mientras yo utilizaba la encimera y luego la pared para no perder el equilibrio camino del baño, con la cabeza gacha e intentando que no se me vieran los ojos. Detrás de mí, dejé un rastro de desperfectos en la cocina. En realidad la ducha no serviría de nada, pero tenía que salir de allí.

Necesitaba a alguien que me abrazara y me dijera que todo se iba a arreglar. Pero estaba sola. Jenks no podía ayudarme. Ivy no podía tocarme. ¡Por todos los demonios! Ni siquiera Bis podía hacerlo. El resto de las personas que se habían acercado a mí estaban muertas o no eran lo suficientemente fuertes para sobrevivir a la mierda que iba esparciendo mi vida.

Estaba sola, tal y como había dicho Mia, y siempre lo estaría.

18

No había resultado fácil seguir durmiendo con Ivy dando golpes por los alrededores de la casa, entrando sobre las diez, dándose una ducha, a juzgar por los ruidos del baño, y marchándose una hora después. Los hijos de Jenks tampoco habían ayudado mucho, revoloteando arriba y abajo mientras jugaban al pilla-pilla con Rex. No obstante, escondí la cabeza bajo la almohada y me quedé en la cama mientras tres kilos y medio de pelo de gato se estrellaban una y otra vez contra las paredes y volcaban una mesita auxiliar. Estaba cansada, tenía el aura hecha una pena y me sentía muy deprimida; e iba a dormir hasta tarde.

En consecuencia, cuando varias horas más tarde Jenks encerró a Rex en mi habitación para que sus hijos se estuvieran callados durante la siesta, apenas oí abrirse la puerta principal y los suaves pasos por delante de mi puerta. *Ivy*, asumí y, con un suspiro, me acurruqué aún más bajo la colcha, alegrándome de que mi compañera de piso hubiera encontrado un poco de tranquilidad y poder dormir al fin. Pero no. Yo nunca tenía tanta suerte.

—¿Rachel? —susurró una aguda voz penetrando junto al suave murmullo de las alas de libélula en mi sueño de dorados campos de trigo. Pierce estaba tumbado en ellos, con una espiga entre los dientes, observando las rojizas nubes del cielo.

—No puedes matarme, mi adorada bruja —dijo con una sonrisa en mi pensamiento consciente, entonces me desperté del todo.

—¡Lárgate, Jenks! —masculló tapándome la cabeza con la manta.

—Rachel, despierta —lo escuché decir junto con el ruido de las cortinas descorriéndose y su áspero aleteo—. Ha venido Marshal.

—¿Para qué? —pregunté levantando la cabeza y guiñando los ojos a través de mi pelo por la fulminante luz.

Los recuerdos de las pisadas en el pasillo y el miedo afloraron y rodé sobre mí misma para mirar el reloj. La una y diez. *¡Y yo que quería dormir hasta tarde!* El sol brillaba con intensidad a través de las vidrieras de la ventana, pero hacía frío. Rex era una especie de cálido charco en mis pies y, cuando la miré, se desperezó, acabando con un inquisitivo gorjeo dirigido a Jenks, que en ese momento se encontraba en el tocador junto a la jirafa de peluche.

—Ha venido Marshal —repitió con una expresión preocupada en su rostro angular—. Ha traído el desayuno. Dónuts, ¿recuerdas?

Me apoyé sobre un codo e intenté averiguar lo que estaba pasando.

—¡Ah, sí! ¿Dónde está Ivy?

—Ha salido. Quería ver cuánto cuesta un frigorífico nuevo. —Sus alas empezaron a moverse a toda velocidad y se elevó, mientras su reflejo en el espejo hacía que reluciera el doble—. Ha pasado la mañana en casa de Cormel, pero volvió para ducharse antes de salir. Me pidió que te dijera que, teniendo en cuenta que no pasarás el día de hoy en siempre jamás, ha conseguido cita para ver a Skimmer a las seis.

¿A las seis? ¿Después del crepúsculo? Genial. Me hubiera gustado comer con mi madre y con Robbie, pero podía posponerlo.

—La he oído entrar.

Seguidamente me senté y, una vez más, le eché un rápido vistazo al reloj. No me gustaba que Ivy hubiera estado con Rynn Cormel, el hermoso monstruo, pero ¿qué podía decir? *¿Y por qué la boca me sabe a manzanas?* Inclinándome hacia delante, tiré de Rex por encima de los bultos de las mantas para saludarla con un achuchón. Me caía mucho mejor desde que me dejaba que la tocara.

—¿Vas a levantarte? —añadió Jenks agitando las alas hasta alcanzar un timbre similar al de una uña arañando una pizarra—. Marshal está en la cocina.

Dónuts. Además, a juzgar por el olor, también había preparado café.

—Ni siquiera estoy vestida —me quejé dejando marchar a Rex y apoyando los pies sobre el frío suelo—. Tengo una pinta horrible. *Gracias a Dios, es de día, de lo contrario, Al podría presentarse y llevárselo también a él.*

El pixie cruzó los brazos a la altura del pecho y me lanzó una mirada de superioridad mientras seguía de pie junto a la jirafa.

—Te ha visto con peor aspecto. Como cuando estrellaste la moto de nieve contra aquellos abetos. O cuando te pilló pescando en el hielo y tenías el pelo lleno de vísceras de pececillos.

—¡Cállate! —exclamé poniéndome en pie. Rex saltó al suelo y se quedó esperando bajo el pomo de la puerta—. ¡Y deja de intentar que me líe con él —dije, despierta del todo y enfadada—. Sé muy bien que has sido tú el que le ha pedido que venga.

El pixie encogió un hombro con aspecto avergonzado.

—Quiero que seas feliz, y no lo eres. Marshal y tú lo pasáis muy bien juntos y Pierce es peligroso.

—No estoy interesada en Pierce —dije lanzándole una mirada asesina mientras metía los brazos en las mangas de mi bata azul de rizo y me la ataba.

—Entonces, ¿por qué te estás dejando los cuernos intentando rescatarlo? —preguntó, pero la actitud severa que intentaba mostrar se echaba a perder por el sonriente peluche que tenía al lado—. Si no hubiera sido por él, no te habrías hecho daño anoche.

—Lo que sucedió anoche fue culpa mía. Fui yo la que intentaba evitar que Al utilizara su derecho a controlarme para raptar a otra gente —le reprendí con un bufido—. El hecho de que hubiera permitido la vuelta de Pierce no es poca cosa, pero ¿de veras crees que solo voy a rescatar a la gente que quiero llevarme al huerto? Y con eso no quiero decir que tenga intención de llevarme al huerto a Pierce —me corregí cuando Jenks me señaló con un dedo acusador—. Rescaté a Trent, ¿no?

—Así es —admitió Jenks bajando la mano—. Y tampoco he entendido nunca el porqué.

Rex se alzó sobre las patas traseras para tocar el pomo de la puerta y me acerqué al tocador en busca de un conjunto de ropa interior.

—Espera un momento, Rex —dije en tono cantarín. Sabía cómo se sentía. Yo también tenía que salir de allí.

—Rachel, incluso aunque lo ayudes, no me fío de ese tipo. Es un fantasma, ¡maldita sea!

Alcé las cejas. *Ahora entiendo de dónde viene ese repentino entusiasmo por Marshal*, pensé. Jenks creía que era el menos peligroso de los dos. Irritada, cerré el cajón de golpe y se alzó con una explosión de luz.

—¡Ya vale! —exclamé—. No siento ninguna atracción por Pierce. —*Al menos, no lo suficiente como para hacer algo al respecto*—. Si no obligo a Al a tratarme con respeto, todos los que me rodean estarán en peligro, ¿entendido? Esa es la razón por la que estoy haciendo esto, no porque necesite una cita.

Las alas de Jenks empezaron a zumbar.

—Te conozco —dijo en tono severo—. Esto no acabará con un final feliz. Te estás boicoteando a ti misma persiguiendo algo que no puedes tener.

¿Boicoteando? ¿Es que ni siquiera me escucha? Con unos calcetines negros en la mano, alcé la vista hacia él y me di cuenta de que nos encontrábamos frente a frente.

—Ves demasiados programas de testimonios —dije cerrando el cajón con fuerza.

Jenks no añadió nada más, pero sus palabras siguieron aguijoneándome mientras cogía un par de vaqueros de una percha. Mia me había dicho que me pasaba la vida escapando, que me asustaba creer que alguien pudiera sobrevivir a mi lado, y que me quedaría sola por miedo. Me había dicho que, aunque viviera con Ivy y Jenks, seguía estando sola. Disgustada, eché un vistazo a mis sudaderas, metidas en el organizador que me había comprado Ivy, sin verlas realmente.

—No quiero estar sola —exhalé y, antes de que me diera cuenta, Jenks se posó en mi hombro.

—No lo estás —dijo con una voz cargada de preocupación—. Pero necesitas a alguien aparte de Ivy y de mí. Dale una oportunidad a Marshal.

—No se trata de elegir entre Marshal y Pierce —dije sacando una sudadera negra, aunque mi mente regresaba una y otra vez al momento en que Jenks le gritó a Ivy que me cogiera porque él era demasiado pequeño para hacerlo. Ivy no podía tocarme o demostrarme que me quería sin activar su maldito deseo de sangre. Tenía buenos amigos, capaces de arriesgar su vida por mí, pero seguía estando sola. Llevaba sola desde la muerte de Kisten, incluso aunque Marshal y yo hiciéramos cosas juntos. Siempre sola, siempre alejada de los demás. Y estaba cansada de ello. Me gustaba estar con alguien, sentir la intimidad que dos personas podían compartir, y no debía considerarme débil por desearlo. No permitiría que las palabras de Mia se hicieran realidad.

Puse la ropa bajo el brazo y sonreí débilmente a Jenks.

—Sé a lo que te refieres.

Jenks alzó el vuelo y me siguió.

—Entonces, ¿le darás una oportunidad a Marshal?

Sabía que el hecho de ser demasiado pequeño para ayudarme lo había destrozado.

—Jenks —dije. Sus alas dejaron de moverse—. Te agradezco lo que estás intentando hacer, pero me encuentro bien. Llevo veintiséis años levantándome del suelo. Y se me da muy bien. Si alguna vez Marshal y yo cambiáramos las cosas, me gustaría que fuera por una razón real, y no porque los dos nos sintamos solos.

Las alas de Jenks se encorvaron.

—Solo quiero que seas feliz, Rachel.

Eché un vistazo a Rex, que se enroscaba sobre sí misma bajo el pomo.

—Y lo soy —dije. A continuación añadí—: Tu gata necesita salir.

—Ya me ocupo de ella —refunfuñó y, cuando abrí la puerta, tanto él como la gata salieron disparados.

—¿Marshal? —pregunté asomando la cabeza por el marco de la puerta y descubriendo que Jenks y Rex ya habían llegado a la sala de estar de la parte posterior y que el pasillo estaba vacío—. ¡Enseguida estoy contigo!

Desde la cocina llegó el chirrido de las patas de una silla, seguido por la familiar y resonante voz de Marshal diciendo:

—¡Tómate todo el tiempo que necesites, Rachel! Tengo café, así que estoy feliz. —En ese momento vaciló y, mientras esperaba para ver si me asomaba al pasillo, añadió en un tono preocupado—: ¿Qué hay en las pociones? Huele a cera carbónica.

—Esto…—farfullé, no queriendo decirle que no funcionaban—. Amuletos localizadores para la AFI. Tengo que invocarlos y ponerlos en discos —añadí para que los dejara donde estaban.

—Genial —dijo quedamente. Tras escuchar el chirrido de Jenks al abrir la portezuela para gatos y pixies y, convencida de que Marshal no se iba a asomar al pasillo, crucé a toda prisa hasta mi baño. Cerré la puerta con cuidado cuando oí que Jenks y Marshal se ponían a hablar.

—¡Vaya! ¡Qué maravilla! —susurré cuando vi mi reflejo en el espejo. Tenía unas profundas ojeras y estaba más pálida que el culo de Jenks. Me había dado una ducha antes de meterme en la cama para entrar en calor, y me había quedado dormida con el pelo húmedo, por lo que mis rizos tenían el aspecto de serpientes. Por suerte, Marshal no había salido de la cocina. Mi amuleto para cambiar el color de la piel se ocuparía de las ojeras, y abrí el grifo y me desvestí lentamente mientras esperaba a que se calentara el agua.

Con cuidado, hasta que supe en qué punto podría marearme, dirigí mi pensamiento hacia mi línea luminosa. El vértigo se apoderó de mí y la solté de inmediato. No iba a poder alzar un círculo en todo el día, pero al menos había mejorado respecto al día anterior y esperaba no estar poniéndome en peligro deambulando por ahí sin poder hacerlo.

—Tampoco podías durante los primeros veintiséis años de tu vida —susurré. La diferencia residía en que, por aquel entonces, tampoco vivía acosada por vampiros, demonios y elfos desquiciados.

Como tenía a Marshal esperando, los veinte minutos de placer que solía concederme se convirtieron en un apresurado remojón de apenas cinco. Mis pensamientos seguían fluctuando entre la presencia de Marshal en mi cocina y la de Pierce en siempre jamás. Quejarme a Dali no era una buena opción. Y tampoco iba a intentar saltar las líneas hasta que no pudiera sujetar una sin que me doliera. Al no estaba jugando limpio y tenía que ser yo la que lo obligara a hacerlo. Tenía que existir algún modo de hacer que me respetara sin tener que recurrir a Dali.

Pero mi mente permaneció felizmente vacía mientras me enjabonaba el pelo, me lo enjuagaba y me aplicaba champú por segunda vez.

Mientras me secaba el pelo con la toalla, el grave murmullo de la voz de Marshal me recordó que tenía un problema mucho más inmediato sentado en la cocina tomando café. Eché la melena hacia atrás con un movimiento brusco de la cabeza y limpié el vaho del cristal preguntándome cómo iba a solucionar aquello. Jenks le habría llenado la cabeza de tonterías. No podía ser la novia de Marshal. Era demasiado bueno y, aunque era capaz de reaccionar en una situación comprometida, probablemente nunca nadie lo había perseguido para matarlo.

Tras vestirme con prisa, me di unos cuantos golpes de cepillo en el pelo húmedo y lo dejé para que se secara al aire. La voz de Jenks se escuchaba claramente cuando abrí la puerta y me dirigí hacia la cocina con los pies cubiertos tan solo por unos calcetines. Lo primero que vi al entrar en la estancia, iluminada por el sol, fue el frigorífico que, excepto por los trozos de cinta aislante que mantenían la puerta cerrada, presentaba un aspecto bastante normal. Jenks estaba en la mesa con Marshal y el hombre alto parecía encontrarse en su propia casa, sentado con el pixie y uno de sus hijos, que se resistía a dormir la siesta.

Marshal me buscó los ojos con la mirada y mi sonrisa se desvaneció.

—Hola, Marshal —dije recordando cómo nos había ayudado a Jenks y mí en Mackinaw cuando realmente lo necesitábamos. Siempre le estaría agradecida por aquello.

—Buenos días, Rachel —saludó el brujo poniéndose en pie—. ¿Os habéis puesto a dieta?

Seguí su mirada hasta el frigorífico, resistiéndome a decirle que lo había hecho saltar por los aires.

—Ehh, sí —respondí dubitativa. A continuación, recordé su visita al hospital y le di un rápido abrazo, casi sin tocarlo. Jenks se alzó con su hijo y se trasladó al fregadero para aprovechar una franja de sol—. ¿Has sabido algo de mis clases?

Los amplios hombros de Marshal se alzaron y descendieron.

—Hoy todavía no he mirado mi correo electrónico, pero tengo que pasarme por allí más tarde. Estoy seguro de que se trata de algún error informático.

Esperaba que tuviera razón. Nunca había oído de ninguna universidad que rechazara dinero.

—Gracias por el desayuno —dije mirando la caja de dónuts abierta que reposaba sobre la encimera—. Eres muy amable.

Marshal se pasó la mano por su corto pelo negro.

—Solo he pasado para ver cómo estabas. Hasta ahora no conocía a nadie que se hubiera fugado del hospital. Por cierto, Jenks me ha dicho que anoche tuviste un pequeño altercado con Al.

—¿Has hecho café? —pregunté. No me apetecía nada hablar de Al—. Gracias, huele genial —añadí dirigiéndome hacia la jarra que estaba junto al fregadero.

Marshal entrelazó las manos a la altura de las caderas y luego las separó, como si se hubiera dado cuenta de lo vulnerable que parecía en aquella posición.

—Lo ha preparado Ivy.

—Antes de irse —aclaró Jenks sentándose en el grifo con su hijo dormido en su regazo.

Me apoyé en el fregadero y bebí un trago de café, observando a los dos hombres en extremos opuestos de la cocina. No me gustaba que mi madre se empeñara en buscarme novio, pero aún me gustaba menos que lo hiciera Jenks.

Marshal volvió a sentarse. Parecía incómodo.

—Entonces, ¿tu aura está mejorando?

Dejé escapar un suspiro y me calmé. Había sido todo un detalle que viniera a visitarme al hospital.

—Poco a poco —respondí con amargura—. En realidad, ese es el motivo por el que quería que Al me diera el día libre. Por lo visto mi aura es demasiado delgada para viajar por las líneas sin peligro. Ni siquiera puedo trazar un círculo. Me mareo. *Y me produce tanto dolor que casi no puedo respirar, pero ¿qué necesidad hay de mencionarlo?*

—Lo siento. —Marshal cogió un dónut y me tendió la caja—. Verás como al final se arregla.

—Eso dicen. —Me acerqué y me apoyé en la encimera central para coger uno de los glaseados—. Creo que, para la semana que viene, habrá vuelto a la normalidad.

Marshal echó un vistazo a Jenks antes de decir quedamente:

—Me refería a lo de Pierce. Jenks me ha contado que lo viste en la línea y que Al se lo llevó. ¡Dios, Rachel! Lo siento de veras. Debes de estar muy disgustada.

En ese momento sentí que la sangre se me helaba. Jenks tuvo la decencia de parecer desconcertado y yo dejé el dónut sobre una servilleta.

—La palabra disgustada se queda corta para definir cómo me siento. No esperaba tener que ocuparme de eso; una cosa más que debe arreglar la señorita Rachel. *Además de encontrar al asesino de Kisten. Soy el jodido albatros.*

El brujo se pasó la mano por su corto pelo, que había empezado a crecerle tan solo dos meses antes.

—Te entiendo perfectamente. Cuando alguien que te importa está en peligro, revuelves cielo y tierra por ayudarle.

La presión de mi sangre se disparó y, lanzándole una mirada asesina a Jenks, me llevé la mano a la cadera.

—Jenks, tu gata está en la puerta.

El pixie abrió la boca, miró mi gesto de desagrado y pilló la indirecta. Intercambió con Marshal una mirada masculina que no supe interpretar y, con el niño dormido en su cadera, salió de la estancia. Tenía un aspecto muy agradable y me pregunté qué tal se encontraría Matalina. Últimamente Jenks se había mostrado muy reservado en todo lo que tenía que ver con ella.

Esperé hasta que el zumbido de sus alas había desaparecido y me senté frente a Marshal.

—Conozco a Pierce solo de un día —dije sintiéndome como si le debiera una explicación—. Tenía dieciocho años. Jenks piensa que busco hombres con los que no puedo tener una relación de verdad para no sentirme culpable por no tener una en mi vida, pero te aseguro que no hay nada entre Pierce y yo. Es solo un buen tipo que necesita ayuda. *Porque tuvo la mala suerte de conocerme.*

—No pretendo ser tu novio —dijo Marshal con la vista puesta en el suelo—. Solo intento ser tu amigo.

Sus palabras consiguieron despertar todos y cada uno de mis sentimientos de culpa y cerré los ojos, pensando cómo podía responder a aquello. ¿Marshal como amigo? Era una idea agradable, pero nunca había sido capaz de ser amiga de un hombre sin acabar llevándomelo a la cama. Por todos los demonios, me había comido la cabeza sobre Ivy por esa misma cuestión. Mi relación con Marshal era la más larga que había tenido con un tipo sin que se convirtiera en algo sexual. Pero, en realidad, tampoco se podía decir que estuviéramos saliendo. *¿O sí?*

Confundida, exhalé lentamente. Me pregunté cómo iba a gestionar aquello y le miré la mano. Era muy bonita, fuerte y bronceada.

—Marshal —empecé a decir.

El teléfono sonó en la sala de estar y parpadeó el piloto de la extensión de la cocina, con el timbre desactivado desde la noche anterior. Jenks gritó que ya respondía él y yo me dejé caer de nuevo sobre la silla.

—Marshal —repetí cuando Rex entró sin hacer ruido ya que su dueño ya no estaba espiándonos desde el pasillo—, me siento muy halagada por lo que estás intentando hacer, y no es que no te encuentre atractivo —dije sonrojándome y empezando a tartamudear—, pero estudio con demonios. Mi alma está cubierta de su mácula, y tengo el aura tan delgada que ni siquiera puedo interceptar una línea. Te mereces algo mejor que mi mierda. Lo digo en serio. No merezco la pena. Nada lo merece.

Alcé la mirada de golpe cuando Marshal se inclinó y me tomó la mano.

—Nunca dije que fuera fácil estar contigo —dijo en voz baja, mirándome seriamente con sus ojos marrones—. Lo supe desde el momento en que entraste en mi tienda con un pixie de un metro ochenta y compraste una inmersión con una tarjeta de crédito de Encantamientos Vampíricos. Pero sí que mereces la pena. Eres una buena persona. Y me gustas. Quiero ayudarte siempre que pueda, y cada vez se me da mejor mantenerme al margen y no sentirme culpable cuando no me es posible.

La mano con la que sujetaba la mía estaba cálida, y me quedé mirándola.

—Necesitaba oírlo —dije en un susurro para que no se me quebrara la voz—, gracias, pero no merece la pena morir por mí, y las probabilidades son altas.

El chasquido de las alas de pixie se abrió paso y, cuando Jenks entró volando, Marshal se apartó. Sentí calor en las mejillas y escondí las manos bajo la mesa.

—Rachel —dijo Jenks mirándonos alternativamente—. Es Edden.

Vacilé. Mi primer impulso había sido decirle que llamara más tarde, pero era posible que tuviera noticias sobre Mia.

—Es sobre una banshee —continuó Jenks—. Dice que si no coges el teléfono, enviará un coche a buscarte.

Me puse en pie y Marshal sonrió y se sirvió otro dónut.

—¿Se trata de Mia? —pregunté al levantar el auricular. Mis ojos se dirigieron a las inservibles pociones localizadoras alineadas sobre la encimera y parpadeé. Ya no estaban.

—¿Dónde están mis…? —empecé a decir, y Marshal agitó una mano para llamar mi atención.

—Colgadas en tu armario. Las invoqué para ti. —Sus ojos se abrieron ante mi repentino gesto de preocupación—. Lo siento. Debería haberte preguntado, pero dijiste que estaban acabadas. Pensé que podía ser útil…

—No te preocupes. No pasa nada —respondí, y oí a Edden a través del teléfono—. Ummm, gracias —añadí, sonrojándome. Genial. Ahora sabía que los había echado a perder. Él hacía sus propios hechizos y, por la ausencia de olor a secuoya, se habría dado cuenta de que eran un fiasco.

Muerta de vergüenza, hablé por teléfono.

—¿Edden? —dije, abochornada—. ¿La habéis encontrado?

—No, pero me gustaría que me ayudaras esta tarde con una de esas banshees —dijo sin más preámbulos, con un tono entre agradecido y preocupado en su grave voz; sonaba extraña porque el teléfono de la sala de estar seguía descolgado—. Esta se llama Walker. Es la mujer más fría con la que he hablado, más que mi suegra, y eso que solo hemos conversado por teléfono.

Eché un vistazo a Marshal y después le di la espalda. Jenks estaba sentado en su hombro y probablemente había llevado a su hijo al escritorio.

—Ha llamado al departamento esta mañana —siguió diciendo Edden, consiguiendo que volviera a prestarle atención—, y esta tarde llega en avión desde San Diego para ayudarme a encontrar a la señora Harbor. ¿Podrías estar presente cuando hable con ella? Las banshees se vigilan unas a otras, al igual que los vampiros, y quiere colaborar con nosotros; visto que la SI no va a hacer nada al respecto.

Sus últimas palabras estaban cargadas de amargura, y asentí con la cabeza olvidando que él no podía verme. Aquello tenía sentido, pero no me apetecía encontrarme con aquella mujer después de que una niña de su especie estuviera a punto de matarme.

—Esto… —contesté con inquietud preguntándome cómo salir de aquella—. Me gustaría mucho ayudarte, pero mi aura sigue demasiado delgada.

No creo que hablar con otra banshee sea una buena idea. *Además, tengo que idear algo para que Al se comporte como es debido.*

Jenks agitó las alas en señal de aprobación, pero Edden no se daba por vencido.

—Quiere conocerte —dijo—. Ha preguntado por ti. Te usó como condición indispensable para encontrarse conmigo. Te necesito.

Suspiré, preguntándome si Edden estaba modificando la realidad para conseguir lo que buscaba. Llevándome una mano a la cabeza, reflexioné durante unos instantes.

—¿Jenks? —pregunté, sin estar del todo segura—. ¿Tú podrías avisarme si empieza a absorberme el aura?

Las alas del pixie se iluminaron.

—¡Y tanto! —respondió alegrándose de poder ser útil.

Me mordí el labio inferior y escuché el eco del teléfono descolgado mientras sopesaba los riesgos. Quería vengarme de Mia por dejar que su hija intentara matarme, y la señora Walker podía ayudarnos.

—De acuerdo… —dije arrastrando las palabras, y Edden hizo un ruidito de satisfacción—. ¿Dónde y cuándo?

—Su avión aterriza a las tres, pero teniendo en cuenta que vendrá con el horario de la Costa Oeste, nos veríamos para un almuerzo tardío —propuso Edden con seguridad—. En la AFI.

—¿Te refieres a tu almuerzo o al mío? —pregunté poniendo los ojos en blanco.

—Ummm, digamos a las cuatro en Carew Tower.

¿Carew Tower? Cómo se notaba que no era una mujer.

—Mandaré a alguien a recogerte —continuó diciendo Edden—. ¡Ah! Y buen trabajo con lo del alta voluntaria. ¿Cómo la conseguiste tan pronto?

Miré a Jenks, que seguía sentado en el hombro de Marshal.

—Rynn Cormel —dije con la esperanza de que Marshal empezara a entender lo arriesgado que era estar cerca de mí.

—¡Caramba! —exclamó Edden—. A eso lo llamo yo influencias. Nos vemos esta tarde.

—¡Oye! ¿Cómo está Glenn? —pregunté. Desgraciadamente, ya había colgado. *A las cuatro en Carew Tower,* pensé repasando mentalmente mi armario en busca de algo que ponerme mientras dejaba el auricular en su sitio. *Puedo hacerlo. Lo que no sé es cómo.* Estaba agotada y eso que acababa de levantarme.

Mi mirada se dirigió a la encimera central, donde antiguamente tenía mis libros de hechizos. Ivy se los había llevado al campanario mientras estuve en el hospital, y suspiré ante la idea de volver a bajarlos. Al había dicho que no existía ningún hechizo para completar el aura de una persona, pero tal vez había algo que me pudiera proteger del ataque de una banshee.

Me puse en pie con intención de ir a comprobarlo y desde la sala de estar me llegó el pitido del teléfono descolgado. Jenks salió disparado para ocuparse y yo me quedé helada, recordando que tenía compañía.

—¡Oh! Lo siento —dije mirando la expresión divertida de Marshal, que se había situado cómodamente en una silla y masticaba un dónut—. Tengo que subir al ático a coger unos libros. Para buscar un… hechizo.

—¿Quieres que te ayude a bajarlos? —preguntó, haciendo amago de levantarse.

—Son solo un par de volúmenes —me justifiqué pensando en los libros demoníacos que guardaba junto al resto.

—No pasa nada —respondió dirigiéndose hacia el santuario con paso firme y confiado; yo intenté echar a andar tras él. *Mierda. ¿Cómo voy a explicarle lo de los textos demoníacos?*

El santuario estaba en silencio, y la temperatura era muy agradable gracias al climatizador, que estaba encendido para los pixies. Jenks había colgado el teléfono y se encontraba en las vigas del techo haciendo guardia con dos de sus hijos mayores.

—Puedo hacerlo sola —dije cuando alcancé a Marshal, y él me miró de reojo.

—Son solo un par de volúmenes —dijo antes de pegarle un bocado al dónut que llevaba en la mano—. Te los bajaré y, si después quieres que me vaya, lo haré —añadió con la boca llena—. Sé que tienes trabajo. Solo quería saber cómo estabas.

Sus palabras dejaban entrever que estaba dolido, y me sentí mal mientras lo seguía por el frío vestíbulo y nos adentrábamos en la escalera circular que conducía al campanario. En una ocasión, durante la noche de Halloween, cuando me escondía de los demonios, había estado preparando hechizos allí arriba. Por aquel entonces, Marshal acababa de llegar a la ciudad y estaba buscando un apartamento. ¡Cáspita! ¿Hacía solo dos meses que nos veíamos? Parecía que hubiera pasado mucho más tiempo.

—Marshal —dije una vez llegamos arriba, y me rodeé el cuerpo con los brazos para protegerme del frío. Allí no había calefacción, y la temperatura era tan baja que me salía vaho de la boca. Busqué con la mirada los listones abiertos sobre la enorme campana que hacía las veces de techo, pero Bis no estaba. Probablemente la noche anterior se habría colocado en los aleros, donde el sol le habría dado durante todo el día. La gárgola adolescente no entraba si no era debido a las inclemencias del tiempo y, conforme creciera, no entraría ni siquiera entonces.

—¡Guau! ¡Qué sitio tan bonito! —dijo Marshal, y yo reculé, con cara de satisfacción, mientras él observaba la habitación hexagonal. El suelo sin pulir era del color del polvo; y las paredes, sin terminar, todavía mostraban los tablones de madera sin barnizar y la parte trasera del revestimiento externo. La temperatura era la misma que en el exterior, unos diez grados, y resultaba muy refrescante comparada con el calor húmedo de la planta inferior.

Las ventanas de tablillas dejaban entrar franjas de luz y de sonido en aquel agradable escondite en el que sentarse a ver la vida pasar. No me sorprendió cuando Marshal dobló una de las tablillas para echar un vistazo al exterior. Junto a él estaba la silla plegable que había dejado allí para cuando necesitaba alejarme de todo. En el centro de aquella estancia de diez metros cuadrados había un tocador con la superficie del mármol verde y un espejo deteriorado por el paso del tiempo. Mis libros se encontraban en la estantería de caoba que se apoyaba en uno de los espacios entre las ventanas. Junto a él, al lado de la puerta, había un sofá con la tapicería descolorida. Por lo demás, el espacio estaba vacío, excepto por el zumbido casi subliminal de la campana que retumbaba débilmente.

Cansada, me senté en el sofá, saqué uno de los libros y me lo coloqué en el regazo, contenta de poder sentarme mientras Marshal satisfacía su curiosidad. Mi mente regresó al piso de abajo, hacia los inservibles hechizos de mi armario.

—Ummm, Marshal. En cuanto a los hechizos localizadores...

Marshal se giró, sonriente.

—Mis labios están sellados —dijo cruzando la habitación—. Sé que los trabajos que haces para la AFI son confidenciales. No te preocupes.

De acuerdo. Esto es muy extraño, pensé cuando Marshal se sentó junto a mí, me cogió el libro y lo abrió. ¿Cómo era posible que no se hubiera dado cuenta de que los hechizos eran malignos?

—¿Qué estamos buscando? —preguntó alegremente. A continuación se miró la mano, en la que probablemente había sentido un cosquilleo. Los grimorios demoníacos eran así.

—Un hechizo para proteger mi aura —expliqué—. Esto... Eso que tienes ahí es un texto demoníaco.

Marshal parpadeó, poniéndose rígido cuando se dio cuenta de lo que había abierto.

—Por eso los guardas aquí arriba —dijo, sin quitarle la vista de encima.

Asentí con la cabeza.

Para mi sorpresa, no lo devolvió a su sitio, sino que pasó la página, dejándose llevar por la curiosidad.

—No necesitas un hechizo para mejorar tu aura —dijo—. Lo que te hace falta es un buen masaje.

Mis hombros se relajaron y, contenta de que no hubiera echado a correr gritando como un poseso, murmuré:

—¿Un masaje?

—De cuerpo entero. Desde la cabeza hasta los dedos de los pies —respondió dando un respingo cuando pasó la página y se topó con una maldición para destruir un ejército con una sola nota musical—. ¿De veras crees que esto funciona?

—Si se hace bien, por supuesto. —Estirando el brazo, agarré un manual universitario y lo abrí por el índice. Tenía los dedos helados y soplé para calentarlos—. ¿Conque un masaje solucionaría lo de mi aura?

Marshal se rió entre dientes y pasó otra página amarillenta.

—Si se hace bien, por supuesto —respondió, haciéndome burla; alcé la vista y descubrí que me miraba con una sonrisa—. Palabra de *boy scout*. Los masajes estimulan los ritmos digestivos y de sueño. Es entonces cuando tu aura se regenera. Si te das un masaje, tu aura mejorará.

Me quedé mirándolo, intentando discernir si estaba bromeando o no.

—¿Lo dices en serio?

—Pues claro. —La seguridad y la convicción que mostraba flaquearon cuando vio la siguiente maldición, que permitía levantar un vendaval capaz de derribar edificios—. Ehh, ¿Rachel? —balbució.

—¿Qué? —pregunté poniéndome a la defensiva. ¡Por todos los demonios! Yo no era una bruja negra.

—Este de aquí es como para cagarse de miedo —dijo con el ceño fruncido.

Solté una carcajada, colocándome de nuevo el libro demoníaco sobre el regazo y dejando el de la universidad en el suelo.

—Por eso no lo hago —dije agradecida porque no pensara que era mala solo porque tenía un libro que enseñaba a realizar una maldición para causar una epidemia de peste bubónica.

Emitió un pequeño sonido y se movió hacia un lado para mirar por encima de mi hombro.

—Un cosa... Aun a riesgo de reabrir las heridas, ¿qué piensa Robbie de tu ingreso en el hospital?

Yo volví una página y palidecí: *Cómo conseguir que una humana engendre un lobo. ¡Maldita sea! No tenía ni idea de que tuviera aquel ejemplar en mi biblioteca.*

—Bueno... —farfullé pasando rápidamente la página—. Dice que son gajes del oficio y me pidió que dejara de hacer cosas peligrosas para no disgustar a mamá. Pero el disgustado es él, no mamá.

—Me imaginaba que diría algo así.

Marshal se inclinó, invadiendo mi espacio vital, y pasó la página por mí. Inspiré profundamente y disfruté tanto del calor corporal extra en el frío campanario como del intenso olor a secuoya. Había estado realizando hechizos recientemente, y me pregunté si tendría algún amuleto para modificar la temperatura y evitar temblar.

—Tu hermano me cae bien —dijo sin darse cuenta de lo mucho que disfrutaba de su olor—, pero me saca de quicio verlo tratarte como a la niña que eras cuando se fue. Mi hermano mayor hace lo mismo conmigo. Me entran ganas de darle un puñetazo.

—Mmmm —gemí dejando que el peso de nuestros cuerpos nos aproximara aún más, pensando lo sospechoso que resultaba que estuviera diciendo las palabras adecuadas—. Cuando Robbie se marchó, yo tenía trece años y nunca tuvo oportunidad de verme de adulta. —Nuestros hombros se tocaron cuando pasé la página, pero él no pareció darse cuenta—. Y yo voy y acabo en el hospital cuando viene a visitarnos. Mejor imposible, ¿verdad?

Marshal soltó una carcajada y luego se aproximó para leer el texto que explicaba cómo hacer que las pompas de jabón duraran hasta el amanecer, y me sentí mejor al ver que no todas las maldiciones eran malas. Supuse que podías hacerlas aparecer en los pulmones de alguien para que se ahogara, pero también podías usarlas para entretener a los niños.

—Quería darte las gracias por venir a casa de mi madre —dije quedamente, observándolo a él en lugar de a las maldiciones que estaba ojeando—. De no ser por ti, no creo que hubiera aguantado toda la noche escuchando «Cindy esto», «Cindy lo otro», seguido por el inevitable «¿Y tú cuándo piensas sentar la cabeza, Rachel?».

—Las madres son así —dijo en un tono preocupado—. Solo quiere que seas feliz.

—Ya lo soy —dije con acritud, y Marshal ahogó una risa, probablemente intentando memorizar la maldición para convertir el agua en vino. Era ideal para las fiestas, pero no hubiera podido invocarlo, porque su sangre carecía de las enzimas adecuadas. Yo, en cambio, sí podía.

Suspirando, empujé el libro para colocarlo en su regazo y coloqué otro en el mío. Allí arriba hacía frío, pero no quería bajar y arriesgarme a despertar a cuatro docenas de pixies. *¿Me da envidia que Robbie parezca tenerlo todo? ¿Que le resulte tan sencillo?*

—¿Sabes? —dijo Marshal sin levantar la vista del libro—. No tenemos por qué dejar las cosas como están… entre nosotros, quiero decir.

Me puse rígida. Marshal debió de notarlo, teniendo en cuenta que nuestros hombros se estaban tocando. No dije nada y, envalentonado por la falta de una respuesta negativa, añadió:

—Me refiero a que, en octubre, no estaba preparado para una relación estable, pero ahora…

Contuve la respiración y Marshal cortó por lo sano.

—De acuerdo —dijo deslizándose para dejar un poco de espacio entre nosotros—. Perdona. Olvida lo que acabo de decir. Soy un perfecto inútil interpretando el lenguaje no verbal. Mea culpa.

¿Mea culpa? ¿Todavía hay gente que utiliza esa expresión? Sin embargo, ignorar lo que acababa de decir no era tan sencillo, sobre todo cuando yo misma llevaba semanas dándole vueltas a lo mismo en mis momentos de estupidez. Así que, humedeciéndome los labios, dije cuidadosamente sin levantar la vista del libro de mi regazo:

—Me lo he pasado muy bien contigo estos dos últimos meses.

—No pasa nada, Rachel —me interrumpió, alejándose aún más en el largo y descolorido sofá—. Olvida todo lo que he dicho. Y ahora, será mejor que me marche, ¿de acuerdo?

El pulso se me aceleró.

—No te estoy pidiendo que te vayas. Te estoy diciendo que me he divertido mucho contigo. Cuando llegaste, estaba pasando un periodo muy difícil. Todavía me duele, pero me he reído mucho, y me gustas. —Él levantó la vista, con las mejillas sonrosadas y en sus ojos marrones una vulnerabilidad que no había visto antes. Mi mente evocó el momento en el que estaba sentada en el suelo de la cocina, sin nadie que me ayudara a levantarme. Entonces inspiré profundamente, asustada—. Yo también he estado pensando.

Marshal suspiró, como si se acabara de deshacer un nudo en su interior.

—Cuando estuviste en el hospital —dijo rápidamente—, te juro que, de pronto, vi lo que habíamos estado haciendo durante los dos últimos meses y sentí que algo se rompía en mi interior.

—Tampoco se estaba tan bien allí —respondí con sarcasmo.

—Y luego Jenks me contó que te derrumbaste en la cocina —añadió con una sincera preocupación—. Sé que puedes cuidar de ti misma, y que tienes a Ivy y a Jenks…

—La línea me desgarró el aura —expliqué—. Fue muy doloroso.

Mi mente recordó de repente la envidia que sentí cuando estuve sentada toda la noche junto a Marshal escuchando cómo Robbie hablaba de Cindy, radiante. ¿Por qué yo no podía disfrutar de una estabilidad como aquella?

Marshal se movió para cogerme la mano, aunque el espacio que nos separaba parecía demasiado grande para ello.

—Tú me gustas, Rachel. Y mucho —dijo en un tono que casi me dio miedo—. Y no porque tus piernas sean muy sexis y tengas sentido del humor, ni porque te emociones en las escenas de persecución, o porque invirtieras tu tiempo en bajar a un cachorrito de un árbol.

—Aquello fue realmente extraño, ¿verdad?

Sus dedos apretaron los míos, haciendo que bajara la vista.

—Jenks me ha dicho que pensabas que estabas sola y que podrías cometer una estupidez intentando salvar a ese fantasma.

Al oír aquello, renuncié por completo a toda muestra de frivolidad.

—No estoy sola.

Quizás Mia tenía razón, pero deseaba con todas mis fuerzas que no la tuviera. Y aunque así fuera, podría arreglármelas sola. Lo llevaba haciendo toda mi vida, y se me daba muy bien. Pero no quería. Entonces me estremecí, ya fuera por el frío o por la conversación, y Marshal frunció el ceño.

—No quiero echar a perder lo que tenemos —dijo Marshal con voz queda en la absoluta quietud de una tarde invernal. Lentamente se aproximó, y yo dejé en el suelo el libro de mi regazo para reclinarme sobre su costado, comprobando cómo me sentía a pesar de que estaba tensa e indecisa; sentía que todo encajaba, lo que me resultó preocupante—. Quizás es suficiente con ser amigos —añadió como si de verdad lo estuviera considerando—. Nunca he tenido una relación tan buena con una mujer como la que tengo contigo, y soy lo bastante sensato y estoy lo bastante cansado como para dejar que las cosas sigan como están.

—Yo también —dije, con un punto de decepción. No debería estar apoyándome en él, engañándole. Era un peligro para todos aquellos que me importaban, pero los hombres lobo se habían retirado, y también los vampiros. Iba a conseguir que Al entrara en razón. Deseaba que Jenks se equivocara cuando decía que perseguía lo inalcanzable para justificar el hecho de estar sola. En aquel momento tenía una relación estupenda con Marshal. Solo porque no fuera física, no quería decir que fuera menos real. ¿O sí? Quería preocuparme por alguien. Quería amar a alguien, y no quería tener miedo de hacerlo. No podía permitir que Mia se saliera con la suya.

—Marshal, todavía no sé si estoy preparada para tener pareja. —Estirando el brazo, le toqué los cortos cabellos de detrás de la oreja, con el corazón latiéndome a toda velocidad. Me había esforzado tanto en convencerme de que no debía hacerlo que aquel pequeño gesto me resultó de lo más erótico. Él no se movió, y mi mano descendió hasta que mis dedos rozaron el cuello de la camisa, acariciando suavemente su piel. Una pequeña sensación comenzó a crecer, y volví a mirarle a los ojos—. Pero me gustaría comprobar si lo estoy. Si tú…

Él alzó la mano y sujetó la mía contra su hombro y, aunque no me la estrechó, el gesto prometía que la cosa no quedaría ahí. Entonces dejó caer la mano libre, traspasando de forma insinuante las barreras invisibles de mis defensas y retirándola para darme una respuesta. Habernos pasado dos meses manteniendo las distancias había hecho que aquel simple gesto resultara sorprendentemente intenso.

Marshal estiró el brazo para levantar mi cabeza hasta la altura de la suya, y permití que la dirigiera para mirarlo. Notaba la calidez de sus dedos sobre mi mandíbula mientras me buscaba la mirada, sopesando mis palabras y comparándolas con sus propias preocupaciones. Me estremecí por culpa del frío.

—¿Estás segura? —dijo—. Después, no podremos volver atrás.

Ya había visto la mierda que me rodeaba y no había salido huyendo. ¿Qué importaba si aquello no duraba eternamente si me daba paz en aquel preciso momento?

—No, no estoy segura —susurré—, pero si esperamos hasta que lo estemos, ninguno de los dos encontrará a nadie.

Aquello pareció darle cierta seguridad y cerré los ojos mientras giraba mi rostro hacia el suyo y me besaba con indecisión, con sabor a azúcar y a dónut. De pronto, una sensación me recorrió a toda velocidad, el calor de desear algo que había asegurado que nunca perseguiría. Su mano me acercó aún más, y la sensación de su lengua deslizándose en el interior de mi boca envió un dardo de deseo hasta mi vientre. ¡Oh, Dios! Era una sensación maravillosa, y la mente se movía a la misma velocidad que mi corazón.

No quería que aquello fuera un error. Llevábamos viéndonos durante dos meses y habíamos demostrado que ninguno de los dos estaba allí por pura atracción física, de manera que, ¿por qué no ver si funcionaba?

Una descarga eléctrica me recorrió de arriba abajo como un sonido metálico, poniendo en alerta todos mis pensamientos, presentando ante mí una posibilidad que casi había olvidado. A pesar de que nuestra relación había sido platónica, o quizás precisamente por eso, no estaba preparada para acostarme con él. Hubiera sido muy extraño, y Jenks me habría acusado de intentar compensar alguna carencia. Sin embargo, era un brujo de líneas luminosas (y yo tampoco era ninguna principiante), y aunque la ancestral técnica de traspasar energía de un brujo a otro en su origen tenía como finalidad asegurar que los brujos más poderosos procrearan con brujas fuertes para impulsar la mejora de la especie, en la actualidad se habían convertido en unos preliminares muy excitantes. Por desgracia, había un pequeño problema.

—Espera —dije cuando nuestro beso se interrumpió y recuperé el raciocinio.

Sus manos comenzaron a soltarse hasta interrumpir por completo el contacto con mi piel.

—Tienes razón. Debería irme. Ha sido una pésima idea. Ya te llamaré… si quieres. Dentro de un año, quizás.

Sonaba avergonzado y le puse una mano sobre el brazo.

—Marshal. —Alzando la vista, me acerqué a él hasta que nuestros muslos se tocaron—. No te vayas. —Tragué saliva—. Esto… Hace años que no estoy con un brujo —le confesé en voz baja, incapaz de mirarle a los ojos—. Me refiero a uno capaz de trazar una línea. Me gustaría… ya sabes, pero no sé si me acuerdo de cómo se hace.

Sus ojos se abrieron enormemente cuando entendió lo que intentaba decirle y la desilusión por mi supuesto rechazo fue reemplazada por algo más antiguo y profundo, la pregunta escrita en nuestro ADN que suplicaba ser contestada: ¿quién era el brujo más avezado y cuánto podíamos divertirnos intentando averiguarlo?

—Pero ¡Rachel! —dijo con una tierna risa que provocó que me sonrojara—. ¡Eso no se olvida!

Mi rubor aumentó, pero su mirada estaba cargada de comprensión, y aquello me dio fuerzas.

—Por aquel entonces no practicaba mucho con las líneas luminosas. Ahora… —continué encogiéndome de hombros, azorada—. No conozco mis límites. Y con el aura dañada… —añadí, dejando la frase en el aire.

Marshal apoyó su frente sobre la mía y las manos sobre mis hombros.

—Tendré cuidado —susurró—. ¿Prefieres tirar en vez de empujar? —preguntó quedamente, dubitativo.

Mi rostro se encendió, pero asentí con la cabeza, aunque sin mirarle a la cara. Tirar era más íntimo, más arrebatador, más tierno y más peligroso en la medida en que podía confundirse con el amor, pero resultaba más seguro cuando las dos personas no conocían los límites de las líneas luminosas del otro.

Él se inclinó lentamente para darme un beso inquisitivo. Cerré los ojos en el mismo instante en que nuestros labios se juntaron y exhalé en él, apretando sus hombros con más fuerza. Me moví para situar mi rostro frente al suyo. Marshal respondió colocando su mano en la parte posterior de mi cabeza, con un gesto posesivo pero dubitativo. Su olor a secuoya hizo saltar chispas en mi interior, provocando un aumento de la emoción, sin rastro del miedo que siempre me había acechado con Kisten. El beso carecía de la subida de adrenalina provocada por el temor, pero resultaba igual de profundo, tocando una emoción que nacía de nuestros orígenes. Había un peligro en aquel beso no tan inocente. Poseía el potencial del éxtasis o una idéntica cantidad de dolor, y la danza sería muy cautelosa, puesto que la confianza era solo una promesa entre nosotros.

El corazón me dio un vuelco ante la posibilidad de llevarlo a cabo. El intercambio de energía no tenía por qué incluir sexo, pero probablemente era la razón por la que las brujas siempre regresaban después de jugar con los humanos mejor dotados. Incluso aunque hubiera humanos que podían utilizar las líneas, no podían succionar su energía. Mi única preocupación, aparte de la vergüenza, era mi maltrecha aura… Existía la posibilidad de que resultara doloroso. Era, básicamente, lo mismo que utilizaba Al para castigarme, empujando una línea en mi interior para causarme dolor, pero era como comparar un beso de amor con una violación.

Un estremecimiento de impaciencia me recorrió de arriba abajo y desapareció. *¡Oh, Dios! Espero acordarme de cómo se hace, porque lo deseo fervientemente.*

Tiré de él hacia mí incluso mientras interrumpía nuestro beso. La respiración se me aceleró y, con los ojos todavía cerrados, apoyé la cabeza sobre su hombro, con los labios abiertos mientras inhalaba su aroma. Una de sus manos me sujetaba la cintura, mientras que la otra se enredaba en mi pelo. Me tensé al notar el tacto de sus dedos. Él sabía que no iba a golpearlo con una explosión de energía de líneas luminosas para repelerlo a él y sus acercamientos, pero resultaba difícil superar varios milenios de instintos con solo una vida de experiencia, de manera que iríamos despacio.

Cambié de posición, obligándole a abrir las piernas y a apoyar la espalda en el respaldo del sofá. Una punzada de impaciencia se abrió paso hasta lo más profundo de mi ser, seguida por la preocupación. ¿Qué pasaría si no conseguía relajarme lo suficiente? Respiraba aceleradamente y, entrelazando las manos detrás de su nuca, abrí los ojos para buscar los suyos. El color marrón estaba cargado de un deseo tan intenso como el mío. Me removí, sintiéndolo debajo de mí.

—¿Alguna vez has hecho esto con una amiga? —le pregunté.

—No, pero siempre hay una primera vez para todo —dijo dejando entrever una sonrisa tanto en su voz como en su rostro—. Tienes que estar callada.

—Yo… —acerté a decir justo antes de que introdujera las manos por debajo de mi camisa y volviera a besarme. El corazón estaba a punto de salírseme del pecho y, mientras la rugosa suavidad de sus manos exploraba mi diafragma y ascendía lentamente, la presión de su boca sobre la mía se hizo más intensa. Correspondí a su embestida con la mía, rodeándole la cintura con las manos, e introduciendo un dedo bajo sus vaqueros para demostrar que, en un futuro, sería capaz de ir más allá.

Me presioné contra su calor decidiendo dejar de pensar y dejarme llevar. Mi *chi* estaba dolorosamente vacío, de manera que, con la suave indecisión de un beso virginal, extendí mi conciencia y encontré la energía latente que se encontraba en el interior del suyo. Marshal lo sintió. Sus manos me apretaron con más fuerza y luego se relajaron, pidiéndome que la tomara, que encendiera todo su cuerpo con la oleada de adrenalina y el éxtasis de las endorfinas al arrancársela violentamente.

Yo exhalé, deseando que viniera.

El calor de sus manos sobre mí empezó a soltar chispas provocándome un intenso hormigueo. De pronto, a una velocidad que nos desconcertó a ambos, las fuerzas se equilibraron y los niveles de adrenalina se descontrolaron. Marshal soltó un gemido y, atemorizada, tensé mi conciencia. De pronto, las barreras se alzaron y sentí que las mejillas me ardían por la vergüenza. Pero la energía había entrado de forma suave y pura, sin rastro de la sensación de náusea que me había provocado anteriormente la línea luminosa. Al provenir de una persona, había perdido sus bordes cortantes.

—Marshal —conseguí decir, sintiéndome profundamente desdichada—. Lo siento. Esto no se me da bien.

Marshal se estremeció y abrió un ojo para mirarme. Bajo mi cuerpo, había adoptado una posición de lo más sumisa, de un modo escalofriante.

—¿Y eso quién lo dice? —susurró sentándose algo más derecho para acercarme aún más a su regazo.

Estaba dispuesta a tirarme por la ventana. Podía sentir la energía que había tomado de él en mi *chi*, centelleando y despidiendo un sabor a masculinidad en mis pensamientos. Quería volver a él, pero tenía miedo. Me había cerrado a él y, como consecuencia, iba a resultar mucho más complicado.

—Rachel —dijo Marshal intentando apaciguarme mientras deslizaba la mano una y otra vez por mi brazo—. Tienes que relajarte. Llevas mucho tiempo cargando con pedazos de siempre jamás con la intención de hacer daño a la gente que te pudiera atacar y, por esa razón, has construido un muro inexpugnable.

—Sí, pero...

—Cállate... —susurró, dándome una serie de pequeños besos que me distrajeron y que, poco a poco, empezaron a reavivar mi deseo—. No pasa nada.

—Marshal...

¡Esto es tan extraño! Estoy besándolo, y construí un muro alrededor de aquella idea.

—Usa tus labios para otra cosa que no sea hablar, ¿vale? Si no funciona, no funciona. Tampoco es para tanto.

—Mmm... —mascullé, sorprendida cuando me rodeó con sus brazos y me acercó aún más a él, silenciando mis protestas con su boca. Claudicando, lo besé, sintiendo cómo me relajaba y me tensaba al mismo tiempo.

La respiración se me aceleró cuando las manos de Marshal comenzaron a explorar mi cuerpo, pasándolas por encima de mis vaqueros para situarme en un lugar donde pude sentir cómo presionaba contra mí. Le cogí la boca con la mía, encontrando un beso, saboreándolo lentamente mientras su olor a secuoya me invadía. Su lengua se deslizó entre mis labios y retrocedí. Aquello fue mi perdición.

Emitiendo un grito ahogado, apoyé las manos sobre sus hombros para apartarlo de un empujón cuando tiró de mi *chi*. Con un delicioso sonido metálico de adrenalina, forcejeé con él, incluso cuando me agarró con más fuerza, obligándome a quedarme. La conmoción resultó embriagadora, y con un sonido de desesperación, interrumpí nuestro beso. Jadeando, me quedé mirándolo, sin aliento, en la fría tarde invernal. *¡Maldición! Eso ha sido fantástico.*

—Lo siento, lo siento —acerté a decir, mientras el deseo sexual me aporreaba desde el interior.

—¿Qué sientes? —preguntó Marshal, con la mirada llena de calor.

—La he soltado —dije.

Él esbozó una sonrisa.

—Pues vuelve a cogerla —susurró, burlándose de mí. Sus dedos me tocaban por todas partes, recorriéndome con dulzura y haciendo que me estremeciera bajo la tenue luz que entraba a través de las tablillas. Aquí, allí, sin detenerse demasiado en ningún sitio, haciendo que casi me volviera loca. *¡Oh, Dios! Voy a hacer que me suplique que lo haga.*

Temblando por la emoción y el deseo, me recosté sobre él. El aroma de Marshal lo impregnaba todo. Inspiré para llenarme de él y bloqueé mis pensamientos. Tenía sus manos sobre mi cintura y, a medida que me fui sintiendo más cómoda con nuestra nueva cercanía, exhalé emitiendo un suave sonido de placer cuando encontró mis pechos, acariciando primero uno, y luego el otro, por encima de la camisa, provocando que me pusiera rígida por la impaciencia hasta que no pude soportarlo más. Quería esperar, para que me lo pidiera con su cuerpo y no con sus palabras, pero, en vez de eso, exhalé, arrancándole hasta el último ergio de energía de su *chi*.

Marshal gimió cuando aquella deliciosa consecución entró rodando en mi interior, mezclada con la perversa sensación de dominación y posesión. Él abrió los ojos y el ardiente deseo que mostraban hizo que el corazón empezara a latirme con más fuerza. Se la había arrebatado, y ahora él iba a recuperarla.

No esperó. Con una mano en mi cuello, tiró de mí hacia abajo para que lo besara. Sabía lo que iba a pasar, pero no pude evitar el suave gemido cuando tocó mi *chi* con su conciencia y me lo extrajo por completo, tirando de él a través de mi cuerpo y dejando un brillante rastro de pérdida y calor girando en espiral a través de mí como el humo de una vela después de apagarla.

No me resistí. Era capaz de compartir aquello y, sin dejar de besarlo, me sujeté con fuerza para recibir el envite. Le presioné los muslos con las rodillas, pidiéndoselo, tomándolo, y haciéndolo mío.

La energía lo atravesó con el chasquido de un látigo y soltó un grito ahogado, estirando los brazos para aprisionarme. Yo inspiré su olor, sintiendo que me llenaba de él. Podía saborearlo en mi mente, en mi alma. Era una sensación maravillosa y apenas podía soportarla.

—Tómala —suspiré deseando sentir cómo hacía lo mismo, pero él se negó con un gruñido. Mi gemido se transformó en un jadeo de ardiente deseo e, incitándome, me aferró con mayor intensidad hasta que volvió a tocar mi *chi*, tomándolo todo con una estela centelleante, dejando solo un rastro de chispas en mi mente y un doloroso vacío.

Me tocaba arrebatárselo de nuevo, pero él asumió el mando. En una especie de pulso que me entumeció la mente y empujó la energía a mi interior. Aspiré el aire estupefacta, agarrándolo con todas mis fuerzas.

—¡Oh, Dios! ¡No pares! —jadeé.

Era como si pudiera sentirlo en mi interior, fuera de mí, y a mi alrededor. Y entonces me lo arrancó de nuevo, dejándome casi suplicándoselo a lágrima viva.

—Marshal —jadeé—. Marshal, por favor.

—Todavía no —gimió.

Me aferré a sus hombros, deseándolo todo. Y en ese momento.

—Ahora —le pedí, fuera de mí, con una necesidad que se retroalimentaba. Tenía la energía de mi línea, tenía mi satisfacción. Su boca encontró la mía y supliqué. No con palabras, sino con mi cuerpo. Me retorcí de deseo, apreté su cuerpo contra el mío, hice de todo menos cogerla, encontrando el delicioso dolor que producía en mi interior de una necesidad no satisfecha, llevándome hasta un punto febril.

Fue entonces cuando él gimió, incapaz de seguir negándomelo. Yo solté un quejido de alivio cuando la energía de su *chi* colmó el mío y ambos alcanzamos el clímax. Una ráfaga de endorfinas cayó sobre nosotros como una cascada, haciendo que me detuviera, boqueando y arqueando la espalda. Las manos de Marshal me dieron una sacudida, y yo me estremecí mientras oleada tras oleada me tranquilizaba, llevándome a un estado de máxima alerta en el que nada era real.

En aquel momento escuché un gemido jadeante y, tras unos instantes, me di cuenta, avergonzada, de que había sido yo. Desplomándome sobre él, sentí que recobraba los sentidos. Marshal respiraba fuertemente, y su pecho se elevaba y descendía debajo de mí mientras su mano reposaba sobre mi espalda, por fin quieta. Yo exhalé, sintiendo el flujo de energía filtrándose entre nosotros, hacia delante y hacia atrás, sin encontrar el más mínimo obstáculo, dejando un suave cosquilleo que se desvanecía conforme las fuerzas se equilibraban a la perfección.

Me tumbé junto a él con la cabeza sobre su hombro, escuchando el latido de su corazón y decidiendo que probablemente no había muchas maneras tan agradables como aquella de poner tu vida patas arriba. Y sin necesidad de desnudarse. Sintiendo las gélidas temperaturas de la noche, me revolví.

—¿Estás bien? —pregunté, sonriendo cuando advertí que asentía con la cabeza.

—¿Y tú? —inquirió él, con una voz que se asemejaba más a un estruendo que a un sonido real.

En ese momento agucé el oído durante unos instantes, pero no oí nada. Ni el típico aleteo de pixie, ni compañeras de piso dando golpes a las cosas.

—Jamás había estado tan bien —respondí sintiendo una paz interior que hacía mucho tiempo que no experimentaba. El pecho de Marshal empezó a dar botes y me erguí cuando me di cuenta de que se estaba riendo—. ¿Qué pasa? —quise saber, sintiéndome el objeto de sus carcajadas.

—Marshal, no sé si me acuerdo de cómo se hace —dijo tratando de imitar mi voz—. Ha pasado mucho tiempo.

Aliviada, me senté y le di un puñetazo en el hombro.

—¡Cierra el pico! —le espeté, sin importarme que se estuviera riendo de mí—. Lo decía en serio.

Marshal me retiró con cuidado de su regazo y yo me acurruqué sobre él, y ambos nos dejamos caer con la cabeza sobre el respaldo del sofá y nuestros pies entrelazados sobre el suelo.

—¿Estás segura de que tu aura está bien? —preguntó Marshal en un tono casi inaudible. A continuación se volvió para mirarme a los ojos y le sonreí.

—Sí. Ha sido… —Marshal me rodeó con sus brazos mientras yo hacía amago de levantarme y, riéndome, volví a caer sobre él.

—Genial —me susurró al oído, abrazándome con fuerza.

No iba a preocuparme por lo que pasaría después. Sinceramente, no merecía la pena.

19

El sol se aproximaba despacio hacia el horizonte, coloreando los edificios que bordeaban la orilla del río de rojo y dorado, mientras me dirigía a Carew Tower para almorzar y verme con Edden. Si se hubiera tratado de uno de mis domingos habituales, ahora estaría a punto de volver a casa desde siempre jamás y mi tira y afloja de la semana con Al estaría teniendo lugar y, aunque me alegraba de haberme librado de él, estaba preocupada por Pierce. Pierce, Al, Ivy, Skimmer, el asesino de Kisten y Mia. Todos ellos se agolpaban en lo más profundo de mi mente, un montón de problemas que exigían ser resueltos. La mayoría de los días, la sobrecarga me hubiera tenido tensa e irascible, pero estaba vez no era así. Sonriendo, me quedé mirando el reflejo del sol en los edificios, y me puse a trastear con la radio mientras seguía al tipo que iba delante de mí por encima del puente. *Todo a su debido tiempo*, pensé, preguntándome si mi calma se debía a Marshal o a su masajista.

Faltaba una media hora para mi cita con Edden, a las seis tenía que ir a la prisión de la SI y, más tarde, a las diez, había quedado con mi madre y con Robbie para cenar. Cuando había llamado para avisar de que no podría ir a comer, había oído las quejas de fondo de mi hermano, pero no me importaba en absoluto. Antes o después, Mia daría señales de vida y me encargaría de que se llevara su merecido, pero hasta entonces, podía disfrutar de un aperitivo en Carew Tower. El masaje que me había concedido a mí misma horas antes había sido fantástico, y llevaba toda la tarde sintiendo pequeñas punzadas de culpa por haberme divertido con la excusa de que me ayudaría a recuperar el aura. La sensación de relajación todavía no me había abandonado, haciendo que resultara más sencillo decirle a Marshal que tenía razón y bla, bla, bla…

Me había dicho que me llamaría más tarde. Era una sensación muy agradable y no pensaba darle más vueltas.

Me sentía muy elegante con los pantalones forrados de seda y la blusa de brillos que me había puesto para la señora Walker. Hasta entonces no había tenido ocasión de ponerme el largo abrigo de fieltro que me había regalado mi madre el invierno anterior, y tenía la sensación de dar una imagen muy distinguida mientras superaba el puente que llevaba a Cincinnati en dirección a Carew Tower para una reunión de negocios en el punto más alto de la ciudad. Jenks también se había puesto de tiros largos, con una camisa negra y unos pantalones amplios y vaporosos que ocultaban las capas de tela que debían aislarle del frío. Matalina estaba mejorando la confección de ropa invernal que le permitiera volar, y el pixie se encontraba en lo alto del espejo retrovisor, peleándose con la gorra negra de pescador que le había fabricado su esposa a partir de un retal del forro de mi abrigo. Su pelo rubio asomaba por debajo dándole un aspecto encantador, y me pregunté por qué no llevaba siempre sombrero.

—Rachel —dijo, como si se hubiera puesto nervioso de repente.

—¿Qué? —pregunté trasteando de nuevo con la radio mientras bajábamos del puente colocándome delante de un camión articulado para tomar el desvío de salida a una velocidad de setenta kilómetros por hora. Siguiéndome muy de cerca, había un tipo en un Firebird negro, y él continuó, pegado a mi parachoques. *Muy sensato conducir así cuando hay nieve, chaval.*

—Rachel —repitió Jenks, agitando las alas.

—Ya lo he visto.

Ambos nos dirigíamos al desvío de salida y, saludándome con el dedo corazón alzado, intentaba situarse delante de mí antes de que se redujera el carril.

—Déjale pasar, Rachel.

Sin embargo, aquel imbécil me había tocado las narices, de manera que mantuve la velocidad. El camión articulado que llevaba detrás tocó el claxon cuando nos acercamos al desvío. El tipo no iba a conseguirlo, y el muy capullo me empujó contra el bordillo.

Un montón de gravilla y sal golpearon los bajos del coche. La pared me pasó de cerca y contuve la respiración, agarrando con fuerza el volante cuando los dos carriles se redujeron a uno. Pisé con fuerza el freno, girando el volante en el último momento para colocarme detrás de él. El tipo aceleró con un rugido del motor y superó el semáforo amarillo que se encontraba al final del desvío. Con las mejillas encendidas, saludé con la mano al furibundo conductor del camión articulado que estaba detrás de mí y que lo había presenciado todo desde una distancia prudencial. Jenks despedía un polvo de color amarillo pálido mientras se ponía de pie en el espejo retrovisor, agarrándose al palo como si le fuera la vida en ello. Yo me detuve ante el semáforo en rojo y me quedé mirando cómo el Firebird, que iba una manzana por delante de mí, se detenía en el siguiente semáforo. *Capullo.*

—¿Te encuentras bien, Rachel? —preguntó Jenks.

—Sí —respondí bajando la calefacción—. ¿Por qué?

—Porque normalmente no te dedicas a sortear a otros coches a menos que vayas a más de ciento diez —dijo aterrizando en mi brazo y caminando hacia arriba para olisquearme—. ¿Estás bajo los efectos de alguna medicina humana? ¿No te habrá colado la masajista alguna aspirina?

No tan molesta como pensé que estaría, le miré y luego eché en vistazo a la parte posterior de la calle.

—No. —Marshal tenía razón. Debería ir a darme un masaje más a menudo. Era muy relajante.

Jenks torció el gesto y se sentó en el pliegue de mi codo, agitando las alas para no perder el equilibrio. El masaje había sido fantástico, y no me había dado cuenta de lo tensa que estaba hasta que el estrés desapareció. ¡Dios! Me sentía de maravilla.

—Se ha puesto verde, Rachel.

Pisé el acelerador dándome cuenta de que el Firebird seguía parado delante del semáforo rojo. Una sonrisa se dibujó en mi rostro. Comprobé la velocidad a la que iba, la señal y la calle. Estaba cumpliendo las normas.

—Está rojo —dijo Jenks, mientras avanzaba a toda velocidad en dirección al siguiente semáforo.

—Ya lo he visto. —Echando un vistazo detrás de mí, me cambié de carril de manera que el señor Capullo quedara a mi lado. No tenía a nadie delante y mantuve la velocidad.

—¡Está rojo! —exclamó Jenks al ver que no reducía.

Mis dedos sujetaban el volante con despreocupación y vi que el semáforo de peatones empezaba a parpadear.

—Cuando lleguemos, ya se habrá puesto verde.

—¡Rachel! —gritó Jenks y, con la suavidad de un glaseado blanco adelanté al señor Firebird dos segundos antes de que el semáforo cambiara, a una agradable velocidad de sesenta y cinco kilómetros por hora. Llegué al siguiente semáforo mientras él aceleraba el motor al máximo e intentaba alcanzarme. Doblando suavemente la esquina cuando acababa de ponerse amarillo, giré para dirigirme hacia el centro. El señor Firebird se vio obligado a parar y no pude evitar una profunda sensación de satisfacción. *Chúpate esa. Imbécil.*

—¡Joder, Rachel! —masculló Jenks—. ¿Qué demonios te pasa?

—Nada —respondí subiendo el volumen de la radio. Me sentía genial. Todo iba de maravilla.

—Tal vez Ivy podría venir a recogernos al restaurante —farfulló Jenks, y yo aparté los ojos de la carretera, confundida.

—¿Por qué?

Jenks me miró como si estuviera loca.

—Déjalo. No importa.

A continuación adelanté como un rayo a un autobús, cambiando de carril a mitad de manzana.

—¡Oye! ¿Qué tal está mi aura? —pregunté, interceptando la cercana línea de la universidad. Penetró en mi interior con un desagradable pellizco, pero, al menos, las idas y venidas de energía no hicieron que me mareara. Tenía un coche delante, y miré a ambos lados antes de cambiar de carril y pasé con el semáforo en rojo. Tenía tiempo de sobra.

—¡Deja de jugar con la línea y conduce! —exclamó Jenks—. Tu aura está mucho mejor que antes, y más densa, pero solo porque se ha comprimido, pues apenas tiene dos centímetros y medio de espesor.

—¡Vaya! Pero eso es bueno, ¿no?

Jenks asintió contrayendo sus diminutos rasgos en una expresión furibunda.

—No está mal, siempre que no sufras otro ataque. ¡Por cierto! Acabas de saltarte la entrada del aparcamiento.

—¿Ah, sí? —pregunté distraída al ver un Firebird negro acercándose a toda velocidad a un bloque de distancia—. ¡Mira! Ahí delante hay sitio —dije avistando un hueco al otro lado de la calle.

—Sí, pero cuando quieras dar la vuelta, ya te lo habrán quitado.

Entonces miré detrás de mí y esbocé una sonrisa.

—Eso ya lo veremos —dije.

Acto seguido, realicé un brusco viraje en redondo. El asfalto estaba resbaladizo y el coche giró exactamente como pensé que lo haría, encarando la dirección opuesta, mientras se deslizaba en el interior del hueco con una suave sacudida cuando los neumáticos chocaron contra el bordillo. *Perfecto.*

—¡Por Dios bendito, Rachel! —gritó Jenks—. ¿Qué demonios te pasa? ¡Yo alucino con lo que acabas de hacer! ¿Quién te crees que eres? ¿Lucas Black?

Agarrando el bolso, apagué el motor y me ajusté la bufanda. No sabía de dónde venía aquella confianza en mí misma, pero me sentía de maravilla.

—¿Vienes? —le pregunté con dulzura.

Él se quedó mirándome fijamente y separó los dedos del espejo retrovisor.

—Pues claro.

Las alas de Jenks estaban frías cuando se acurrucó entre mi cuello y la bufanda, y después de echarle un último vistazo, salí del coche. Una vez fuera, inspiré profundamente, llenándome los pulmones de un aire frío impregnado del olor a asfalto mojado y a gases de los tubos de escape, perfumando la noche que estaba por venir. Hacía un frío que pelaba y, sintiéndome segura con mi mejor abrigo y mis botas, saludé con la mano al señor Firebird antes de encaminarme hacia Carew Tower.

Chapoteando con las botas en la mezcla de nieve y barro, guiñé los ojos por la luz mientras me ajustaba las gafas de sol. La luminosa fachada de una tienda de hechizos llamó mi atención y me pregunté de cuánto tiempo disponíamos antes de la cita.

—¿Jenks? —inquirí reduciendo el paso—. ¿Qué hora es?

—Las tres y media —dijo con voz amortiguada por el tejido en el que se escondía—. Todavía es pronto.

Jenks era mejor que un reloj y mis pensamientos se concentraron en mi próximo encuentro con la banshee. Marshal y yo no habíamos encontrado nada en mis libros para reparar mi aura después de unirnos, y eso que nos habíamos puesto a mirarlos muy en serio. Pero tal vez el propietario de una tienda de hechizos tuviera algo que «estimulara los ritmos digestivos y del sueño». Además, quería que le echaran un vistazo al amuleto localizador defectuoso. Tal vez había utilizado un tipo equivocado de cera carbónica.

—¿Te gustaría que nos pasáramos por una tienda de hechizos? —pregunté a Jenks—. Tal vez tengan semillas de helecho.

—¡Y tanto! —exclamó Jenks con tanto entusiasmo que sentí un pellizco de culpa. Era tan fastidiosamente independiente que nunca se le habría ocurrido pedirnos que lo lleváramos de compras—. Si no tienen, me llevaré un poco de tanaceto —añadió acariciándome el cuello con las alas—. A Matalina le encanta la infusión de tanaceto. Le ayuda a conservar la movilidad de las alas.

Me dirigí a la pequeña puerta delantera, recordando a su renqueante esposa. El pobre Jenks tenía el corazón roto y no había nada que pudiera hacer por él. Ni siquiera tomarle de la mano. ¿Llevarlo a una tienda de hechizos era lo mejor que podía ofrecerle? No era suficiente. Ni muchísimo menos.

—Ya casi hemos llegado —dije y, tras soltarme una serie de improperios por mi preocupación, tiré de la puerta de cristal y entré.

Apenas escuché el tintineo de la campana y percibí el olor a café con canela, me relajé. El zumbido del detector de hechizos consistía en una suave alarma que reaccionaba a mi amuleto detector de hechizos malignos. Me quité el sombrero y Jenks voló desde mi bufanda hasta un estante cercano y estiró sus alas.

—¡Qué sitio tan agradable! —dijo, y yo sonreí cuando echó a perder su imagen de tipo duro al quedarse de pie sobre un montón de pétalos de rosa y utilizar la palabra «agradable».

Me desenrollé la bufanda y me quité las gafas de sol, recorriendo los estantes con la mirada. Me gustaban las tiendas de hechizos terrestres, y aquella era una de las mejores, y estaba situada en pleno centro de Cincinnati. Había estado allí varias veces, y la dependienta me había parecido muy servicial y la selección más que adecuada; con alguna que otra sorpresa y algún que otro artículo especialmente caro que no tenía en mi jardín. Yo prefería comprar en la tienda en lugar de solicitar que me lo enviaran por correo. Con un poco de suerte, encontraría el crisol rojo y blanco de piedra. Fruncí el ceño por la preocupación al pensar en Pierce con Al, pero no podía hacer el hechizo mientras estuviera atrapado en siempre jamás.

¿O sí?, pensé de repente, deteniendo los dedos que, hasta ese momento, se deslizaban por un expositor de semillas para cultivar. Hubiera apostado cualquier cosa a que Al todavía no le había dado un cuerpo a Pierce, para evitar que pudiera interceptar una línea y se volviera más peligroso de lo que ya era. Si seguía siendo un fantasma, tal vez el hechizo podría traerlo desde siempre jamás del mismo modo que lo había hecho del más allá. Al fin y al cabo, ¿qué diferencia había entre uno y otro? Y si lo hacía, Al vendría a mí.

En mi rostro se dibujó una sonrisa y el entusiasmo me invadió. Había encontrado el modo de que Al me respetara. Si le arrebataba a Pierce, Al vendría a buscarme. Estaría en una posición aventajada, ya fuera real o fingida. Faltaban poco más de veinticuatro horas para la última noche del año. Lo único que necesitaba era la receta para asegurarme de que lo realizaba correctamente. ¡Ni siquiera tendría que interceptar una maldita línea!

Emocionada, me volví hacia la puerta. Necesitaba aquel libro. *Robbie*. De pronto deseé estar en otro lugar y me puse a caminar de un lado a otro nerviosamente. Vería a Robbie aquella misma noche, y no me marcharía hasta conseguir el libro y todo lo que venía con él.

Jenks rodeó a toda velocidad un expositor, a punto de chocarse conmigo. Despedía un brillo de color cobrizo y supuse que había encontrado algo. Detrás de él, la mujer, junto a la caja registradora, alzó la vista del periódico y, atusando un mechón de sus lisos cabellos teñidos de lila, se quedó mirando las chispas de Jenks.

—Si necesita ayuda, dígamelo —dijo, y yo me pregunté si su pelo sería realmente de un liso tan envidiable o si se trataba de un hechizo.

—Gracias, lo haré —dije extendiendo la mano para que Jenks aterrizara encima. Volaba de un lado a otro como un niño con zapatos nuevos. Debía de haber encontrado algo que, en su opinión, podía ayudar a Matalina.

—Ven un momento —dijo saliendo disparado por el lugar por el que había venido.

Sonriendo a la mujer de detrás de la caja, seguí el rastro de chispas doradas que iba dejando Jenks. Mis botas golpetearon sobre los oscuros tablones de madera mientras pasaba por delante de los estantes de hierbas y lo encontraba entre un montón de maleza de desagradable aspecto, colgado en la esquina junto a unas enmarañadas ramas de *Hamamelis*.

—Esta —decidió, señalando una pelada y mugrienta ramita de color gris.

Lo miré a él y luego al tanaceto. Justo al lado había un manojo mucho más lustroso.

—¿No prefieres este? —pregunté, tocándolo.

Jenks zumbó con aspereza.

—Es de invernadero. El silvestre es mucho más potente.

—Entiendo.

Con cuidado de no romperlo, lo coloqué en una de las cestas de mimbre apiladas en un estante al final del pasillo. Una vez conseguido su propósito, Jenks por fin se acomodó sobre mi hombro. Me dirigí lentamente hacia la parte delantera, deteniéndome unos instantes sobre un saquito de semillas de diente de león y sonriendo. Todavía disponíamos de un poco de tiempo y pensé que no estaría de más aprovechar para preguntarle sobre la cera carbónica.

La forma en que la dependienta hablaba por teléfono me llamó la atención. Parecía discutir con alguien, pero en voz baja, y Jenks agitó las alas con nerviosismo.

—¿Qué está pasando? —pregunté quedamente mientras fingía mirar un expositor de barros poco comunes. ¡Joder! Eran carísimos, pero llevaban su certificado y todo.

—No estoy seguro —dijo—. De repente, parece que algo no va bien.

A pesar de lo mucho que detestaba tener que admitirlo, tenía razón. Pero seguía sin saber en qué me había equivocado con el amuleto localizador, así que me dirigí hacia el mostrador.

—Hola —dije alegremente—. He tenido algunos problemas para hacer funcionar una poción localizadora. ¿Sabe usted cómo de fresca tiene que ser la cera carbónica? Tengo un poco, pero debe de tener unos tres años. No creerá que un poco de sal húmeda podría haberlo echado a perder, ¿verdad?

—La mujer se me quedó mirando, como un cervatillo sorprendido por los faros de un coche, y yo añadí—: Estoy trabajando en una misión. ¿Quiere ver mi licencia?

—Usted es Rachel Morgan, ¿no? —dijo—. Nadie más va por ahí con un pixie.

Por la forma en que lo dijo, una débil sensación de desasosiego se deslizó bajo mi piel, pero me limité a sonreír.

—Efectivamente. Este es Jenks. —Mi compañero agitó las alas con recelo a modo de saludo, y ella no dijo nada. Incómoda, añadí—: Tiene usted una tienda estupenda.

A continuación, dejé el tanaceto sobre el mostrador y ella retrocedió, con una expresión casi avergonzada.

—Lo… lo siento —balbució—. ¿Le importaría marcharse?

Alcé las cejas y me puse roja.

—¿Disculpe?

—¿Qué coño está diciendo? —susurró Jenks.

La joven dependienta, de no más de dieciocho años, buscó a tientas el teléfono y lo sujetó en el aire, como si quisiera amenazarme.

—Le estoy pidiendo que se marche —dijo con firmeza—. Si no lo hace, llamaré a la SI.

Soltando un montón de chispas, Jenks se situó entre nosotras.

—¿Por qué? ¡No hemos hecho nada!

—Escuche —dije intentando evitar un incidente—, ¿le importaría cobrarnos esto primero?

Le acerqué la cesta con un codazo y ella la cogió. Mi presión sanguínea se normalizó, pero solo durante tres segundos, hasta que situó la cesta fuera de mi alcance, detrás de ella.

—No voy a venderle nada —dijo apartando la vista para indicarme que se sentía incómoda—. Puedo negarme a atender a un cliente si lo considero oportuno, y usted tiene que irse.

Yo la miré de hito en hito, sin entender nada, y Jenks se quedó descolocado. Justo entonces mi mirada recayó sobre el periódico, en el que se relataban los disturbios del día anterior en el centro comercial. En esta ocasión el titular era diferente: «Magia negra en el Circle. Tres hospitalizados». Y de pronto lo entendí todo.

Tambaleándome, apoyé la mano en el mostrador para no perder el equilibrio. La universidad rechazando mi cheque. El hospital negándome la posibilidad de tratarme en la planta de los brujos. Cormel diciéndome que había tenido que hablar en mi favor. Tom invitándome a recurrir a él si necesitaba hablar. ¡Me estaban echando la culpa de los disturbios! Me acusaban públicamente y lo llamaban magia negra.

—¿Me están excluyendo? —exclamé, y la mujer se puso roja. Mis ojos se dirigieron al periódico, y luego de vuelta a ella—. ¿Quiénes? ¿Por qué? —Sin embargo el porqué era bastante obvio.

Con la barbilla levantada, y sin rastro de vergüenza una vez que yo ya lo había descubierto, respondió:

—Todo el mundo.

—¿Todo el mundo? —grité.

—Así es —dijo—. No puede comprar nada aquí. Será mejor que se vaya.

Me aparté del mostrador con los brazos caídos. *¿Me han excluido?* Alguien debía haberme visto con Al en el jardín y presenciado cómo se llevaba a Pierce. ¿Habría sido Tom? ¡Maldito cabrón! ¿Había hecho que me excluyeran para tener más posibilidades de capturar a Mia?

—Rachel —dijo Jenks cerca de mi oído pero sonando distante—, ¿a qué se refiere? ¿Marcharnos? ¿Por qué tenemos que marcharnos?

Estupefacta, me humedecí los labios e intenté aclararme las ideas.

—Me han excluido —dije, y luego me quedé mirando el tanaceto. Podría haber estado en la luna. No podía cogerlo, ni nada de lo que había en la tienda. Ni en la de al lado. Ni en ninguna otra. Sentí ganas de vomitar y sacudí la cabeza con incredulidad.

—Esto no es justo —le dije a la dependienta—. Nunca le he hecho daño a nadie. Solo he ayudado a la gente. La única que sale malherida soy yo.

¡Oh, Dios mío! ¿Qué le voy a decir a Marshal? Si vuelve a hablar conmigo, podrían excluirlo también. Y perder su trabajo.

Mi marca demoníaca parecía pesarme tanto en el pie como en la muñeca, y me bajé las mangas. Con las mejillas enrojecidas, la dependienta tiró el tanaceto a la basura porque yo lo había tocado.

—¡Fuera de aquí! —me ordenó.

Sentía como si me faltase el aire, y Jenks no estaba mucho mejor, aunque al menos reunió las fuerzas para dedicarle unas últimas palabras a la chica.

—Escucha, pedazo de mierda con patas —dijo apuntándole con el dedo mientras despedía un montón de chispas rojas que formaban un charco sobre el mostrador—. Rachel no es una bruja negra. Los periódicos publican un montón de basura. Fue la banshee la que empezó la pelea y Rachel necesita estas cosas para ayudar a la AFI a capturarla.

La joven no dijo nada y me llevé una mano al estómago. ¡Oh, Dios! No quería vomitar allí. Me habían excluido. No era una sentencia de muerte, como habría ocurrido doscientos años antes, pero era una forma de constatar que mi comportamiento era reprobable. Que nadie me ayudaría si lo necesitaba. Y que era una mala persona.

Aturdida, me así con más fuerza al mostrador.

—¡Vámonos! —susurré yendo hacia la puerta.

Jenks chasqueó las alas con violencia.

—Pero ¡necesitas estas cosas, Rachel!

Sacudí la cabeza.

—No va a vendérnoslas —dije tragando saliva—. Nadie lo hará.

—¿Y qué me dices de Matalina? —preguntó, con la voz helada por el pánico.

Me quedé sin aliento y regresé de nuevo al mostrador.

—Por favor —le supliqué mientras las alas de Jenks hacían que el pelo me hiciera cosquillas en el cuello—. Su esposa está enferma y el tanaceto podría ayudarla. Déjenos comprar solo una cosa y no volveremos jamás. No es para mí.

Ella negó con la cabeza. El miedo había desaparecido, arrastrado por la confianza que había adquirido en cuanto se dio cuenta de que no iba a causarle problemas.

—Hay lugares para brujas como usted —dijo con acritud—. Le sugiero que los encuentre.

Se refería al mercado negro, pero no era de fiar, y no tenía ninguna intención de buscarlo. ¡Maldición! ¡Me habían excluido! Ningún brujo me vendería nada o estaría dispuesto a comerciar conmigo. Estaba sola. Sola. La exclusión era una tradición que se remontaba a la época de los peregrinos, y tenía una efectividad del cien por cien. El brujo en cuestión no podía cultivar, adquirir productos ni ¡hacer nada! Y una vez excluido, raras veces se revocaba la condena.

Ella alzó la barbilla.

—Márchese o me veré obligada a denunciarla a la SI por acoso.

—Vamos, Rachel —dijo Jenks—. Probablemente encontremos un poco de tanaceto bajo la nieve. Si no te importa recogerlo por mí.

—El suelo está húmedo —dije, desconcertada—. Podría estar enmohecido.

—No importa. Seguro que es mejor que la mierda que venden aquí —sentenció haciéndole un corte de mangas a la dependienta mientras se dirigía hacia la puerta volando de espaldas a ella.

Sintiéndome como en un sueño, lo seguí. Tampoco me dejarían consultar los libros de la biblioteca. ¡Aquello no era justo!

Ni siquiera noté el momento en que Jenks se había acurrucado entre mi bufanda y mi cuello. No recordaba haber abierto la puerta, ni el alegre tintineo de la campanilla. Tampoco recordaba haber caminado hasta el coche ni haber esperado a que se redujera el tráfico antes de bajar de la acera. Sin embargo, de repente me vi de pie junto a la puerta de mi descapotable, con las llaves en la mano y los ojos guiñados por el reflejo del sol sobre la pintura roja.

Parpadeé, me quedé en silencio. Con movimientos lentos y pausados, introduje la llave en la cerradura y lo abrí. Después permanecí quieta durante unos instantes, con el brazo sobre el techo de lona, intentando entender lo que estaba sucediendo. El sol brillaba con la misma intensidad, el viento seguía siendo igual de vivificante, pero todo había cambiado. En mi interior, algo se había roto. ¿La confianza en mis congéneres, quizás? ¿La convicción de que era una buena persona a pesar de la mancha negra de mi alma?

Tenía una cita en veinte minutos, pero tenía que sentarme un rato, y no sabía si en la cafetería de la primera planta del rascacielos me atenderían. La noticia de una exclusión corría como la pólvora. Lentamente, entré y cerré la puerta. Fuera, un camión pasó como un trueno por encima del lugar en el que había estado un momento antes.

Me habían excluido. No era una bruja negra, pero como si lo fuera.

20

Con una novedosa y desconocida sensación de vulnerabilidad, me detuve ante la puerta de cristal de doble hoja de Carew Tower, me ajusté el sombrero ante el turbio reflejo y di un respingo cuando el portero se inclinó hacia delante y la abrió para que pudiera pasar. Una cálida ráfaga de aire revolvió mi pelo negro y él sonrió, tocándose ligeramente la gorra a modo de saludo cuando entré con pequeños pasos dándole las gracias en un susurro.

Él me respondió alegremente y me obligué a erguirme. ¿Y qué si me habían excluido? Edden no lo sabría, ni tampoco la señora Walker, a no ser que se lo dijera yo misma. Si entraba comportándome como una posible presa, me destrozaría con sus fauces y luego escupiría uno a uno todos los pedacitos.

En ese momento apreté la mandíbula.

—Ese estúpido departamento de la Ética y la Moral no se entera de nada —farfullé decidida a luchar hasta llegar a la Corte Suprema si era necesario, pero la realidad era que a nadie le importaría.

El restaurante situado en la última planta del rascacielos tenía su propio ascensor, exclusivo, y pude sentir los ojos del portero sobre mí cuando taconeaba en dirección a él, obligándome a adoptar una postura segura. El ascensor, por su parte, también tenía una especie de portero, le dije quién era y le di el nombre de Edden mientras comprobaba las reservas en su ordenador.

Me recoloqué el bolso en el hombro y leí el cartel de los eventos del restaurante mientras esperaba. Por lo visto alguien había reservado todo el local para una fiesta privada al día siguiente.

Mi débil seguridad se tambaleó una vez más al recordar a Pierce. Me habían excluido, el asesino de mi exnovio campaba a sus anchas, dudaba de mi capacidad para preparar algo tan complejo como un amuleto localizador, Al se estaba aprovechando de nuestra relación... Tenía que empezar a solucionar las cosas.

Jenks se revolvió, pegándome un buen susto cuando salió contoneándose y se sentó en mi hombro.

—Tus pulsaciones han descendido de golpe —dijo con cautela—. ¿Estás baja de azúcar?

Negué con la cabeza, sonriendo tímidamente al portero cuando soltó el teléfono y pulsó el botón para abrir el ascensor.

—Tengo muchas cosas que hacer hoy —dije, subiendo a la pequeña y opulenta cabina.

—Y llegamos tarde —gruñó Jenks quitándose el sombrero para intentar arreglarse el pelo en el reflejo de las relucientes paredes. Había volado hasta la amplia barandilla que rodeaba el interior del ascensor, y la presencia de un par de pixies idénticos creaba un espectacular despliegue de físico alado.

Me obligué a ponerme derecha mientras comprobaba que mi amuleto para modificar el tono de la piel estaba en su sitio. *Excluidme si queréis.*

—Llegar un poco tarde aumenta el interés —murmuré quitándome también el sombrero y metiéndome un mechón rizado detrás de la oreja.

—Odio llegar tarde —se quejó, gesticulando para destaparse los oídos conforme cambiaba la presión del aire.

—Es un restaurante de cinco tenedores —le rebatí—. No creo que les importe mucho esperar.

Apenas nos detuvimos, se oyó una campanilla y se abrieron las puertas. Jenks se trasladó a mi hombro con un resoplido y juntos nos quedamos mirando el restaurante giratorio.

Complacida, relajé la postura y salí del cubículo con una sonrisa, sintiendo que todas mis preocupaciones se desvanecían. Bajo nuestros pies, el río serpenteaba alrededor de las blancas colinas de Cincinnati como una franja grisácea de nieve y barro. Los Hollows se extendían más allá, envueltos en la pacífica penumbra que avanzaba lentamente. El sol se acercaba al horizonte, cubriéndolo todo de una capa de rojos y dorados mientras las nubes lo reflejaban todo. Era de una gran belleza.

—¿Señorita? —preguntó una voz masculina, y dirigí la mirada hacia el interior. Parecía el hermano gemelo del tipo de abajo, incluyendo el traje negro y los ojos azules—. Si es tan amable de seguirme…

Había estado allí una sola vez, desayunando con Kisten, y lentamente caminé tras el *maître,* fijándome de nuevo en las suntuosas telas, las lámparas Tiffany y las mesas de caoba previas a la Revelación con las patas talladas. Las mesas estaban decoradas con centros de romero y capullos de rosas de color rosa. La visión del reservado en el que Kisten y yo habíamos conversado delante de un refinado desayuno me causó una desazón sorprendentemente suave, que se parecía más a un tierno recuerdo que al dolor propiamente dicho, y me descubrí capaz de sonreír, feliz de poder pensar en él sin que se me partiera el corazón.

El local estaba prácticamente vacío, a excepción de los empleados, que preparaban las mesas para esa noche y, tras cruzar un pequeño escenario y una pista de baile, divisé a Edden en una mesa junto a una de las ventanas acompañado de una atractiva mujer mayor que él. Tenía la constitución física de Ceri, pero, a diferencia de la elfina, cuyos cabellos eran rubios, lucía una densa y oscura melena que le caía por la espalda. Tenía la nariz pequeña, los labios carnosos y las cejas espesas. Su rostro no era joven, pero las escasas arrugas le otorgaban un aspecto maduro y venerable. Al hablar, movía unas elegantes y envejecidas manos en las que no se veía ningún anillo. Estaba sentada frente a Edden, estilizada y erguida, sin apoyarse en el respaldo, con un vestido blanco que le llegaba hasta los tobillos. Tanto la apariencia como la actitud de la señora Walker daban a entender que era la que llevaba las riendas.

Jenks me acarició el cuello con las alas y dijo:

—Se parece a Piscary.

—¿Crees que es egipcia? —le susurré, confundida.

Jenks soltó una risotada.

—¡Y yo qué diablos sé! Me refiero a que es de las que llevan el control. Mírala.

Asentí con la cabeza, sintiendo ya cierta aversión hacia aquella mujer. Edden todavía no había advertido nuestra presencia, concentrado como estaba en lo que ella decía. El traje de chaqueta le sentaba de maravilla, habiendo trabajado duro para evitar el declive de finales de la treintena y consiguiendo llegar a mitad de los cincuenta en plena forma. A decir verdad… daba la impresión de que aquella mujer lo había cautivado, y me puse en guardia. Cualquier persona con una belleza y un autocontrol semejantes resultaba potencialmente peligrosa.

Como si me hubiera oído el pensamiento, la mujer se volvió. Sus carnosos labios se cerraron y se quedó mirándome. *Me estás evaluando, ¿verdad?*, pensé alzando las cejas con expresión desafiante.

Edden le siguió la mirada y su rostro se iluminó. Poniéndose en pie, le oí decir: «Aquí está» y se acercó a saludarme.

—Siento llegar tarde —me disculpé mientras él me asía el codo para llevarme rápidamente hasta la mesa—. Marshal insistió en que fuera a darme un masaje para recuperar mi aura. *Eso. Échale la culpa a Marshal, en lugar de admitir que necesitaba recuperarme después de averiguar que me han excluido.*

—¿De veras? —exclamó el achaparrado hombre—. ¿Y funciona? ¿Cómo te encuentras?

Sabía que estaba pensando en su hijo y coloqué mi mano sobre la suya.

—De maravilla. Jenks dice que mi aura ha mejorado una barbaridad y me siento genial. No dejes que me vaya sin darte el número de la masajista.

También hace visitas a hospitales. Se lo pregunté. Y no les cobra ningún cargo adicional a los miembros de la AFI.

Jenks se mofó con un resoplido.

—¿Conque dice que se siente genial, eh? —dijo—. Más que si estuviera borracha. Hemos estado a punto de estrellarnos con el coche cuando se ha desviado para ocupar una plaza de aparcamiento.

—¿Cómo está Glenn? —pregunté ignorando a Jenks mientras Edden me ayudaba a quitarme el abrigo.

—Listo para volver a casa. —Edden me miró de arriba abajo—. Tienes muy buen aspecto, Rachel. Nadie diría que hayas tenido que pedir un alta voluntaria.

El rostro se me iluminó y Jenks puso los ojos en blanco.

El camarero, que tenía el brazo extendido para cogerme el abrigo, no quitaba ojo a Jenks. Edden notó cómo lo miraba y movió la barbilla haciendo que se le despeinara el bigote.

—¿Podría traernos un bote de miel? —preguntó, intentando que Jenks se sintiera cómodo.

—Te agradezco la oferta, Edden —dijo Jenks—, pero estoy trabajando. No obstante, un poco de mantequilla de cacahuete no me vendría mal.

A continuación dirigió la mirada hacia la perfección blanca y dorada de la mesa, y en su rostro pude leer una expresión de pánico, como si hubiera pedido sémola y pata de cerdo en vez de la fuente alta en proteínas que necesitaba por culpa del frío.

El camarero, por supuesto, se aprovechó enseguida de su incomodidad.

—¿Mantequilla de cacahueeeete? —preguntó en un tono paternalista, y Jenks dejó escapar una voluta de polvo rojo.

Entorné los ojos cuando el hombre dio a entender con aquellas palabras que Jenks era un paleto o, peor aún, que ni siquiera era una persona.

—Imagino que tendrán mantequilla de cacahueeeete, ¿verdad? —dije arrastrando las palabras, haciendo una de mis mejores imitaciones de Al—. Y que esté recién batida. De ninguna manera la aceptaremos envasada. Baja en sal. Yo tomaré un agua con jarabe de frambuesa.

Había probado el agua con jarabe de frambuesa de Kisten tras descubrir que la tostada que me habían servido no era de mi agrado. Tenía por encima un extravagante glaseado. De acuerdo, tal vez la paleta era yo, pero hacer que Jenks se sintiera como un patán era muy grosero.

El rostro del camarero se puso blanco.

—Sí, señorita.

A continuación, tras indicarle con un gesto a uno de sus compañeros que nos trajera el agua y la mantequilla de cacahuete, me apartó la silla para que me sentara y me entregó un menú, que ignoré solo por el hecho de que me lo hubiera entregado a mí. Jenks se quedó suspendido junto a mi sitio, comportándose como si se resistiera a posarse en algo tan elegante. Su amplio traje negro quedaba de maravilla entre la cerámica y el cristal y, tras poner bocabajo una copa para que se pusiera cómodo, se sentó agradecido sobre su elevada base. Edden estaba a mi derecha, la banshee a mi izquierda y en aquel momento la puerta quedaba justo a mi espalda. Pero eso cambiaría conforme pasara el tiempo y el restaurante girara.

—Señora Walker, le presento a Rachel Morgan —dijo Edden, acomodándose de nuevo en su silla—. Rachel, la señora Walker ha insistido mucho en conocerte. Es la coordinadora administrativa del departamento de Asuntos Internos de las banshees al oeste del Misisipi.

Edden parecía inusualmente azorado y me puse en guardia de nuevo. A Jenks tampoco pareció gustarle que el hombre habitualmente sensato se comportara casi como un jovenzuelo enamorado. Pero ella era una banshee, hermosa y atractiva en su sofisticación y exótica belleza.

Dejando a un lado mi creciente rechazo, le tendí la mano por encima de la esquina de la mesa.

—Es un placer, señora Walker. Estoy convencida de que cualquier cosa que pueda aportarnos resultará de gran ayuda. La decisión de Mia Harbor de ir por libre nos ha puesto en una situación muy delicada.

Jenks esbozó una sonrisita y me sonrojé. Estaba intentando ser amable. Que me denunciara si quería. No había dicho nada que no fuera cierto. Era obvio que no podía encerrar a Mia si se resistía.

La mujer entrada en años tomó mi mano y yo me puse tensa buscando la más mínima sensación que indicara que me estaba absorbiendo el aura. Sus ojos eran de un intenso color marrón, y con la estructura ósea de una supermodelo y su arrugada pero clara piel, resultaba increíblemente atractiva.

—Puedes llamarme Cleo —dijo, y retiré la mano antes de empezar a temblar. Su voz era tan exótica como el resto de ella, una especie de líquido cálido en el que se entreveía un toque de picardía, pero agradable. ¡Dios! Aquella mujer era como un vampiro. Quizás era eso lo que me tenía con los nervios a flor de piel.

El hecho de que hubiera retirado la mano antes de tiempo no les pasó desapercibido ni a Edden ni a la señora Walker, y una tenue sonrisa de complicidad curvó las comisuras de sus labios.

—Me alegro mucho de conocerte —dijo inclinándose hacia delante—. Os ayudaré a encontrar a la pequeña Mia, pero estoy aquí por ti. Merece la pena investigar tu reputación.

Mi sonrisa fingida se desvaneció y Edden, encorvado y con expresión culpable, se puso a juguetear con su vaso. Lentamente, me volví hacia él, calmando mi rabia antes de que la banshee lo notara, aunque no lo conseguí.

La fría mujer apoyó los codos con un movimiento encantador y lo miró con una especie de coqueta timidez.

—¿Le has mentido para conseguir que viniera?

Edden me miró un instante, y luego volvió a bajar la vista hacia el río.

—Para nada —gruñó mientras su cuello se volvía rojo—. Enfaticé ciertas cosas, eso es todo.

¿Enfaticé ciertas cosas? ¡Y una mierda! Aun así, sonreí a la mujer, manteniendo las manos debajo de la mesa, como si me las hubiera ensuciado al tocarlas.

—¿Es por el hecho de que sobreviviera al ataque de Holly? —pregunté.

—Digamos que es la razón principal —dijo entrelazando los dedos y apoyando la barbilla encima—. ¿Te importa que te toque el aura?

Me puse rígida.

—No. Quiero decir, por supuesto que sí —me corregí—. No me fío de usted.

Edden se estremeció, pero la señora Walker se echó a reír. El agradable sonido hizo que los camareros que estaban lo suficientemente cerca como para oírlo alzaran la vista y el estómago se me encogió. Era demasiado perfecta, demasiado segura de sí misma. Y sus pupilas se dilataban como las de un vampiro.

—¿Es por eso por lo que te has traído a tu pixie? —dijo mientras aquel primer atisbo de desagrado le arrugaba la nariz al mirar a Jenks con el gesto torcido—. No tengo intención de tomar una muestra de su aura, señorita Morgan. Solo pretendo sentirla con los dedos. Averiguar por qué sobrevivió al ataque de una cría de banshee. La mayoría de la gente no lo consigue.

—Porque la mayoría de la gente no lleva una lágrima de banshee en el bolsillo —respondí secamente, y la mujer emitió un pequeño sonido que revelaba un gran interés.

—Entonces, es por eso por lo que… —empezó a decir, como si liberara una tensión que hasta ese momento había permanecido oculta—. La emoción adquirió un sabor amargo mientras te mataba y, al encontrar una fuente más dulce, una que le era familiar…

—La cogió —concluí por ella. Jenks golpeaba con los tacones, un signo evidente de angustia, y yo tamborileé con los dedos para expresarle que lo había advertido. Él también había visto cómo la mujer liberaba la tensión. Me tenía miedo, y de repente ya no lo tenía. Bien. Aquello ponía las cosas más fáciles para reducirla si resultaba necesario. *¡Para, Rachel! No puedes echarle el guante a una banshee.*

La mujer siguió erguida en su asiento, bebiendo un sorbo de té con la elegancia de miles de años. Ella y Ceri se habrían llevado de maravilla.

—Aun así, tu aura es muy compacta —dijo dejando la taza sobre la mesa—. Si no supiera que te estás recuperando de un ataque, diría que estás chiflada.

Aquello fue una grosería, y cuando Jenks se revolvió incómodo, los ojos de la señora Walker iban desde él hasta mí, algo guiñados por efecto de la luz del sol.

—¿Tu pixie no te ha dicho que un aura compacta es un signo de inestabilidad?

Consciente de que intentaba provocarme, dejé que se desvaneciera mi rabia antes de devolverle la sonrisa.

—Es mi socio, no mi pixie —dije, y Edden se encogió en su silla sintiéndose fatal mientras se desarrollaba nuestra educada y sofisticada pelea de gatas.

Jenks, en cambio, no pudo contenerse, y se alzó con las manos en la cintura.

—¿Y por qué se supone que tengo que decirle a Rachel lo que significa un aura compacta. No está loca. Le han dado un masaje y se ha condensado. Y alegra esa cara, arpía provinciana.

—¡Jenks! —exclamé, aunque a la señora Walker no pareció afectarle. *¿Qué mosca le habrá picado?*

Ignorando a Jenks, excepto por un preocupante temblor en los dedos de las manos, se concentró en mí, mientras sus ojos se ponían negros. Tuve que poner freno a mi miedo repentino. Aquella mujer podía matarme mientras estábamos allí sentados y largarse de rositas, independientemente de que Edden se encontrara a medio metro.

—No me importa lo que cuentan sobre ti —dijo en una voz baja carente de cualquier cosa excepto de desdén—. Somos más poderosas que tú; que sobrevivieras fue pura casualidad.

¿Lo que cuentan sobre mí? Lo sabía. Aquella banshee sabía que yo era una protodemonio.

Se puso en pie en medio de las protestas de Edden, pero yo me quedé sentada, paralizada por el miedo.

Mirándome desde lo alto, la señora Walker cerró los ojos e inspiró profundamente, succionando mi pavor como una droga. Jenks se elevó chasqueando las alas.

—¡Basta! —entonó situándose entre nosotras, y los ojos de la mujer se abrieron de golpe—. ¡Deja en paz el aura de Rachel o te juro que te mataré!

Los ojos de la señora Walker se volvieron aún más negros y mi miedo se hizo aún más profundo y retorcido. Tenía los ojos de Ivy, llenos de un hambre no saciada. Era una depredadora encadenada por su propia voluntad, y no le importaba dejarse llevar de vez en cuando. Pero no conmigo. No me tendría. Yo no era una presa, sino una cazadora.

Mientras Edden crispaba el gesto, la mujer agarró su pequeño bolso de mano. El periódico del día estaba doblado junto a él, y se me hizo un nudo en la garganta. *Genial, también sabe que me han excluido.* Mientras miraba a Jenks, desahogó todo su desprecio.

—Bicho —dijo simplemente, escondiendo sus ojos detrás de unas gafas oscuras—. ¿No deberías estar durmiendo en un agujero en el suelo?

—¿Y tú no deberías haberte extinguido, como el resto de los dinosaurios? —le respondió—. ¿Necesitas que te ayude a llegar hasta allí? —añadió, y yo me aclaré la garganta a pesar de que sus comentarios racistas me habían enfurecido.

—Señora Walker —estaba diciendo Edden, que se había puesto en pie y se movía hacia el lado de la mesa en que se encontraba ella—. Se lo ruego, a la AFI le sería muy útil su ayuda, y le estaríamos muy agradecidos. Dejando a un lado las opiniones de la señorita Morgan y de su socio, una de ustedes se enfrenta a una acusación de asesinato.

La elegante dama se detuvo a dos pasos del borde del anillo giratorio con los ojos ocultos.

—Ya he visto lo que había venido a ver, pero buscaré a la pequeña Mia esta noche. Es poco probable que haya abandonado la ciudad, y le informaré apenas consiga negociar con ella.

¿Negociar con ella? No me gustaba cómo sonaba aquello. Y, a juzgar por la expresión de su rostro, tampoco a Jenks.

—A cambio, cualquier tipo de apoyo que pueda darme para agilizar los trámites de adopción será bienvenido —concluyó, girándose para marcharse y aceptando la mano de un camarero cercano para bajar el escalón hasta el centro inmóvil del edificio.

¿Adopción? Alarmada, me puse en pie.

—¿Cómo? ¡Espera un momento! —dije cáusticamente, y la mujer se giró con las mejillas encendidas por la rabia—. ¿A qué te refieres con adopción? ¿A Holly? Holly tiene una madre.

Edden dejó caer los brazos a lo largo de los costados, adoptando una postura amenazante sin necesidad de hacer ningún movimiento que lo pusiera de manifiesto.

—Señora Walker, en ningún momento hemos hablado de la posibilidad de que se quedara usted con la niña.

La mujer suspiró antes de subir de nuevo a nuestro nivel, desplazándose con movimientos secos y precisos.

—Hasta que no aprenda a controlarse, nadie excepto una banshee puede coger en brazos a la niña —dijo agitando la mano como si fuéramos tontos—.

Aproximadamente hasta los cinco años. ¿Qué pensáis hacer? ¿Encerrarla en una burbuja?

—Está infravalorando el control de la niña —dijo Edden—. El padre la coge sin problemas.

Sus cejas se arquearon con interés, y se quitó las gafas.

—¿En serio?

Genial. Ahora sí que querría a Holly a toda costa. Era casi imposible engendrar una niña bajo las leyes de la humanidad, y la señora Walker pensaba que Holly era especial. Mia no sobreviviría a aquella semana, y probablemente Remus moriría intentando defenderlas si no los encontrábamos primero.

—No es por Holly —intervine rápidamente—. Es el padre. Hay un deseo de por medio.

Edden se giró hacia mí con expresión acusatoria y yo me encogí de hombros.

—Me enteré ayer. Iba a decírtelo.

La señora Walker guiñó los ojos por efecto de la intensa luz, evidenciando las patas de gallo, y Jenks sonrió con malicia cuando un fogonazo de preocupación cruzó el semblante de la banshee antes de que lo ocultara.

—Tu propio hijo está en el hospital, capitán Edden —dijo como si aquello fuera a conseguir que le diéramos a la niña—. Usted misma, señorita Morgan, fue atacada y casi pierde la vida. ¿Cuántas vidas están dispuestos a sacrificar antes de aceptarlo? Puedo controlarla. Ustedes no. A cambio, le proporcionaré un hogar a esa niña.

—De forma provisional —dije, y la sonrisa de la señora Walker empezó a temblar.

—Si Mia se decide a cooperar.

¡Como si eso fuera a suceder!

—Señora Walker —dijo Edden, sin rastro de su azoramiento anterior, dejando que aflorara su habitual intransigencia—, todos queremos lo mejor para Holly, pero todavía no hay abierto ningún procedimiento legal contra Mia o Remus.

La mujer resopló, era evidente que pensaba que el procedimiento legal nunca se abriría si encontraba a Mia a solas.

—Por supuesto —dijo mientras su voz y su postura recobraban la elegancia y la seguridad en sí misma de antes—. Buenas tardes, señorita Morgan. ¿Capitán Edden? Me pondré en contacto con usted tan pronto como consiga contener a Mia.

Entonces, dedicándonos una mirada glacial, se giró y caminó lentamente hacia el ascensor, con dos camareros tras ella.

Jenks chasqueó las alas mientras escalaba y volaba de vuelta a la mesa. Dejó escapar chispas rojas mientras daba un salto desde donde había aterrizado hasta un pequeño plato de mantequilla de cacahuete que había aparecido como por arte de magia durante la discusión. Sentándose con las piernas cruzadas en el borde del plato, estiró los brazos y se ayudó con el par de palillos chinos de tamaño pixie que tenía escondido en algún sitio.

—Malditas banshees —farfulló—. Son peores que tener el váter lleno de hadas.

Edden me puso una mano en la parte inferior de la espalda y me guió de nuevo hasta mi silla.

—¿Por qué tengo la sensación de que tenemos que encontrar a Mia antes que la señora Walker? —preguntó con gesto de preocupación.

Alguien había depositado un vaso de agua de color rosado junto a mi plato, y tomé asiento. Inclinándome hacia delante, bebí un trago, casi tirándomelo encima cuando el hielo se desplazó.

—Porque las crías de banshee son raras y valiosas —dije, antes de preguntarme si se reirían de mí si pedía una pajita—. Entregarle a Holly a esa mujer sería un error, independientemente de que sea una banshee. No me fío de ella.

Edden soltó una risotada.

—Creo que el sentimiento es mutuo.

—Sí pero, según ella, yo no importo. —Tal vez era mejor no importar a una banshee—. Tenemos que encontrar a Mia antes de que lo haga esa mujer. No dudará en matarla con tal de conseguir a Holly.

Edden me miró con expresión severa.

—Esa es una acusación muy grave.

Estiré el brazo hasta la cesta del pan esperando que nos trajeran la comida a pesar de que nuestra «invitada más ilustre» se hubiera marchado.

—Puedes esperar hasta que Mia esté muerta, o puedes creerme ahora. Pero pregúntate con quién preferirías que se criara Holly —concluí señalándole con el meñique.

Él frunció el ceño.

—¿Tú crees?

Arrancando un trozo de pan de la hogaza, me lo comí, pensando que estaba demasiado duro.

—No lo creo, lo sé.

Edden dirigió la mirada hacia el ascensor y después de vuelta hacia mí.

—Sería mucho más sencillo si tuviéramos un amuleto localizador. ¿Has podido avanzar algo?

Casi me atraganto y, mientras intentaba pensar qué decir, Jenks intervino con despreocupación.

—Sí…

Di un rodillazo a la parte inferior de la mesa y sus alas empezaron a moverse de golpe.

—Solo tengo que terminarlos —respondí.

Edden desvió la mirada desde mis encendidas mejillas al pixie, que en aquel momento me miraba fijamente, en silencio.

—En cuanto estén listos, mandaré un coche a recogerlos —dijo poniéndose en pie—. Sé que no tienes licencia para venderlos pero, si me dices cuánto te han costado, lo añadiré a tu cheque. Estamos tardando una eternidad en encontrarla. De un modo u otro, siempre consiguen escabullirse. —Se balanceó hacia atrás, mirando de nuevo hacia el ascensor—. Enseguida vuelvo.

—De acuerdo —dije, dándole un trago al agua de frambuesa para ver si conseguía tragarme el trozo de pan, pero tenía la cabeza en otro sitio mientras el achaparrado hombre intentaba alcanzar a la señora Walker.

Jenks se rió, acomodándose y con un aspecto más relajado.

—¿Quieres que escuche lo que le dice? —preguntó. Yo negué con la cabeza—. Entonces, ¿te apetecería contarme por qué no quieres que encuentre a Mia? —añadió.

Yo aparté la vista del ascensor.

—¿Disculpa?

—Lo digo por lo de los amuletos —dijo chupándose los restos de mantequilla de cacahuete de los dedos—. Sabes de sobra que Marshal los invocó.

Yo torcí el gesto y empecé a apartar las migas que había juntado en un montoncito.

—Son una birria. Los fastidié. No funcionan.

Jenks abrió mucho los ojos y balanceó los talones hacia delante y hacia atrás.

—¡Y tanto que funcionan!

Sin levantar la vista, empujé las migas hasta mi servilleta.

—¡Y tanto que no funcionan! —respondí, imitando su tono de voz—. Probé uno en el centro comercial y no era más que un pedazo de madera.

Pero Jenks sacudió la cabeza, sumergiendo los palillos en la mantequilla para coger otra pizca.

—Estaba presente cuando Marshal los invocó y me pareció que el olor era el adecuado.

Exhalando, me recliné sobre el respaldo de la silla y sacudí la servilleta por debajo de la mesa. Una de dos, o la lágrima que me había dado Edden era de otra banshee, o el amuleto en el que había puesto la poción estaba mal.

—¿Olía a secuoya?

—No tengo ninguna duda. Incluso se pusieron verdes durante un segundo.

En aquel momento se oyó la campanilla del ascensor y tiré de la silla para acercarme un poco más a la mesa.

—Quizás el amuleto que invoqué era defectuoso —dije quedamente mientras Edden se despedía de la señora Walker y Jenks asentía con la cabeza, satisfecho.

No obstante, una débil sensación de inquietud no quiso abandonarme mientras esperaba a que Edden se reuniera con nosotros. Existía una tercera posibilidad en la que no quería ni pensar. Mi sangre no era en su totalidad sangre de bruja, sino la de una protodemonio. Era posible que existieran algunos hechizos terrestres que no podía invocar. Y si eso era cierto, había más de una prueba que indicaba que no era una bruja, sino un demonio.

Esto cada vez pinta mejor.

21

Aparqué el coche en una de las plazas exteriores de la parte posterior del centro penitenciario, justo debajo de una farola, mientras intentaba adivinar dónde estaban las líneas, pues todavía no habían retirado los últimos centímetros de nieve. La calefacción funcionaba a toda potencia debido a que Ivy tenía la ventana entreabierta para que entrara un poco de aire y, tras apagarla, junto a las luces del coche, detuve el motor y dejé caer las llaves en el interior de mi bolso. Lista para enfrentarme a Skimmer, suspiré, con las manos en el regazo, mirando sin moverme los edificios de poca altura que se alzaban delante de nosotras.

Ivy estaba sentada en completo silencio, con la mirada perdida.

—Gracias por hacer esto —dijo con los ojos negros por la escasa luz.

Me encogí de hombros y abrí mi puerta.

—Yo también quiero saber quién mató a Kisten —dije, no queriendo hablar del tema—. Hasta ahora, no he sido de mucha ayuda, pero esto sí lo puedo hacer.

Ella se bajó al mismo tiempo que yo, y el ruido de las puertas al cerrarse se vio amortiguado por los montones de nieve que hacían que el mundo pareciera en blanco y negro bajo los charcos de las luces de seguridad en el atestado aparcamiento. Lo más probable es que se tratara de los coches de los empleados, aunque también hubiera algún visitante, pues era una prisión de baja seguridad. Por supuesto, Skimmer había matado a alguien, pero había sido un crimen pasional. Eso, junto al hecho de que fuera abogada, había favorecido que la internaran allí en lugar de en la cárcel de máxima seguridad que se encontraba a las afueras de Cincinnati.

A algo menos de un kilómetro se divisaba el hospital, envuelto en la neblina a causa de la falta de luz y la nieve que caía. Al ver los pacíficos edificios, me asaltó la idea de llevarles mis peluches a los niños. Sabrían apreciar su valor y los tratarían con cariño. Podría cogerlos esa misma noche, cuando buscara el libro de hechizos. Además, sería una buena excusa para subir allá arriba.

Ivy seguía de pie junto a la puerta cerrada, observando el edificio como si en su interior se encontrara su salvación o su condena. La ropa de cuero negra que solía ponerse para trabajar le daba un aspecto pulcro, aunque acentuaba su delgadez, y llevaba una gorra de ciclista que añadía un toque picante. Al sentir que la observaba con una mirada interrogante, se puso en marcha y nos encontramos en la parte delantera de mi descapotable. Juntas nos dirigimos a través de los coches aparcados en dirección a la acera, de la que sí habían retirado la nieve.

—Siento que tengas que hacer esto —dijo, con la espalda encorvada por un motivo que no era, precisamente, el frío—. Skimmer... va a ser muy desagradable.

Ahogué una carcajada. ¿Desagradable? Sabía de sobra que iba a ser cruel.

—Tú quieres hablar con ella —dije fríamente, intentando empujar mi miedo hasta un lugar en el que esperaba que fuera imperceptible.

Tenía muchas cosas que hacer aquella noche como para hacer una visita a Skimmer, pero era consciente de la valiosa información que podíamos obtener de ella; al menos no tendría que rehacer los hechizos localizadores. El alivio por saber que lo más probable es que el problema tuviera que ver con mi sangre y no con mis habilidades empezaba a vencer a la preocupación por la causa por la que el problema residía en mi sangre. Jenks era el único que sabía que el amuleto que había invocado había fallado, y pensaba que era un amuleto defectuoso. En aquel momento, los hechizos localizadores que Marshal había invocado se encontraban en poder de seis agentes de la AFI que patrullaban por la ciudad. Dudaba que hubieran entrado en el radio de treinta metros necesario para que saltara el amuleto, pero había mejorado enormemente mi prestigio entre ellos.

Con un poco de suerte, cuando fuera a cenar con mi madre y con Robbie, podría conseguir el libro y el equipamiento, y podría avanzar en la extinción de ese fuego. Hasta entonces me había preocupado que Al se presentara de improviso y raptara a quienquiera que estuviera conmigo ahora que había vuelto a oscurecer, pero no lo había hecho antes de encontrar a Pierce, y era poco probable que lo volviera a hacer.

Deseaba con todo mi corazón estar en casa de mi madre buscando el libro, en lugar de allí, hablando con una vampiresa rabiosa, pero caminé con resolución junto a Ivy hacia la prisión inframundana de baja seguridad. Todas las medidas de seguridad debían de estar en el interior, porque el exterior parecía un edificio dedicado a la investigación científica, con paredes de estuco y halógenos de seguridad iluminando los árboles y arbustos de hoja perenne. Probablemente el objetivo principal era mejorar las relaciones con los vecinos, pero la ausencia de vallas hacía que se me pusiera la carne de gallina.

Caminamos en silencio excepto por el ruido de nuestras botas sobre la sal y el hielo machacado. La zona pavimentada daba paso a una acera de color gris y, posteriormente, a una puerta de cristal de doble hoja en la que se exhibían los horarios de visita y las normas de lo que se podía introducir en el edificio. Mi detector de amuletos letales iba a resultar un problema.

La mujer de detrás del mostrador, que estaba hablando por teléfono, levantó la vista cuando entramos. Ya se habían puesto en marcha unas débiles alarmas, como reacción a mis amuletos, y sonreí intentando distender la situación. Entonces percibí un penetrante olor a secuoya y un tenue deje de vampiro desdichado. Ivy hizo un gesto de desagrado y yo balanceé el bolso para apoyarlo en el mostrador mientras firmábamos el registro. Había una televisión en la esquina en la que se veía el mapa del tiempo y se oía una voz que indicaba las previsiones para los próximos días. Por lo visto, iba a seguir nevando durante toda la noche.

—Rachel Morgan e Ivy Tamwood. Venimos a visitar a Dorothy Claymor —dije entregándole mi carné de identidad cuando reparé en el cartel que estaba detrás de ella en el que se exigía que se presentara. No me extrañaba que la rubia vampiresa insistiera en que todos la llamaran Skimmer—. Tenemos una cita.

Ivy me pasó el bolígrafo y estampé mi firma debajo de la suya. Recordé la última vez que había tenido que poner mi nombre en un libro de registro, y añadí un punto y final después de mi firma para eliminar cualquier conexión física que pudiera tener conmigo. Hubiera sido mejor tacharla, pero allí no hubiera conseguido salir como si nada.

—Por allí —nos indicó la mujer pasando nuestros carnés de identidad por un escáner y devolviéndonoslos.

—No los guarden —añadió, señalando con la barbilla un par de compactas puertas de plástico, sin poder ocultar su impaciencia por retomar la conversación telefónica.

Hubiera preferido girar a la derecha, por donde el suelo estaba enmoquetado y flanqueado por macetas con plantas artificiales, pero Ivy, que claramente sabía cómo comportarse, se dirigía ya al horrible y estéril pasillo con sus baldosas blancas y sus blancas puertas de plástico. Estaban selladas magnéticamente y, cuando alcancé a Ivy, la mujer apretó el botón para dejarnos pasar.

Cuando las puertas se abrieron y el olor a vampiro desdichado y a hombre lobo enfadado empeoró, apreté la mandíbula. Me estremecí mientras pasaba el umbral y las medidas de seguridad se hicieron evidentes. La puerta magnética se cerró a nuestras espaldas y la presión del aire cambió. En aquel momento nos encontrábamos rodeadas del aire de la prisión. Genial. Podría haber cualquier cosa flotando en él, incluyendo todo tipo de pociones.

Al fondo de la sala había otro par de puertas y un tipo detrás de un mostrador. La anciana mujer que lo acompañaba echó a andar hacia nosotras. Era evidente que se encargaba de controlar el detector de hechizos con apariencia tradicional que teníamos delante, y que sería cualquier cosa menos tradicional.

No pude evitar reparar en que la mujer apestaba a secuoya, y eso, junto con el hecho de que llevara una pistola en la cadera, haría que midiera mucho más mis palabras. Podía parecer una anciana, pero habría apostado cualquier cosa a que habría salido con la cabeza muy alta en un enfrentamiento con Al.

—¿Algo que declarar? —preguntó la mujer mirándonos por encima de nuestros carnés de identidad justo antes de devolvérnoslos.

—No —respondió Ivy con actitud hermética mientras le entregaba el abrigo y el bolso, ignorando el comprobante para recoger sus pertenencias y atravesando vacilante el detector de hechizos en dirección al mostrador del fondo de la sala. *Más papeleo*, pensé cuando la vi coger un bloc de notas y ponerse a rellenar un formulario.

—¿Algo que declarar? —me preguntó la vigilante, y yo recobré la atención. ¡Dios! Aquella mujer parecía tener ciento sesenta años, con un desagradable pelo negro a juego con el color de un uniforme que le quedaba demasiado estrecho. Tenía la piel increíblemente pálida y, de no ser porque no les permitían usar ese tipo de hechizos en el trabajo, me habría preguntado por qué no invertía en un amuleto barato para cambiar el color de la piel.

—Solo un detector de amuletos letales —dije entregándole mi bolso, cogiendo el pequeño trozo de papel y metiéndomelo en el bolsillo de los vaqueros.

—Ya me lo imaginaba —dijo por lo bajo, y vacilé al mirarla. No me hacía ninguna gracia dejar mis cosas en su poder porque pensé que las revisaría en cuanto desapareciera de su vista. Exhalé un suspiro, intentando no enfadarme. Si había que pasar por toda aquella mierda para visitar a un preso de una cárcel de baja seguridad, no quería ni pensar en lo que te pedían para reunirte con alguien en una prisión de máxima seguridad.

Con una sonrisa que hizo que casi pareciera fea, me indicó con la barbilla el detector de amuletos y me aproximé a él a regañadientes.

No veía las cámaras, pero sabía que estaban allí, y no me gustó en absoluto la informal despreocupación con la que sacó las cosas de mi bolso y las volcó en una bandeja.

La ola de aura sintética cayendo sobre mí desde el detector de hechizos como una cascada hizo que diera un respingo. Era posible que se debiera a que mi aura era especialmente escasa en aquel momento, pero no había sido capaz de reprimir la sacudida, y el tipo del mostrador esbozó una sonrisita.

Ivy me esperaba impaciente, y agarré el impreso que me tendía aquel tipo por encima del mostrador.

—¿A quién visitamos hoy? —me preguntó en tono burlón mientras le entregaba a Ivy el pase de visitante.

Alcé la vista de golpe del impreso de liberación. Yo no era la que estaba encerrada allí. Entonces vi hacia dónde miraba y me quedé helada. Mis cicatrices visibles eran de una antigüedad de menos de un año, y lo suficientemente claras, y me puse rígida cuando llegué a la conclusión de que me había tomado por una adicta a los mordiscos de vampiro y que me dirigía a pegarme un chute.

—Dorothy Claymor. La misma que ella —le respondí como si no lo supiera ya, firmando el papel con los dedos rígidos.

La sonrisita del joven se volvió aún más desagradable.

—Pues tendrás que esperar a que salga.

Ivy adoptó una postura desafiante y yo dejé la carpeta de un golpe sobre el mostrador. A continuación lo miré con expresión de fastidio. *¿Por qué se están poniendo las cosas tan difíciles?*

—Mire —dije usando un solo dedo para acercarle el formulario—, solo intento ayudar a una amiga y es la única manera de que Dorothy acceda a verla, ¿de acuerdo?

—Así que le gustan los tríos, ¿eh? —dijo el tipo y, al ver que tamborileaba con los dedos en mis brazos cruzados, añadió en un tono de voz más profesional—: No podemos dejar que dos personas visiten a un interno al mismo tiempo. Se producen incidentes.

Para mi sorpresa, fue la mujer la que acudió en mi rescate, aclarándose la garganta como si fuera a sacar un gato de su interior.

—Pueden entrar, Miltast.

Miltast, que, aparentemente, debía de ser un agente, se dio la vuelta.

—No voy a arriesgarme a perder el trabajo por su culpa.

La mujer sonrió y dio unas palmaditas en los folios que tenía encima de su mesa de trabajo.

—Hemos recibido una llamada. Tienes que dejarla entrar.

¿Qué demonios está pasando aquí? La preocupación hizo que se me formara un nudo en la garganta cuando el hombre levantó la vista de los garabatos que había trazado en el folio para mirarme y volvió a observarlos. A continuación, con el gesto contraído, miró a Ivy y me entregó la identificación de visitante que escupió su ordenador portátil.

—Síganme. Les acompañaré a la sala de visitas —dijo poniéndose en pie y dándose golpecitos en la parte delantera de la camisa en busca de su tarjeta de acceso.

—¿Crees que puedes arreglártelas sola? —preguntó a la mujer. Ella soltó una carcajada.

—Gracias —musité mientras arrancaba la parte posterior de mi identificación y me la pegaba en el pecho. Tal vez me habían dejado pasar por ser una investigadora independiente, pero lo dudaba. El tal Miltast abrió la puerta y, subiéndose el cinturón, esperó a que pasáramos. ¡Dios! Debía de tener poco más de treinta años, pero su barriga y sus andares parecían los de un fanfarrón de cincuenta.

De nuevo, me invadió un intenso olor a incienso vampírico, con un deje de hombre lobo desdichado y a secuoya descompuesta. No era una buena mezcla. Había rabia, desesperación y hambre. Todo el mundo estaba sometido a un estrés mental tan intenso que casi podía notar el sabor. De pronto, que Ivy y yo entrásemos juntas dejó de parecerme una buena idea. Las feromonas vampíricas estaban teniendo un intenso efecto en ella.

La puerta se cerró tras de mí y reprimí un escalofrío. Ivy permanecía en silencio, con actitud estoica, mientras recorríamos el pasillo, nerviosa bajo su fachada de seguridad en sí misma. Sus vaqueros negros parecían fuera de lugar en el blanco pasillo, y la luz se reflejaba en su pelo negro dándole un aspecto casi plateado. Me pregunté qué era lo que estaba oyendo y que yo no podía percibir.

Atravesamos otra puerta de plexiglás y el pasillo se hizo el doble de ancho. Unas líneas azules dividían el suelo en secciones, y me di cuenta de que las puertas de color claro que íbamos dejando atrás conducían a celdas. No veía a nadie, pero todo tenía un aspecto limpio y estéril, como un hospital. Y en algún lugar, a pocos metros de donde nos encontrábamos, estaba Skimmer.

—Las puertas macizas impiden el paso de las feromonas —explicó Ivy al darse cuenta de que estaba mirándolas.

—¡Oh! —exclamé. Echaba de menos a Jenks y me hubiera gustado que estuviera cubriéndome las espaldas. Había cámaras en las esquinas, y habría apostado lo que fuera a que no eran de pega—. ¿Y cómo es que los vigilantes son brujos? —dije, dándome cuenta de que el único vampiro que había visto fuera de una celda hasta ese momento era Ivy.

—Los vampiros podrían verse tentados a hacer alguna estupidez con tal de conseguir un poco de sangre —respondió Ivy, con la mirada en la lejanía, y sin prestarme demasiada atención—. Y los hombres lobo podrían salir perdiendo en un ataque.

—También los brujos —dije, dándome cuenta de que nuestro acompañante empezaba a mostrar cierto interés en nuestra conversación.

Ivy me miró de soslayo.

—No, si interceptan una línea.

—De acuerdo —protesté no gustándome no poder hacerlo en aquel momento—, pero ni siquiera la SI envía a un brujo a capturar a un no muerto. Yo no tendría ninguna posibilidad de vencer a alguien como Piscary.

El hombre que caminaba detrás de nosotras hizo un pequeño sonido.

—Este es un centro penitenciario de baja seguridad, y no está bajo tierra. No hay vampiros muertos aquí. Solo brujos, hombres lobo y vampiros vivos.

—Y los guardias tienen mucha más experiencia que tú, Rachel —sentenció Ivy, observando con los ojos brillantes los números de celda. Probablemente, iba contando las que nos faltaban—. Probablemente el agente Milktoast, aquí presente, está autorizado a utilizar hechizos que en la calle son ilegales —dijo sonriéndole, y haciendo que sintiera un escalofrío—. ¿Me equivoco?

—Miltast —la corrigió con acritud—. Y si alguna vez te muerden —añadió mirándome las cicatrices—, te vas a la calle.

Me hubiera gustado subirme la bufanda pero sabía que para un vampiro hambriento, vivo o muerto, aquello era como llevar puesto un picardías.

—Eso es injusto —dije—. ¿A mí me cuelgan el sambenito de bruja negra por mancharme el aura salvándole la vida a la gente, y vosotros podéis usar maldiciones con total impunidad?

Al escuchar mi comentario, Miltast sonrió.

—Efectivamente. Y nos pagan por ello.

No me gustaba lo que decía, pero al menos me hablaba. Era posible que también tuviera el aura hecha un asco, y la capa grasienta de la mía no le asustaba. Aun así, el hecho de que me dirigiera la palabra era extraño. Tenía que saber que me habían excluido. Probablemente esa era la razón por la que me dejaban entrar con Ivy. Sencillamente, no les importaba lo que pudiera pasarme. *Que Dios me ayude. ¿Qué voy a contarle a mi madre?*

Atravesamos otra puerta de doble hoja y mi sensación de claustrofobia se duplicó. Ivy también empezaba a dar muestras de tirantez y se había puesto a sudar.

—¿Te encuentras bien? —le pregunté pensando que olía genial. La evolución. Era imposible no sentirme atraída.

—Sí —respondió, aunque su sonrisa nerviosa no decía lo mismo—. Te agradezco lo que estás haciendo.

—Espera a que las dos volvamos al coche de una pieza para darme las gracias, ¿vale?

Nuestro acompañante redujo la velocidad para comprobar los números pintados en el exterior de las puertas y, haciéndose a un lado, utilizó un *walkie talkie* para comprobar algo. Satisfecho, miró a través del cristal, apuntó con el dedo a alguien a modo de advertencia y pasó la tarjeta por la ranura para abrir la puerta.

Se escuchó un suave silbido que indicaba que la presión se igualaba e Ivy entró de inmediato. Yo me puse en marcha para seguirla, pero Miltast me cortó el paso.

—¿Perdone? —le dije con aire de superioridad, dejándole que me agarrara el brazo de aquel modo porque era el único armado con magia.

—Te estoy vigilando —me amenazó, y di un respingo. ¿A mí? ¿Me estaba vigilando a mí? ¿Por qué?

—Bien —dije. Aquello confirmaba que conocía lo de mi exclusión. Tal vez nos dejaba entrar juntas con la esperanza de que nos matáramos entre nosotras—. Pues diles que soy una bruja blanca y que cierren el caso.

Pareció que Miltast no sabía qué decir y, dándome un último apretón, me soltó. Con las rodillas temblorosas, atravesé el umbral. La puerta se cerró con un silbido y hubiera jurado que la sellaban al vacío. Supuse que era la mejor manera de contener las feromonas.

La estancia de color blanco estaba a medio camino entre una sala de interrogatorios y una habitación para los vis a vis. No es que conociera el aspecto de esta última, pero podía imaginármelo. En la parte posterior había una segunda puerta, maciza, con una mirilla. Un sofá blanco ocupaba toda una pared lateral, mientras que, al otro lado, había una mesa y dos sillas. Había espacio de sobra para tocarse; espacio de sobra para cometer errores. Lo que menos me gustaba era la puerta trasparente que acabábamos de atravesar y la cámara del techo. Olía como a papel quemado, y me pregunté si serviría para enmascarar las feromonas.

Skimmer estaba sentada en una esquina, con coqueta timidez, sobre una silla blanca. Llevaba un chándal blanco muy favorecedor que hacía que pareciera pequeña y perversa. De pie, en mitad de la habitación, Ivy era el polo opuesto. Skimmer se mostraba segura de sí misma, mientras que mi amiga tenía aspecto indeciso. La rubia vampiresa se mostraba remilgada mientras que Ivy suplicaba su compresión. Skimmer quería arrancarme la cara, e Ivy quería salvarla.

Nadie pronunció ni una sola palabra, y me di cuenta de que podía oír el ruido del sistema de ventilación. Skimmer siguió sin decir nada, sabiendo, por su pasado en los tribunales, que generalmente el que hablaba primero era el más necesitado.

—Gracias por acceder a verme —dijo Ivy, y yo suspiré. *Allá vamos.*

Skimmer descruzó las piernas y volvió a cruzarlas en sentido inverso. Su pelo rubio le colgaba alrededor del rostro y tenía la piel llena de manchas. No les permitían muchos caprichos allí dentro.

—No quería verte a ti —dijo. Sonriendo maliciosamente, se puso en pie, mostrando que había perdido algo de peso. Nunca había tenido un físico potente, y en aquel momento estaba casi en los huesos—. Quería verla a ella —concluyó.

Me humedecí los labios y me aparté de la puerta cerrada.

—Hola, Skimmer.

Las pulsaciones se me estaban acelerando y me obligué a respirar lentamente, consciente de que la tensión tenía la capacidad de provocar ciertas reacciones.

—Hola, Rachel —se burló la pequeña vampiresa mientras se acercaba pavoneándose. Ivy levantó el brazo de golpe y me caí hacia atrás, estupefacta, al ver borrosamente cómo bloqueaba el brazo de Skimmer, que arremetía contra mí. Sus delgados dedos de largas uñas pasaron a escasos centímetros de donde había estado mi cara y apoyé la espalda contra la pared. Mierda. No quería salir de allí con un arañazo o un mordisco. Iba a cenar con mi madre y con Robbie y él me lo echaría en cara durante el resto de mi vida.

—Ni se te ocurra —dijo Ivy, y me aparté de la pared. Aquello no pintaba nada bien. Los ojos de Skimmer habían retrocedido, y una señal de alarma me recorrió de arriba abajo; los músculos se me tensaron cuando comprobé que las pupilas de Ivy se habían dilatado hasta ponerse como las de ella. ¡*Maldición*!

Ivy soltó el brazo de Skimmer y la vampiresa vestida de blanco retrocedió, olfateando el olor de Ivy en su muñeca y sonriendo. ¡*Doble maldición*!

—Vaya, vaya, querida Ivy —dijo Skimmer, contoneando de forma insinuante su cuerpo embutido en aquel ajustado chándal—. Veo que sigue manejándote como si fueras una marioneta.

Ivy dio un respingo cuando avancé un paso hacia delante.

—¿Podrías comportarte decentemente por una vez en tu vida? —le reprochó mi compañera de piso—. Necesito saber quién visitó a Piscary sin que su nombre apareciera en la lista oficial. Consiguió sangre de alguien.

—¿Además de ti? —se burló Skimmer, y el pulso se me aceleró de nuevo—. Duele, ¿verdad? —dijo acomodándose en la silla como si fuera un trono desde el que ejercer su poder—. Tener delante de las narices lo que tanto deseas y saber que no le importas una mierda.

Inspiré profundamente, incapaz de dejar las cosas de aquel modo.

—Sí que me importa.

—No discutas con ella —dijo Ivy—. Es lo que está buscando.

Skimmer sonrió mostrando sus colmillos; lo que, junto con sus oscuros ojos, me provocó un profundo escalofrío. Todavía no estaba muerta, de manera que no podía proyectar un aura vampírica completa, pero le faltaba poco.

—El caso es que estás aquí —dijo en una especie de ronroneo—, pidiéndome que te cuente lo que sé. ¿Hasta qué punto lo deseas, pequeña Ivy?

—No me llames así.

Ivy se había puesto pálida. Así era como solía llamarla Piscary y lo odiaba. Empecé a sentir un hormigueo en la cicatriz, y apreté la mandíbula, negándome a que los vestigios de aquel sentimiento penetraran todavía más en mi interior. Skimmer debió de notar mi expresión de pánico.

—Da mucho gusto, ¿verdad? —dijo con coquetería—. Es como cuando te toca un amante que ha estado mucho tiempo ausente. Si supieras cómo fue golpear a Ivy en esta pequeña habitación cerrada a cal y canto, te cagarías de miedo.

En un arrebato de despecho, la vampiresa se puso en pie. Di un paso atrás de forma involuntaria antes de conseguir detenerme. Aquello no me gustaba ni un pelo. Estaba convencida de que se habían saltado las normas para dejarme entrar con la esperanza de que me matara y resolver así el problema de qué hacer con Rachel Morgan.

Ivy se puso rígida.

—Dijiste que me contarías quién visitó a Piscary.

—Pero no te prometí nada…

La expresión de Ivy se volvió hermética.

—¡Vámonos! —ordenó en un tono crispado, y se volvió hacia la puerta.

—Espera —dijo Skimmer con un gesto petulante, e Ivy se detuvo. Se había notado un atisbo de pánico en la voz de Skimmer, pero en vez de hacerme sentir bien, mi tensión aumentó aún más. Aquello no era nada seguro.

Skimmer se adelantó situándose en el centro de la sala, e Ivy se colocó casi delante de mí con los brazos en jarras.

—No puedo darte nada, Skimmer —dijo mi compañera de piso—. Mataste a Piscary. Aquello fue un error.

—¡Te trataba como a una mierda! —exclamó Skimmer.

Ivy se mostraba serena y contenida.

—Aun así, seguía siendo importante para mí. Lo amaba.

—¡Lo odiabas!

—Pero también lo amaba. —Ivy sacudió la cabeza, balanceando las puntas de su pelo—. Si no vas a contarme quién lo visitó fuera de las listas, hemos acabado.

Una vez más, Ivy dio la espalda a Skimmer. Me tomó del brazo y tiró de mí hacia la puerta. *¿Nos vamos?*

—Ivy está encantada con su nuevo juguetito —dijo Skimmer con amargura—, y ya no quiere jugar con sus viejas muñecas.

No creía que fuéramos a sacarle ninguna información a Skimmer, pero Ivy se detuvo. Tenía la cabeza gacha mientras ordenaba sus pensamientos y lentamente se giró hacia la furiosa y frustrada vampiresa.

—Tú nunca fuiste un juguete —susurró, suplicándole comprensión.

—No, pero tú sí. —Skimmer recobró la confianza en sí misma y se situó delante de nosotras con gesto de orgullo—. En una ocasión. Cuando nos conocimos. Yo te convertí de nuevo en una persona.

Sus ojos se habían vuelto negros de nuevo, y mis cicatrices, tanto la visible como la que estaba oculta bajo mi piel inmaculada, empezaron a cosquillearme. Retrocediendo, me topé con la pared. Me sentía más segura, pero era una seguridad ficticia.

Al echarme atrás, Skimmer se movió hacia delante y se detuvo justo delante de Ivy.

—Quiero que sufras, Ivy —dijo en un susurro—. Quiero un resarcimiento por lo que me hiciste.

—No te hice nada.

—Esa es la cuestión, amor mío —dijo Skimmer, imitando a la perfección el acento de Kisten.

Ivy inspiró profundamente y contuvo la respiración, petrificada, cuando Skimmer empezó a dar vueltas a su alrededor.

—No tendrás ni una sola cosa buena en tu vida —dijo la pequeña vampiresa, y supe que estaba hablando sobre mí—. Ni una. Y yo voy a arrebatarte la que te queda. ¿Sabes cómo?

—Como se te ocurra tocarla… —amenazó Ivy.

Skimmer soltó una carcajada.

—No me seas estúpida, pequeña Ivy. Soy mucho mejor que eso. Serás tú la que lo haga por mí.

No entendí a qué se refería. Skimmer ya había intentado amenazarme con que debía alejarme de Ivy y no había funcionado. No había nada que pudiera hacer, pero cuando la esquelética mujer se aproximó todavía más a Ivy con actitud insinuante, me pregunté qué estaría tramando la inteligente vampiresa.

El gemido de satisfacción que surgió de lo más profundo de su ser hizo que mis cicatrices se pusieran en guardia, movidas por un recuerdo. Con movimientos lentos y lascivos, Skimmer se detuvo, me miró, con Ivy entre nosotras, y rodeó su cuello con los brazos. Ivy se quedó inmóvil, paralizada, y a mí se me hizo un nudo en la garganta.

—¿Quieres saber quién visitó a Piscary? —preguntó Skimmer, lanzándome una mirada por encima del hombro de Ivy—. Pues muérdeme.

Me quedé helada.

—Ahora mismo —continuó la pequeña mujer—, delante de tu nueva novia. Muéstrale la sangre, tu salvajismo, el monstruo que eres en realidad.

Inspiré profundamente y contuve la respiración. Sabía lo horrible que Ivy podía llegar a ser. Y no quería volver a presenciarlo.

—Te lo dije —susurró Ivy—. He dejado de practicarlo.

Un arrebato de pánico surgió de mi interior y me aparté de la pared de golpe.

—¿Desde cuándo? —exclamé, pues me pillaba totalmente de nuevas—. Quiero que sigas practicándolo. ¡Dios, Ivy! Es lo que eres.

Skimmer se limitó a sonreír, mostrando la punta de sus colmillos.

—Pero no es lo que quiere ser.

Observándome, jugueteó con el pelo de detrás de la oreja de Ivy hasta que el corazón estuvo a punto de estallarme de rabia. Estaba jugando con Ivy y yo no podía hacer nada. Ivy no podía moverse, no lograba reunir las fuerzas para alejarse. Skimmer tenía el control absoluto de la situación.

—Quiero que me muerdas —dijo Skimmer—. De lo contrario, no conseguirás nada.

Las manos de Ivy, fuertemente apretadas, empezaron a temblar.

—¿Por qué me haces esto?

Con los ojos fijos en mí, Skimmer siguió contoneándose alrededor de Ivy, cada vez más cerca, mientras le besaba el cuello.

—¿Disculpa? —susurró con actitud petulante—. Porque ha pasado mucho tiempo, Ivy. Y eres la mejor. Mataría por ti.

Me pegué a la pared, deseando huir de allí. Skimmer posó sus labios sobre una vieja cicatriz bajo la oreja de Ivy y me invadió el recuerdo del éxtasis que había experimentado cuando una atormentada Ivy tomó parte de mi sangre.

—No me hagas esto —susurró Ivy alzando las manos para coger los codos de Skimmer, aunque no logró apartarla. Era demasiado. Sabía que era una sensación maravillosa, y me apoyé de nuevo contra la pared, incapaz de apartar la mirada mientras las feromonas encendían mis propias cicatrices y descendían hasta mi entrepierna.

—No te estoy haciendo nada —dijo Skimmer—. Eres tú la que deseas hacerlo. ¿Hasta qué punto quieres saber quién mató al cabrón de Kisten? ¿Hasta qué punto lo amabas? ¿Era amor verdadero o se trataba de uno más de tus juguetitos?

Apreté la mandíbula con más fuerza aún. Mi cuello estaba en llamas, repartía dosis del éxtasis prometido por mis músculos, haciéndolos temblar.

—Esto no es justo —acerté a decir—. Para.

Skimmer se movió hasta el lóbulo de Ivy.

—La vida raras veces lo es —dijo. La observé, sin poder apartar la mirada, mientras mordisqueaba suavemente la oreja de Ivy con sus blancos dientes—. Apártame —le susurró Skimmer—. No puedes. Eres un monstruo, cariño mío. La pequeña pastorcita perderá su ovejita si su ovejita consigue ver en su interior. Te quedarás sola, Ivy. Yo soy la única que puede amarte.

Exhalé, pero el olor a vampiro que inhalé justo después solo consiguió empeorar aún más las cosas. Mis ojos se cerraron y me contuve, casi meciéndome con el dolor de no querer estar allí. Demasiado tarde, descubrí el plan de Skimmer. Iba a convencer a Ivy para que la mordiera, segura de que si la veía rasgar su garganta para hacer brotar su sangre, yo la abandonaría, o que, si se transformaba en sexo, el resultado sería el mismo. Aquello era ruin. No era amor, era manipulación, utilizando los instintos de Ivy en contra de su voluntad. E Ivy no podía detenerlo.

Los suaves gemidos de Skimmer intentando manipular a Ivy hicieron que se me contrajera el estómago mientras exponía delante de mí momentos privados que formaban parte de su pasado común. La vista se me nubló cuando intenté divorciarme de ello, pero la combinación de mi miedo y de las feromonas vampíricas consiguió echar abajo las barreras que había creado mi mente y, con la brusquedad de una bofetada, me asaltó un recuerdo que tenía que ver con Kisten.

Solté un grito ahogado y contuve la respiración mientras sentía cómo mi rostro se tornaba pálido. Lentamente deslicé la espalda por la pared hasta que encontré un rincón. No era un recuerdo de Kisten, sino de su asesino, uno tan cercano a lo que Skimmer le estaba haciendo a Ivy que había desencadenado un recuerdo de mi propia lucha.

¡*Oh, Dios!*, pensé cerrando los ojos con fuerza, intentando evitar que el recuerdo creciera poco a poco, pero no podía… detenerlo y, allí sentada, con la barbilla apoyada en las rodillas, recordé.

El asesino de Kisten intentó morderme en contra de mi voluntad, exactamente igual a lo que Skimmer intenta hacer con Ivy. Conteniendo la respiración, me llevé la mano al cuello mientras el recuerdo de él jugando con mi cicatriz se deslizaba hasta mi consciencia. Lo recordé sujetándome contra la pared, cautivándome con su olor. Recordé las oleadas de pasión que enviaba a través de mí con solo tocarme levemente, la pasión mezclada con el rechazo, el asco y el deseo. Sus dedos habían sido ásperos y agresivos, y yo me había sentido confundida. El sonido de la respiración jadeante de Ivy mientras luchaba por resistirse me recordó que yo había hecho lo mismo. Me resultaban tan familiares, tan horrorosamente familiares.

—No —susurró Ivy, y yo sentí cómo mis propios labios formaban la palabra. Yo también había dicho que no, y luego le había suplicado que me mordiera, odiándome a mí misma mientras me retorcía de deseo. Casi podía sentir el balanceo del barco mientras recordaba estar de pie con la espalda contra la pared, las manos agarrándolo con fuerza del mismo modo que, en aquel momento, estaban agarradas a mis rodillas. Las lágrimas empezaron a brotar. Se lo había suplicado, de la misma manera que lo iba a hacer Ivy.

Y Kisten, recordé, *no me dejó.* En mis pensamientos, tuve una visión de Kisten, confundido y no siendo él mismo, apartándome de mi captor para que pudiera recuperar mi voluntad. Lo había hecho a sabiendas de que el otro vampiro acabaría con su vida una segunda vez, pero su amor por mí era tan profundo que solo el recuerdo de ello había superado su primera muerte y había hecho el sacrificio.

La rabia se abrió paso a través de mi sufrimiento, llevando hasta lo más profundo el ardiente éxtasis que había provocado lo que estaba sucediendo entre Ivy y Skimmer, hasta un lugar que me permitiera ver más allá. Con la cabeza alta, me enjugué las lágrimas, deseando poder hacer lo mismo por mi memoria fragmentada, pero ahora estaba allí y jamás lo olvidaría. Me concentré en Skimmer e Ivy, con el corazón roto por lo que Ivy tenía que pasar solo por ser quien era y porque sus debilidades estuvieran estrechamente vinculadas a sus puntos fuertes. Kisten me había salvado y yo no podía hacer menos por Ivy.

Ivy estaba temblando, con la boca entreabierta y los ojos cerrados, olvidándose de cómo decir no, saboreando una dulzura que era incapaz de rechazar. La victoria se leía en el rostro de Skimmer, mientras acariciaba con la nariz el cuello de Ivy y sus ojos se volvían negros por el poder que tenía sobre ella, creciéndose a base de someter a Ivy hasta convertirla en algo insignificante.

Apreté los dientes y el recuerdo del olor a cemento húmedo se abrió paso a través de mi mente. Me puse en pie tambaleándome y fue como si pudiera sentir el sabor del hierro frío y seco en mi lengua. Avancé dando grandes pasos, apretando los puños mientras recordaba haber deslizado mis manos a través del corto pelo del asesino de Kisten.

Skimmer soltó un grito ahogado y se encorvó sobre Ivy sin ver que me acercaba a ella.

Era casi demasiado tarde. Los colmillos de Ivy estaban húmedos, brillando intensamente, y un recuerdo repentino de calor se encendió en mí al recordar cómo se deslizaban limpiamente dentro de mí, mezclando el placer y el dolor en una irreal oleada de adrenalina y endorfinas. Temblando, inspiré hondo.

—Lo siento, Ivy —susurré y, a continuación, le asesté un puñetazo en la garganta.

La respiración de Ivy produjo un sonido sibilante y, con las manos en el estómago, dio un traspié, luchando por respirar.

—¡Serás puta! —gritó Skimmer, demasiado sorprendida para moverse mientras le arrebataba la esperada acometida de un mordisco. Si la hubiera golpeado a ella, habría reaccionado de forma instintiva y, probablemente, estaría muerta. Incluso mientras moría, Kisten me había enseñado una última lección. Había salido corriendo detrás de su asesino, y aquello le había costado su existencia no muerta. Había muerto por mí. *Murió por mí.*

Ivy emitió una estremecedora boqueada. Le dediqué un rápido vistazo y luego me situé entre ellas con actitud defensiva.

—Deja en paz a Ivy.

Skimmer emitió un grito de frustración, con los ojos negros y las manos contraídas en forma de garras, pero ya la había noqueado antes y sabía que podía derrotarla.

—¿Ivy? —la llamé, arriesgándome a mirar hacia atrás para ver si todavía estaba perdida en sus ansias de sangre incluso aunque luchara por conseguir un poco de aire. Mierda. No se me había ocurrido la posibilidad de tener que lidiar con las dos al mismo tiempo—. ¡Ivy! —grité dándome la vuelta para sacarla de detrás de mí pero sin quitarle ojo a Skimmer—. Mírame. ¡Mírame! ¿Quién quieres ser mañana?

Con sus manos todavía en el estómago, Ivy me miró a través de la cortina que formaba su pelo. Entonces inspiró limpiamente y luego una segunda vez. A mi derecha, Skimmer empezó a temblar de frustración. Ivy la miró, con expresión horrorizada.

—¿Quién quieres ser mañana? —le pregunté de nuevo, al ver que recuperaba la conciencia—. No has perdido nada de tu control, Ivy. Todo está bien. No lo has perdido. Sigues siendo la misma.

Ella parpadeó, y una aureola marrón asomó alrededor de sus pupilas.

—¡Oh, Dios mío! —susurró Ivy, antes de erguirse—. ¡Maldita vampiresa estúpida! —gritó—. ¿Cómo has podido hacerme algo así?

Ivy dio tres pasos y yo me puse entre ellas. Detrás de mí, Skimmer se encontraba contra la pared, muerta de miedo.

—¡Ivy, no! —le pedí.

Sus ojos seguían negros, pues todavía pesaba el miedo de haber estado a punto de perder el control, de dejarse llevar por sus instintos, y me estremecí.

—Déjalo —le dije, y su mandíbula se relajó. Respiré aliviada y luego inhalé. Olía de maravilla cuando estaba cabreada.

Skimmer vio a Ivy recuperar su voluntad y, al darse cuenta de que yo se la había devuelto, algo en ella se rompió.

—¡Es mía! —gritó la vampiresa dando un salto con los colmillos al descubierto y gruñendo.

Me agaché y escuché un suave «uff». Skimmer cayó al suelo junto a mí como un fardo. Yo me encontraba en cuclillas y alcé la vista para mirar a Ivy. El dolor y la traición habían reemplazado su hambre y, más profundamente, la gratitud.

—¡No puedes tenerla! —gritó Skimmer, contrayéndose en un ovillo de desdicha—. ¡Es mía! ¡Es mía! Te mataré. Te mataré al igual que hice con Piscary.

Ivy extendió una mano temblorosa para ayudarme a levantarme.

—¿Te encuentras bien?

La miré, de pie entre una celosa muerte y yo. Sus ojos eran marrones en su mayor parte, y en ellos se reflejaba el dolor por lo que estaba sucediendo, un dolor que me resultaba muy familiar. Me volví hacia Skimmer, que lloriqueaba asustada. Respirando de forma superficial, puse mi mano sobre la de Ivy y dejé que me ayudara a ponerme en pie.

—Sí —susurré tambaleándome hasta que conseguí recobrar el equilibrio. En realidad, no me encontraba demasiado bien.

Ivy se negó a mirar a Skimmer.

—Creo que deberíamos irnos.

Ella se movió hacia la puerta y yo miré a Skimmer.

—No hemos conseguido lo que habíamos venido a buscar.

—Me da igual.

Ivy dio unos golpecitos en la puerta y, cuando estos provocaron la aparición de Miltast, algo que no habían conseguido los gritos, Skimmer se recuperó.

—¡Puta! —gritó, abalanzándose de nuevo sobre mí. Ivy estaba preparada y Skimmer fue a parar directamente contra la palma de su mano. Mi pulso se aceleró por la velocidad a la que se había desarrollado todo.

Jadeando, Skimmer cayó de espaldas. Tenía la cara cubierta por sus manos, pero le sangraba la nariz. Llorando, esta vez en serio, la pequeña vampiresa se desplomó sobre el sofá. Se encontraba de espaldas a nosotros y, mientras yo cruzaba la puerta todo lo rápido que podía, Ivy vaciló. Observé desde el pasillo cómo apoyaba la mano cariñosamente en el hombro de Skimmer.

—Lo siento —la oí susurrar—. Estuve enamorada de ti, pero no puedo seguir con esto.

Skimmer se encorvó aún más.

—La mataré —gimoteó—. Si sigues con ella, la mataré.

Un escalofrío me recorrió de arriba abajo. No por sus palabras, sino por el amor que emanaba de los brazos de Ivy cuando se curvaron, rodeando el cuerpo de Skimmer.

—No. No lo harás. Rachel no fue la que me mostró que merecía que me quisieran. Fuiste tú. Dime quién vino a visitar a Piscary.

—Vete —lloriqueó Skimmer, empujando suavemente a Ivy. La sangre había manchado su chándal blanco, y Miltast se puso rígido cuando la vio.

—¿Quién visitó a Piscary fuera de las listas? —insistió Ivy.

Finalmente, Skimmer cedió y sus temblores desaparecieron.

—El único que vino fue Kisten —respondió con voz anodina—. Una vez a la semana, tres días antes de ti. Nadie más.

Exhalé y una sensación de insignificante depresión se apoderó de mí. Nada. No habíamos conseguido nada.

—Te quise mucho, Ivy —susurró Skimmer en una voz apagada—. Lárgate. Y no vuelvas nunca más.

Ivy se puso en pie, con la cabeza gacha y, tras recobrar la compostura, se encaminó hacia la puerta; al pasar junto a mí, me bañó en un amargo olor a vampiro desdichado. Taconeando con las botas sobre el duro suelo, continuó sola por el pasillo.

Di un respingo y salí tras ella. Escuché a Miltast cerrar la puerta y luego el sonido de sus pasos. Alcancé a Ivy delante de la puerta cerrada con llave y, juntas, esperamos al guardia.

—¿Te encuentras bien? —le pregunté, sin saber cómo se sentía.

—Ya se le pasará —dijo Ivy, con la mandíbula apretada y sin mirarme.

Miltast buscó a tientas la cerradura, pasó la tarjeta y se retiró cuando Ivy lo apartó para pasar primero.

—No puedo creer que no te mordiera —dijo con evidente temor.

Entorné los ojos y llegué a la conclusión de que me habían dejado entrar con la esperanza de que saliera malherida o muerta. Él era un brujo blanco que tenía la bendición del Gobierno para utilizar la magia negra. Y si daba un paso en falso, reaccionaría. Asqueada, me di media vuelta y seguí a Ivy.

Podía oír sus lentos pasos tras de mí, y sentí un hormigueo en la piel. La alcancé en la primera puerta. La anciana mujer del detector de hechizos, que se encontraba de pie preparando los formularios, pareció sorprendida al vernos.

—Ivy —dije mientras esperábamos a que Miltast nos alcanzara—, lo siento.

Finalmente su estoica expresión se resquebrajó y alzó la vista, con los ojos bañados en lágrimas.

—Gracias por golpearme. Yo... no conseguía decir que no. ¡Maldita sea! No podía. Pensé...

En ese momento interrumpió sus pensamientos cuando Miltast descorrió la puerta de cristal. El aire no era mucho más fresco, pero me llené los pulmones de él mientras cruzaba hasta terreno neutral, intentando desembarazarme de las feromonas vampíricas que se habían acumulado. Suspirando, me eché la mano al cuello y la dejé caer.

—Espero que no hablaras en serio sobre lo de abstenerte de beber sangre —dije entregándole mi distintivo a Miltast.

Los dedos de Ivy temblaban mientras se arrancaba la tarjeta con su nombre y se la entregaba al agente.

—Lo estaba considerando —dijo en un tono calmado.

Incluso Miltast sabía que era una mala idea, y se me quedó mirando mientras volvíamos a firmar los impresos y me dirigí hacia la última puerta. Si estaba intentando dejar de morder a la gente, vivir con ella iba a resultar mucho más difícil.

—¡Qué pérdida de tiempo! —dijo Ivy quedamente mientras pasábamos por debajo del detector de hechizos y la mujer nos devolvía nuestras cosas. Sin embargo, aquello no era cierto, y el pulso se me aceleró. Había recordado. Había recordado muchas cosas. Ignorando el temblor de mis rodillas, me enrollé la bufanda alrededor del cuello y, con el bolso bajo el brazo, me dirigí hacia las puertas de cristal y el brutal pero honesto frío nocturno. Milktoast y su amiga ya se habían enterado de demasiadas intimidades sobre nuestro drama personal.

—A decir verdad —dije intentando ponerme los guantes mientras Ivy me sujetaba la puerta para que pasara—, no fue una pérdida de tiempo. Al veros a ti y a Skimmer... recordé algo.

Ivy se detuvo en seco sobre sus huellas, tirando de mí para que me parara bajo la luz de una farola justo a la salida. Parecía que la temperatura había descendido durante la hora que habíamos pasado dentro, y el aire nocturno me cortó los pulmones como un cuchillo, haciendo que se me aclararan las ideas después de la acalorada confusión detrás de los muros de cristal. Inspiré profundamente el aire seco, que olía a nieve y a tubo de escape, y lo expulsé viendo los momentos pasados con mayor claridad.

—Kisten… —dije entrando en calor. De pronto me sonrojé. ¡Dios! ¡Qué difícil era aquello! Entonces cerré los ojos para evitar que se me llenaran de lágrimas. Tal vez sería capaz de decirlo si no la veía—. El asesino de Kisten tenía las manos frías —dije—. Y ásperas. Olía a cemento húmedo, y las puntas de sus dedos sabían a hierro frío. —Lo sabía porque los había tenido en mi boca. *¡Por Dios bendito! Le supliqué que me mordiera.*

En aquel momento apreté la mandíbula, pero me obligué a relajarla al mismo tiempo que abría los ojos.

—Kisten estaba muerto —dije mientras la nieve hacía su aparición en el hombro cubierto de cuero de Ivy—. Creo que fue un accidente. Su asesino todavía no había tocado su sangre, y estaba furioso por ello… De manera que decidió convertirme en su sombra. Él… estaba consiguiendo que se lo suplicara. —Tomé aire, temblando. Si no se lo contaba en aquel momento, era posible que no lo hiciera nunca—. Jugueteaba con mi cicatriz para que le suplicara que me mordiera. Kisten lo detuvo. Sabía que podía acabar muriendo de nuevo, pero lo hizo de todos modos.

Ivy bajó la cabeza y se frotó la frente.

—Lo siento —dije sin saber muy bien por qué—. Dejó que lo mataran de nuevo porque me quería.

Cuando alzó la cabeza, la luz se reflejó en los ojos de Ivy, húmedos por las lágrimas.

—Pero no era capaz de recordar por qué te amaba, ¿verdad?

Sacudí la cabeza cuando brotó en mi interior el recuerdo de un dolor mental.

—No, no lo era.

Ivy lo asimiló en silencio. En lo más profundo de sus ojos en penumbra pude ver que deseaba que yo pudiera encontrar la manera de salvarla de su destino.

—No quiero vivir sin recordar por qué amo —dijo finalmente, con el rostro desvaído, como si pudiera mirar al futuro y ver la muerte de su propia alma.

—Lo siento, Ivy —susurré cuando conseguí alcanzarla mientras nos dirigíamos a mi coche.

—Es lo que somos —dijo estoicamente.

Pero no era lo que quería ser.

22

Ivy tenía la cabeza gacha mientras entrábamos en el aparcamiento y nos dirigíamos a mi descapotable rojo, situado bajo una distante luz de seguridad. La nieve lo había cubierto todo excepto los coches todavía calientes, y el mundo seguía en blanco y negro.

—Lo siento ——dijo, sin mirarme—. Podrías haber muerto ahí dentro, y habría sido culpa mía.

Inspiré profundamente, llenándome los pulmones de aire frío, intentando aclarar mis pensamientos.

—Estoy bien. No te sientas mal.

—Pero podría haber pasado —insistió aminorando la velocidad para dejarme pasar primero entre los dos coches, mirándome con una expresión engañosamente apacible—. Tu aura no estaba en condiciones y no puedes trazar un círculo. Lo siento. Pedirte que lo hicieras cuando no te encontrabas bien fue un error. Esperaban que murieras ahí dentro, o algo peor.

Agarrándola del brazo, tiré de ella para que me siguiera, buscando el camino más corto para llegar a mi coche. Podía verlo, con su brillante pintura roja que parecía gris por efecto de la farola y la nieve que se acumulaba solo en la fría capota.

—Entonces, supongo que los dejamos boquiabiertos, ¿eh?

Mientras atravesábamos el estrecho pasadizo, Ivy se puso rígida, pero no le permití soltarse. Si no la tocaba, no creería merecerse el bagaje emocional que había aportado tanto a su vida como a la mía.

—Estoy bien —dije poniéndome seria—. Yo también quería saber quién mató a Kisten. Ahora disponemos de más información. *Aunque, para ser sinceros, hubiera preferido descubrirlo de otra manera.* No le des más vueltas.

Como era de esperar, Ivy se soltó en cuanto salimos de entre los dos coches, mirando por encima de su hombro a través de la nieve hacia el silencioso edificio.

—No voy a volver a ser esa persona —dijo, y yo abrí mucho los ojos cuando se limpió las lágrimas con el dorso de una de sus manos enguantadas mostrando un atisbo de humedad bajo la luz de seguridad—. No puedo hacer esto —susurró, claramente afectada en lo más profundo—. Rachel, lo siento. Me he dado cuenta de que no puedo volver a morderte. Siento de veras haberlo intentado. No te lo mereces y, con mi comportamiento, te estoy arrastrando conmigo hacia el abismo.

—¡Si eres la persona más fuerte que conozco! —protesté, pero ella negó con la cabeza, enjugándose de nuevo las lágrimas. Era evidente que se sentía hundida. Skimmer le había sacudido en lo más profundo.

—Ninguno de los que una vez consideré mis amigos hubiera hecho lo que acabas de hacer tú —dijo, con la barbilla temblándole—, y, en el caso de que alguno nos hubiera separado, habría sido para ocupar el lugar de Skimmer. No quiero ser ese tipo de persona y no lo seré. He dejado de beber sangre. Completamente.

Abrí los ojos y sentí una punzada de miedo. Al percibirla, Ivy apretó la mandíbula y se alejó a grandes zancadas.

—Espera, Ivy. Esa no es necesariamente una buena idea —le grité.

—Piscary está muerto. Puedo ser lo que yo quiera —dijo por encima de su hombro.

—Pero ¡tú eres una vampiresa! —protesté, mientras la seguía, preocupada—. ¡No puedes renunciar a tu verdadera identidad!

Ella se detuvo para mirarme fijamente a los ojos y yo me paré, dejando un coche entre nosotras.

—Mira, no estoy diciendo que quiero que me muerdas —dije, gesticulando con las manos—, pero he convivido contigo mientras intentas dejar la sangre y, cuanto más te esfuerzas en ser algo que no eres, más confundida te sientes y más difícil resulta vivir contigo.

Ivy abrió la boca y sus ojos mostraron un sentimiento de traición.

—La abstinencia es lo único que tengo, Rachel.

Se dio media vuelta y se dirigió hacia el coche, como una sombra negra entre los tonos grises y blancos de la nieve que caía.

—Buen intento, Rache —mascullé, pensando que quizás tendría que habérselo dicho de otra manera. Con las manos en los bolsillos, me puse en marcha lentamente. El trayecto de vuelta a casa iba a ser una delicia. Cuando Ivy dejaba de morder no era nada divertido, pero tenía derecho a estar cabreada conmigo. ¿Cómo era posible que no la apoyara en su deseo de elegir quien quería ser? A decir verdad, sí que la apoyaba, pero la abstención no era la solución. Necesitaba romper el círculo. Tenía que deshacerse por completo de la adicción. Tenía que haber algo en los libros de Al para eso. *O tal vez Trent...*

Tras golpear con el bolso la luz trasera del coche junto al que pasaba, seguí las huellas que iba dejando Ivy sobre la capa congelada de nieve y lodo del pasillo. De pronto escuché el sonido deslizante de la puerta de una furgoneta al abrirse y levanté la cabeza. A tres metros de mi coche un hombre salió tambaleándose de un monovolumen que estaba junto a Ivy. Ella ni se enteró, caminando como iba con la cabeza gacha y aspecto vulnerable. *Mierda.*

—¡Ivy! —exclamé, aterrorizada por el destello de una pistola en su mano, pero era demasiado tarde. El hombre la empujó contra el lateral de un todoterreno aparcado a medio coche de distancia—. ¡Eh! —le grité, pero entonces me giré en redondo al escuchar junto a mí el suave sonido de la nieve al comprimirse. Al agacharme instintivamente, me encontré frente a frente con Mia.

—Bruja —dijo con los labios morados por el frío, justo antes de extender el brazo.

Sintiendo cómo mi cuerpo se llenaba de adrenalina, me tiré hacia atrás, pero el pie derecho se me resbaló al golpear el parachoques del coche que acababa de pasar. Caí al suelo agitando violentamente los brazos y dejando caer el bolso. La banshee me agarró la muñeca, justo en el lugar en el que se juntaban el guante y el abrigo, y me quedé completamente inmóvil, arrodillada delante de ella. Su hija había estado a punto de matarme. *Mierda, mierda, mierda.*

La capucha se le había caído hacia atrás y sus ojos eran unas briznas azules bajo los faros. Con sus fríos dedos rodeando mi muñeca, se inclinó hacia mí.

—¿Con quién has hablado hoy? —me preguntó, remarcando en un tono enfadado cada una de las palabras.

Con el corazón a punto de salírseme del pecho, miré detrás de ella. Ivy tenía la cara contra la ventana del todoterreno, con el brazo retorcido y una pistola apuntándole a la cabeza. Había una sillita para niños en el monovolumen abierto, y del interior salía el feliz balbuceo de un bebé. *¿Por qué demonios no me habré traído mi pistola de pintura?*

—Te buscan para interrogarte —dije, pensando que si le daba una rápida patada conseguiría quitármela de encima—. Si vienes conmigo, se considerará un gesto de buena voluntad.

Apenas salieron de mi boca, me di cuenta de lo estúpidas que sonaron mis palabras, y Mia entornó los ojos y tensó el rostro.

—¿Crees que me importa? —preguntó con desdén—. ¿Con quién has hablado?

Me preparé para darle una bofetada, y las pupilas de los ojos de Mia, casi blancas en la tenue luz, se dilataron hasta volverse negras. Entonces inspiré el aire entre los dientes y casi me desmayé. Un centelleante aluvión me recorrió de arriba abajo, haciendo que levantara el brazo. Acto seguido sentí un intenso frío, y la sensación de que me ponían del revés me revolvió el estómago. Como una marioneta a la que han cortado las cuerdas, me desplomé, con el brazo estirado que Mia seguía sujetando por la muñeca.

—Pa… para —farfullé con la cabeza gacha luchando por seguir respirando. ¡Maldición! ¿Qué estaba haciendo? Nunca debí aceptar aquel caso. Era una jodida depredadora. Una antigua depredadora, de las que se encontraban en lo más alto de la cadena alimentaria, como los caimanes. Mientras seguía allí arrodillada, cada vez más helada y aturdida, sentí cómo me moría por etapas, contemplándolo como una espectadora, y sin poder detenerlo.

Emití un grito ahogado y la sensación de que tiraban de mí desapareció. El calor regresó lentamente a mi cuerpo, pero era menor, y se sedimentaba en mi alma como una bañera que se está desbordando.

Con el rostro desencajado, alcé la vista y me topé con los ojos expectantes de Mia. Eran fríos e impasibles. Como los de un reptil. Justo detrás de ella, Ivy nos observaba. Tenía la mejilla contra el enorme vehículo, y la mandíbula apretada, dándole un aspecto indefenso, frustrado y realmente furioso. Nos encontrábamos delante de una jodida cárcel. Aquella mujer tenía suficientes agallas para gobernar el mundo. Tal vez pensaba que ya lo hacía.

—Alguien me está siguiendo —sentenció con frialdad—. ¿Con quién has hablado?

Tenía la rodilla mojada y el dolor del brazo se me estaba extendiendo hasta la espalda. Mia dio un paso atrás, arrastrándome hasta el pasillo cubierto de nieve y barro, obligándome a ponerme en pie como a un juguete del que se tira con una cuerda. Su otra mano me rodeó el cuello, haciendo que la luz se reflejara en su alianza.

—¡Espera! —farfullé presa del pánico, en el momento en que mi aura amenazó de nuevo con desprenderse de mí.

Al ver mi gesto de aceptación, Mia sonrió. Estaba muy hermosa bajo la nieve, más pequeña que yo, pero resultaba muy fría; fría e insensible.

—Eso que has sentido era yo arrebatándote el aura —dijo, mientras la nieve se derretía sobre su erguido rostro—. Cuanto más te resistes, más fuerte me vuelvo. ¿Con quién has hablado? Alguien me está siguiendo. Dímelo o morirás aquí mismo.

Un sudor frío me cubrió el rostro. Aquella mujer era como un nudo corredizo. Y yo era un conejo en las garras de mi raptor.

—¡Rachel! ¡Díselo! —gritó Ivy. A continuación soltó un gruñido cuando Remus la instó a mantener la boca cerrada.

—¡No le hagas daño! —le grité sin poder apartar la vista de Ivy, indefensa contra el todoterreno. Mi miedo se intensificó cuando recordé lo que Remus le había hecho a Glenn. *Hijo de puta. ¿Por qué no debería decírselo a Mia?* Entonces me humedecí los labios y Mia me agarró con más fuerza. Un débil dolor me recorrió y dije:

—Una mujer llamada Walker. Se trata de otra banshee, del oeste.

Mia abrió mucho los ojos y estuvo a punto de soltarme.

—¿En mi ciudad? ¿Esa... cosa está en mi ciudad? —preguntó, alzando una voz cargada de una impactante cantidad de odio. Sus ojos, que brillaban bajo las farolas del aparcamiento, se habían vuelto negros como los de un vampiro y me pregunté si las dos especies estarían emparentadas.

—Creo que quiere matarte para quedarse con Holly —dije preguntándome si un rápido golpe en la barbilla con la palma de la mano mientras estaba distraída conseguiría liberarme, pero estaba demasiado asustada para intentarlo. No le hacía falta tocarme para apoderarse de mi aura—. Tanto a ti como a Remus. La única posibilidad que tienes de quedártela es venir conmigo ahora. La AFI la cuidará temporalmente, pero luego te la devolverán. Suéltame. *Por favor, suéltame.*

En ese momento volvió a concentrarse en mí, con la mirada llena de odio de una reina agraviada.

—Te has traído a la Walker —me acusó la diminuta mujer, y sentí que me quedaba sin fuerzas mientras empezaba a ver destellos en los extremos de mi campo visual—. ¡Estás trabajando con ella!

—¡No la he traído yo! —grité, escuchando a Ivy gruñir de dolor—. ¡Fuiste tú! —jadeé. *¡Maldita sea! ¿Por qué me meto siempre en estos líos? ¿Y no tienen cámaras de vigilancia en este aparcamiento?*—. Se enteró de que había sobrevivido al ataque de una banshee y creyó que se debía a que Holly había aprendido a controlarse. Le expliqué que no fue Holly, sino la oscura lágrima de banshee que llevaba en el bolsillo, pero sigue empeñada en apoderarse de tu hija. Mia, si me sueltas, puedo ayudarte. *Aunque solo Dios sabe por qué estoy haciendo esto. ¿Para sobrevivir, quizás?*

La respiración de Mia se transformaba en vaho mientras sopesaba mis palabras. De pronto, con un movimiento brusco, me soltó el cuello y dio dos pasos atrás. Jadeé y caí contra el maletero. Soportando el peso del cuerpo con un codo, me llevé una mano a la garganta y miré a la pequeña mujer, intentando valorar cuánta aura me había dejado. No parecía mucha, pero fui capaz de levantarme y moverme sin marearme. No necesitaba tocarme para matarme, pero al menos ahora disponía de un poco de espacio.

Detrás de ella, Remus apartó la pistola de la cabeza de Ivy y se retiró hasta quedar fuera de su alcance. Aun así, siguió apuntándole con el arma. Observé a Ivy medir visualmente la distancia que los separaba y, consciente de que el disparo la alcanzaría, adoptó una posición tensa. Detrás de Remus, Holly gorjeó, alborozada por las emociones que le llegaban.

Mia se quedó de pie bajo la nieve, con una clara expresión de desprecio.

—Si hubiera sabido que la Walker se enteraría de lo de Holly, me hubiera quedado para asegurarme de que estabas muerta.

—Todos cometemos errores —dije, con las rodillas temblorosas—. ¿Te refieres a la señora Walker?

—A la Walker —me corrigió. Casi podía oír las letras mayúsculas y el desprecio de Mia aumentó—. Es una asesina que mata con la sutileza de un tronco cayendo en mitad del bosque. Si se encuentra al este del Misisipi, en mi ciudad, tu suposición de que quiere a Holly es acertada. —En aquel momento apretó su delicada mandíbula—. No la conseguirá. Holly es especial. Gracias a ella recuperaremos nuestro poder, y no voy a permitir que esa puta se lleve todo el mérito.

El chirrido de un cansado Chevrolet intentando arrancar en la nieve rompió el silencio. En el extremo más lejano del aparcamiento se encendieron unos faros delanteros y se escuchó el ruido de un potente motor al ponerse en marcha. Repentinamente nervioso, Remus la llamó.

—¿Mia?

Sacudí la cabeza, temblando. El frío empezó a girar en espiral alrededor de mis pies, lo que me daba a entender que Mia seguía succionándome el aura, pero, al menos, no me la arrebataba de forma efectiva.

—Lo siento, Mia —susurré mientras Holly empezaba a gimotear desde el interior del monovolumen abierto—. Sabemos que el especial es Remus, no Holly. Que la razón por la que puede tenerla en brazos es un deseo. Pero a la señora Walker le da igual. Quiere a tu hija y te matará para conseguirla.

Ivy cambió el peso del cuerpo de un pie a otro, probablemente culpándose de lo que estaba sucediendo. Nadie se movió mientras pasaba el coche, dos filas más allá, en dirección a la salida. De pronto me asaltó una idea insignificante. ¿Por qué no había visto a nadie salir del edificio? A Remus tampoco parecía gustarle aquella situación.

—Mia… —la apremió, mientras la luz de seguridad mostraba sus rasgos preocupados.

Mia observó que las luces traseras del coche vacilaban al llegar a la calle y luego se alejaban. Entonces volvió a concentrarse en mí.

—Holly es especial —insistió—, y tú vas a asegurarte de que nadie me quite a mi hija, Rachel Morgan.

—¿Y por qué debería ayudarte? —respondí secamente—. No eres más que un jodido parásito.

—Una depredadora —puntualizó—. Y tú me necesitas —añadió estirando el brazo.

—¡No! —grité, reculando hasta toparme de nuevo con el coche que tenía detrás. El pánico creció con el sonido de una débil detonación amortiguado por la nieve.

—¡Ivy! —grité, justo antes de dar un respingo cuando Mia me agarró del cuello una vez más—. ¿Qué has hecho? —susurré, viéndola a escasos centímetros de mí.

—No te muevas —me ordenó, con mirada furiosa—, o Remus la matará.

¿Está viva? Entonces me retorcí y la energía de mi cuerpo me abandonó. No me importaba.

—¡Ivy! —jadeé—. ¡No consigo verla! ¡Deja que la vea, puta insensible!

La expresión de Mia se volvió aún más desagradable, pero escuché la voz de Ivy desde detrás de ella.

—¡Estoy bien! —la oí gritar. A continuación, tras un suave quejido, como si hubiera recibido un golpe, añadió—: ¡Como le hagáis daño, te juro que acabarás peor que muerto, maldito humano!

Sin apartar sus fríos dedos de mi garganta, Mia echó un vistazo al monovolumen, desde el que se oía a Holly, esta vez llorando amargamente. El corazón empezó a latirme a toda velocidad cuando volvió a centrarse en mí. Con la mano todavía alrededor de mi cuello, alargó la otra y la dirigió hacia mi frente.

—¡No! —le supliqué, convencida de que iba a matarme—. ¡Por favor, no!

Con una sonrisa maliciosa, Mia apoyó su fría mano en mi mejilla en un gesto que casi podría definirse como tierno.

—Esta es la razón por la que vas a ayudarme, bruja. Quiero que veas lo que puedo darte.

Unos diminutos pinchazos explotaron en mi mejilla y solté un grito ahogado, poniéndome rígida mientras intentaba agarrarme al coche que tenía detrás. Un intenso calor empezó a penetrar en mí, familiar y reconfortante. Era mi aura, que volvía, rellenando las grietas y completándome. Se abría paso dentro de mí con el dolor de una costra que se está curando y los ojos se me abrieron como platos mientras miraba el color azul claro de los de Mia. Exhalé, pensando que había sonado como un sollozo, y luego contuve la respiración para saborear mejor la energía entrante. Estaba devolviéndomela. No provenía de una línea luminosa sino directamente de su alma. Me estaba devolviendo mi energía vital. *Pero ¿por qué?*

Los pinchazos cesaron con una brusquedad sorprendente y me di cuenta de que estaba aprisionada contra un coche en un frío aparcamiento mientras una diminuta mujer me tenía secuestrada con el poder de mi alma.

Mia cerró el puño y se retiró, encorvada, con aspecto cansado.

—Esto es lo que he aprendido de Holly —explicó, ufana—. Dado que su padre no podía sufrir ningún daño de una banshee, desde el momento en que nació ella no solo sabía cómo extraer la energía de una persona, sino también cómo introducirla en su interior—. Yo solo tuve que fijarme en cómo lo hacía.

—¿Y bien? —pregunté, sin entender muy bien lo que pretendía decirme. ¡Dios! Me sentía genial, y de pronto me di cuenta de que podía interceptar una línea. Al hacerlo, respiré aliviada, tomando una enorme cantidad de energía de líneas luminosas y almacenándola en forma de huso en el interior de mi mente. En el fondo del aparcamiento, un coche se detuvo con las luces eclipsadas por la nieve, que no paraba de caer. Moviéndose lentamente, deambuló en busca de un sitio para aparcar.

—¿Mia? —la llamó Remus, claramente nervioso.

—Tranquilízate —le ordenó la mujer—. Intento que la bruja entienda por qué debe convencer a la AFI de que desista. —Cuando se giró hacia mí, su rostro lucía una sonrisa producida por la convicción de que tenía el control sobre mí, y mi estado de ánimo se endureció—. Me he alimentado increíblemente bien durante los últimos meses —explicó Mia con una satisfacción carente de remordimientos—. Los humanos son unos animales estúpidos y confiados. Basta que les des un poco para que crean que los amas. Después, solo tienes que tomar lo que te dan. Causas naturales —dijo con coqueta timidez—. Infarto, aneurisma cerebral, una simple fatiga. Llevamos cuarenta años, desde la Revelación, pasando hambre, pero Holly nos devolverá nuestra fuerza, la astucia para apropiarnos con impunidad de lo que queramos en lugar de seguir la delgada línea que la ley ha trazado para nosotras. Los que protesten serán silenciados. La SI lo sabe y te estoy recargando de energía para que convenzas a la AFI del error que cometen.

Desde detrás de ella, Ivy se agitó rabiosa, mientras Remus la sujetaba con fuerza.

—¡Eres un monstruo! —le reprochó, enfurecida—. ¿Les haces creer que los quieres y luego los matas? ¡No te di el deseo para que hicieras algo así!

—¡Cierra la boca! —le ordenó Remus, e Ivy bramó de dolor. Mi rostro palideció y el frío de la noche pareció volverse más oscuro. Era así como habían estado alimentándose, tanto ella como su hija. ¡Maldición! ¿Cómo se suponía que íbamos a distinguir las muertes inducidas por una banshee de las que se debían a causas naturales?

—¿De veras crees que voy a ayudarte? —le pregunté, consternada—. ¡Tú estás loca!

El coche pasó lentamente, siguiendo el sendero que había trazado el que acababa de irse, marcando aún más los surcos, y empecé a sentir un hormigueo en la piel. Iba muy lento. Y me parecía… no, me sonaba familiar. Se trataba de un modelo antiguo, y bastante deteriorado. Giró al final del aparcamiento y los faros iluminaron a Ivy y a Remus. En el monovolumen, Holly gritó, extendiendo los brazos para que la cogieran.

—¡Mia! —gritó Remus—. ¡Tenemos que irnos!

—Ayudarme es exactamente lo que vas a hacer —dijo Mia, acercándose a mí mientras me inundaba una segunda ola de calor—. Le dirás a la AFI que he desaparecido. Puedes contarles que vinieron los extraterrestres y me abdujeron, no me importa. El caso es que si no me dejan en paz, te mataré, aquí mismo si hace falta, y luego me cargaré al resto, empezando por el hijo de ese hombre.

—¡Como toques a Glenn, yo misma me encargaré de que mueras! —le espetó Ivy.

Mia la miró con desprecio.

—No sé cómo te atreves a amenazarme —dijo con tono condescendiente—. Os vi a Piscary y a ti pisar por primera vez mi ciudad y también presencié su entierro. No lo olvides.

Sacudí la cabeza.

—No pienso ayudarte, Mia. Si no me acompañas, tu hija y tú tendréis que vivir para siempre al margen de la sociedad, como dos proscritas.

Las pálidas cejas de Mia se alzaron.

—Escúchame bien, bruja, yo construí esta sociedad. Si me tocan, no viviré al margen de ella, la destruiré.

Sentir la fuerza de la línea en mi interior me dio el valor para enfrentarme a ella.

—Pues vete al infierno.

Mia soltó un suspiro y se volvió hacia Remus, que agitaba los dedos con nerviosismo, ansioso por marcharse.

—Puedes llevar un caballo hasta el río, pero no puedes obligarlo a beber —sentenció, volviéndose de nuevo hacia mí—. Visto lo visto, tendrá que ser la vampiresa la que transmita mis palabras.

Al darme cuenta de que iba a matarme se me cortó la respiración.

—¡Espera!

Presa del pánico, empecé a retroceder a gatas por entre los coches. Sin llegar a tocarme todavía, extendió la mano y, con la mirada extasiada, tiró fuertemente de mi aura y me arrebató todo lo que me había dado.

Con la boca abierta, caí de rodillas mientras la línea luminosa se convertía en una cinta de fuego y, con un grito, la empujé hacia ella, incapaz de seguir sujetándola. Mia blasfemó con discreción, y se tomó un breve respiro, pero después me arrasó una avalancha de hielo y los miembros se me durmieron de golpe. La fuerza de la línea no había conseguido ralentizarla lo más mínimo. Me estaba arrebatando el aura muy despacio, concienzudamente, haciéndome sufrir para tener más con lo que deleitarse.

Ivy estaba gritando, emitiendo un sonido desgarrador que contrastaba con los penetrantes chillidos de Holly. Era incapaz de pensar, arrodillada en la nieve mientras Mia me dejaba sin protección alguna. Levanté la vista cuando una brillante luz aumentó su intensidad. *Me estoy muriendo*, pensé, y la luz se movió y el coche del que provenía se estrelló contra la esquina delantera del monovolumen.

Se oyó el crujido del metal al chocar y un montón de piezas de plástico salieron disparadas. El impacto distrajo la atención de Mia y el dolor de mi aura al rasgarse se desvaneció. Levanté la vista y, con las manos y las rodillas apoyadas en el suelo, inspiré profundamente, como si aquello pudiera revestir mi alma.

—¡Cuidado! —grité cuando el monovolumen empezó a deslizarse por el hielo, en dirección a Ivy. Mierda, iba a aplastarla contra él.

Ivy dio un salto hacia arriba y aterrizó en la capota del todoterreno, mientras Remus se tiraba al suelo y rodaba justo debajo. Holly aulló mientras el vehículo se detenía en seco. Un destartalado Chevrolet de un horrible color verde humeaba. El líquido del radiador salía a raudales, pero el motor seguía funcionando. Aquel trasto debía de pesar más que el monovolumen y el todoterreno juntos, y se habría necesitado una bomba atómica para destruirlo.

—¡Holly! —gritó Mia, corriendo hacia su hija.

Apoyándome en el coche para ponerme de pie, vi que Tom salía del Chevrolet. *¡Hijo de puta!* No era la señora Walker la que había estado siguiéndolos, sino Tom.

Con un terrible gruñido, Ivy se lanzó desde lo alto del todoterreno y aterrizó sobre Mia.

—¡Dios, no! —susurré. Estaba temblando y, a pesar de que apenas podía caminar, me arrastré como pude hacia ellas. Mia tenía a Ivy cogida del cuello y, con una expresión terrorífica en su rostro, empezó a matarla. La luz de una de las farolas iluminó todo con una extraordinaria claridad. Ivy se resistía con todas sus fuerzas, con los dientes relucientes mientras luchaba.

Los agudos chillidos de Holly continuaron, y dirigí la mirada hacia Remus y Tom. El puño del brujo de líneas luminosas estaba envuelto en una bruma de color púrpura, pero el encolerizado hombre lo tenía agarrado y apretó hasta que Tom aulló de dolor. Propinándole una fuerte patada antes de alejarse, Remus dejó a Tom bramando de dolor. Me moví y Remus volvió la cabeza automáticamente. Sus ojos negros se quedaron mirándome con fijeza, advirtiéndome que no me moviera. Eran los ojos de un lobo, y me quedé petrificada. Entonces se dio la vuelta. Desde la cárcel una sonora sirena empezó a aullar, y el aparcamiento se vio bañado repentinamente por la potente luz de un montón de bombillas de criptón azul. *¿Dónde demonios estaban?*

Calmado y con una actitud reconfortante, el asesino en serie rescató a su desesperada hija del maltrecho monovolumen. Cantando una nana, miró a su mujer.

—¡Ivy! —acerté a decir al verla tirada en el suelo, inmóvil. Mia estaba arrodillada a su lado, de espaldas a mí, con su abrigo azul extendido como las alas de un pájaro cubriendo a su presa. Tambaleándome, me dirigí hacia donde se encontraban, gritando—: ¡Aléjate de ella!

Remus llegó antes que yo y, con una mano, tiró de Mia obligándola a ponerse en pie.

—¡Suéltame! —gritó la mujer, intentando zafarse. No obstante, él la arrastró hasta el coche de Tom, cuyo motor seguía en marcha, y tras abrir la puerta del asiento del copiloto, la obligó a entrar. Los gritos de Holly competían en intensidad con las alarmas de la prisión, pero esta disminuyó cuando Remus se la entregó a Mia y cerró con un portazo. Lanzándome una agria mirada, caminó hacia el otro lado y se subió al vehículo. El motor rugió y Tom se apartó rodando mientras Remus lo dirigía a toda velocidad hacia la carretera. Después, cubriéndonos con una lluvia de partículas de lodo helado, desaparecieron.

Con el corazón a punto de estallar, llegué hasta Ivy y caí de rodillas sobre la nieve aplastada.

—¡Oh, Dios mío! ¡Ivy! ¡Ivy! —exclamé dándole la vuelta y tirando de su cuerpo para apoyarlo contra el mío. La cabeza le pendía y tenía los ojos cerrados. Estaba extremadamente pálida y el pelo le caía sobre la cara.

—¡No me dejes, Ivy! ¡No puedo seguir viviendo sin ti! —grité—. ¿Me oyes, Ivy?

¡Oh, Dios! Por favor, no. ¿Por qué tengo que vivir de esta manera?

Las lágrimas se deslizaban por mis mejillas y ahogué un sollozo cuando abrió los ojos. Eran de color marrón, y me alegré profundamente. No estaba muerta, ni no muerta, ni nada parecido. Con el rostro demacrado, levantó la vista intentando mirarme con los ojos vidriosos, pero sin verme. En la mano sujetaba una cinta lila descolorida atada a una moneda. Los dedos la agarraban como si fuera la vida misma, con tal fuerza que los nudillos se le habían puesto blancos.

—Lo he recuperado —dijo con voz áspera—. No se merece que la amen.

El edificio que se alzaba a nuestras espaldas seguía emitiendo aquel ruido infernal y pude oír a un grupo de hombres que venía hacia nosotras. Ivy inspiró profundamente y repitió el gesto una segunda vez.

—Necesito… ¿Rachel? —susurró. Entonces me di cuenta de que empezaba a verme con mayor claridad—. Mierda —exhaló, y yo la acerqué aún más a mi cuerpo, acunándola, consciente de que seguía viva. No había muerto y yo no estaba abrazando a una no muerta.

—Te pondrás bien —dije, sin saber si era cierto. Estaba increíblemente pálida.

—No. La necesito —dijo Ivy. Yo la miré, viendo las lágrimas que surcaban sus mejillas y sus colmillos cubiertos de saliva. Era evidente de lo que estaba hablando. Sangre. Necesitaba sangre. Los vampiros eran los parientes más cercanos de las banshees y disponían de una forma de recargar sus auras. La recuperaban cuando se alimentaban. Ivy necesitaba sangre.

Impávida, alcé su cuerpo un poco más, y ella rompió a llorar desconsoladamente, consciente de que no podía ser la persona que quería ser y lamentándose por la pérdida de un sueño.

—Quería mantenerme limpia, pero no puedo —dijo mientras la mecía—. Cada vez que intento ser otra, fracaso. La necesito —repitió, con un brillo negro en sus ojos—. Pero no la tuya. No quiero que seas tú —declaró, con voz suplicante, incluso mientras sus ojos comenzaban a dilatarse y el hambre se apoderaba de ella—. Prefiero morir antes de que me des tu sangre. Te quiero, Rachel y no quiero que me des tu sangre. ¡Prométeme que no lo harás!

—Te pondrás bien —repetí, desesperada—. Aún se percibía el olor a anticongelante del destartalado Chevy, mientras que el débil efluvio del motor caliente empezaba a desvanecerse.

—¡Prométemelo! —me ordenó intentando tocarme la cara—. No quiero que me des tu sangre. ¡Prométemelo, maldita sea!

Mierda. En aquel momento levanté la vista y, por primera vez, vi las luces de las linternas y a los hombres detrás de ellas. Mi bolso y mis llaves estaban tirados en el suelo.

—Te lo prometo.

Entonces se escuchó el ruido de unas botas aplastando la nieve.

—¡Señorita! ¡Apártese de esa mujer! —me ordenó una voz con tono autoritario—. Túmbese bocabajo y ponga las manos extendidas donde pueda verlas.

Con el rostro cubierto de lágrimas, levanté la vista y miré detrás de mí, hacia la claridad de las luces de seguridad, descubriendo una enorme sombra detrás.

—¡Dispárenme si quieren! —grité—. ¡No pienso dejarla!

—¡Señorita! —repitió la voz, y la luz enfocó a Ivy y luego a mí.

—¡Está herida! —exclamé—. ¡Acabo de estar en vuestras oficinas, idiotas! Visionad las grabaciones de las cámaras de seguridad. Sabéis perfectamente quién soy. ¡Lo habéis visto todo! ¿Cree que me he estrellado yo misma contra ese maldito coche de mierda?

—¡Señorita…! —insistió.

Intenté levantarme, arrastrando a Ivy conmigo.

—¡No vuelva a llamarme así! —resoplé, haciendo un gran esfuerzo hasta que conseguí ponerla en pie, apoyándome contra el todoterreno.

—¡Abajo! ¡Todos al suelo! —gritó alguien.

Se produjo una fuerte explosión y apreté a Ivy contra mí, arreglándomelas para mantenernos a ambas en pie. El hombre de la linterna se giró hacia el lugar del que había llegado el ruido de la detonación. Había hombres y mujeres gritando, y el tipo de la linterna parecía cabreado por no haberse visto implicado. Una neblina verde violácea del aura de Tom cubría un árbol decorado que se encontraba cerca, y el estómago se me revolvió cuando el árbol empezó a evaporarse y se disolvió. Las luces decorativas parpadearon y se apagaron. *¡Joder! ¿Qué demonios le ha enseñado Al?*

Mis llaves se encontraban en mi bolso, tres coches más allá.

—Quédate aquí —le dije a Ivy y, tras ver que conseguía mantenerse en pie por sí misma, apoyada sobre el coche, me alejé para cogerlas.

—Ese es Tom Bansen —dije pasando entre el policía y la vista del árbol derritiéndose—. Él es el responsable de esto. Si queréis respuestas, hablad con él. Estoy en un aparcamiento público. No tenéis jurisdicción y voy a marcharme. —Agarré el bolso y saqué las llaves. El detector de amuletos malignos brillaba con intensidad, mostrando un llamativo color rojo. *La cosa no está para bromas*—. ¿Queréis mi carné de identidad? —pregunté, regresando hasta Ivy—. Está en vuestro informe. ¡Que tengáis un buen día y un jodido feliz Año Nuevo!

Metiendo mi hombro bajo el brazo de Ivy, echamos a andar hacia el coche. Sus pies se arrastraban por el charco de anticongelante y empezaba a respirar fuertemente. La apoyé contra el capó y abrí el coche. Ivy murmuró algo sobre su cartera y, después de ayudarla a entrar, regresé a por ella. Levanté la vista al escuchar el sonido de un seguro levantándose, pero no podían dispararme si solo estaba alejándome a pie.

—¡Señorita! —volvió a intentar el hombre, y mi presión sanguínea se disparó. No obstante, una voz nueva intervino.

—Deja que se marche. La han excluido.

Una amarga sensación me invadió, pero nadie me detuvo.

—Aguanta, Ivy —le susurré tomando asiento y alargando el brazo por encima de ella para cerrar su puerta—. El hospital está aquí al lado.

—Rynn Cormel —dijo con los ojos cerrados mientras las lágrimas descendían por su rostro—. Llévame con Rynn. Él no me importa lo más mínimo. Es solo un vampiro.

¿Solo un vampiro? Sin saber muy bien qué hacer, busqué a tientas la ranura hasta en dos ocasiones hasta que, finalmente, conseguí introducir la llave en el contacto y ponerlo en marcha. A nuestro alrededor, los guardias de seguridad parecían a punto de padecer un síncope. Tom había conseguido huir y carecían de la autoridad para detenerme.

—Rynn —repitió Ivy, mirándome con la cabeza apoyada en la ventana. Tenía los ojos vidriosos, y sus ansias de sangre me provocaron un escalofrío. Estaba empezando a recuperar el control. Si no hubiera sido por su delicado estado de salud, lo habría estado pasando mucho peor.

—De acuerdo —dije sorbiéndome las lágrimas. Sabía cómo se sentía. No quería ser ese tipo de persona, pero si quería sobrevivir, no tenía más remedio—. Pero no le permitiré hacerte daño.

—Date prisa, por favor —me apremió, cerrando sus ojos, que se volvían de un intenso y ávido negro vampírico. Su larga mano de pianista estaba aferrada a la manilla de la puerta, y se alejó de mí todo lo que pudo.

Con los faros encendidos, puse el coche en marcha y me dirigí hacia la salida. La aguja del velocímetro se disparó y esperé una sensación de mareo que nunca llegó. Aparentemente, Mia no me había arrebatado una cantidad de aura suficiente como para alterar mi equilibrio, pero al interceptar por un breve instante una línea luminosa comprobé que todavía estaba comprometida, y la solté antes de ponerme a vomitar por el dolor.

—Llámalo. —La voz de Ivy hizo que me estremeciera. Era grave y seductora, en claro contraste con su estado de debilidad—. Usa mi teléfono.

Estaba empezando a ver algo de tráfico y, al llegar a un semáforo en rojo, cogí su bolso, encontré su delgado móvil y lo abrí. *Cinco rayas. ¿Cómo es posible que la batería de mi teléfono nunca tenga cinco rayas?* A continuación, mirando tanto la brillante pantalla como el semáforo, me desplacé por los números y presioné «RC».

El corazón empezó a latirme con fuerza y, mientras el teléfono sonaba, el disco se puso verde y entré en una carretera bordeada de nieve. Apenas hubimos recorrido cinco metros, una cultivada e interesada voz respondió:

—Sí, ¿Ivy?

Mierda. Me acerqué el teléfono al oído y aceleré para conseguir pasar el siguiente semáforo, que estaba en ámbar.

—Ivy está herida —dije secamente—. Necesita sangre.

Rynn Cormel hizo un extraño sonido.

—Pues dásela, Rachel.

Hijo de puta.

—¡No quiere mi sangre! —dije mirándola y viendo el dolor que sentía—. Te quiere a ti. Voy hacia tu casa, pero no estoy segura de llegar a tiempo. —Cuando la luz de las farolas se volvió borrosa, me enjugué las lágrimas—. Esa maldita banshee la atacó. O haces lo que esté en tu mano para mantenerla con vida o te juro que te mataré, Rynn Mathew Cormel. No juegues con esto. Lo digo muy en serio. Todavía no puedo salvar su alma. Necesito más tiempo.

No me importaba sonar como un demonio al utilizar su nombre completo de aquella manera. Manejando el coche por las carreteras heladas, escuché al vampiro no muerto inspirar lentamente, aunque no lo necesitaba.

—Ve por el puente I-75. Iremos a tu encuentro.

La comunicación se cortó, y arrojé el teléfono en dirección al bolso de Ivy. Parpadeando furiosamente, agarré el volante con fuerza y pisé el acelerador. Mientras atravesaba la ciudad, los otros coches tocaban el claxon, pero los tipos de la AFI no me pararían y a la SI ya no le importaba.

—Aguanta —dije con los dientes apretados; tomé una curva demasiado deprisa y la sujeté por el hombro para que no se cayera encima de mí.

Los ojos de Ivy se abrieron cuando mi mano la tocó, y sentí una punzada de miedo.

—Date prisa —dijo entre jadeos—. Rachel, preferiría morir que morderte ahora. Te lo ruego, ve todo lo deprisa que puedas. No sé cuánto tiempo conseguiré contenerme. Me duele mucho. ¡Oh Dios!... Me la ha quitado toda.

—Todo se va a arreglar —dije al divisar una señal que indicaba que nos acercábamos a un puente—. Viene para acá. Casi hemos llegado.

Ella se quedó en silencio y, tras unos instantes, preguntó:

—¿Tú cómo estás?

La miré atónita. ¿Estaba preocupada por mí?

—Bien —dije, tocando el claxon para evitar que un tipo se me colocara delante. Él se detuvo y, después de esquivarlo, la miré con el ceño fruncido.

—¿Por qué lo hiciste, Ivy? Debiste dejarla marchar. ¡Es una maldita banshee!

—Porque todo esto ha sido culpa mía —dijo entre jadeos, bajando la vista hasta la moneda que seguía sujetando fuertemente en el puño—. Mia, Remus... Todo. Yo soy la responsable de que Mia aprendiera a matar gente con total impunidad. Y te hirió gravemente. Me ocuparé de esto. Tú no puedes arriesgarte de nuevo.

—¿Vas a ocuparte de ella tú sola? —pregunté, sintiéndome lejana e irreal en mi interior—. Yo tengo tanta culpa como tú. Para empezar, fui yo la que te dio el deseo. Le vamos a echar el guante, Ivy, pero no por separado. Tenemos que hacerlo juntas. *¿A quién pretendo engañar? Se necesitaría un demonio para vencer a una banshee. Aunque, pensándolo bien...*

No dijo nada, pero detrás de su apetito la expresión era de determinación. Entonces encendí la calefacción y una ráfaga de aire caliente inundó el interior del vehículo. A lo lejos, divisé el destello de las luces de un coche que se aproximaba a nosotras y me invadió una sensación de alivio tan fuerte que casi me dolió. Adiviné que se trataba de un Hummer por el espacio entre los faros. Eran ellos. Tenían que serlo.

—¡Ahí están! —exclamé, e Ivy intentó sonreír. Tenía los dientes apretados y la mirada encendida, y me partió el corazón ver sus ojos enrojecidos y llenos de dolor mientras luchaba.

A tientas, busqué la pequeña palanca para devolverle los destellos y me aparté hacia un local de comida rápida. Dos coches se colocaron detrás de mí, negros bajo la luz de las farolas. Entonces me detuve, sin pisar el freno a fondo, pero casi. Antes de que tuviera tiempo de dejar el coche en punto muerto, descubrí a dos hombres en la puerta de Ivy. Se oyó un crujido metálico y la puerta se abrió, la cerradura estaba rota.

Un fuerte olor a incienso vampírico penetró en el coche y, con un sonido desgarrador, Ivy se abalanzó sobre el hombre que se agachaba para cogerla. Yo me di la vuelta, con los ojos llenos de lágrimas. Escuché un gemido, y cuando volví a mirar, el segundo hombre ayudaba al primero a llevarse a Ivy al Hummer negro. Ella estaba en su cuello, con la sangre desbordándose por las comisuras de sus labios. Su compañero les abrió la puerta e Ivy y el hombre al que estaba aferrada desaparecieron en el interior. Luego se volvió para mirarme, con una expresión difícil de descifrar, antes de seguirlos y cerrar la puerta.

La nieve caía. Me quedé sentada con la puerta del asiento del copiloto abierta, mirando por el retrovisor, con las manos en el volante, y sin parar de llorar. Ivy tenía que ponerse bien. No podía ser de otra manera. *¡Esto no puede ir peor!*

Un suave golpeteo en mi ventana me sorprendió; miré y vi a Rynn Cormel junto a mi coche. Llevaba vuelto el cuello del abrigo de cachemir para protegerse de la nieve y su sombrero empezaba a cubrirse de blanco. Tenía muy buen aspecto, pero el recuerdo de la crueldad con que me había tratado (a mí y a Ivy, para ser más exactos) era demasiado reciente para haberlo asimilado. Era un animal, y en aquel momento me di cuenta de lo que Ivy había querido decir cuando comentó que era solo un vampiro.

A pesar de su dinero, su poder y su atractivo, no era nada, y no merecía el amor o el afecto de nadie. No permitiría que Ivy se convirtiera en un ser semejante.

Limpiándome la nariz, bajé la ventanilla. En mi interior estaba entumecida.

Rynn Cormel se inclinó hacia delante de manera que su rostro quedó mucho más cerca del mío. Al ver el estado en que me encontraba, se sacó un pañuelo de un bolsillo interior y me lo entregó.

—¿Por qué no dejaste que te mordiera en lugar de montar todo este drama? —dijo, mirando de reojo hacia el Hummer inmóvil—. Lo único que necesita es sangre.

Independientemente de que fuera un animal, seguí sintiendo la necesidad de tratarlo con respeto.

—Porque no quería —dije utilizando su pañuelo y dejándolo a un lado. Era posible que se lo devolviera después de lavarlo. Quizás—. No quiere perder su alma, y si me mordiera estaría aún más cerca de hacerlo.

Él frunció el ceño y se irguió, dando algunos pasos hacia atrás para poder verme.

—Es lo que es.

—Lo sé —respondí soltando el volante y apoyando las manos en mi regazo—. Y ella también lo sabe.

Con las cejas levantadas, Rynn Cormel articuló un suave sonido. Balanceándose sobre los pies, hizo amago de marcharse.

—Rynn —lo llamé haciendo que se detuviera—. Acepta lo que es, y te aseguro que haré todo lo que esté en mi mano para ayudarla a ser quien ella quiere.

El corazón me iba a mil, pero su expresión de preocupación se transformó en una de sus famosas sonrisas y me pregunté si acababa de salvar mi propia vida al prometerle que encontraría la manera de que mi amiga no perdiera su alma. Si creía que lo que quería decir era que encontraría la manera de que la conservara después de muerta, significaría que aceptaba su prerrogativa. Sin embargo, yo estaba pensando en algo un poco más inmediato. Algo de lo que ambas nos beneficiaríamos.

—Bien —dijo con las manos en los bolsillos y expresión inofensiva—. Disfruta de la cena con tu familia, Rachel. Ivy se pondrá bien.

Me erguí en mi asiento y lo miré con ojos esperanzados.

—¿Estás seguro?

Sin apartar la vista del Hummer añadió:

—Su aura se recuperará conforme sacie sus instintos y recuperará las fuerzas justo a tiempo. En realidad, son mis hombres los que me preocupan.

Al oír aquello, no pude evitar esbozar una sonrisa, que se desvaneció rápidamente. Se encontraba fuera de control en aquel coche, y se odiaría a sí misma cuando regresara a casa. En aquel periodo, la única cosa que evitaba que perdiera la razón era no haber permitido que sus ansias de sangre la controlaran y no haberlas satisfecho abalanzándose brutalmente sobre mí. Su promesa de abstención le había durado treinta segundos.

—Rynn, no la presiones —dije—. Te lo pido por favor. Limítate a hacer que se ponga bien y mándamela a casa. Encontraré la manera de que muera sin perder su alma. Si existe alguna posibilidad, daré con ella.

¡Maldita sea! Voy a tener que hablar con Trent. Él conocía un método para adormecer el virus vampírico, pero, a partir de ahí, quizás descubriera la manera de eliminarlo. No estaba segura de que Ivy accediera a convertirse en una humana para perder sus ansias de sangre, pero después de aquella noche… era posible que sí.

El hombre alto inclinó la cabeza para indicar que se daba por enterado de mis palabras y, sonriendo, se dirigió con elegancia hacia su segundo coche. El conductor salió para abrirle la puerta y, antes de darme cuenta, ambos vehículos habían desaparecido.

Eché un vistazo al reloj y descubrí que el bolso de Ivy se había quedado en el coche. Lo recogí de la alfombrilla y, tras dejarlo en el asiento en el que había estado sentada, estiré el brazo y cerré la puerta rota. El olor de Ivy seguía flotando en el ambiente, e inspiré profundamente, preguntándome cómo se encontraría. Las manos empezaron a temblarme con los restos de adrenalina. Era tarde para la comida que ya había tenido que retrasar. Robbie iba a poder ensañarse conmigo de lo lindo.

Aun así, no estaba preparada para echarme a la carretera. Estaba muerta de preocupación por Ivy pero, probablemente, era justo que fuera así. Ella había estado preocupada por mí mientras estuve en el hospital. Rynn Cormel me había asegurado que se pondría bien, y tenía que creerlo. Los vampiros eran los rivales más cercanos de las banshees en lo que a fuerza se refiere, y disponían de un modo veloz para recuperarse después de un ataque: sangre para renovar su aura y azufre para revitalizar su fuerza.

Puse el coche en marcha y me dirigí lentamente hacia la salida, encendiendo el intermitente y parándome allí, aguardando a que hubiera un hueco entre los coches que pasaban. Mientras esperaba, se me ocurrió que probablemente aquel era el punto de inflexión de nuestra relación. Ivy era una vampiresa que aspiraba a ser algo más. O quizás, algo menos. Pero nunca podría llegar a ser lo que quería a menos que yo encontrara la manera de sacarle el virus. Ya fuera con la magia o con la medicina, tendría que hacerlo. Era posible que yo no consiguiera nunca convertirme en la persona que anhelaba ser, pero si tenía que ser un demonio, al menos me aseguraría de que Ivy sí fuera quien quería ser.

Tener que afrontar cosas como aquella era una verdadera mierda.

23

La cocina de mi madre olía a estofado de ternera, pero ni eso, ni las galletas caseras que mamá estaba sacando del horno cuando entré habrían logrado mitigar mi preocupación por Ivy. Si la cena había sido agradable, no lo recordaba. Llevaba allí más de una hora y todavía no me había llamado nadie para informarme sobre Ivy. ¡Por el amor de Dios! ¿Cuánto tiempo se necesitaba para recuperar un aura?

Por si aquello no bastaba para estar de los nervios, en aquella casa había un manual arcano de nivel 800 que mi hermano intentaba ocultarme. Mi vida se estaba cayendo a pedazos y no pensaba marcharme de allí sin él. Quizás habría debido decírselo a mi madre y hacer que obligara a Robbie a dármelo, pero la última vez que lo había utilizado me había buscado un montón de problemas. Y ya tenía suficientes por aquella noche. Para dar y regalar. Hubiera bastado que me saliera un padrastro para que perdiera por completo los papeles.

Entregué a Robbie el último vaso y saqué los cuencos del lavavajillas. La bruja de ojos furtivos de encima del fregadero hacía tictac y desde el fondo de la casa oí a mi madre trastear en busca de algo. Me resultaba extraño estar allí, como cuando era pequeña. Yo fregaba los platos y Robbie los secaba. Evidentemente, ya no necesitaba subirme a una silla, y Robbie no iba vestido de *grunge*. Algunos cambios eran buenos.

Taconeando sobre los azulejos, mi madre entró con expresión de alegría. Me parecía tan satisfecha consigo misma que no pude evitar preguntarme qué estaría tramando, podía ser el hecho de tenernos a Robbie y a mí en casa.

—Gracias por la comida, mamá —dije mientras introducía un plato en el agua antes de que Robbie pudiera cogerlo—. Siento haberos hecho esperar tanto. De veras pensé que llegaría mucho antes.

Robbie emitió un sonido grosero, pero mi madre mantenía una expresión radiante mientras se sentaba con su vieja taza de café.

—Sé lo ocupada que estás —dijo—. Me limité a meter todo en una olla de cocción lenta para que pudiéramos sentarnos a comer cuando fuera que llegaras.

En aquel momento eché un vistazo a la antigua olla marrón enchufada a la pared intentando recordar la última vez que la había visto y si contenía comida o un hechizo. ¡Dios! Esperaba que fuera un hechizo.

—Me han surgido un montón de cosas en el último momento. Créeme, de veras me hubiera gustado llegar antes.

¡Y tanto que me hubiera gustado llegar antes! No les había contado la razón de mi retraso; no podía hacerlo teniendo en cuenta que Robbie buscaba cualquier motivo para pincharme a propósito de mi trabajo. Aquella noche su estado de ánimo rayaba la pedantería, lo que me preocupaba aún más.

Robbie cerró la puerta del armario con demasiada fuerza.

—Por lo visto, a ti siempre te surgen un montón de cosas, hermanita. Necesitas hacer algunos cambios en tu vida.

¿Disculpa?, pensé entornando los ojos.

—¿Como cuáles?

—No ha supuesto ningún problema, Robbie —interrumpió mi madre—. Sabía que probablemente llegaría tarde. Por eso he preparado esta comida.

Robbie volvió a gruñir y sentí que me subía la presión sanguínea.

Mi madre se levantó y me dio un achuchón de costado.

—Si me hubiera enterado de que no estabas intentando hacer diez cosas antes de la Revelación, sí que me hubiera molestado. ¿Te apetece un poco de café?

—Sí, gracias.

Mi madre era genial. Por lo general no tomaba partido en las discusiones que tenía con Robbie, pero si no lo hacía, mi hermano se pasaría la noche haciéndome reproches.

Le entregué un plato, negándome a soltarlo hasta que conseguí que me mirara, y le lancé una mirada para que cerrara la boca. Estaba convencida de que me había mentido cuando me había dicho que el libro no estaba donde lo había dejado y de que intentaba obligarme a hacer las cosas a su manera en lugar de utilizar la persuasión, pues sabía de sobra que no habría funcionado. Tenía que subir al ático sin que mamá se enterara. No quería preocuparla. Raptar a un fantasma para conseguir que un demonio quisiera hablar contigo no sonaba muy seguro, ni siquiera para mí.

Precisamente por esa razón, una vez que le pasé a mi hermano el último plato, utilicé una excusa perfecta mientras el fregadero terminaba de absorber el agua.

—Mamá —dije secándome las manos—, ¿sabes si mis peluches están todavía en el ático? Hay alguien a quien me gustaría regalárselos.

Robbie dio un respingo y a mi madre se le iluminó la cara.

—Eso espero —respondió—. ¿Para quién son? ¿Para la hija de Ceri?

En aquel momento me permití mirar a Robbie con aires de superioridad y me acerqué para sentarme frente a mi madre. La semana anterior nos habíamos enterado de que el hijo que esperaba Ceri era una niña y mi madre se mostraba tan entusiasmada como si se tratara de su propia hija.

—No —respondí jugueteando con mi taza—. Me gustaría dárselos a los niños del ala infantil del hospital. Ayer conocí a un puñado de ellos. En concreto, a los que pasan más tiempo allí que en sus casas. Simplemente, me pareció justo. No creo que a papá le molestara, ¿verdad?

La sonrisa de mi madre se volvió aún más hermosa.

—Al contrario. Estoy segura de que le parecería lo más adecuado.

Me puse en pie, inquieta y revitalizada. Por fin iba a hacer algo bueno.

—¿Te importa si subo a por ellos ahora?

—Por supuesto que no. Y si encuentras alguna otra cosa que te interese, bájatela. —¡*Bingo!* Con su consentimiento para fisgar con toda libertad, ya estaba en el pasillo antes de que me gritara—: Voy a poner la casa a la venta y los áticos vacíos se venden mejor que los llenos.

¿Cómo?

La cuerda para bajar las escaleras del ático se me resbaló de la mano y la trampilla del techo se cerró de golpe. Convencida de que había entendido mal, regresé a la cocina. Robbie estaba sonriendo maliciosamente, apoyado en el fregadero con los tobillos cruzados mientras se bebía una taza de café. De pronto contemplé la animada cháchara de mi madre de aquella noche desde una perspectiva completamente diferente. No era la única que ocultaba las malas noticias. *Mierda.*

—¿Vas a vender la casa? —pregunté con voz temblorosa al percibir la verdad en su expresión abatida—. ¿Por qué?

Inspirando con resolución, alzó la vista.

—Me voy a vivir a la Costa Oeste por una temporada. Tampoco es para tanto —dijo cuando empecé a protestar—. Ha llegado el momento de cambiar, eso es todo.

Con los ojos entornados, me giré hacia Robbie. Se mostraba demasiado satisfecho consigo mismo, apoyado contra la encimera de aquel modo.

—Mocoso egoísta... —dije, furiosa. Llevaba años intentando que se fuera a vivir a su ciudad, y al final se había salido con la suya.

Mi madre se agitó nerviosa e intenté contener mi rabia, empujándola hacia dentro para poder sacarla más tarde cuando estuviéramos solos. Aquel era el lugar en el que habíamos crecido, en el que se encontraban todos los recuerdos que tenía de mi padre, el árbol que había plantado. ¿Iba a dejarlo todo en manos de un extraño?

—Disculpadme —dije secamente—. Tengo que ir a coger mis cosas del ático.

Cabreada, salí de nuevo al pasillo.

—Hablaré con ella —le oí decir a Robbie, y resoplé con sarcasmo. Era yo la que iba a hablar seriamente con él, y él tendría que escucharme.

En esta ocasión tiré de la escalera hasta abajo del todo y apreté el interruptor. El recuerdo de Pierce me asaltó de forma inesperada. Había sido él quien me había abierto el ático cuando buscaba los utensilios de líneas luminosas de mi padre para ayudarlo a salvar tanto a una chica como su alma. Al menos conseguimos lo primero.

Una ráfaga de aire frío descendió por la escalera y, cuando Robbie salió al pasillo, plegué la escalera de golpe para que no pudiera alcanzarla. Un silencio gélido me envolvió, sin conseguir enfriar mi mal genio. El lugar estaba iluminado por una sola bombilla que proyectaba sombras sobre las cajas apiladas y los rincones oscuros con las inclinadas vigas maestras. Fruncí el ceño al comprobar que alguien había estado allí recientemente. Había muchas menos cajas de las que recordaba. Faltaban las cosas de papá, y me pregunté si Robbie habría tirado todo a la basura para evitar que lo usara.

—Mocoso egoísta —repetí entre dientes justo antes de coger la caja de peluches que estaba más arriba. Había reunido aquellos juguetes uno por uno durante mis numerosas estancias en el hospital y mis periodos de convalecencia en casa. La mayoría no solo llevaba los nombres de amigos que no habían tenido la oportunidad de volver a sentir el aire frío en su cara, sino que también les había atribuido sus diferentes personalidades. Los había dejado allí cuando me marché de casa, y había sido mejor así. No habrían resistido al enorme vertido de agua salada de 2006.

El corazón me latía a toda velocidad cuando me acerqué al agujero del suelo con la caja en la mano.

—¡Cógela! —dije soltándola cuando Robbie miró hacia arriba.

Como era de esperar, se le escapó, y la caja chocó ruidosamente contra la pared. Yo no esperé a que alzara la vista y me di la vuelta para coger la siguiente. Cuando me volví de nuevo, Robbie había conseguido llegar al ático.

—¡Quítate de en medio! —le ordené, frunciendo el ceño al enfrentarme a su imponente figura, encorvada por culpa de la escasa altura del techo.

—Rachel…

—Siempre supe que eras un capullo —dije, echando mano de años de frustración—, pero esto es patético. Te presentas aquí, le llenas la cabeza de pájaros, y la convences de que se vaya a vivir contigo y con tu flamante esposa. Fui yo la que se ocupó de que no se derrumbara tras la muerte de papá. Tú, en cambio, saliste huyendo, dejándome al frente de todo. ¡Tenía trece años, Robbie! —le reproché, intentando, sin éxito, no levantar la voz—. ¿Cómo te atreves a presentarte de este modo y alejarla de mí, justo cuando ha conseguido superarlo?

El rostro de mi hermano estaba encendido y encogió sus pequeños hombros.

—Cierra la boca.

—No. Eres tú el que tiene que cerrar la boca —le espeté—. Ella es feliz aquí. Tiene a sus amigos y es el lugar en el que están todos sus recuerdos. ¿Por qué no pasas de nosotras como siempre has hecho?

Robbie me quitó la caja de las manos y la dejó a su lado.

—Te he dicho que cierres la boca. Las razones por las que necesita salir de aquí son, precisamente, las que acabas de enumerar. No deberías ser tan egoísta de querer que se quede aquí cuando finalmente ha encontrado el valor para marcharse. ¿De veras te gusta verla así? —preguntó, apuntando hacia el lugar donde se encontraba la cocina—. ¿Vestida como una vieja y hablando como si su vida hubiera acabado? Esa no es ella. Recuerdo cómo era antes de la muerte de papá y esa anciana no es ella. Está lista para dejar marchar a papá. Deja que lo haga.

Con los brazos cruzados a la altura del pecho, resoplé.

—No la estoy alejando de ti —dije, esta vez en un tono más calmado—. La ayudaste a que no se derrumbara cuando papá murió. Yo me comporté como un cobarde. Y un estúpido. Pero si no le permites marcharse ahora, serás tú la cobarde.

No me gustaba lo que estaba oyendo, pero, imaginando que podía estar en lo cierto, alcé la vista y me quedé mirándolo. Tenía el gesto torcido y una expresión de desagrado, pero era así como me sentía.

—Quiere estar más cerca de Takata. Y Takata no puede vivir en Cincinnati —explicó en un tono bastante convincente—. Aquí no tiene amigos, al menos, no de verdad. Y, gracias a ti, ya no podrá vender sus hechizos... Ahora que te han excluido.

De pronto me quedé estupefacta y mi rostro palideció.

—¿Lo... lo sabíais?

Él bajó la vista por un breve instante y después volvió a mirarme a los ojos.

—Estaba con ella cuando se enteró. No le dejarán que siga vendiendo. Ni tampoco comprar. Prácticamente es como si fuera ella la excluida.

—¡Eso no es justo! —Me dolía el estómago y posé las manos sobre él.

Girándose hacia un lado, Robbie se llevó una mano a la cintura y la otra a la frente.

—¡Por el amor de Dios, Rachel! ¿Te han excluido?

Avergonzada, di unos pasos hacia atrás.

—No... no sabía que lo harían —titubeé. Entonces, al darme cuenta de que había conseguido invertir la situación, levanté la barbilla—. Sí. Por hablar con demonios.

Robbie se mordió ambos labios simultáneamente y me miró la cicatriz demoníaca de la muñeca.

—De acuerdo —reconocí—. Y tal vez por pactar con ellos cuando no tengo más remedio. Y he pasado algún tiempo en siempre jamás. Más que la mayoría.

—Vaya, vaya.

—Y estuve en una prisión demoníaca —añadí, sintiendo una punzada de culpa—. Pero se trataba de una misión para Trent Kalamack. De hecho, él también estuvo allí y nadie se lo ha echado en cara.

—¿Alguna cosa más? —se burló.

Con un gesto de dolor, dije:

—Has visto las noticias, ¿verdad?

La agonía de mi derrota o, más concretamente, las imágenes de un demonio arrastrándome del culo en plena calle, habían sido incluidas en los titulares.

El enfado de Robbie se desvaneció para dejar paso a un bufido divertido.

—Aquello debió de doler.

Esbocé una sonrisa, pero se esfumó rápidamente.

—No tanto como lo que me estás haciendo.

Él suspiró y acercó la caja al hueco del suelo.

—Aquí no le queda nada, Rachel.

Mi resentimiento regresó.

—Estoy yo.

—Sí, pero, gracias a los líos en que te metes, ya no puede ganarse la vida.

—¡Maldita sea, Robbie! —protesté—. ¡No quería que esto sucediera! Si se va, me quedaré sola.

Él se dirigió a la escalera.

—Tienes a tus amigos —dijo, con la cabeza gacha mientras empujaba la caja con el pie por el suelo de madera laminada en dirección a la trampilla.

—Unos amigos que has insistido en dejar bien claro que no apruebas.

—Pues búscate unos nuevos.

Pues búscate unos nuevos, me burlé para mis adentros. Molesta, fui a coger la última caja de los peluches que llevaban los nombres de mis amigos muertos. Había un montón. Entonces pensé en Marshal y en Pierce. ¿Cómo iba a decirle a Marshal que me habían excluido? Por lo que se refería a esa amistad en concreto, nunca debí intercambiar energía luminosa con él.

Robbie levantó la segunda caja.

—Tienes que cambiar algunas cosas.

Había un intenso olor a polvo y tomé aire para responder.

—¿Como qué? Lo intento, lo intento con todas mis fuerzas, pero no hay nadie decente que pueda soportar la mierda que puede llegar a ser mi vida.

Una vez más, el rostro alargado de Robbie se endureció y empezó a bajar las escaleras.

—Eso no es más que una excusa. Te han excluido y estás haciendo daño a mamá. Esto va más allá de quiénes son tus amigos. Aunque, mirándolo bien, tal vez es ahí donde radica el problema.

—No metas a Ivy y a Jenks en esto —le espeté, haciendo que mi preocupación por Ivy saliera a la luz en forma de rabia—. Demuestran más valor en un solo día del que tú demostrarás en toda tu vida.

Robbie se me quedó mirando con el ceño fruncido, con la cabeza justo por encima del suelo.

—Ya va siendo hora de que crezcas un poco —dijo—. Deberías quemar tus libros demoníacos y conseguir un trabajo de verdad. Si no empiezas a pensar dentro de los límites establecidos, acabarás en una caja de madera.

Enfadada, me coloqué los peluches en la cadera.

—Es imposible hablar contigo, ¿sabes? No tienes ni idea de lo que he hecho o de lo que soy capaz. Y eso tiene un coste. Nada es gratis. ¿Sabes qué te digo? Que cojas a mamá y te vuelvas a tu segura casa, en tu seguro y moderno vecindario, con tu segura mujercita, y vivas tu segura y previsible vida, tengas unos hijos seguros y previsibles y mueras de una forma segura e inútil después de no haber hecho nada con tu vida. Yo me quedaré aquí y haré algo de provecho, porque eso es lo que hace la gente que está viva. No pienso dejarme llevar por los demás para encontrarme en el lecho de muerte preguntándome qué habría pasado si no hubiera llevado una vida segura.

La expresión del rostro de mi hermano se ensombreció. Tomó aire para decir algo, pero cambió de opinión. Deslizando la caja entre sus brazos, bajó las escaleras.

—Muchísimas gracias, Robbie —dije entre dientes—. Mírame. Estoy temblando. Vengo a comer con vosotros y acabo temblando.

Me dirigí hacia la escalera con la última caja de amigos muertos. Podía oír a Robbie y a mi madre hablando, pero no conseguía entender lo que decían. Cuando iba por la mitad de la escalera, me detuve. Mi cabeza quedó a la altura del suelo, eché un último vistazo. El libro no estaba allí arriba. Era evidente que lo tenía Robbie y que no pensaba dármelo. Tal vez podía buscar algo en internet. No era precisamente seguro hacerlo, pero quizás verlo activara mis recuerdos lo suficiente como para reconstruirlo.

Con las rodillas temblándome, bajé la escalera de espaldas, llegué al pasillo de paredes verdes y casi me choco con mi madre.

—¡Oh, mierda! —exclamé tartamudeando—. Por su expresión de abatimiento y los ojos vidriosos supe de inmediato que lo había oído todo—. Lo siento, mamá. No hagas caso de lo que he dicho. Solo estaba enfadada con él. No lo decía en serio. Deberías irte a Portland y estar con Takata. Esto… Donald.

La desdicha de mi madre se transformó en sorpresa al escuchar el verdadero nombre del rockero.

—¿Te dijo su nombre?

Le devolví la sonrisa, aunque estaba muy disgustada.

—Sí, después de darle un puñetazo. —El ruido de la puerta de atrás al cerrarse me sobresaltó. Era Robbie, que salía a tomar un poco el aire para tranquilizarse. Me daba lo mismo—. Lo siento —mascullé pasando junto a ella en dirección a la cocina—. Le pediré disculpas. No me extraña que se fuera a vivir al otro lado del continente.

Mi madre cerró la trampilla de la buhardilla de un portazo.

—Tenemos que hablar, Rachel —dijo por encima del hombro mientras se dirigía, en dirección opuesta, a mi antiguo dormitorio.

Con un suspiro, me detuve sobre la moqueta verde, entristeciéndome más cuando la vi entrar en mi habitación. Estaba empezando a dolerme la cabeza, pero me apoyé la caja de los peluches en la cadera y la seguí con decisión, preparada para el sermón que me esperaba. No tenía intención de entrar en una pelea con Robbie, pero me había cabreado, y había cosas que tenía que decirle. Cosas como: «¿Dónde demonios está mi libro?».

No obstante, apenas entré en el que había sido mi cuarto y encontré todos los objetos personales de mi padre apilados sobre mi cama, me quedé helada.

—Esto es para ti —dijo señalando las polvorientas cajas—. Si lo quieres. Robbie… —Inspiró lentamente y, por un breve instante, se puso la mano en la frente—. Robbie cree que debería tirarlas, pero no puedo. Hay demasiadas cosas de tu padre en su interior.

Dejé la caja de los peluches en el suelo, sintiéndome culpable.

—Gracias. Sí, me encantaría. —Entonces tragué saliva y, al ver su aflicción, le dije—: Mamá, siento mucho que me hayan excluido. ¡No es justo! Se están comportando como unos estúpidos, pero quizás debería dejarlo todo y marcharme.

Ella se sentó en la cama, sin mirarme.

—No. No deberías hacer algo así. Pero necesitas descubrir la manera de que te retiren la exclusión. Por muy rebelde que hayas sido siempre, no estás hecha para vivir al margen de la sociedad. Te gusta demasiado la gente. He oído lo que le decías a tu hermano. Le asusta ser un cobarde cuando te ve vivir según tus propias convicciones, de manera que te grita para sentirse seguro.

Me acerqué y empujé una caja para sentarme a su lado.

—No debería haber dicho eso —admití—, y de verdad pienso que deberías irte a… Portland. —Al decirlo, percibí un regusto amargo en la boca y me derrumbé—. Tal vez… —añadí intentando deshacer el nudo que se había formado en mi garganta—. Tal vez debería olvidarme. Quizás, si me alejara de todo, me retirarían la exclusión.

Pero entonces tendría que dejar a Ivy y a Jenks, y no podría hacer eso.

Mi madre tenía los ojos brillantes cuando me cogió la mano.

—Yo me voy a ir, y tú te quedarás. Pero no voy a dejarte aquí sola.

Reprimí un escalofrío al pensar en sus intentos de encontrarme novio y, cuando tomé aire para protestar, me entregó un libro suave y brillante.

—¿Es este el que estabas buscando? —preguntó quedamente.

Me quedé mirándolo con la boca entreabierta. *Adivinación arcana y ciencia tangencial,* noveno volumen. ¡Era el libro! ¡El que necesitaba!

—Es el libro que te dio Robbie en el solsticio, cuando tenías dieciocho años, ¿verdad? —oí que me preguntaba—. Le pedí a Robbie que me lo diera, aunque no estaba segura de que fuera este. Y creo que también necesitarás esto.

Con los ojos muy abiertos y las manos temblorosas, cogí la roca roja y blanca con una pequeña depresión en el centro que me ofrecía. ¿Quería que rescatara a Pierce?

—¿Por qué? —acerté a preguntar, y mi madre me dio unos golpecitos en la rodilla.

—Pierce te hizo mucho bien —dijo en lugar de explicármelo—. Aquella noche encontraste más fuerza y resolución que en los dieciocho años anteriores. O tal vez siempre estuvo ahí y él se limitó a sacarla a la luz. Estoy orgullosa de ti, cariño. Quiero que hagas cosas maravillosas, pero a menos que tengas a alguien con quien compartirlo, no valdrán ni una caca de perro. Confía en lo que te estoy diciendo.

Incapaz de articular palabra, me quedé mirando el libro y el crisol. *¿Cree que Pierce sería un buen novio para mí?*

—Mamá, la única razón por la que quiero esto es para demostrarle a Al que no puede raptar a la gente así como así y llevársela a siempre jamás —dije.

Ella sonrió.

—Es un buen comienzo —dijo poniéndose en pie, con intención de que la siguiera—. Tú sálvalo, y si funciona, mejor que mejor. Si no, no habrás perdido nada. Lo que de verdad importa es que lo intentes.

Entonces se agachó y me dio un abrazo, tranquilizándome con su penetrante olor a secuoya.

Estaba bastante segura de que me estaba hablando de Pierce como un posible novio, y no de que lo invocara; con la mente perdida en mis pensamientos, le devolví el abrazo.

—Necesitas a alguien un poco canalla, cielo, pero con un corazón de oro —me susurró al oído dándome unas palmaditas en la espalda—. No creo que vayas a encontrarlo en este siglo. Ya no hay hombres honestos con unas convicciones tan firmes. Tengo la impresión de que la sociedad... los echa a perder.

Acto seguido, me soltó y dio un paso atrás.

—Mamá… —Intenté añadir algo, pero ella lo desechó con un gesto de la mano.

—Venga, vete. Todavía tienes el reloj, ¿verdad?

Asentí con la cabeza, sin sorprenderme de que supiera que formaba parte del hechizo. Era el reloj de mi padre, pero había pertenecido a Pierce.

—Hazlo exactamente igual que la vez anterior. Exactamente. Si añadiste algo por error, hazlo de nuevo. Si lo removiste con el dedo, vuelve a hacerlo. Si se te cayó algún pelo dentro, añade un mechón. Tiene que ser idéntico.

Una vez más, asentí. Ambas teníamos los ojos llenos de lágrimas y me condujo hacia el vestíbulo con el brazo por encima del hombro.

—No te preocupes por el resto de las cosas. Mañana te lo llevaré todo en el Buick. Con tu coche necesitarías tres viajes.

Parpadeando, sonreí a mi madre y me acerqué al cuerpo el libro y el crisol.

—Gracias, mamá —susurré.

Y con la tranquilidad de que mi madre creía en mí aunque el resto del mundo no lo hiciera, me encaminé hacia la puerta.

24

Me estremecí ante el tintineo que produjeron las tres botellas para almacenar pociones negras contra el fregadero. Levantando la vista hacia la ventana, oscurecida por la noche, agucé el oído por si escuchaba el quejido de las alas adolescentes de algún pixie. Era poco después de medianoche, los hijos de Jenks estaban dormidos y quería que siguieran haciéndolo. Cuando comprobé que no se oía nada, me remangué y sumergí las manos en la cálida espuma. No podría invocar el hechizo de Pierce hasta la noche siguiente, pero tenía que hacer algo para distraerme de la preocupación por Ivy, y preparar los hechizos podría ser de utilidad. Cormel aún no se había puesto en contacto conmigo, y si no me llamaba alguien pronto, lo haría yo.

Sobre los papeles de Ivy había una caja con una pizza fría a la que le faltaba un trozo y una botella de dos litros de gaseosa, prácticamente sin tocar. El frigorífico no estaba, su espacio había quedado vacío, y la comida se hallaba sobre una mesa plegable. Detrás de mí, en la isla central, se encontraban los diferentes elementos del hechizo parcialmente preparados, formando un amplio semicírculo alrededor del manual universitario, que estaba abierto. Había suficiente material para realizar tres sólidos hechizos, e iba a utilizarlo todo.

La noche de fin de año sería el momento ideal para encontrar toda la energía ambiental con la que llevar a cabo el hechizo, y no podía arriesgarme a apostarlo todo a un solo número. No después de que no consiguiera que funcionara el hechizo localizador. En efecto, lo más probable era que el problema residiera en mi sangre, dado que el de Marshal había funcionado y el mío no, pero la sola idea de poder realizar un hechizo erróneamente era suficiente para hacerme practicar hasta sentirme algo más segura.

¡Oh, Dios! ¡Marshal!, pensé, a punto de dejar caer la resbaladiza botella de almacenamiento al recordar la exclusión. ¿Qué iba a decirle? O, mejor dicho, ¿cómo iba a decírselo? *¡Eh! ¿Qué tal? Sé que acabamos de tener sexo con la ropa puesta, pero no te vas a creer lo que acabo de descubrir.* La exclusión era contagiosa y no quería que se quedara sin trabajo por mi culpa. Para ser más exactos, no quería que nadie volviera a quedarse sin trabajo por mi culpa. Era como una jodida peste negra.

Mentalmente exhausta, enjuagué las botellas con agua salada y alargué el brazo para coger el paño de cocina. Además, ¡las cosas estaban yendo tan bien! (A excepción, claro está, de aquel último embrollo.) Finalmente había conseguido que los hombres lobo me dejaran tranquila devolviéndoles el foco. Gracias a haber salvado a Trent, los elfos ya no me molestaban a pesar de lo que podríamos denominar mis «tendencias demoníacas». Los vampiros estaban algo tensos, pero, en mi opinión, ya me había ocupado de ello. Ivy se pondría bien y nuestra relación iba a ser mucho menos caótica. Y justo cuando parecía tenerlo todo controlado, y que podía tener algo normal con un tipo normal y hacer cosas normales, mi propia gente se me había echado encima.

—Tiene que haber sido Tom —me dije entre dientes subiéndome de nuevo las mangas y quitando el tapón del fregadero.

Los tipos jóvenes y atractivos, con un buen trabajo y a los que no les importaba estar con una mujer que una vez a la semana pasa una noche en siempre jamás, no eran fáciles de encontrar. Tampoco es que Marshal y yo estuviéramos planeando pasar la vida juntos, pero, ¡por todos los demonios!, existía la posibilidad de que las cosas hubieran ido de ese modo. Pasado un tiempo, claro está. Pero ya no. ¿Qué demonios ocurría conmigo?

De pie, delante de la oscura ventana, cerré los ojos y suspiré. No obstante, nuestro intercambio de energía había sido fantástico. *¿Qué voy a contarle?*

Con el ceño fruncido, me dirigí hacia la encimera central y hacia los conjuros embotellados que esperaban ser formulados y envasados para el día siguiente. Me los llevaría a Fountain Square, encontraría un callejón y, cuando la multitud se pusiera a cantar *Auld Lang Syne*, los invocaría todos si fuera necesario. Y entonces hablaría con Al y dejaría claras unas cuantas cosas.

No obstante, aunque estaba deseando que llegara el momento, la idea de discutir con Al bajo la nieve junto a un fantasma desnudo y con una plaza llena de testigos me ponía los pelos de punta. Quizás podía alquilar una furgoneta y hacerlo en un aparcamiento de varias plantas. Al no me había dejado otra opción. Había intentado llamarlo, pero lo único que había sacado en claro por la molestia era un persistente dolor de cabeza y un escueto mensaje en el que me decía que me largara. Dadas las circunstancias, no tenía más remedio que hacerlo por las malas. Había accedido a no invocarlo, pero no había mencionado una palabra sobre no birlarle su última presa de delante de sus narices.

El suave zumbido de alas de pixies captó mi atención, y sonreí a Jenks con los labios cerrados cuando entró volando.

—Hola, Jenks —dije sacudiendo la botella negra para sacar el agua y secando el exterior, ansiosa por pasar a la parte divertida, que debía desarrollarse sobre mi encimera—. No habré despertado a tus hijos, ¿verdad?

Jenks echó un vistazo a mis provisiones para preparar hechizos y dejó escapar una pizca de polvo dorado mientras se quedaba suspendido sobre la mesa.

—No. ¿Todavía no ha llamado Cormel?

—No. —Fue una respuesta escueta, cargada de preocupación—. Pero se pondrá bien. *De no ser así, cambiaré de profesión para convertirme en asesina de maestros vampíricos.*

Aterrizó sobre la caja de pizza abierta, poniendo cara de asco a la salsa de ajo, que seguía intacta.

—Bien. Claro. Enfrentarse a una banshee está la mar de bien. Tenéis suerte de seguir con vida.

Coloqué la botella bocabajo en el horno frío y, tras encenderlo, dejándolo a baja temperatura, solté la puerta, que se cerró con un fuerte golpe. Se oyó un estrépito cuando la botella se volcó.

—¿Qué te crees, qué no lo sabemos? —respondí, irritada—. Fue Mia la que nos atacó a nosotras, no a la inversa. ¿Qué se suponía que debíamos hacer? ¿Darnos la vuelta y hacernos las muertas?

—Si lo hubierais hecho, es posible que Ivy estuviera bien —masculló, aunque lo suficientemente alto para que lo oyera. Sacudí las últimas gotas de agua de la siguiente botella antes de darle una pasada superficial con el paño. La coloqué junto a la primera, que esta vez estaba apoyada contra la pared, y alargué la mano para coger la última.

—Ivy cree que es culpa suya que Mia aprendiera a matar sin dejar rastro —dije—. Intentó capturarla y, cuando no lo consiguió, aprendió la lección. La próxima vez, lo haremos juntas. —Al ver cómo bajaba las alas, añadí—: Me refiero a todos nosotros. Tendremos que aunar fuerzas. Esa tipa es una zorra perversa.

Agitó las alas hasta que se volvieron casi invisibles y, sintiéndome mejor, metí las tres botellas en el horno y cerré la puerta con cuidado. Se habrían secado para cuando estuviera lista para usarlas.

Ya fuera porque los pixies estaban durmiendo o por la ausencia de Ivy (o quizás porque Pierce estaba en siempre jamás), la iglesia parecía vacía. Fui hacia la isla central secándome las manos en los vaqueros y miré el reloj. La realización de hechizos durante las horas posteriores a la medianoche no era lo más aconsejable, pero todo iría bien.

—Vino —dije agarrando la botella barata y descorchándola. No se trataba de uno de los selectos vinos que honraban nuestra cocina, sino un caldo local, realizado con uvas que habían crecido en la tierra en la que Pierce había pasado su vida y encontrado la muerte.

Me encorvé para poner los ojos a la altura de la probeta y la rellené hasta que el menisco alcanzó exactamente la altura requerida, y mientras Jenks observaba, añadí un chorrito extra.

—Te has pasado —dijo secamente, chasqueando las alas tras levantar la vista de la receta.

—Lo sé. —Sin molestarme en darle más explicaciones, agarré la probeta e hice algo absolutamente prohibido: llevármela a la boca como si quisiera imitar a aquel cocinero de la televisión que se emborrachaba siempre en su programa. El trago ligeramente cálido me bajó por la garganta mientras me bebía la cantidad sobrante, hasta que el nivel descendió al lugar correcto. Mi madre me había dicho que tenía que realizar el hechizo de la misma manera y, como la estúpida adolescente de dieciocho años que era, fue así como lo nivelé. ¿Quién sabía? Tal vez era ese el motivo por el que había funcionado. Los hechizos arcanos terrestres tenían fama de ser muy difíciles de reproducir. Podía ser algo así de vago lo que lo había hecho posible la primera vez.

Tres lotes independientes de la mezcla de tejo y limón aguardaban ya para ser utilizados; dejándolos donde estaban, vertí el vino en el mortero en el que había ya algunas hojas de acebo troceadas, arrancadas poco antes del centro de mesa navideño de Ivy.

—No me lo llenes de tu polvo —dije, ahuyentando a Jenks de la boca de la botella abierta, y el pixie se trasladó al estante situado sobre la encimera, del que colgaban los utensilios para la realización de hechizos. Ivy había sustituido la rejilla de piezas ensambladas por una sólida celosía de secuoya, y mis cacharros para conjuros habían regresado a su lugar en vez de estar metidos de mala manera en los armarios.

—Lo sieeeentó —refunfuñó, e hice un gesto afirmativo con la cabeza, más preocupada por el hechizo que por su resentimiento.

—La raíces de hiedra —murmuré, tomando la pequeña jarra medidora llena de los diminutos rizomas de una de las plantas que cultivaba Jenks en el santuario. Tenían que ser raíces aéreas, y no subterráneas, y los hijos de Jenks se habían mostrado encantados de recolectarlas para mí. Una vez introduje las nudosas raíces, bastó remover un par de veces para que el aroma de la clorofila se mezclara con el del vino barato.

En esta ocasión me resultó mucho más sencillo machacarlo todo, al no estar tan mareada como cuando tenía dieciocho años. Cuando el suave sonido de las rocas al chocar entre sí llenó la cocina, me vino a la memoria Pierce y sentí una punzada de preocupación ante la posibilidad de que al día siguiente fuera demasiado tarde. No creía que Al fuera a darle un cuerpo hasta que tuviera a un comprador, lo que le permitiría incluir el elevado coste de la maldición en el trato. Por no hablar de que Pierce no podía interceptar una línea en el estado en que se encontraba. ¿Por qué iba Al a aumentar sus fuerzas si no era absolutamente necesario? Sabía que no se lo vendería al primer comprador, sino que desearía aumentar el precio de mercado en la medida de lo posible. Y aquello requeriría tres días como mínimo.

Un rizo se quedó flotando entre la mezcla y yo y, haciendo memoria, introduje un único cabello en el mortero y lo removí dos veces con la maja, machacándolo antes de sacarlo. La primera vez que había realizado aquel hechizo, el pelo me llegaba hasta la cintura y se me había colado dentro. Podía ser importante. De hecho, hubiera apostado cualquier cosa a que era así. Entre aquello y la saliva, podría estar invirtiendo parte de mí misma en el hechizo. Iba a resultar muy complicado conseguir que aquello funcionara.

Me erguí hasta que la espalda me crujió.

—Polvo sagrado —murmuré, buscándolo entre el montón de cosas. Las alas de Jenks zumbaron y descendió para quedar suspendido encima del sobre que había extraído de entre las tablillas de debajo de mi cama, el único lugar que los pixies no limpiaban. Estaba en tierra consagrada, así que supuse que se podía considerar lo suficientemente sagrado. ¡Y bien sabía Dios que mi cama no había sido testigo de mucha actividad en los últimos tiempos!

—Gracias —dije distraídamente, levantando la solapa para abrirlo. Pasé un pañuelo de papel por los platos de mi balanza y fruncí el ceño. A la luz de la potente lámpara de techo se veía un delgado restregón de loción. Aquello no solo habría añadido aloe, sino que habría hecho que algo de polvo se quedara adherido y no cayera suficiente en la preparación.

Suspirando, llevé los platillos al fregadero para darles un aclarado rápido. Jenks se desplazó de nuevo al estante superior y en el espejo negro en el que se había convertido la ventana pude ver que despedía una estela de polvo. Estaba preocupado.

—Ivy se pondrá bien —dije por encima del murmullo del agua que corría—. Llamaré antes de irme a la cama para preguntar cómo está, ¿vale?

—No estoy preocupado por Ivy, quien me preocupa eres tú.

Envolviendo los platillos de metal en un paño de cocina, me giré.

—¿Yo? ¿Por qué? —El pixie hizo un exagerado aspaviento que abarcó mis palabras de principio a fin—. ¿Quieres que Al se pueda presentar en cualquier momento con la excusa de averiguar algo sobre mí y se lleve al primero que se le ocurra? ¿Te imaginas el lío en el que me metería si Al se llevara, por ejemplo, a Trent, cuando le estoy diciendo que se largue?

El pequeño rostro anguloso torció el gesto.

—Al se va a cabrear más que un hada que se encuentra su saco de arañas lleno de bellotas.

Aquella era nueva, y fruncí el ceño mientras colocaba los platillos en su sitio y pesaba el polvo, dándole suaves golpecitos al sobre hasta que la delicada balanza empezó a moverse.

—Dejó un vacío legal que voy a utilizar —dije mientras el instrumento se equilibraba—, Al no responde a mis llamadas, y es el único recurso de que dispongo para que me haga caso. Por no hablar de que también salvará a Pierce. Dos pájaros de un tiro. Probablemente me invitará a cenar por demostrarle que soy más astuta que él. —*Después de darme una paliza*, pensé levantando la vista y descubriendo una expresión insegura en sus diminutos rasgos—. ¿Qué es lo peor que puede hacerme? ¿Castigarme sin salir? ¿Cancelar nuestras sesiones semanales? —Una reservada sonrisa se dibujó en mi rostro y, con leves golpecitos, eché el polvo del platillo sobre el vino—. ¡Pues bravo por él!

—Rachel, es un demonio. Podría llevarte a la fuerza a siempre jamás y no dejarte regresar.

El miedo en la voz de Jenks produjo una fisura en mi despreocupación y lo miré.

—Precisamente esa es la razón por la que os dije a Ivy y a ti mi nombre de invocación —aclaré, sorprendida de que aquello le preocupara tanto—. No puede retenerme, ni siquiera con plata hechizada, y lo sabe. ¿Se puede saber qué te pasa, Jenks? Te comportas como si esto fuera más serio de lo que en realidad es.

—Nada.

Pero estaba mintiendo, y yo lo sabía.

El polvo se volvió negro apenas entró en contacto con el vino y empezó a hundirse. Jenks voló hasta la repisa de la ventana y se quedó mirando el jardín cubierto de nieve, con solo un pequeño trozo de tierra iluminado por la luz del porche trasero. Lo único que faltaba, además de invocar el hechizo, era añadir el agente identificador que, en este caso, consistía en virutas de metal del reloj de mi padre.

Extraje el viejo reloj del bolsillo trasero de mis vaqueros y lo sopesé con la mano sintiendo el calor de mi cuerpo sobre el metal. Era de mi padre, pero anteriormente había pertenecido a Pierce, de ahí el motivo por el que salió inesperadamente del purgatorio la noche que intenté ponerme en contacto con mi padre. Giré el reloj y descubrí que los arañazos que le había hecho ocho años antes se habían desgastado. Intenté recordar lo que había utilizado la última vez para raspar los minúsculos trozos de metal que introduje en la olla para hechizos, y supuse que serían las tijeras de mi madre.

—La intención es lo que cuenta —dije alargando la mano para coger las tijeras de Ivy de su vaso de lápices; realicé tres nuevas marcas en la plata envejecida. Las virutas casi invisibles formaron una especie de hoyuelos en la parte de la pócima en la que se encontraba el vino, y lo removí hasta que se sedimentaron. A punto de terminar, saqué del horno una botella caliente y ya seca, y la rellené con la mezcla de limón y tejo, el vino, el polvo, las raíces y el acebo.

Jenks se situó encima con expresión impasible.

—No ha funcionado —dijo, y lo espanté con la mano antes de que su polvo cayera encima.

—Todavía no está terminado. Tengo que añadir mi sangre para invocarlo, y no puedo hacerlo hasta mañana por la noche —le expliqué poniéndole un tapón de vidrio esmerilado y dejándolo a un lado. Por suerte, se trataba de un hechizo terrenal y podía hacerlo sin necesidad de interceptar una línea. Tenía el ceño fruncido y, cansada de su mal humor, le pregunté—: ¿Qué problema tienes, Jenks?

Su rostro se tensó y voló para aterrizar sobre el libro. Situándose a mi lado, se cruzó de brazos y resopló furioso, encorvando las alas. Esperé en silencio.

—No funcionará —dijo finalmente.

Suspiré y lo miré con enfado.

—¡Por el amor de Dios, Jenks! ¡Gracias por la confianza!

—Me refiero a lo tuyo con Pierce.

Entendiendo por fin de qué iba todo aquello, me erguí después de verter un poco más de vino en la probeta.

—¿Crees que me estoy cocinando un novio? ¡Por favor! ¡Crece un poquito!

—¡La que tiene que crecer eres tú! —dijo Jenks—. Incluso aunque se tratara de un amable fantasma que necesita un poco de ayuda y que no espía para transmitir la información a algún demonio. Te conozco, Rachel. Es un fantasma, y tú una bruja. Necesita ayuda y apuesto lo que quieras a que, cuando os conocisteis, hizo algo impresionante. Y ahora necesita ayuda, lo que lo convierte en un maldito caramelo para Rachel.

No pude evitar que las mejillas se me encendieran. De acuerdo. Es posible que en el pasado fuera así, pero me había vuelto más sensata. Sin embargo, al ver mi rubor, Jenks se alzó un par de centímetros.

—Es un caramelo para Rachel, y no quiero verte sufrir cuando te des cuenta de que no puedes tenerlo.

—¿Crees que estoy haciendo esto porque me gusta? —dije, retrocediendo mentalmente—. No todo en esta vida tiene que ver con el sexo.

—Entonces, es una buena cosa que no te acostaras con Marshal, ¿verdad?

Sin abrir la boca, me sonrojé de nuevo, con la mirada fija en el nivel del vino. *¡Maldita sea!*

—¡Por las tetas de Campanilla, Rachel! —exclamó—. ¿Te has acostado con él? ¿Cuándo?

—No me acosté con él —protesté, incapaz de mirarlo a la cara mientras me bebía un trago de vino hasta alcanzar la cantidad adecuada—. Fue solo un beso especialmente apasionado. *En el más amplio sentido de la palabra.*

¡Mierda! Ford había dicho que Pierce pasaba mucho tiempo en el campanario. Esperaba de todo corazón que no se encontrara allí cuando Marshal y yo habíamos… No. Para entonces Al ya lo había secuestrado.

Jenks aterrizó sobre la botella que acababa de tapar y, con los brazos en jarras, me miró con desaprobación.

—¡Tenía entendido que queríais ser solo amigos! —dijo, dejándose caer bruscamente—. ¡Mierda, Rachel! ¿Eres incapaz de mantener una relación de amistad con un hombre?

—¡Eso no es cierto! —le espeté sacudiendo la cabellera mientras echaba en el mortero las raíces de hiedra y la hoja de acebo y empezaba a machacarlas—. ¡En esta ocasión tenía un amigo! Me pasé dos meses haciendo cosas de amigos porque pensaba que mi vida era demasiado peligrosa y descubrí que sí, que podía seguir siendo solo su amiga, pero también que era una persona maravillosa; alguien con quien podría pasar el resto de mi vida. O tal vez no. No tenía ni idea de que me excluirían. ¡Perdóname por pensar que, finalmente, iba a poner un poco de orden en mi vida y que podría compartirla con alguien que no fuerais Ivy o tú!

Las alas de Jenks dejaron de zumbar, y me miró con expresión de culpabilidad. Sintiéndome mal por haberle gritado, abandoné el mortero y me incliné para ponerme a su mismo nivel.

—Creí que la vida empezaba a sonreírme —susurré—. Me gustaba de veras.

—A mí también —dijo aterrizando junto a mi mano con un suave zumbido—. Y no hables de él en pasado.

Me quedé mirándolo fijamente y me erguí.

—Es que forma parte de mi pasado —susurré—. Desde el preciso instante en que me excluyeron.

Desanimada, me enderecé y miré el polvo sagrado. Cenizas y polvo. En cierto modo, resultaban de lo más apropiado.

Jenks observó cómo sacudía el sobre encima del platillo de la balanza y se elevó sobre una columna de chispas de color ámbar.

—El teléfono está a punto de sonar. ¿Quieres que lo coja antes de que despierte a mis hijos?

Alcé la vista, sin saber muy bien si creerle. Justo en ese mismo instante el timbre del teléfono rompió el silencio y alargué la mano para levantar el auricular al mismo tiempo que sentía una descarga de adrenalina. ¿*Cormel*?

—¡Dios! No sabes cuánto odio que hagas eso —dije presionando el botón para descolgar.

—Sí, dígame —barboté mientras Jenks atravesaba la cocina a toda velocidad para echarle un vistazo a los pixies. Entonces, recordando que teníamos un negocio, me aclaré la garganta—. Encantamientos Vampíricos —dije educadamente—. Al habla Rachel. Estamos a su disposición para ayudarle, ya esté vivo o muerto.

—Vivo, a poder ser —respondió la voz de Edden, y la decepción de que no fuera Cormel hizo que dejara caer los hombros. Sujetando el teléfono entre el hombro y la oreja, regresé a la balanza.

—Hola, Edden. ¿Qué tal está Glenn? —pregunté, intentando no respirar sobre los platillos mientras añadía un poco más de polvo.

—Genial. Esta tarde le dan el alta. El masaje funcionó, aunque dejó alucinado a más de uno. Lo incluirán en el procedimiento operativo estándar para daños en el aura.

—¡Eso es fantástico! —dije, mientras me ponía en pie y echaba el polvo en el mortero, junto con la mezcla del vino. Vino para dar vida, polvo para darle sustancia, hiedra para ligarlo todo y acebo para asegurarme de que no entraba nada malo en las almas de los muertos.

—Gracias por llamar.

Miré el reloj, deseando dejar la línea libre, pero Edden no pilló la indirecta.

—Es lo menos que podía hacer, teniendo en cuenta lo que has hecho para ayudarle a salir. —Vaciló y, cuando vio que yo no decía nada, añadió—: Siento lo de Ivy. ¿Se encuentra bien?

Los movimientos con los que raspé el metal sobre la mezcla fueron más bruscos de lo que pretendía y, sonrojándome, dirigí la mirada hacia Jenks, que entraba de nuevo en la cocina. *¡Ah, claro! Seguro que ya se lo han contando.*

—¡Oh! Está bien —respondí sintiendo un escalofrío mientras me ajustaba el teléfono y me acordaba de añadir uno de mis cabellos—. Esto... ¿Sabes si todo ese asunto me traerá muchos problemas?

Él soltó una carcajada.

—Pásate mañana y yo mismo me ocuparé de tomarte declaración. Les dije que estabas trabajando para mí y van a hacer la vista gorda.

Suspiré aliviada.

—Gracias, Edden. Te debo una.

—Así es. De hecho... —empezó a decir, mientras la tensión se me volvió a disparar al escuchar su malicioso tono.

—¿Qué? —le pregunté de forma categórica. Entonces miré a Jenks, que seguía la conversación desde el otro lado de la habitación, y el pixie se encogió de hombros.

—Necesito que me ayudes con el siguiente paso para capturar a Mia —dijo—. Podemos discutirlo mañana. Nos vemos en mi despacho a las ocho.

—¡Eh, eh, eh! ¡Para el carro, Edden! —dije sujetando con fuerza el auricular—. No existe ningún «siguiente paso». Hasta que todos los miembros de mi equipo no estén en condiciones de trabajar, ninguno de nosotros irá tras ella.

—Nuestros tres mejores perfiladores psicológicos coinciden en que la señora Harbor asistirá a una fiesta mañana por la noche —dijo Edden como si no me hubiera oído—. Te quiero allí.

Intentando sujetar el teléfono como buenamente podía, saqué una botella del horno y lo apagué. El zumbido de las alas de Jenks aumentó de intensidad e intenté decirle con la mirada que no pensaba aceptar de ninguna de las maneras.

—¿La noche de fin de año? —le pregunté con sarcasmo—. ¿Cuánto pagas a esos tipos? La mitad de Cincinnati asistirá a una fiesta.

—Quiero que me acompañes a una en particular —continuó, con voz cansada.

—¡Cáspita, Edden! Lo siento, pero tengo como norma no salir con la gente con la que trabajo.

—Morgan, deja de darle la vuelta a todo lo que digo. Existe un ochenta y tres por ciento de posibilidades de que Mia aparezca en esta.

Sintiendo en mis manos el calor de la botella mientras la rellenaba, sacudí la mezcla con fuerza antes de dejarla junto a la primera con un golpe seco.

—Tengo que hacer unos hechizos mañana. Cosas personales.

—Te pagaré un cincuenta por ciento más de lo establecido —me ofreció. Crucé uno de los brazos a la altura del pecho. No lo había captado.

—La hija de esa mujer estuvo a punto de matarme —dije intentando abordar la cuestión de una forma más directa—. Y anoche intentó rematar la faena a las puertas de una maldita cárcel, dañando mi nueva aura y dejando a Ivy prácticamente sin ninguna. ¿Tienes idea de lo difícil que resultaría convivir con Ivy si estuviera muerta? No pienso arriesgar nuestras vidas en un intento infructuoso de capturarla a ella y a su novio psicópata. ¿Sabías que no puedo interceptar una línea sin sufrir convulsiones si mi aura no está en condiciones? Olvídalo, Glenn. No puedo ayudarte.

—Haz unos cuantos hechizos. Te pagaré el doble —dijo. Justo en ese momento escuché un ruido amortiguado que indicaba que alguien había entrado en su despacho.

Haz unos cuantos hechizos. Estúpido humano.

—No —respondí echando un vistazo a mis pociones—. Tal vez más adelante. Cuando haga menos frío y los tres nos encontremos en situación de trabajar.

—Rachel. Está muriendo gente… ¿No quieres vengarte por lo que le ha hecho a tu compañera de piso?

Aquel comentario me hizo perder los estribos.

—No intentes hacerme sentir culpable, Edden —le reproché escuchando los chasquidos de las alas de Jenks—. Existe una razón por la que la SI la ignora. Es una maldita depredadora que se encuentra en lo más alto de la cadena alimentaria y, para ella, somos como cebras en un abrevadero. Intentar incitarme enarbolando la bandera de la venganza es una bajeza. Por mí, puedes coger tus sentimientos de culpa y tu manipulación y metértelos por donde te quepan.

Al ver la expresión apenada de Jenks, bajé la voz para no despertar a sus hijos. Desde el otro lado del teléfono escuché la voz conciliadora de Edden diciendo:

—De acuerdo, de acuerdo. No he debido decir algo así. Lo siento. ¿Qué te parece si me acerco a tu casa y lo discutimos? Te llevaré flores. O caramelos. ¿El soborno funciona contigo?

—No. Y tampoco puedes pasarte. Estoy en pijama —mentí. ¡Dios! No podía creerme que hubiera utilizado la venganza para conseguir llevarme a su terreno. El caso era que, el año anterior, habría funcionado.

—Eso no es cierto. Es solo medianoche.

—Me he dado un baño —mentí de nuevo. Cansada, me miré en el reflejo de la oscura ventana—. Remus es un asesino psicópata, pero Mia es una asesina psicópata hambrienta de energía que, para colmo, es inframundana. No solo se cree la dueña de la ciudad, sino que incluso sostiene que la construyó ella misma y lleva más tiempo viva que la mayoría de los vampiros no muertos. Edden, me dijo que si no cejabais en vuestro empeño, empezaría a seleccionar objetivos de la vida política en lugar de reducir a la gente común. Necesitas disminuir el ritmo y pararte a pensar. Sé que está muriendo gente, pero encerrarla requerirá mucha astucia y una buena dosis de suerte, y a mí se me han agotado ambas.

A excepción de un largo suspiro, no se oyó nada al otro lado de la línea.

—No me sorprende lo más mínimo que amenace a la AFI. Concuerda con el informe de los perfiladores.

Puse los ojos en blanco. *¡El maldito informe de los perfiladores!* Disgustada, me situé de espaldas a la ventana y me apoyé en el fregadero. *No pienso hacerlo. Es demasiado arriesgado.*

—Mia no se corresponde con el tipo de asesino psicópata al que estás acostumbrado. No necesita ir a una fiesta —dije, cansada—. En caso de que decida salir, asistirá a una fiesta privada en la que ya conocerá a la víctima, y el pobre tipo morirá de un infarto o atragantado con una oliva.

Edden no respondió y yo le espeté:

—Mira, estoy de acuerdo en que tenemos que capturarla, pero debes conseguir que se entregue voluntariamente. Tener bajo vigilancia una fiesta no es la manera. No puedes apresarla así como así, ni tampoco la SI. Se te escapa de las manos una y otra vez porque conoce la ciudad mejor que tú y porque es como una serpiente venenosa a la que no puedes acercarte a menos de tres metros de distancia. —Frustrada, me quedé mirando mis libros demoníacos, junto a los mapas y gráficos de Ivy—. He estado investigando, y no hay nada que pueda hacer para proteger vuestras auras de ella, así que, a menos que la acribilléis a balazos, no tenéis nada que hacer.

—Entonces le dispararemos uno de esos dardos tranquilizantes para capturar animales —declaró con acritud—. ¿No es eso lo que hacéis con los hombres lobo?

—No —respondí secamente, pensando que solo sugerirlo me parecía una salvajada—. Escúchame. No puedes arriesgarte a enajenar a esa mujer. Incluso aunque consiguieras derribarla con una poción somnífera de larga duración, dentro de dieciocho años te encontrarías con otra de estas mujeres en la calle, y no podrás distinguir sus crímenes de las muertes por causas naturales. Ya viste a Remus. Está vivo gracias a un estúpido deseo y, a fuerza de observar a Holly interactuar con él, Mia aprendió a introducir energía en la gente, y no solo a extraerla.

—¿Y? —preguntó el agente de la AFI—. A mí me parece una buena cosa.

—Pues que, como todas las cosas buenas que podamos inventar para hacer nuestra vida mejor, se puede convertir en un arma. Mia hace su aparición, convence a un pobre imbécil de que se ha enamorado de él y, dado que lo está alimentando de emociones, él se lo traga. Entonces baja la guardia y muere sin el más mínimo quejido o tacha emocional. Por causas naturales.

—Como hizo con el amigo de Glenn —dijo, y yo levanté la botella de vino y me quedé mirándola. *No, Rachel. Mañana por la mañana te dolerá la cabeza.*

—Exactamente —dije llenando la probeta hasta el borde. Acto seguido, sin mirar a Jenks, me bebí la mitad y lo rellené de nuevo para llegar hasta la marca exacta. ¿Quién iba a imaginar que un mísero deseo iba a causar tantos problemas? No me extrañaba que Ivy se sintiera culpable.

Edden se quedó callado y dejé que asimilara lo que acababa de decirle mientras introducía en el mortero otra hoja de acebo y algunas raíces de hiedra y empezaba a triturarlas.

—Tengo que capturar a esa mujer —dijo finalmente—. ¿Vendrás conmigo a la fiesta?

Frustrada, me cambié el teléfono de oreja. Seguía sin pillarlo.

—Mia no te tiene miedo —dije—. Lo único con lo que puedes negociar es con Holly, y es bastante inconsistente. Le preocupa que caiga en manos de la Walker. Si prometes que no entregarán a la niña al tribunal de menores, que no habrá custodia temporal y que permitirás que permanezca en todo momento junto a su madre, es posible que decida entregarse, aunque solo sea para demostrarte lo ruin y despreciable que eres.

—No pienso prometerle nada —dijo Edden, con una rabia tan profunda que Jenks chasqueó las alas preocupado—. Abandonó a mi hijo para que muriera. Su hija es problema de los servicios sociales, no mío.

Furiosa, le respondí airadamente:

—Tienes razón. Para cuando Holly empiece a campar a sus anchas, tú ya te habrás retirado. *Mientras que yo habré logrado que se reconozcan mis méritos. Si es que sigo con vida.* ¡Vamos! —lo animé, al darme cuenta de que se había quedado callado—. ¿Por qué no intentas verlo desde una perspectiva más amplia? Si le dices a Mia que su hija puede quedarse con ella, tal vez consigas que se entregue como gesto de buena voluntad. De ese modo, todos saldremos ganando y tú te habrás mostrado como un ser humano benevolente que permite a una pobre mujer encarcelada quedarse con su hija. Ella cumplirá la pena por haberle dado una paliza a Glenn y después podrá reinsertarse pacíficamente en la sociedad prometiendo ser buena. La tendrás controlada y, lo que es mejor, tendrás controlada a Holly.

—¿Y qué me dices de los Tilson? —preguntó. Torcí el gesto, aunque él no pudo verlo. *¡Oh, no! ¡Me había olvidado de ellos!*

Seguí trabajando la mezcla, sintiendo un dolor incipiente en el hombro.

—Lo más probable es que culpe de todo a Remus, y bien sabe Dios que se merece todo lo que le pase. Una vez que la tengas entre rejas, tendrás el control. Cada cosa a su tiempo.

De nuevo, se produjo un largo silencio.

—Veré lo que puedo hacer.

Aunque a regañadientes, se trataba de una concesión y, antes de que pudiera decir nada, la línea se cortó.

—¡Edden! —exclamé, pero era demasiado tarde. No podía presentarme delante de Mia con un «veré lo que puedo hacer» y, contrariada, coloqué el teléfono en la base de carga y emití un sonido de frustración mirando al techo—. Las típicas chorradas corporativistas —murmuré.

Jenks voló hasta la isla central y dejó de mover las alas mientras yo terminaba de pesar la última brizna de polvo.

—¿Por qué la estás ayudando, Rachel?

Con los ojos puestos en la balanza, soplé para retirar un poco de polvo y contuve la respiración hasta que apareció el resultado.

—No lo hago —respondí, satisfecha con la cantidad—. Intento que no me culpen del resurgir de una especie de inframundanos letal. Si conseguimos mantenerla en prisión el tiempo suficiente, Remus estará muerto para cuando salga, y no le resultará tan sencillo tener otro hijo.

Era el turno de las virutas del reloj y, una vez hube terminado, abrí el horno para sacar la última botella. Jenks se aproximó a disfrutar de la corriente de aire caliente y, una vez que deposité todo en su interior y le puse el tapón, sentí una punzada en mi consciencia. No era como si alguien estuviera interceptando la línea que pasaba por el exterior de la iglesia, sino más bien la sensación de ser capaz de percibirla sin necesidad de intentarlo. Entonces alcé la vista y descubrí a Bis entrando con dificultad en la cocina, con la piel del mismo tono blanco del techo, en lugar de su color oscuro habitual. Mi sonrisa de bienvenida se desvaneció cuando me quedé mirando sus ojos rojos y me di cuenta de que sus enormes y peludas orejas estaban inclinadas, casi paralelas a la cabeza.

Al ver que lo había notado, la joven gárgola descendió hasta la encimera.

—¡Por la santa madre de Campanilla! —exclamó Jenks, cruzando la mitad de la cocina como una exhalación y dejando una estela de polvo como la tinta de un pulpo—. ¿Qué demonios te pasa, Bis?

Dejé la botella junto a las otras dos, alineadas bajo la cubeta que utilizaba para las disoluciones, y me sequé las manos en los vaqueros.

—Hola, Bis —dije—. ¿Vienes buscando un poco de calor?

Bis agitó las alas extendidas y, con la espalda encorvada, enrolló su cola leonina como si estuviera nervioso.

—Hay dos coches ahí fuera. Creo que se trata de Rynn Cormel.

Inspiré el aire entre los dientes, sintiendo una descarga de adrenalina que hizo que me doliera la cabeza.

—¿Está Ivy con ellos? —pregunté, poniéndome en marcha.

—No lo sé.

Jenks iba muy por delante de mí, y casi corrí hacia la puerta, presionando los interruptores conforme avanzaba. El gong de la campana que utilizábamos como timbre sonó una vez, no demasiado fuerte, y me sacudí los restos del hechizo de la camisa.

Aunque el santuario rebosaba luz, el vestíbulo estaba a oscuras. En ese momento me invadió una sensación de alivio, pues Bis había retirado las pintadas del cartel exterior, seguida por la reflexión de que realmente tenía que invertir en una mirilla. O en unas luces. Con el pulso acelerado, agarré la manivela, agachándome cuando Bis aterrizó junto a la puerta aferrándose a la pared como un enorme murciélago. Ahora tenía las orejas pegadas a la cabeza y se desplazó hasta colocarse a la altura de mi cabeza. Jenks se encontraba en mi hombro y, esperando que los pixies siguieran durmiendo, abrí la puerta.

Rynn Cormel se encontraba en el porche de mi casa, algo ladeado, bajo la luz amarillenta del cartel. Tenía prácticamente el mismo aspecto que unas horas antes: el abrigo largo, el sombrero redondo, los restos de nieve sobre sus relucientes zapatos y las manos en los bolsillos. Detrás de él, en la oscuridad de la calle, había dos coches de una longitud considerable. No eran limusinas, pero les faltaba poco para serlo.

Con una sonrisa de bienvenida, inclinó la cabeza hacia Jenks y hacia mí, echando un rápido vistazo al lugar desde el que acechaba Bis, casi como si pudiera ver a través de la pintura y las tablillas.

—¿Se encuentra bien? —pregunté, jadeante.

—Mejor que bien —respondió con su voz áspera y un marcado acento neoyorquino—. Es una obra maestra —añadió sacando una mano enguantada del bolsillo para señalar el segundo coche.

Jenks chasqueó las alas y se acercó aún más a mi cuello en busca de calor mientras yo entrecerraba los ojos. Un grupo de personas empezó a descender del segundo coche, pero no había ni rastro de Ivy, y su comentario pasó a no hacerme ninguna gracia.

Rynn Cormel sonrió al ver mi evidente enfado, cabreándome todavía más.

—No me he aprovechado de ella, Rachel —dijo secamente—. Piscary es un artista y soy capaz de apreciar una obra de arte sin necesidad de poner mis dedos encima, echándola a perder.

—¡Es una persona! —le espeté, con los brazos cruzados para protegerme del frío, sin salir del pórtico.

—¡Y magnífica, por cierto! Te felicito por tu buen ojo.

¡Dios! Aquello era vomitivo. Jenks movió las alas contra mí, y yo miré más allá de Rynn, divisando en la tenue luz el cuerpo de Ivy desfallecido en los brazos de un tipo corpulento. Llevaba una camiseta negra que le marcaba los bíceps mientras transportaba a Ivy como si nada. Detrás de él había un segundo tipo con abrigo y botas.

—¡Has dicho que estaba bien! —le acusé, dándome cuenta de que estaba inconsciente.

El maestro vampírico se echó a un lado mientras subían las escaleras, y yo me aparté de su camino cuando entraron, como si se tratara de su propia casa, dejando un fuerte olor a vampiro tras de sí.

—Y lo está —dijo mientras pasaban junto a mí—. Está dormida, y probablemente preferiría seguir así hasta bien entrada la noche. Sus últimas palabras dejaron bien claro que quería volver a casa. —Entonces sonrió, agachando la cabeza para parecer perfectamente normal, perfectamente vivo. Perfectamente letal—. Utilizó palabras que no dejaban lugar a dudas. Pensé que no podía hacerle ningún daño.

Ya me imaginaba yo que no.

—¡Su habitación está a la derecha! —les grité. No quería seguirlos y dejar a un antiguo presidente de los Estados Unidos de pie en el porche. Jenks despegó de mi hombro y, en medio de una gran cantidad de polvo por la indecisión, salió tras ellos.

—Ya los guío yo —dijo el pixie—. Por aquí.

Me volví de nuevo hacia Cormel con los brazos todavía cruzados sobre el pecho. No me importaba que diera la sensación de estar a la defensiva.

—Gracias —dije secamente, pensando que me mostraría más sincera cuando averiguara lo fastidiada que estaba Ivy.

Una vez más, el hombre alto inclinó la cabeza.

—Gracias a ti.

No dijo nada más y el silencio se volvió incómodo. Bis alzó una oreja y Cormel desvió la mirada. Entonces se escuchó un suave golpe en el interior de la iglesia y después, nada.

—Voy a intentar encontrar la manera de conservar su alma después de muerta —aseguré.

—Lo sé —respondió con la sonrisa que había salvado el mundo, aunque yo percibí al monstruo que se escondía tras ella. Tenía que evitar que Ivy se convirtiera en aquello. Era repugnante.

Sin apartar la vista de Cormel, escuché cómo se acercaba el sonido de los pasos y de las alas del pixie. Estaba de pie, en el umbral de la puerta, con las piernas abiertas y los brazos cruzados, y me negué a moverme cuando los hombres pasaron rozándome; tras bajar los escalones de cemento, se adentraron en la oscuridad. Con una última inclinación de cabeza, Rynn Cormel se dio media vuelta y los siguió, subiéndose al primer coche, cuya puerta acababa de abrir uno de sus hombres. Acto seguido, escuché cerrarse otras dos puertas y, lentamente, se alejaron calle abajo.

Jenks aterrizó en mi hombro con un largo y sonoro suspiro.

—¿Dentro o fuera, Bis? —pregunté, y la gárgola se dirigió hacia el interior. Entonces se oyó una risa complacida desde las vigas del techo y cerré la puerta, aislándonos de la oscura noche. Las alas de Jenks estaban frías, y decidí preparar unas galletas para calentar la iglesia.

Caminando lentamente, me adentré en el santuario. Bis se encontraba en una de las vigas maestras junto a tres de los hijos mayores de Jenks. Tenía las orejas gachas mientras decidía qué hacer con ellos, y me pareció que estaba para comérselo cuando intentó parecer inofensivo volviéndose de color blanco y manteniendo las alas plegadas. Bis no entraba en casa a menudo, pero en esta ocasión toda la iglesia daba la sensación de replegarse, rodeando a la vampiresa herida, reforzándola para la lucha.

—¿Se encuentra bien? —le pregunté recorriendo el pasillo de puntillas.

—Apesta a vampiro —opinó—, pero su aura es realmente gruesa.

Realmente gruesa. ¿Más gruesa de lo normal?, cavilé, sin saber si aquello era bueno o malo, suspirando al tocar la puerta de Ivy al pasar. Me alegraba tenerla de nuevo en casa. La iglesia parecía... casi la de siempre.

Solo unos días más, pensé llegando a la cocina y encendiendo el horno para precalentarlo. Solo unos días más y todo volvería a la normalidad.

Sin embargo, cuando miré las botellas tapadas, alineadas y listas para utilizar, me pregunté si estaría en lo cierto.

25

—¡Oh, Dios! Creo que voy a vomitar —susurré, con la cabeza inclinada sobre el regazo, tapando el espejo adivinatorio con el pelo. El frío matutino, mezclado con las náuseas, hacía que me sintiera fatal y, cuando apoyé la mano en la cavidad del pentáculo que estaba grabado en la superficie del cristal, me mareé. La línea luminosa que penetraba en mi interior seguía haciéndolo con saltos y sacudidas. Era evidente que el aura todavía no había vuelto a la normalidad.

Rachel llamando a Al. Al, manifiéstate, pensé sarcásticamente, mientras hacía un último intento por ponerme en contacto con el demonio. Sin embargo, al igual que en las ocasiones anteriores, se negó a responder, dejándome en aquella especie de pantano, incómodo y vertiginoso. Me encorvé, sintiendo como si el mundo entero desapareciera bajo mis pies. El estómago me dio un vuelco y, apenas rompí la conexión, vomité sobre el suelo de la cocina.

—¡Por todos los demonios! —exclamé casi en un susurro. Temblando, reprimí el deseo de arrojar el espejo hacia el otro extremo de la cocina y me incliné para ponerlo bruscamente en los estantes de debajo de la isla central. Entonces, derrumbándome sobre la silla, me quedé mirando la silenciosa habitación. Debían de ser las tres de la mañana. Ivy todavía no se había levantado, pero los pixies estaban despiertos, intentando no hacer ruido para no despertarla. Eché un vistazo a la pizza fría de la noche anterior y, sintiendo que las náuseas desaparecían a la misma velocidad que habían llegado, agarré un trozo y le di un mordisco.

»¡Está asquerosa! —mascullé, dejándola de nuevo en la caja. Era demasiado mayor para aquello.

No se oía ni el más mínimo murmullo, y hacía bastante frío, por lo que estar en bata no ayudaba mucho. Rex apareció en el pasillo, se sentó en el umbral y enrolló la cola alrededor de sus patas. Quité un trozo de salchichón picante de la porción de pizza que había desechado y se lo ofrecí; la gata se acercó lentamente, tomándolo con remilgada precisión.

—Buena chica —susurré, acariciándole las orejas después de que se acabara el bocado.

Tenía demasiadas cosas que hacer aquel día como para estar sentada en bata dándole un trozo de pizza fría a la gata y, tras coger la taza, la rellené y me quedé junto al fregadero viendo caer la nieve. Nuestros alimentos perecederos, amontonados en la mesa plegable, tenían un aspecto extraño. Suspiré.

Faltaban pocas horas para Nochevieja, y a mí me habían excluido. Qué manera más agradable de empezar el año. Aun así, no debía extrañarme, teniendo en cuenta que estaba considerando realizar un hechizo para obligar a un demonio a encontrarse conmigo en un lugar público. Quizás debía entrar por la fuerza en alguna oficina vacía desde la que se viera la plaza. *Tal vez soy una bruja negra.*

Con un humor de perros, bebí un trago de café y cerré los ojos mientras notaba cómo descendía por la garganta y arrastraba la leve sensación de náusea que todavía me recorría. Me di la vuelta y estuve a punto de tirarme encima el café cuando descubrí a Ivy en la puerta, con su bata negra de seda, observándome con los brazos cruzados.

—¡Joder! —exclamé, sonrojándome—. ¿Cuánto tiempo llevas ahí?

Ivy sonrió con los labios cerrados, mientras las pupilas se le dilataban lentamente debido a la descarga de adrenalina que habría dejado escapar.

—No mucho —respondió, agarrando a Rex y dándole un achuchón.

—Me has dado un susto de muerte —me quejé. *¿Y qué hacías ahí de pie, mirándome?*

—Lo siento.

Entonces soltó a Rex y se acercó al fregadero para calentar su taza bajo el chorro de agua hirviendo.

Con fingida naturalidad, me dirigí a mi silla y me senté, intentando que no diera la sensación de que la estaba evitando. No parecía arrepentida, más bien al contrario. Estaba… espectacular, con un ligero toque rosado sobre su piel de alabastro. Parecía sentirse muy cómoda con su bata negra, y se movía de una forma ligeramente provocativa. Sagaz. Era evidente que la noche en casa de Cormel había hecho mucho más que salvar su vida.

—¿Cómo te encuentras? —le pregunté, vacilante, echando un vistazo a la pizza y decidiendo que mi estómago no la soportaría—. Cormel te trajo a casa alrededor de la medianoche. Ummm… Tienes muy buen aspecto.

El ruido del café al caer en la taza se escuchó con fuerza, y dijo sin mirarme:

—Increíblemente bien. No siento ni el más mínimo picor ni la más insignificante molestia. —Su voz sonaba tensa y abatida y, cuidadosamente, volvió a colocar la jarra en su sitio—. Me odio a mí misma, pero mañana me sentiré mejor. Me apoderé de la sangre de alguien para no morir. Mi único consuelo es que no eras tú. —Acto seguido se giró y, alzando la taza como si brindara, añadió—: Por las pequeñas victorias.

Al verla allí, junto al fregadero, con la isla central entre nosotras, no supe qué decir.

—Lo siento —dije quedamente—. No me importa lo que hiciste. Simplemente, me alegro de que estés bien.

Ella bajó la vista y se quedó mirando la taza que tenía entre las manos.

—Gracias. Las dos sabemos que el monstruo está ahí, ¿verdad? No hace falta que salga a la luz.

Sus palabras rezumaban resignación, y protesté:

—Ivy, tú no eres ningún monstruo.

Ella me miró a los ojos por un instante y luego apartó la vista.

—Entonces, ¿por qué me siento tan bien, después de lo que hice anoche?

No sabía qué responder, pero de pronto recordé a los niños del hospital, que habían comparado la magia negra con la quimioterapia.

—Lo único que sé es que te salvó la vida, y que me alegro de que estés bien.

Ella se llevó el café hasta el ordenador y, con los labios fruncidos, retiró dos libros de su silla y se sentó ante la pantalla apagada.

Tenía muchas más cosas que decir, pero no sabía cómo sacar el tema. Agucé el oído intentando escuchar un aleteo, pero no se oyó ni una mosca. Una de dos, o Jenks estaba en el santuario con sus hijos, o estaba cotilleando nuestra conversación con un sigilo inusitado.

—Esto… Ivy. Quiero preguntarte algo.

Apartándose el pelo de los ojos, agitó el ratón y reactivó la pantalla del ordenador.

—¿Sí?

¿Sí? Sonaba bastante inocente, pero el corazón me latía a toda velocidad, y sabía que ella lo sabía y que su indiferencia era fingida. Con las manos rodeando mi taza caliente, inspiré lentamente.

—Si pudieras, ¿lo dejarías todo para convertirte en un humano?

Sin mover el ratón, fijó la vista en mí con gesto inexpresivo.

—No lo sé.

De pronto se escuchó un chasquido seco de alas de pixie y Jenks irrumpió dejando tras de sí una estela de polvo dorado.

—¿Qué? —vociferó, situándose entre ambas con su acostumbrada pose de Peter Pan—. ¿Rachel te dice que puede acabar con tus ansias de sangre y tú le contestas que no lo sabes? ¿Qué demonios te pasa?

—¡Jenks! —exclamé, aunque no me sorprendió en absoluto que hubiera estado espiando—. ¡No he dicho que pueda convertirla en un humano! Le he preguntado si, en caso de que se le planteara la posibilidad, estaría dispuesta a hacerlo. Y deja de escucharnos a escondidas, ¿vale?

Ivy negó con la cabeza.

—Supongamos que me convirtiera en un humano y que las ansias de sangre desaparecieran. ¿Qué me quedaría? No es el deseo de sangre lo que me corrompió, sino Piscary. Seguiría mezclando la brutalidad con los sentimientos amorosos. La única diferencia sería que, si le hiciera daño a alguien en un momento de pasión, me sentiría fatal. Al menos ahora, disfrutaría.

Jenks replegó las alas y, por unos instantes, el polvo que despedía adquirió un tono verdoso.

—¡Oh!

—Por no hablar de que me volvería mucho más frágil y que descendería en la cadena alimentaria —añadió concentrándose en la pantalla para evitar nuestras miradas mientras su rostro se teñía de un ligero rubor—. Cualquiera podría aprovecharse de mí y probablemente lo haría, teniendo en cuenta mi pasado, pero ahora nadie se atrevería.

Sintiendo frío, me arrebujé en la manta.

—Puedes sentirte fuerte sin el virus vampírico.

—Sí, vale —respondió, y el rostro se me heló al percibir un destello de rabia—, pero me gusta ser una vampiresa. Es el hecho de perder el alma lo que me asusta. Si tuviera la certeza de no perderla después de morir, tal vez me esforzaría más por... amoldarme. —Sus ojos se cruzaron con los míos, con los libros de magia que había bajado del campanario aquella misma mañana apilados entre las dos—. ¿De veras crees que podrías convertirme en un humano?

De improviso, los hijos de Jenks entraron apresuradamente, armando un gran alboroto, y yo me encogí de hombros mientras los acorralaba, empujándolos, y Jenks se acercaba para ver qué era lo que les había alterado de aquel modo.

—No lo sé —dije en la repentina tranquilidad de la cocina—. Trent tiene un tratamiento. El porcentaje de éxito es de apenas un once por ciento, y solo adormece el virus y las neurotoxinas. Si sobrevivieras tomándolo, es posible que te convirtieras en un no muerto y perdieras tu alma cuando murieras. Rynn Cormel lo consideraría un fracaso. —En aquel momento esbocé una sonrisa forzada. Ser un vampiro era un verdadero asco, incluso aunque gozaras del respeto que todos mostraban por Ivy—. Podría hacerte la vida más fácil, pero también podría matarte. —No iba a arriesgar por un once por ciento de posibilidades. No con Ivy.

»En realidad —añadí, dudando si debía sacarlo a relucir—, he estado pensando en que tal vez exista un hechizo que pueda convertirte en humano.

—¿Y en bruja? —preguntó Ivy, sorprendiéndome. Se notaba una cierta vulnerabilidad en sus palabras, y parpadeé.

—Tú no quieres ser una bruja —dije rápidamente.

—¿Por qué no? Tú lo eres.

Jenks regresó con una de sus hijas, con las alas enredadas en lo que parecía una tela de araña.

—Creo que deberías ser una pixie —comentó despidiendo polvo por los dedos mientras los deslizaba cuidadosamente por las alas de Jrixibell para limpiarlas—. Estarías preciosa con tus alitas y tu espada. Te dejaría luchar en mi jardín siempre que quisieras.

Ella esbozó una tímida sonrisa, que desapareció casi de inmediato.

—No se puede transformar a una bruja —dijo brevemente.

—Ni tampoco a los hombres lobo —aclaró Jenks, sonriendo mientras daba un empujoncito a su hija, que salió disparada y gritando que la esperaran en un tono tan agudo que me dolieron los oídos.

Ivy se quedó pensativa y yo no pude evitar una sonrisa al pensar en David. Tuve la sensación de que ella también lo hacía cuando se volvió hacia el ordenador, con las mejillas encendidas. Cormel me mataría si convirtiera a Ivy en alguna otra cosa que no fuera una vampiresa con un alma eterna. No obstante, teniendo en cuenta que yo misma no podía elegir lo que quería ser, ¿por qué no usar mi potencial para darle a Ivy la oportunidad de ser lo que ella quisiera?

Sintiendo como si hubiera resuelto algo, aunque no fuera así, me levanté y me dirigí hacia la despensa. Todo lo que antes estaba en nuestro frigorífico, se encontraba fuera.

—¿Te apetecen unas tortitas? Tengo ganas de cocinar.

—¡Y tanto! —Sus dedos golpeteaban las teclas, pero tenía la vista puesta en las botellas de poción que estaban contra la pared y en la marmita de disolución con agua salada—. ¿Conseguiste el libro?

En ese momento salí de la despensa con la caja del preparado.

—Sí. Ayer. Voy a probarlo esta noche en Fountain Square. ¿Quieres venir?

—¿Habrá gritos y cámaras de televisión?

—Probablemente —respondí con amargura.

—Cuenta conmigo —dijo.

Jenks, que en aquel momento se encontraba en la repisa dando de comer a sus monos marinos, soltó una risotada. La diminuta pecera de agua salada había pasado a ocupar el puesto de honor después de que, a falta de un canario, me llevara al señor Pez a siempre jamás para saber si el aire del lugar me estaba envenenando.

Inclinándome sobre la encimera, leí la contracubierta del libro. Si teníamos huevos, estaban congelados.

—En realidad, voy a alquilar una furgoneta que situaré en el aparcamiento. ¿Podrías ayudarme a mantener a la gente alejada?

—Como dicen esas pegatinas que se ponen en la luna trasera: «Meneo a bordo, se ruega no molestar».

—¡Por el amor de Dios, Jenks! ¡En esta iglesia viven niños!

—¿Y cómo crees que llegaron hasta aquí, querida? —preguntó riéndose.

Dejé la caja sobre la mesa con un golpe y un estrato del preparado cayó sobre el pixie.

—¡Eh! —gritó, sacudiéndose las alas con tal fuerza que formó una espesa nube.

Ivy sonrió con los labios cerrados. Aquello era muy agradable. Habíamos vivido momentos muy difíciles aquel año. Todos nosotros.

—Cuando hayas terminado de azotarle el culo a ese demonio, os llevaré a Pierce y a ti a tomar una pizza.

—Trato hecho.

Inclinándome, saqué la sartén de debajo de la encimera y la puse sobre los hornillos. Entonces empecé a elucubrar qué hechizos complementarios podía preparar para asegurarme de que Al no se cabreara tanto que me culpara de su error. Deberían ser hechizos terrenales para no tener que interceptar una línea. Por suerte, eran los que mejor se me daban. Especialmente los somníferos de duración determinada.

Ivy se puso en pie a toda velocidad y Jenks y yo dimos un respingo.

Una de dos, o no se había molestado en ocultar su velocidad vampírica, o tenía problemas para controlarla. Al ver nuestras caras de sorpresa, sonrió divertida.

—El coche de Glenn está al final de la calle —dijo, y Jenks se elevó con expresión de incredulidad—. Voy a vestirme —añadió marchándose con el café en la mano.

—¡Por el tanga rojo de Campanilla! —exclamó Jenks, siguiéndola—. ¿Lo hueles desde aquí?

—Hoy sí —se la oyó responder a lo lejos conforme entraba en su habitación.

Me apreté el cinturón de la bata. ¿Sería yo capaz de renunciar a ser tan especial para amar a alguien, o me buscaría un nuevo amor?

El chirrido de la puerta delantera y el alboroto que organizaron los pixies justo después me dieron a entender que Jenks había abierto la puerta al agente de la AFI y, cuando el hombre alto entró, con una bolsa de papel en la mano, lo recibí con una sonrisa. Los pixies revoloteaban a su alrededor, armando un gran jaleo al entrar y salir de la bolsa mientras la dejaba sobre la encimera. Su mirada se dirigió al hueco de la pared con expresión interrogante.

—¿Qué le ha pasado a vuestro frigorífico?

—Lo reventé —dije fijándome en las magulladuras que empezaban a desvanecerse y en su cabeza recién rapada para disimular los destrozos que le habían quedado tras su estancia en el hospital. No recordaba haberlo visto nunca con vaqueros, y por debajo de su abrigo de cuero asomaba un suéter negro—. Te veo mucho mejor —dije cuando se quedó mirando mi bata.

—Ehhh… Son las tres de la tarde, ¿no? —preguntó de pronto, como si no estuviera seguro.

—Sí, así es —respondí al tiempo que le daba un fuerte abrazo. Me alegraba tanto de verlo—. ¿Qué tal van los amuletos que le di a tu padre? ¿Te apetece un café? ¿Unas tortitas? Por cierto, gracias por ayudarme a escapar del hospital. Te debo una.

No podía dejar de sonreír. Había creído que moriría, o que se pasaría meses ingresado, y en aquel momento se encontraba en mi cocina, con una bolsa de papel en la mano y solo un pequeño atisbo de estrés en su rostro.

Glenn desvió la mirada hacia la cafetera y, a continuación, volvió a fijarse en el espacio vacío.

—Veamos, los amuletos están funcionando, supongo, no tienes por qué agradecerme que te ayudara a salir y lo siento, pero no puedo quedarme a tomar café. El departamento se enteró de lo que os pasó anoche, y los chicos me pidieron que os trajera un detalle. No eres invencible, ¿sabes? No llevas ninguna S escrita en el pecho. —Y con gesto vacilante, frunció el ceño inclinándose lo bastante como para que percibiera el olor de su loción de afeitar—. ¿Cómo está Ivy? Tengo entendido que se llevó la peor parte.

—Como una rosa —respondí secamente mientras curioseaba en el interior de la bolsa junto a los pixies para ver… ¿Tomates? *¿Ha comprado tomates con los fondos para regalos de la AFI?*—. Esto… Se está vistiendo —añadí sorprendida. *¿De dónde los habrá sacado?*

—¡Joder! ¡Sí que se recuperan rápido los vampiros! —dijo con una expresión interesada en sus ojos oscuros mientras se inclinaba para echar una ojeada al interior de la bolsa y yo seguía husmeando—. Yo necesité cinco días. No me extraña que Denon quiera convertirse en uno.

—Sí, bueno… Todos cometemos errores. —Tres de los hijos de Jenks se alzaron con un tomate cherry, discutiendo sobre quién se quedaría las semillas—. Glenn, ¿compraste todo esto tú solo?

Él esbozó una amplia sonrisa, frotándose la nuca con la mano.

—Pues sí. ¿Es mucho?

—No, si vas a celebrar una reunión familiar —respondí, sonriendo para que supiera que le estaba tomando el pelo—. ¡Maldita sea! ¡Estás hecho todo un hombre! ¿De veras entraste en una tienda e hiciste la compra?

Él se acercó a la bolsa, inclinándose para echar un ojo, con un gesto de impaciencia que resultaba encantador en un hombretón de color.

—Deberías haber visto cómo me miraban —dijo metiendo la mano y haciendo crujir la bolsa—. ¿Sabías que hay más de una variedad de tomates? Este es un corazón de buey —explicó dejando un tomate del tamaño de mi puño sobre la encimera—. En rodajas, va muy bien para los sándwiches. Y la mujer de la tienda me explicó que también se puede cortar en gajos y cocinarlo a la parrilla.

—¿No me digas? —exclamé, ocultando una sonrisa mientras sus oscuros dedos extraían una bolsa de tomates pera.

—Estos alargados se llaman Roma —explicó dejándolos sobre la encimera—. Se usan en las ensaladas, en la pizza y para las salsas. Y los pequeños son los cherry. Se pueden añadir a las ensaladas o comerlos como si fueran caramelos.

Nunca había comido tomates «como si fueran caramelos», pero me tomé uno en ese momento y descubrí que su sabor ácido no casaba demasiado con el del café.

—Mmmm, ¡qué rico! —exclamé, y Jenks se echó a reír, suspendido junto al dintel, con el tomate que sus hijos habían birlado. Detrás de él esperaba una de sus hijas, frotándose las manos.

—Tengo tres que maduraron en la planta —mostrándome los cortes y magulladuras de su cabeza cuando se puso a buscarlos—. Costaban un ojo de la cara, pero eran increíblemente rojos.

—¿Quieres quedarte alguno? —le pregunté. Él alzó la vista con una sonrisa de oreja a oreja que le sentaba de maravilla.

—Tengo otra bolsa en el coche. Tendrás que buscarte a otra persona a quien sobornar para que te proporcione las herramientas para hacer cumplir la ley.

—Entonces, no te importará que se lo cuente a tu padre —bromeé, haciendo que su sonrisa se desvaneciera.

Jenks entró de nuevo, manejando con facilidad el pesado tomate.

—Aquí tienes, Glenn. Mis hijos lo sienten mucho. No volverán a hacerlo.

Cogí la fruta al vuelo cuando la dejó caer.

—Pueden quedárselo —dije, y cinco chicos pixie y la hija de Jenks se abatieron sobre mi mano discutiendo en un tono de voz extremadamente alto y me lo arrebataron.

—¡Eh! —gritó Jenks echando a volar tras ellos.

—¿Estás seguro de que no quieres un café? —dije al oír que se abría la puerta de Ivy—. Creo que la reina del reciclaje tiene un vaso de poliestireno por algún sitio. Puedes llevártelo.

Glenn sacó los dedos de la bolsa de tomates y echó las manos atrás, situándose de espaldas a la puerta, en una posición que recordaba a la de descanso militar.

Estaba empezando a comportarse como un policía y, frunciendo el ceño, pensé en la carrera desesperada que realizamos Ivy y yo en dirección al puente.

—No, tengo que irme. Pero quiero que me des tu opinión sobre lo de anoche.

—Fue un verdadero asco, ¿por qué?

—No me refiero a lo que te pasó a ti —dijo secamente—. ¿Es que no lees los periódicos?

Intrigada, me aparté de la encimera y me dirigí a la mesa, donde encontré el diario, envuelto todavía en el plástico. Debajo había una foto de Jenks y mía delante del puente de Mackinaw que había rescatado el día anterior del incendio del frigorífico. Con cuidado, moví la fotografía y abrí el periódico.

—¿Dónde tengo que mirar? —pregunté, encorvada encima.

—Primera página —respondió sin más.

¡Oh, Dios! Con una mueca de dolor, leí: «Tres hospitalizados. Posible ritual demoníaco de madrugada». Había una fotografía de un montón de ambulancias en la oscuridad, y la escena estaba iluminada por un coche en llamas. La gente se arremolinaba delante de una tienda. Desde mi hombro, Jenks, que había vuelto de estar con sus hijos, dejó escapar un silbido.

—Esto… Yo estuve en casa toda la noche —dije pensando que, de un modo u otro, me culparían de aquello. Fuera lo que fuera—. Hablé con tu padre sobre las doce. Estoy segura de que avalará lo que estoy diciendo. —A continuación me incliné hacia delante y reconocí la silueta del local. *¿La pista de patinaje de Aston´s?*—. No estarás trabajando en esto, ¿verdad? —pregunté, preocupada—. Glenn, es posible que te encuentres bien, pero tu aura sigue siendo muy delgada.

—Te agradezco el interés por mi persona —dijo apartando la vista del periódico y dirigiéndola hacia la caja abierta de la pizza—. ¿Puedo coger un trozo? Me estoy muriendo de hambre.

—Y tanto —respondí mirando de reojo la instantánea en blanco y negro mientras Glenn atravesaba la cocina y agarraba un trozo de pizza—. Jenks, ¿tú sabías algo de esto?

El pixie negó con la cabeza y aterrizó sobre el periódico, con las manos en las caderas, y la cabeza gacha mientras leía.

—Según lo que sabemos de la SI —explicó Glenn con la boca llena de pizza—, parece que la señora Walker se encontró con la señora Harbor. Hay tres personas en cuidados intensivos con daños en el aura.

—¡Eso es terrible! —exclamé, contenta de que no me hubieran echado las culpas—. ¿Necesitas que vaya contigo a examinar la escena del crimen? —pregunté, animándome—. Es la pista de patinaje de Aston´s, ¿verdad?

Glenn soltó una carcajada que acabó convirtiéndose en un ataque de tos y me quedé mirándolo, en lugar de a Ivy, que apareció de improviso en el umbral. Llevaba unos vaqueros y un jersey negro que le quedaban estupendamente, se había cepillado el pelo y se había maquillado ligeramente.

—No es necesario, pero gracias por el ofrecimiento —dijo, sin percatarse de la presencia de Ivy.

Ofendida, me senté en mi silla.

—La risa sobraba —le reproché.

Jenks estaba suspendido en el aire, con el periódico en la mano, intentando pasar la página para leer el resto del artículo.

—No sobraba, Rache. Sabes muy bien que necesitas clases de protocolo en la escena del crimen.

Ivy se colocó detrás de Glenn con pasos imperceptibles justo en el momento en que se llenaba la boca por segunda vez.

—Gracias por los tomates, Glenn —le susurró al oído haciendo que se sobresaltara.

—¡Santa madre de Dios! —exclamó, dándose la vuelta mientras se echaba la mano a la cadera, donde solía llevar la pistola. El trozo de pizza salió volando, y se afanó por recuperarlo—. ¡Maldita seas, Ivy! —se quejó cuando cayó al suelo—. ¿Se puede saber de dónde has salido?

Ivy sonrió con los labios cerrados, pero yo me reí de buena gana.

—Mi madre solía decir que vengo del cielo —dijo, pasando delicadamente por encima de la pizza en dirección a la cafetera. Con movimientos sensuales se llenó la taza de nuevo y se dio la vuelta, quedándose delante del armario de la basura.

Glenn sostenía el trozo de pizza en su enorme mano como si se tratara de su mascota favorita, a la que se sigue queriendo después de muerta. Ivy se giró ligeramente y abrió la puerta del armario; el agente suspiró al no poder evitar que la pizza se precipitara al suelo. Divertida, le acerqué la caja y él cogió otra porción con el rostro radiante.

—Bueno, ¿qué te cuentas? —preguntó Ivy llevándose la taza a los labios y mirándolo por encima del borde como si quisiera comérselo como un trozo de pastel.

—Eso, Glenn. Si no quieres que te acompañe a la escena del crimen, ¿a qué has venido? —pregunté subiendo los pies a la silla de al lado y ajustándome la bata para taparme las piernas.

—¿No puedo traeros unos tomates para desearos una pronta recuperación sin que me hagáis el tercer grado? —preguntó con una fingida inocencia.

—¡Tres malditos kilos de tomates! —susurró Jenks, e Ivy dejó la taza girándose hacia el fregadero para llenar una pequeña cazuela donde lavar los frutos rojos. Quería quedarse y necesitaba algo con lo que entretenerse.

—Espero que no quieras convencerme para que trabaje esta noche —dije mirando el periódico con expresión interrogante—. Ya le dije a tu padre que no pienso ir a esa fiesta de mierda.

—¡Si es así, olvídate! —dijo Jenks levantándose del periódico y situándose a escasos centímetros de su nariz—. No pienso consentir que trabaje con la mierda de aura que le ha quedado. ¿Quieres encontrártela de nuevo bocabajo? Tal vez parezca fuerte y en forma, pero su aura se desprende como la piel de un plátano.

No tenía ni idea de que fuera así y me pregunté si tenía que ver con mi especie o solo conmigo.

—Precisamente por eso no voy a hacer lo que mi padre me ordenó: pedirte que fueras a esa fiesta —dijo Glenn con gesto imperturbable, mientras retiraba la corteza del borde de la pizza. Con un chasquido de las alas, Jenks descendió de nuevo y Glenn se me quedó mirando—. Si llama, suéltale un montón de palabrotas y dile que te hice pasar un mal rato, ¿vale? No tiene ni idea de lo que significa haber sufrido daños en el aura. Me alegro de que las dos os quedéis en casa esta noche.

No aparté la vista de él, pero me resultó difícil no mirar a Ivy, que se había girado con el corazón de buey envuelto en un paño y una sonrisa pícara en los labios.

—Sí, será una noche tranquila y agradable —dije esperando que no viera mis libros de hechizos. Con movimientos lentos, doblé el periódico y lo dejé deliberadamente sobre ellos.

Ivy nos dio la espalda, pero creo que aún sonreía mientras seguía lavando los tomates y los ponía a secar uno por uno.

—Bueno, tengo que irme —dijo Glenn, sacudiéndose las manos y mirando los restos de pizza—. Gracias, chicas. Y no dejes que mi padre te convenza. Está obsesionado con capturar a esa mujer y no se da cuenta de lo que te está pidiendo.

—No te preocupes.

En aquel momento me sentí culpable y, poniéndome en pie, le acerqué la caja de pizza. Los ojos se le iluminaron al cogerla, pero yo estaba deseando que se largara. Tenía que prepararlo todo para la noche. Cierto era que había accedido a no encerrar a Al en un círculo, había otras formas de echarle el guante a un demonio y me pregunté si funcionaría convertirlo en un ratón. Conocía muy bien ese truco.

—Que pases una buena víspera de Año Nuevo, Glenn.

El detective de la AFI sonrió.

—Lo mismo digo. —Seguidamente, cogió uno de los tomates limpios y, tras guardarlo en el bolsillo, me guiñó un ojo y dijo—: No le digas a mi padre lo de los tomates, ¿de acuerdo?

—Me lo llevaré conmigo a la tumba. *¡Quién sabe! Tal vez, esta misma noche…*

Ivy se volvió después de doblar la bolsa de papel y la metió debajo del fregadero.

—Glenn, ¿vas para el trabajo? —preguntó.

Él vaciló.

—Ummm, sí —admitió como si no estuviera seguro de qué debía responder—. ¿Quieres que te acerque a algún sitio?

—Tengo algunas cosas que contarle a Edden sobre esa jodida banshee —explicó, con un gesto de desagrado. Y, mirándome a mí, añadió—: A menos que necesitéis que me quede.

Jenks aleteó nerviosamente, con expresión desconcertada, y yo eché un vistazo a mis libros.

—En realidad, estaba punto de ponerme a jugar con los libros de cocina de cuando iba al instituto —dije, y después, preocupada de que los sentimientos de culpa pudieran hacer que intentara enfrentarse a Mia, añadí—: Volverás antes de medianoche, ¿verdad?

La aureola marrón que rodeaba sus pupilas se redujo ligeramente.

—Sabes que sí. Voy a por mi abrigo —dijo, y salió de la cocina con esa elegancia que me ponía los pelos de punta.

Desde el periódico, Jenks masculló:

—«A menos que necesitéis que me quede». ¿Quién se cree que es?

—¡Te he oído! —gritó Ivy desde el santuario, provocando un montón de chillidos de pixie.

Glenn, mientras tanto, se dirigió hacia la puerta.

—Cuídate, Rachel —dijo. Me acerqué para abrazarlo, dejando escapar mi mal humor entre los fuertes brazos de aquel hombre que, en aquel momento, olía a pizza.

—Tú también —dije. Mi sonrisa se desvaneció y, reculando, me puse seria de nuevo—. Glenn, quiero atrapar a esa mujer, pero necesitamos un plan sólido.

—No hace falta que me lo digas dos veces.

Se dispuso a seguir a Ivy y le tiré de la manga, obligándolo a detenerse.

—Oye, si ves a Ford hoy, ¿puedes decirle que estoy lista para concertar una cita?

Una sonrisa que anidaba lo que parecía orgullo se dibujó en su rostro.

—Por supuesto. Bien por ti, Rachel.

—¿Glenn? —se oyó gritar a Ivy desde el santuario, y él puso los ojos en blanco.

—¡Ya voy, mamá! —respondió, dirigiéndose a la salida con la caja de pizza en la mano. Escuché sus pasos por el pasillo, un coro de diminutos adioses, y la puerta que se cerraba. Satisfecha, aparté con la mano la mezcla para tortitas.

Jenks se sentó en el borde de la cafetera, agitando las alas en el creciente calor.

—Si piensas enfrentarte a un demonio hoy, tal vez deberías vestirte —dijo. Yo le miré a través de mi pelo, todavía aplastado por la almohada.

—¿Te importaría atender la puerta mientras me doy una ducha? —le pregunté.

—¡Pues claro! —respondió agitando las alas.

Los pixies estaban armando jaleo jugando con los tomates cherry mientras me dirigía a mi baño, arrastrando los pies, para abrir el grifo. Me moría de ganas de quedarme un buen rato bajo el agua, y me regodeé en enjabonarme, enjuagarme y repetir. Con los ojos cerrados, me quedé de pie bajo el agua caliente, llenándome los pulmones del vapor de agua, reacia a salir y regresar a mi vida. Gracias a la señora Talbu, me había tirado cuatro años usando una mierda de ducha de la que apenas salía agua, y la alcachofa de ducha de alto caudal y nada ecológica que había instalado Ivy, antes de que yo me mudara, era mejor que cualquier terapia. Y no es que yo necesitara terapia. Ni muchísimo menos.

De pronto, el chorro se volvió frío y, boqueando, me alejé de la pared, golpeando la espalda contra la que tenía detrás.

—¡Jenks! —grité en un arrebato de adrenalina—. ¡Basta!

El agua que caía sobre mis pies se volvió más caliente, pero me había puesto de mal humor y salí y estiré el brazo para coger la toalla. Con movimientos bruscos, me sequé el pelo y continué con el resto del cuerpo. Por lo visto, Jenks había decidido que ya estaba lo bastante limpia. Envuelta en una toalla, limpié el vaho del espejo con la mano para hacer balance de la situación. No del todo mal, decidí, si exceptuábamos las ojeras, que se habían vuelto crónicas. Nada mal, si teníamos en cuenta que había sufrido los ataques de dos banshees en el mismo número de días.

Desde el otro lado de la puerta se escuchó el aleteo de un pixie y un dubitativo «¿Rachel?».

La toalla se me deslizó mientras revolvía en busca de un hechizo para cambiar el color de la piel.

—Muy gracioso, Jenks. Si llego a resbalar, podría haberme partido la cabeza. —El zumbido de las alas aumentó y me subí la toalla—. ¡Jenks! —grité cuando lo vi aparecer por debajo de la puerta—. ¡No he dicho que pudieras entrar!

Con las alas de un intenso color rojo, Jenks me dio la espalda.

—Lo siento. Esto… pensé que te gustaría saber que ha venido Marshal —explicó a modo de disculpa.

El pánico se apoderó de mí y me agarré la toalla con más fuerza.

—¡Sácalo de aquí inmediatamente! —exclamé en un tono casi de reproche—. ¡Me han excluido!

El pixie miró por encima de su hombro y, a continuación, se dio media vuelta en el aire para mirarme.

—Creo que ya lo sabe. Quiere hablar contigo. Lo siento, Rachel, pero parece muy enfadado.

Mierda. Me habían excluido. Marshal no había venido para cogerme la mano y decirme que lo solucionaría todo. Le había dicho que era una bruja blanca, y así era, pero ahora…

—¡Dile que se marche! —le ordené reculando acobardada—. Dile que se vaya antes de que se enteren de que está aquí y lo excluyan también a él.

Sin embargo, el pixie se limitó a sacudir la cabeza.

—No. Tiene derecho a que se lo digas a la cara.

En aquel momento tomé aire. Empezaba a dolerme la cabeza. *Esto va a ser muy divertido.* Girándome hacia el espejo, empecé a cepillarme el pelo. Con los brazos cruzados, Jenks aguardó a que le diera la respuesta adecuada. El cepillo se me enredó en el pelo y lo dejé con fuerza sobre la pequeña encimera.

—Saldré en tres minutos —dije para que se marchara.

Asintiendo, bajó hacia el suelo. Acto seguido, dejó escapar un débil destello de luz y desapareció.

Tenía la ropa interior en la secadora y una camisola colgada sobre la pila de tamaño industrial. En realidad mi baño era un lavadero que había ascendido de categoría, pero era más sencillo que compartir con Ivy el cuarto de baño más tradicional del otro lado del pasillo. Además, la mayoría de los días mis vaqueros estaban en la secadora. *Aunque sin calcetines*, pensé dándome un último golpe de cepillo y dejando que el pelo se me secara al aire.

Preocupada, abrí la puerta con cautela y, sin saber muy bien qué hacer, eché un vistazo al pasillo. Hacía bastante frío en comparación con la húmeda calidez del baño, y percibí un fuerte olor a café. Con los pies descalzos, me acerqué hasta la cocina sin apenas hacer ruido, y me asomé para descubrir a Marshal sentado de espaldas a mí. Me encontraba fuera de su campo de visión y vacilé.

No parecía mostrar ningún tipo de emoción, o tal vez solo se encontraba sumido en sus pensamientos mientras miraba el suelo mugriento donde había estado el frigorífico, probablemente preguntándose lo que había pasado. Sus largas piernas se hallaban dobladas bajo la mesa, y el reflejo del sol iluminaba sus cortos y rizados cabellos. Aquello iba a resultar muy duro. No le culpaba por estar cabreado conmigo. Le había dicho que era una bruja blanca y había confiado en mí. Pero la sociedad decía lo contrario.

Con decisión, abandoné el paso abovedado y entré en la cocina.

—Hola.

Marshal recogió las piernas y me miró.

—¡Eh! ¡Qué susto me has dado! —exclamó con los ojos muy abiertos y un ligero rubor en sus mejillas—. No te esperaba hasta dentro de diez minutos.

Dedicándole una tímida sonrisa, busqué algo que me pudiera servir de escondite, pero lo único que había entre nosotros era un montón de espacio. Un repentino espacio vacío.

—¿Te apetece un café?

Las tazas chirriaron cuando saqué dos nuevas, él permaneció en silencio mientras las llenaba. Tampoco dijo nada cuando colocaba una delante de él.

—Lo siento —dije reculando de manera que la isla central se interpusiera entre nosotros. Casi asustada, bebí un trago. La humeante amargura descendió por mi garganta y, reuniendo valor, dejé la taza junto al fregadero—. Marshal…

Sus ojos se cruzaron con los míos, haciendo que me callara. No mostraban enfado, ni tampoco tristeza. Estaban… vacíos.

—Déjame decir algo, y luego me iré —dijo—. Creo que es lo menos que me merezco.

Con desasosiego, crucé los brazos alrededor de la cintura. Me dolía el estómago.

—Conseguiré que me retiren la exclusión —dije—. Sabes de sobra que es un error. No soy una bruja negra.

—Esta mañana, cuando fui a la secretaría de la universidad para preguntar por lo de tus clases, entró mi supervisor. Me dijo que no volviera a verte —dijo abruptamente—. Lo encontré muy gracioso.

Gracioso. Eso era lo que había dicho, pero su expresión era sombría.

—Marshal…

—No me gusta que me digan lo que tengo que hacer —añadió, esta vez en un tono que sí sonaba enfadado.

—Marshal, por favor.

Su amplio torso se ensanchó y se contrajo, y miró más allá de donde me encontraba, hacia el jardín nevado.

—No te preocupes. —Volviendo la mirada hacia la cocina, se inclinó hacia delante para sacar algo de uno de los bolsillos traseros del pantalón vaquero—. Aquí tienes tu cheque. No conseguirán cobrarlo hasta que llueva en siempre jamás.

Tragando saliva, me quedé mirando el sobre y lo recogí, sintiéndome como si nada de que aquello estuviera sucediendo. Pesaba más de lo que hubiera sido normal, y eché un vistazo. Mis ojos se abrieron como platos.

—¿Dos entradas para la fiesta en el último piso de Carew Tower? —exclamé mucho más sorprendida porque las tuviera que porque me las estuviera dando.

—Iba a preguntarte si querías acompañarme esta noche a una fiesta de Nochevieja —dijo—, pero será mejor que te quedes las dos entradas. Necesitarás un montón de energía ambiental para hacer funcionar ese hechizo. La azotea del edificio debería estar lo suficientemente cerca.

Mi boca se entreabrió y me quedé mirando las elegantes invitaciones que tenía en la mano. Ya no entendía nada de lo que estaba pasando. Jenks me había dicho que estaba cabreado. ¿Por qué me estaba ayudando?

—No puedo aceptarlas.

Él hizo crujir las vértebras de su cuello y dio un paso atrás.

—Por supuesto que puedes. Solo tienes que guardártelas en el bolsillo y decir gracias. Mi supervisor estará allí. —En ese momento se sorbió la nariz—. Deberías conocerlo.

Una sonrisa dudosa se dibujó en mi rostro. ¿Quería que conociera a su supervisor? A lo mejor pensaba que podíamos hacernos una foto juntos.

—Y yo que me consideraba una persona perversa —dije, sintiendo que los ojos empezaban a escocerme. *Maldita sea, me está dejando. Bueno, ¿qué otra cosa podía esperar?*

Marshal no me devolvió la sonrisa.

—Es pelirrojo. No tendrás problemas en reconocerlo. —Con la mirada distante, bebió un trago de café—. Es un importante benefactor, así que le invitan a todas partes. No es un brujo, de manera que no le importará tu exclusión. Tendrás a alguien con quien hablar hasta que alguien se lo diga.

Mi rostro perdió toda expresión al escuchar la total indiferencia con la que había pronunciado la palabra «exclusión», como si no significara nada.

—Gracias —dije dócilmente—. Marshal, lo siento —añadí mientras estiraba el brazo para coger el abrigo, que reposaba en el respaldo de su silla, y creí morir cuando alzó una mano para detenerme antes de que pudiera acercarme. Me quedé helada donde estaba, sintiendo el dolor.

—Fue muy divertido —dijo Marshal, mirando al suelo—. Pero entonces te excluyeron y, Rachel… —En aquel instante alzó la vista, con la mirada llena de rabia—. Me gustas. Y me gusta tu familia. Lo pasaba muy bien cuando estábamos juntos, pero lo que más me cabrea es que, justo cuando empezaba a considerar compartir mi vida contigo, vas y haces algo tan estúpido que provoca que te excluyan. Ni siquiera quiero saber de qué se trata.

—Marshal.

Nunca tenía una oportunidad. ¡Nunca tenía una maldita oportunidad!

—No quiero hacer esto —dijo, no dejándome que lo interrumpiera—. Créeme —añadió, gesticulando con las manos—, lo he pensado mucho. Te aseguro que he sopesado bien lo que quería y lo que estaba dispuesto a dar a cambio de una posible vida contigo. Venía dispuesto a enfrentarme a todo y a todos con tal de descubrir quién te había hecho esto y averiguar la manera de que te rescindieran la exclusión, pero entonces… —Marshal apretó los dientes, haciendo que los músculos de su mandíbula se hincharan—. Lo único que conseguiría es que me excluyeran a mí también. No puedo vivir al margen de la sociedad. Eres una mujer hermosa, y me lo paso de maravilla contigo —dijo, como si intentara convencerse a sí mismo—. Incluso aunque consiguieras que te retiraran la exclusión, ¿qué harás después? Me gusta mi vida. —En aquel momento se me quedó mirando y parpadeé rápidamente—. Ahora solo estoy enfadado porque tú no puedas formar parte de ella —concluyó.

Sentía como si no pudiera respirar, y me agarré al borde de la isla central para ocultar la sensación de vértigo.

—Sin resentimientos, ¿de acuerdo? —dijo dando media vuelta.

Asentí con la cabeza.

—Sin resentimientos —acerté a decir. Marshal no era una mala persona por querer dejar la relación. Quería formar parte de algo, y resultaba evidente que no era capaz de dejar mis necesidades a un lado para dar preferencia a las nuestras. Tal vez, si mi vida no hubiera sido una mierda, no se habría notado tanto y podríamos haberlo intentado, pero en aquel momento no. No era culpa suya. Era yo la que lo había jodido todo, y pedirle que pagara el precio conmigo no era justo.

—Gracias, Marshal —susurré—. Por todo. Y si alguna vez necesitas ayuda desde el lado oscuro… —dije, agitando las manos con impotencia mientras sentía que se me formaba un nudo en la garganta—. Llámame.

Una débil sonrisa curvó la comisura de sus labios.

—Serás la única a quien recurra.

Se marchó y oí cómo se desvanecían sus pasos conforme se alejaba de mí. Escuché un suave murmullo cuando se despidió de los pixies y el ruido de la puerta al cerrarse.

Aturdida, me derrumbé sobre mi silla, junto a la mesa. Con la mirada perdida, agarré el libro de hechizos y cubrí con él la carta de la universidad. Me enjugué las lágrimas, lo abrí y empecé a buscar.

26

El viento fluía entre los rascacielos que se alzaban junto al río levantando pequeñas partículas de hielo y arenilla que me golpeaban las piernas como alfilerazos. Odiaba las medias. Incluso las negras con brillo. Arrebujándome en mi elegante abrigo largo de paño, me apresuré para alcanzar a Ivy, que caminaba a paso ligero con la cabeza gacha. Intentar realizar aquel hechizo en el aparcamiento habría resultado bastante penoso y, aunque solo fuera por eso, me alegraba de tener invitaciones. Además, una vez que estuviéramos dentro, Jenks podría salir. En aquel momento se encontraba en el interior de mi bolso, sentado en uno de esos calentadores de manos que usan los cazadores. Con él cubriéndome las espaldas e Ivy vigilando la puerta del baño de señoras, aquello iba a ser pan comido. Eso sí, si conseguíamos llegar arriba a tiempo. Si no nos dábamos prisa, la medianoche nos iba a pillar en el ascensor.

Una ráfaga de aire me trajo el olor a frito de los puestos de comida callejeros y miré con los ojos entrecerrados en dirección a una de las entradas de Carew Tower, que se encontraba justo encima de Fountain Square. Había gente por todas partes, arremolinándose en las calles cerradas al tráfico mientras los coches patrulla, tanto de la AFI como de la SI, les impedían el paso. No era tan horrible como la noche del solsticio, en la que cerraban el círculo por sorteo, pero el alboroto que se produciría a media noche provocaría una emoción colectiva lo bastante intensa como para realizar el hechizo. Se parecía mucho a la noche en la que había invocado a Pierce por primera vez, intentando recuperar a mi padre para que me diera un consejo, incluso el tiempo.

Entonces, haciendo memoria, agarré con fuerza mi abultado bolso con cuidado de no aplastar a Jenks. En su interior tenía todo lo necesario para realizar el hechizo, incluido un juego completo de ropa para Pierce y mi pistola de pintura. Junto a mí, Ivy caminaba con pasos cortos y ligeros por culpa de los tacones.

—Imagino que estará plagado de brujos —dejó caer conforme recorríamos la calle.

—Cualquier excusa es buena para divertirse, ¿no? —dije. A continuación la observé con detenimiento. Estaba especialmente pálida, con el abrigo largo y el pelo ondeando al viento. Y preocupada.

—Te ponemos nerviosa, ¿verdad?

Ella me miró a los ojos y subió a la acera.

—No, para nada.

Le sonreí.

—Gracias.

La entendía perfectamente. La mayor parte de los vampiros me ponían nerviosa, sobre todo cuando se reunían.

El portero nos abrió las puertas de cristal para que no tuviéramos que usar las giratorias y entramos juntos. El cese del viento resultó un gran alivio y abrí el bolso enseguida.

—¿Estás bien, Jenks? —dije, asomándome al interior y encontrándomelo sentado incómodamente junto al calentador.

—¡De maravilla! —farfulló—. ¡Por los tampones de Campanilla! Creo que me he roto un ala. ¿Qué demonios estáis haciendo ahí fuera? ¿Aeróbic?

—Procura estarte quietecito hasta que lleguemos arriba —le advertí para que no saliera y descubriera que, en realidad, en el resonante vestíbulo no hacía tanto frío—. Solo tengo dos invitaciones.

—¡Como si pudieran detenerme! —dijo, y yo sonreí al ver la risa disimulada de Ivy.

Dejé el bolso abierto mientras Ivy y yo nos dirigíamos taconeando y con andares especialmente femeninos al ascensor del restaurante, donde el hombre con el uniforme blanco revisó nuestras invitaciones y nos pidió los abrigos. Sentí el aire frío de las puertas giratorias sobre mis hombros desnudos y dejé marchar mi abrigo a regañadientes. Habían abrillantado al máximo la puerta del ascensor y resistí la tentación de recolocarme las medias mientras me giraba para apreciar mejor el trabajo que había realizado para tener aquel aspecto.

Con los tacones, las medias y el vestido largo de color negro con escote palabra de honor adornado con una gargantilla estaba muy guapa. Lo había comprado la semana anterior, casi escuchando la voz de Kisten en mi cabeza cuando me negué a seguir las recomendaciones de la dependienta que me sugería algo más llamativo. Había estado a punto de llevarme el reducido vestidito que me marcaba el culo, pero al final había decidido guiarme por lo que habría dicho Kisten. Estaba impresionante con el pelo recogido en una elaborada trenza para la que habían sido necesarios cinco de los hijos de Jenks. Había resistido incluso el viento.

Ivy también estaba espectacular con el vestido rojo que había sacado de su armario, gracias al cual había pasado de sus ajustadas prendas de trabajo a una glamurosa sofisticación en tan solo diez minutos. Sobre los hombros llevaba un chal de encaje. Sabía que se lo había puesto pensando en los posibles vampiros, a los que les resultaba mucho más tentador un cuello que se entreveía que la piel desnuda. Por separado estábamos bien; juntas estábamos impresionantes, con su herencia asiática formando un hermoso contraste con mi pálida piel de pescado muerto.

Una pareja mayor que nosotros, que despedía un excesivo olor a perfume y loción de afeitado, se nos colocó delante cuando las puertas plateadas se abrieron y todos entramos. Una descarga de adrenalina me recorrió de arriba abajo y me coloqué mi abultado bolso delante. Aquello tenía que funcionar. Había preparado los hechizos de sustancia para Pierce exactamente de la misma manera que la primera vez, y había cargado mi pistola de pintura con hechizos somníferos de larga duración. Ivy se ocuparía de la puerta del baño y Jenks me ayudaría con Al. No se les escaparía nada y, cuando todo hubiera acabado, podríamos celebrar el Año Nuevo juntos: fantasma, vampiresa, bruja y pixie.

En el interior del ascensor había otro portero, por si no sabíamos cómo apretar un botón y, mientras me situaba nerviosa justo en el centro, el vello de la nuca se me erizó. Lentamente me volví para mirar a la pareja que había subido con nosotros, y descubrí que ella tenía los labios fruncidos y que el hombre miraba fijamente hacia delante con una expresión tensa en su rostro. Me volví de nuevo e Ivy se rió disimuladamente.

—Es muy divertido salir por ahí contigo —susurró inclinándose hacia un lado—. La gente no te quita ojo.

¡Bah! ¡Qué más da! Avergonzada, me quedé mirando al hombre del ascensor mientras disimulaba una sonrisa. Conforme salían, la mujer, de mayor edad, que estaba bastante elegante en su estilo, le dio un palmetazo en el hombro a su marido con su bolso de abalorios. Él lo aceptó como un hombre, pero advertí que ya estaba mirando de reojo a las camareras con sus modestas faldas cortas.

Lo primero que me llamó la atención fue el murmullo de las conversaciones y el olor a canapés hipercalóricos, y relajé los hombros al percibir la agradable temperatura. Situada discretamente en la curva del restaurante, una banda interpretaba en directo suaves melodías de jazz. Habían retirado todas las mesas a excepción de un anillo alrededor de las ventanas. La gente, elegantemente vestida, se relacionaba entre sí sujetando pequeños platos con comida o copas de champán, y las esporádicas risas femeninas mezcladas con el tintineo de cerámica fina invocaban una sensación de alta sociedad. Algunos camareros se movían lentamente, mientras que otros pasaban como centellas, de manera acorde con su cometido en cada momento. Y detrás de todo, como telón de fondo, se encontraba la mismísima Cincinnati.

Me olvidé de mí misma por un instante y me detuve para disfrutar de la vista. El paisaje me había parecido muy hermoso durante el día, pero en aquel momento, con las luces y la oscuridad del cielo… era embelesador. Los Hollows brillaban intensamente, poniendo de manifiesto el perfil del terreno conforme se alzaba y se alejaban, una cinta luminosa sobre la autopista lo bordeaba de forma imprecisa. El río era una sombra negra, y podía ver el lugar donde había erosionando las colinas a lo largo del milenio.

La carcajada de una mujer y el destello de Jenks saliendo disparado de mi bolso hicieron que volviera la vista hacia el local. Casi de inmediato, la conversación pareció subir de tono. Jenks dio un par de vueltas a mi alrededor para estirar las alas y aterrizó en el hombro de Ivy. Ella también estaba admirando el paisaje, absorta.

—Se la ve tan pacífica desde aquí arriba —dijo cuando un miembro del servicio pasó por delante de ella, interrumpiendo su línea de visión.

Jenks soltó un bufido.

—También cuando estás a pocos centímetros del suelo —dijo, haciéndome pensar en mi jardín—, el problema está en lo que sucede entre medias.

En ese momento una mujer pasó lentamente con una bandeja en la mano y nuestras miradas se cruzaron. Ella sonrió a Jenks y me entregó un platito.

—Tenemos veinte minutos —dije, nerviosamente, poniendo pequeños trozos de comida en él—. ¿Te importaría revisar a fondo los baños, Jenks?

—Como gustes, Rachel —dijo, desapareciendo de nuestra vista.

Por la forma en que nos miraban, tanto a Ivy como a mí, resultaba cada vez más obvio que aquella era casi una fiesta de oficina. Todos parecían conocerse entre sí, e iban vestidos de forma muy similar; elegantes pero algo pasados de moda, casi como una especie de frikis de clase alta. No me extrañaba que Ivy y yo llamáramos la atención.

Lentamente, nos dirigimos hacia el suelo giratorio. El techo había sido cubierto por una red de globos para la medianoche, y las luces estaban bajas para que no se perdiera la fabulosa vista. No vi a nadie conocido, pero había pasado mucho tiempo desde mi época escolar, y solo había asistido a un curso en la universidad. Me habían suspendido, pero solo porque la profesora había fingido su propia muerte antes de los exámenes finales.

Ivy agarró un par de vasos de color ámbar sobre la marcha. Me entregó uno sin mirar y, tan pronto como llegamos al lugar donde se encontraba la banda, me detuve junto a una planta que estaba al lado de la ventana. Había una pequeña pista de baile, y me volví a mirar cuando la solista empezó a cantar *What's New*. Mierda. Era el mismo grupo que había tocado en la cena de ensayo de la boda de Trent, aunque faltaba la mayoría de los músicos. En esta ocasión eran solo cinco. Pero ella sí. La voz de la mujer tembló ligeramente cuando advirtió mi presencia, y yo miré para otro lado. No debía causarme miedo que me reconocieran.

—Bonita música —dijo Ivy al ver que me ruborizaba. Seguidamente, tomando aire, añadió—: Edden está aquí.

Con la espalda hacia la banda, la miré fijamente.

—¿Edden? ¿Puedes olerlo?

Ella sonrió.

—Lo tienes justo detrás.

Sorprendida, me volví de golpe, a punto de derramar mi bebida.

—¡Edden! —exclamé dejando el vaso y fijándome en su esmoquin. Mostraba un bulto a la altura del pecho que identifiqué con un arma en una pistolera. Estaba muy guapo con el pelo engominado hacia atrás y su achaparrada figura, con sus hombros casi a la altura de los míos—. ¿Qué estás haciendo aquí? —le pregunté.

—Trabajando —respondió con una expresión que daba a entender que se alegraba de verme—. Veo que Glenn consiguió convencerte. Gracias por venir. Estás muy guapa. —Entonces, dirigiendo la atención hacia Ivy, añadió—: Las dos lo estáis.

Ivy sonrió, pero yo me azoré.

—No he venido por eso —dije—. Le dije a Glenn que no. Estoy aquí para hacer unos hechizos personales. No tenía ni idea de que esta era la fiesta de la que me hablaste y, aunque lo hubiera sabido, no estaría vigilando. Mia no aparecerá. Ivy, dile que Mia no va a presentarse.

Ivy se ajustó el bolso de fiesta, que llevaba colgado de una delgada cinta.

—No va a presentarse.

¡Oh, sí! Aquello había sido de gran ayuda.

El capitán Edden se balanceó hacia atrás sobre sus zapatos de vestir, con aspecto ligeramente irritado. Tenía un plato en la mano con un pastel de hojaldre relleno y, a la vez que se inclinaba mostrando una zona algo despejada en su corto pelo, le dio un bocado.

—¿Hechizos personales? ¿Qué es eso? ¿La excusa que utilizáis las brujas cuando no queréis salir con un chico?

—Por extraño que te parezca, he venido solo y exclusivamente para realizar unos hechizos —dije—. Jenks anda por ahí, Ivy se encarga de la vigilancia y mi acompañante se nos unirá alrededor de la medianoche.

Edden bajó la vista hacia mi bolso de grandes dimensiones, que no pegaba nada con mis zapatos, mi vestido, ni mi pelo.

—Apuesto a que sí —dijo secamente. Era evidente que seguía enfadado conmigo por haberle dado calabazas y, para colmo, me había presentado en la misma fiesta a la que quería que lo acompañara—. Bueno —dijo limpiándose los dedos con la servilleta y dejando el plato a un lado—. Si no estás aquí por Mia, tendré que suponer que tus «hechizos personales» incluyen a Trent. —Yo negué con la cabeza y él suspiró—. Rachel, no me obligues a arrestarte esta noche.

—Trent no tiene nada que ver con esto —respondí observando cómo Ivy trazaba mentalmente un recorrido en el suelo—, y Mia no va a aparecer. Tus perfiladores psicológicos no podrían estar más desencaminados. No le preocupa que puedas encerrarla. Está luchando su propia guerra contra la señora Walker. Es más, Edden, deberías retirarte y dejar que las cosas se enfriaran. Me pagas para que te dé mi opinión, pues ahí la tienes. ¿No llevas uno de los amuletos que te di? Está en blanco, ¿verdad?

Edden frunció el ceño, lo que me confirmó que yo tenía razón. Sus ojos escudriñaban el local con la paciencia del oficial del ejército que había sido años atrás.

—Después del incidente en Aston's, tres perfiladores independientes coincidieron en situarla bien aquí o en otra destacada fiesta —declaró como si no me hubiera oído—. La cogeremos, con tu ayuda o sin ella. Le deseo que pase una buena noche, señorita Morgan. Jenks. Ivy.

Sus últimas palabras, aunque bruscas, mostraban un atisbo de ansiedad, y mi instinto me dijo que debía indagar algo más.

—¿Cómo está Glenn? —pregunté. Inmediatamente, Edden apretó la mandíbula. Ivy también lo vio y, cuando Jenks echó a volar, todos lo miramos con expresión severa, impidiendo que se marchara—. ¡Dios mío! No lo habrás puesto a trabajar de nuevo, ¿verdad? —En aquel momento, me asomé a la ventana y observé la fiesta de la calle y los coches patrulla de la AFI—. ¿Está ahí abajo? ¿En Fountain Square? ¿Con el aura todavía dañada? ¡Edden! ¿Has perdido la razón? Como te dije, yo todavía no estoy lista para enfrentarme a una banshee, y me juego el cuello a que Glenn tampoco.

Ivy dejó su plato y Edden agitó inquieto su figura achaparrada.

—Se encuentra bien. Lleva uno de esos amuletos y sabe qué aspecto tiene. En cuanto aparezca, me llamará. Y baja la voz.

El pulso se me aceleró y coloqué mi rostro justo delante del de Edden.

—No se encuentra bien —dije entre dientes, en un tono casi amenazante—. Y no estoy segura del funcionamiento de todos los amuletos.

Sintiendo cómo aumentaba la tensión, Ivy esbozó una sonrisa profesional.

—Rachel, el ambiente empieza a estar muy cargado —dijo afablemente—. Voy a bajar a tomar un poco el aire. ¿Te haces cargo tú de todo, Jenks?

—¡Por las bragas de Campanilla! ¡Por supuesto que sí! —exclamó aterrizando en mi hombro con actitud protectora.

Respiré aliviada. Lo había avistado. Bien. No creía que Mia apareciera, pero de lo que estaba completamente segura era de que no estaría allí arriba. Jenks y yo podíamos ocuparnos de Al. Pierce, si no estaba herido, podría colaborar.

—Mi hijo está bien —insistió Edden encorvando la espalda con el ceño fruncido.

—Me gusta observar a hombres «que están bien» —dijo Ivy, y, tras comprobar que su móvil estaba encendido, se lo guardó en su pequeño bolso y echó a andar hacia el ascensor—. Eras tú el que quería que vigiláramos la fiesta. Estaré abajo. Llamadme si me necesitáis.

—Lo mismo digo —farfulló Edden, de mala gana—. Tengo órdenes de arresto para la dos.

Ella asintió y echó a andar con gesto ufano. Apenas había dado tres pasos, dos tipos se le acercaron. *No lo hagáis*, pensé, pero ella se rió como la mujer alegre que nunca sería y los dos hombres pensaron que lo habían conseguido, aunque, si no se andaban con cuidado, lo que iban a conseguir era acabar hechos pedacitos.

—Quiero hablar con Ivy antes de que se vaya —dijo Jenks, despidiendo una espesa nube de polvo mientras permanecía suspendido delante de mí—. Sé amable con Trent, ¿vale? Algún día necesitarás su ayuda.

—¿Trent? —pregunté, poniéndome rígida al percibir el suave aroma a vino y canela. Jenks saludó con un gesto de la barbilla a la persona que se encontraba detrás de mí y salió disparado hacia el ascensor; Edden y yo nos giramos. La mandíbula se me cerró e hice un esfuerzo por separar los dientes. Era Trent, y había que reconocer que estaba tremendo.

—Hola, Trent —dije con sorna, intentando que no se notara lo que opinaba de él en aquellos momentos, a pesar de que resultaba muy difícil conseguirlo, con un ajustado esmoquin que resaltaba su altura y su esbelta figura. La tela parecía sedosa y suave, y provocaba que sintiera ganas de pasarle la mano por el hombro solo para sentir su tacto. Una sobria corbata de aspecto profesional con un dibujo que parecía decir que no era tan rígido le confería el aspecto de un hombre inteligente y astuto, pero era su porte lo que hacía que todo el conjunto funcionara. Llevaba una copa de vino en la mano, prácticamente llena, y se le veía cómodo y seguro de sí mismo, como si no tuviera dudas de quién era, qué quería y qué tenía que hacer para conseguirlo.

Al sentir sus ojos sobre mí, me erguí y recordé la buena pareja que hacíamos la noche que Kisten voló por los aires el casino flotante en el que nos encontrábamos. Kisten no tenía ni idea de que estuviéramos allí, pero gracias al aviso de Ivy, Trent y yo habíamos sobrevivido. En realidad, habíamos sido los únicos supervivientes. Al recapacitar sobre aquello, fruncí el ceño. También habíamos escapado juntos de siempre jamás. Éramos dos supervivientes.

Trent se percató de mi gesto, y la fachada de adolescente arrogante que solía utilizar para cautivar a las mujeres se agudizó. Acto seguido se pasó la mano por sus suaves cabellos de bebé para asegurarse de que se mantenían en su sitio y supe que estaba nervioso.

—Señorita Morgan... —dijo, saludándome con el vaso para que no le estrechara la mano.

Aquello me sacó de quicio. Y ya me tenía bastante cabreada por mantener a Ceri alejada de mí, como si hubiera podido contagiarle una enfermedad mortal. Aunque no anduviera muy desencaminado...

—Compartimos una celda en siempre jamás —dije—. Me parece que podemos tutearnos, ¿no crees?

Él levantó una de sus pálidas cejas.

—Este año han elegido una ropa muy elegante para las sirvientas —dijo. Edden disimuló una carcajada y yo me puse a toser. Era lo único que podía hacer para no darle una bofetada.

El inconfundible clic de una cámara y el gañido del obturador me hicieron girar la cabeza, petrificada. Era el *Cincinnati Enquirer,* y su fotógrafa tenía un aspecto de lo más extraño con aquel traje de lentejuelas hasta los pies y dos cámaras alrededor del cuello.

—Concejal Kalamack —exclamó con entusiasmo—. ¿Le importa que le tome una fotografía con la señorita y el capitán Edden?

Edden se acercó a mí, ocultando una sonrisa mientras murmuraba de forma que solo yo lo escuchara:

—No es ninguna señorita. Es mi bruja.

—Basta ya —susurré. Me puse tensa cuando Trent se nos aproximó, deslizando su mano por mi cintura de manera que sus dedos aparecieran en la fotografía. Era un gesto posesivo, y no me gustó un pelo.

—Sonría, señorita Morgan —dijo la mujer alegremente—. Es posible que salga en primera página.

Genial. La mano de Trent me agarraba con delicadeza en comparación con la presión que ejercía Edden sobre mi hombro. Entonces tragué saliva y me ladeé ligeramente para acercar mi espalda a Trent y tratar de zafarme de su mano en mi cintura. Olía como el aire del exterior. El obturador chasqueó en varias ocasiones y me puse rígida cuando divisé a Quen, el guardaespaldas de Trent, observándonos. En ese momento Jenks pasó por encima de todos nosotros para hablar con él, y la mujer tomó otra instantánea justo en el preciso instante en que su polvo descendía sobre nuestras cabezas.

Mi tensión disminuyó. Jenks había regresado.

—Estupendo —dijo la fotógrafa mirando la parte posterior de la cámara—. Gracias. Disfruten de la fiesta.

—Es siempre un placer hablar con la prensa —dijo Trent mientras empezaba a alejarse.

La mujer alzó la vista.

—Capitán Edden, ¿le importa que le haga una foto con el decano de la universidad? Prometo que después le dejaré en paz.

Edden me lanzó una mirada severa, como para que me portara bien en su ausencia, y luego sonrió con expresión benevolente mientras hablaba con la periodista sobre la recogida de fondos anual de la AFI y la iba alejando de donde nos encontrábamos.

Trent tenía la mirada perdida con la esperanza de que me marchara o de que alguien viniera a rescatarlo, pero la fotógrafa había dado a entender a todo el mundo que estábamos juntos y habían optado por dejarnos en paz. Quería hablar con él sobre un posible hechizo de Pandora que me ayudara a recuperar la memoria, pero no podía acercarme a él y pedírselo sin más. Ladeando la cadera con actitud desafiante, di un golpe con el tacón y me volví hacia él.

—¿Cómo está Ceri?

Él vaciló y, sin mirarme todavía, respondió:

—Bien.

Tenía una voz preciosa y yo asentí con la cabeza, como si esperara algo más. Al comprobar que se quedaba callado, añadí:

—No consigo que la centralita pase mis llamadas.

Él ni siquiera parpadeó.

—Me informaré. —Con una expresión de desdén, sus ojos se toparon con los míos cuando empezó a alejarse.

—¡Trent! —exclamé dando un salto para ponerme a su altura.

—¡No me toques, Morgan! —dijo sin mover los labios, saludando amablemente con la mano a alguien que se encontraba al otro lado de la sala.

Jenks emitió un sonido de ofendida sorpresa y me coloqué delante de Trent. Él se detuvo en seco, claramente molesto.

—Trent —insistí con el corazón a punto de salírseme del pecho—. Esto es una estupidez.

Una vez más, alzó las cejas.

—Eres una diablesa. Si pudiera, haría que te encerraran solo por eso. La exclusión apenas hace justicia.

La expresión de mi rostro se tornó rígida, pero no me sorprendió que estuviera al tanto de la exclusión.

—Si me hundes, te arrastraré conmigo —dije mientras Jenks aterrizaba sobre mi hombro para mostrarme su apoyo.

Trent esbozó una sonrisa melancólica.

—Básicamente, eso es todo.

—No soy ningún demonio —protesté quedamente, consciente de que estábamos rodeados de gente. El político se sorbió la nariz, como si oliera a rancio.

—Pues poco te falta.

A continuación intentó empujarme de nuevo hacia un lado y yo masculllé:

—Fue culpa de tu padre.

Al oír aquello, se paró en seco.

—¡Oooooh! —se mofó Jenks, cubriéndome la parte delantera de chispas mientras levantaba una suave brisa—. ¡No se te ocurra meterte con mi papaíto!

—¡Te salvó la vida! —dijo Trent, claramente ofendido—. Fue un error que le costó la suya propia. Mi padre no te hizo. Naciste así, y si necesitas más pruebas, solo tienes que mirar a quién has elegido como maestro.

Sus palabras me hirieron en lo más profundo, pero me tragué la rabia. Llevaba meses intentando ponerme en contacto con él para limar asperezas, pero no atendía mis llamadas ni me dejaba hablar con Ceri. Podía ser mi última oportunidad de explicarme.

—¡No quieres entenderlo!, ¿verdad? —dije, inclinándome hacia él hasta que mis palabras fueron un mero susurro y Jenks alzó el vuelo—. Hice lo que hice para salvarte la vida. La única manera que tenía de sacarte de allí era reclamarte y, para ello, tuve que cerrar un pacto abusivo.

—¿Un pacto abusivo? —se burló por lo bajo—. ¡Pero si eres su discípula!

—¡Lo hice para salvar tu jodida vida! —Las rodillas me temblaban, y las cerré con fuerza—. No espero que me des las gracias, teniendo en cuenta que siempre te has caracterizado por tu incapacidad para mostrar agradecimiento cuando alguien hace algo que te da miedo, pero me gustaría que dejaras de volcar sobre mí tu vergüenza o tus sentimientos de culpa.

Había terminado y, despidiéndome de la posibilidad de conseguir un hechizo de Pandora o su comprensión, me di media vuelta y me dirigí a grandes zancadas hacia la ventana. El restaurante se había desplazado, y en aquel momento me encontraba mirando directamente hacia la plaza. ¡Maldita sea! ¿Por qué se negaba incluso a escuchar?

El familiar zumbido de alas de Jenks me hizo alzar la cabeza, y me froté un ojo un segundo antes de que se posara en mi hombro.

—Tú sí que sabes cómo tratarlo, ¿eh? —dijo el pixie.

Me sorbí la nariz y me enjugué las lágrimas.

—¿Has visto? —murmuré—. El muy cabrón me ha hecho llorar.

Las alas de Jenks me hicieron sentir una fría corriente en el cuello.

—¿Quieres que lo pixee?

—No, no hace falta, pero mis posibilidades de conseguir un hechizo de Pandora son tan sólidas como la fuerza del pedo de un fantasma en un vendaval.

Sin embargo, no era aquello lo que me molestaba. Era Trent. ¿Por qué tenía que importarme tanto lo que pensara?

El tenue ruido de un zapato arrastrándose sobre la moqueta y el suave improperio de Jenks me hicieron darme media vuelta. Me sorprendí al ver a Trent. Tenía un vaso en la mano y me lo tendió.

—Aquí tienes tu agua —dijo en voz alta, con la mandíbula apretada.

Lo miré de arriba abajo, preguntándome qué demonios estaba pasando. Detrás de mí, Quen realizaba su labor de escolta, con los brazos cruzados y la expresión severa. Era evidente que era él quien le había obligado a regresar. Con un suspiro, agarré el vaso y volví a mirar por la ventana intentando aislarme de todo. Necesitaba encontrar un lugar tranquilo, lo más lejos posible.

—Jenks, ¿podrías mirar si el baño está libre?

El pixie emitió un zumbido con las alas a modo de advertencia, pero despegó de mi hombro.

—Por supuesto, Rachel.

Desapareció enseguida, dejando tras de sí un coro de grititos de satisfacción provenientes de las damas de mayor edad.

—No tengo nada que decirte en este momento —dije quedamente a Trent.

Él se desplazó, colocándose hombro con hombro conmigo. Juntos nos inclinamos hacia delante para contemplar la multitud que se congregaba a los pies del edificio. Debería haber optado por el aparcamiento, como había planeado en un principio. Aquello estaba empezando a tener todos los visos de uno de mis sonados fracasos.

—Yo tampoco tengo nada que decirte —dijo Trent, pero la tensión era palpable. Podía seguirle el juego. Ya había perdido, así que daba lo mismo—. ¿Necesitas un hechizo de Pandora? —preguntó como quien no quiere la cosa, y yo di un respingo. *¡Cáspita! ¿Me habrá oído?*

Fingiendo indiferencia, respiré sobre el cristal para empañarlo.

—Sí.

Trent apoyó un hombro sobre el vidrio y me miró.

—Esa es una rama de la magia muy poco común.

¿Por qué tiene que ser tan insufriblemente engreído?

—Lo sé. Élfica, según mi madre.

En ese momento los músicos hicieron una pausa y él se quedó en silencio.

—Dime lo que necesitas recordar y tal vez pueda investigar al respecto.

Había pasado por una situación similar en otras ocasiones y en todas ellas había salido escaldada. No quería deberle nada, pero ¿qué tenía de malo que lo supiera? Suspirando, me volví hacia él, pensando que apoyarse contra la ventana de aquel modo parecía peligroso.

—Intento recordar quién mató a Kisten Felps.

Trent relajó la mandíbula. Fue un movimiento muy sutil, pero yo lo percibí.

—Pensaba que querrías recordar algo de tu padre o del campamento «Pide un deseo» —dijo.

Volví a mirar por la ventana. Había un grupo tocando allí abajo. Probablemente Ivy se lo estaba pasando mucho mejor que yo.

—¿Y qué habría pasado entonces?

—Que podría haber dicho que sí.

Detrás de nosotros, la fiesta continuaba, y la emoción crecía conforme los camareros empezaron a repartir copas de champán para el brindis, cada vez más próximo. Mis ojos escudriñaron el techo en busca de Jenks. No habría nadie en los servicios cuando el reloj marcara las doce.

Nerviosa, agarré con fuerza mi bolso.

—¿Qué es lo que quieres, Trent? —le pregunté, intentando acabar con aquello cuanto antes—. No me ofrecerías tu ayuda si no quisieras algo. Exceptuando verme muerta.

Él esbozó una sonrisa ladeada y luego se puso serio.

—¿Qué te hace pensar que quiero algo? Solo siento curiosidad por saber lo que te motiva.

Incliné la cabeza hacia un lado y, por primera vez en toda la noche, sentí que tenía el control.

—Te has acercado a mí dos veces, te has tocado el pelo tres y tenías una bebida en la mano mientras nos hacían la foto. En cuanto se den cuenta, lo sacarán en primera página. Pareces nervioso y disgustado, y tengo la sensación de que no consigues pensar con claridad.

Trent se quedó sin habla y bajó la cabeza como si estuviera irritado. Seguidamente la alzó, con una nueva tensión en sus ojos. Luego miró a Quen, que se encogió de hombros.

—¿Se trata de Ceri? —le pregunté, en un tono casi burlón.

Él frunció el ceño y miró por la ventana.

—Quieres saber lo que piensa realmente de ti. —Él siguió sin decir nada, y yo sentí que mis labios dibujaban una torpe sonrisa. Ocultándola, bebí un trago de agua y dejé el vaso sobre la pequeña barra. Lentamente empezó a alejarse cuando el restaurante giró—. No te gustaría la respuesta.

—Hay muchas cosas que no me gustan.

Suspiré. No podía hacerle aquello. Realmente no podía. Por mucho que deseara hacerle daño a Trent, nunca traicionaría la confianza de Ceri. De todos modos, no creía que tuviera un hechizo de Pandora.

—Pregúntale a Ceri. Ella te contará una bonita historia que mantendrá intacto tu orgullo.

De acuerdo. Yo también sabía lanzar ataques encubiertos.

—Rachel.

Estaba estirando el brazo, y di un paso atrás.

—No me toques —le espeté con frialdad.

Jenks echó a volar y el destello de su polvo se reflejó en el oscuro cristal. A continuación se detuvo en el aire y se dio unos golpecitos en la muñeca, como le había visto hacer a Ivy cuando íbamos mal de tiempo. Tenía la espada desenvainada y, aunque parecía un palillo para coger aceitunas, podía resultar letal. El pulso se me aceleró. Era casi la hora.

—Si me disculpas... —dije secamente—. Tengo que ir al tocador. Feliz Año Nuevo, Trent.

Sin mirar atrás, me alejé con la cabeza bien alta, sujetando el bolso con fuerza. Jenks aterrizó en mi hombro casi inmediatamente.

—Sube al ascensor —dijo, y la curiosidad se apoderó de mí. La gente se apartaba de mi camino entre susurros y miradas reprobatorias, pero no me importó.

—¿Al ascensor? —repetí—. ¿Por qué? ¿Qué ha pasado?

Él alzó el vuelo hacia atrás para que pudiera verlo sonreír.

—Nada. Hay una planta justo debajo en la que almacenan las mesas. No me habría enterado de no ser porque han escondido la llave sobre el marco del cartel que anuncia la próxima revisión —dijo con una sonrisa de oreja a oreja—. Me he sentado encima cuando he acompañado a Ivy hasta la calle.

Balanceando los brazos, sonreí al botones al entrar en el ascensor y, sin el más mínimo remordimiento, lo eché fuera de un empujón apoyando el pie en un lugar estratégico. El pobre tipo cayó de boca sobre la moqueta y su sonoro quejido se cortó de golpe cuando las puertas se cerraron. Entusiasmada, extendí la mano y la llave cayó justo encima.

—Gracias, Jenks —dije introduciendo la llave en el panel y apretando el botón que indicaba—. No sé qué haría sin ti.

—Probablemente, morir —respondió sonriente.

Al final, todo apuntaba a que iba a poder hacerlo.

27

El ascensor apenas se movió y, tras recorrer la breve distancia que nos separaba del piso inferior, las puertas plateadas se deslizaron dejando al descubierto un oscuro vestíbulo con el techo bajo.

—¿Jenks? —dije adentrándome en el espacio abierto iluminado por la luz del ascensor—. ¿Estás seguro de que quieres hacerlo?

El zumbido de sus alas se elevó por encima del débil sonido de la maquinaria cuando despegó de mi hombro y me respondió:

—Voy a encender las luces. Dale al botón del vestíbulo antes de salir para que parezca que te has marchado, ¿vale?

Hice lo que me pedía mientras su débil destello salía disparado y desaparecía. No me cabía ninguna duda de que habría una cámara en el ascensor, pero Jenks ya se habría ocupado de ella. Seguí la estela de polvo de pixie apretando el bolso contra mi cuerpo. Hacía frío allí abajo. No como en el exterior, pero lo suficiente como para preocuparse.

—¿Jenks? —lo llamé, y, escuchando el eco de mi voz rebotando sobre las paredes y el resto de las superficies, añadí—: ¿Estás seguro de que no te afectará la temperatura?

Había sillas apiladas por todas partes, con un amplio pasillo que conducía al exterior. El suelo estaba cubierto de una tupida moqueta. No me pareció que se moviera, pero si era como en el piso de arriba, habría solo un anillo móvil, desplazándose al ritmo constante de las manecillas de un reloj.

En ese momento escuché la débil voz de Jenks.

—¡Por las bragas de Campanilla, Rachel! ¡Eres peor que mi madre!

—¡Solo digo que hace frío!

Las sillas daban paso a un montón de mesas apiladas tablero con tablero y me dirigí hacia una zona despejada delante de los oscuros y desnudos ventanales. Tenía las mismas vistas que el restaurante del piso superior y, si apoyaba la cabeza contra el cristal, podía ver Fountain Square. No nos estábamos moviendo, pero el ruido de la maquinaria era bastante fuerte. Tal vez resultaba demasiado fuerte para usar aquel nivel.

—¡He encontrado las luces! —gritó Jenks y, justo después del anuncio, la sala se iluminó gracias a las numerosas bombillas instaladas en el techo.

Di un respingo y me agaché hasta quedar por debajo de las ventanas.

—¿No se puede regular la intensidad? ¡Me va a ver todo Cincinnati!

De inmediato se apagaron las luces y, antes de que pudiera ponerme de pie, las alas de Jenks zumbaban junto a mi oreja.

—No. Lo siento. ¿Quieres que siga buscando?

Parpadeando para conseguir adaptar mis pupilas a la oscuridad, anduve a tientas hasta encontrar una silla encima de una mesa vuelta del revés.

—No. Entra suficiente luz del exterior —dije—. Lo haré junto a la ventana.

Él se sacudió creando un pequeño círculo de luz y, tras colocar en él la silla, apoyé el bolso encima. A continuación instalé otra justo al lado y una tercera a un metro y medio de distancia.

—¿Qué tal vamos de tiempo? —pregunté, sintiendo un nudo en el estómago mientras escarbaba en el bolso. Finalmente, mis ojos se adaptaron a la falta de luz.

Jenks aterrizó en el respaldo de la silla y me di cuenta de que el brocado de la tapicería era el mismo sobre el que me había sentado apenas un día antes.

—Faltan menos de dos minutos.

—¿Por qué demonios tienen que ser tan puntillosos con estas cosas? —protesté dejando caer unos vaqueros en la silla que tenía al lado. De repente me asaltó el recuerdo de Pierce desnudo sobre la nieve ocho años antes e intenté deshacerme de él, mientras sacaba el resto de la ropa. Los zapatos me los había dado Ivy y olían a vampiro. Había preferido no hacer preguntas y me había limitado a darle las gracias. En lo alto de la pila coloqué mi pistola de pintura, a diferencia del crisol de piedra rojo y blanco de mi madre, que lo situé en la silla que tenía enfrente. Con el pulso acelerado, dispuse las tres botellas en la repisa de la ventana. *Ya casi estamos.*

Deslicé las manos por el vestido para secarme las palmas. A pesar del frío, estaba empezando a sudar y con aquel traje resultaría imposible disimularlo.

—De acuerdo. No puedo alzar un círculo protector, de manera que tendrás que mantenerte a salvo —dije a Jenks.

El pixie agitó las alas con tal fuerza que se volvieron casi invisibles.

—¡Joder, Rachel! ¡Ten un poco de piedad!

Dejé escapar un suspiro.

—Cuando Al aparezca, mantente lejos de su vista hasta que acceda a dejar en paz a todo aquel que esté conmigo, ¿entendido?

Jenks se me quedó mirando.

—Claro. Como tú digas.

¡Como si fuera a creérmelo!

—¿Tiempo? —pregunté.

—Medio minuto.

Las botellas tintinearon cuando elegí una, y Jenks voló hasta la ventana y bajó la vista en dirección a Fountain Square mientras yo desenroscaba el tapón de cristal esmerilado y vertía el líquido en el crisol. El tintineo de la poción hizo regresar a Jenks, que se quedó suspendido de manera que la corriente de sus alas movía la superficie; entonces opinó:

—Por el olor, no me parece que funcione.

Su preocupación me hizo recordar los hechizos localizadores defectuosos.

—Tengo que invocarlo cuando todos se pongan a cantar.

—¡Ah, vale! —Algo más tranquilo, iluminó el respaldo de la silla—. Y estará desnudo, ¿no?

—Pues... sí.

Seguidamente sujeté la aguja de punción con el índice y el pulgar y aguardé. ¡Dios! Esperaba de todo corazón que funcionara. Si conseguía que Al accediera, sería la primera vez que conseguía algo de él sin tener que prescindir a una parte de mi alma.

Desde arriba, se oía el débil susurro de la cuenta atrás, pues el cemento y la maquinaria que nos separaban de la multitud hacían que los gritos de entusiasmo resultaran casi inaudibles. *Diez segundos.* Rompí la parte superior de la aguja y me la clavé en la yema del dedo. El agudo pinchazo me hizo dar una sacudida y empecé a masajearlo.

—Espera —me advirtió Jenks—. Espeeeera... ¡Ahora!

Con el corazón a mil, dejé caer una gota sobre el crisol, después otra y, finalmente, una tercera.

—Piensa en algo agradable —susurré mientras Jenks volaba hacia mí y ambos esperábamos la llegada del olor a secuoya que me indicaría que había realizado el hechizo correctamente. Como una ola, el cálido aroma se expandió.

—¡Ahí está! —exclamó Jenks alegremente. Acto seguido, la expresión de su rostro, iluminada por su propio polvo, se desvaneció. Me alejé de la silla. De acuerdo, lo había hecho. Ahora vería si podía ser tan sensata como todos esperábamos.

—¡Joder! —exclamó el pixie cuando el líquido empezó a humear de forma espontánea. El pulso se me aceleró y agarré mi pistola de pintura. Al iba a cabrearse de lo lindo. Si aquello no conseguía captar su atención, nada lo haría.

—Avísame cuando huelas a ámbar quemado, ¿vale? —mascullé.

Sin embargo Jenks estaba fascinado, yendo y viniendo desde donde estaba yo hasta la columna de humo, prácticamente invisible de no ser por la pequeña cantidad de polvo que despedía.

—¡Ahí lo tienes! —dijo el pixie emocionado, y yo me coloqué detrás de una de las sillas. En algún momento durante la realización del hechizo, el polvo se utilizaba para proporcionarle a Pierce el material necesario para conferirle un cuerpo temporal. La neblina empezó a adquirir una silueta cada vez más humana en la débil luz ambiental. No sabía en qué condiciones me lo iba a encontrar. Existía la posibilidad de que, a aquellas alturas, Al le hubiera golpeado brutalmente. Por desgracia, iba a estar tan ocupada con Al que no iba a poder ayudarle.

—Apártate, Jenks —le pedí, y el pixie empezó a volar de nuevo de un lado a otro. La niebla empezaba a espesarse y Jenks soltó un improperio cuando la forma vaporosa pareció encoger y avanzar poco a poco. De pronto apareció Pierce, de espaldas a mí, con los pies desnudos sobre la moqueta y la cabeza casi rozando el techo. Como Dios lo trajo al mundo.

El brujo se volvió a la vez que se agarraba al respaldo para no caerse. Sus ojos recayeron sobre mí y soltó la silla, tambaleándose mientras intentaba cubrirse.

—¡Por el amor del cielo! —exclamó, echando la cabeza hacia atrás para retirar la maraña de pelo negro de su cara, con el rostro crispado por lo que parecía rabia—. ¿Tendrías a bien decirme qué diablos estás haciendo, mi adorada bruja?

Jenks alzó el vuelo, con la espada desenvainada.

—¡Será capullo! ¡No eres más que un saco de huesos desagradecido!

—¡Jenks! —grité inspirando profundamente en busca del más ligero atisbo de olor a demonio mientras me inclinaba sobre la silla para acercarle la ropa a Pierce. Él la cogió con una mano y, lentamente, se bajó de la silla y se colocó de espaldas a mí mientras intentaba ponerse los pantalones.

Yo escudriñaba el oscuro y retumbante suelo buscando pruebas que me revelaran la presencia de un demonio, pero Jenks parecía más interesado en Pierce, sorprendiéndolo al colocarse justo delante de su rostro, despidiendo un montón de chispas brillantes.

—¡Te estamos salvando el culo! ¡Eso es lo que estamos haciendo! —le espetó—. ¡Y en cristiano, la expresión más adecuada es «joder»!

De pronto percibí un ligero olor a ámbar quemado y sentí un subidón de adrenalina, pero provenía de Pierce.

El fantasma estaba metiendo sus sólidas piernas en los pantalones sin preocuparse por los calzoncillos. A pesar de la oscuridad, era difícil no darse cuenta de lo atractivas que resultaban, con sus marcados músculos, que daban a entender que estaban acostumbradas a trabajar.

Como si hubiera notado mi mirada sobre él, se dio la vuelta, intentando subirse la cremallera.

—¿Qué estás haciendo? —preguntó, claramente consternado—. Soy de la opinión de que mi rescate no es responsabilidad tuya.

Ni rastro de Al.

—Bueno es saberlo —dije, nerviosa—, porque dentro de unos tres segundos aparecerá Al y tendrás que preocuparte de tu propio culo. Yo voy a estar ocupada. Y ahora, ponte detrás de mí y mantente al margen, ¿de acuerdo?

Pierce desistió de subirse la cremallera y agarró una camisa blanca del suelo.

—¿Me has rescatado sin un plan? —dijo con su exótico acento del Viejo Mundo mientras introducía los brazos en las mangas y empezaba a abotonarse—. Este es un asunto tremendamente grave. Sin duda.

—Por supuesto que tengo un plan, pero rescatarte no era el propósito principal —repliqué, ofendida—, sino el catalizador. ¡Ponte detrás de mí!

Pierce agarró los zapatos y se situó a saltitos detrás de mí mientras se ponía uno de ellos. Llevaba la camisa por fuera para taparse la bragueta abierta y, al igual que había hecho con los calzoncillos, pasó de ponerse los calcetines.

—Entonces, ¿no me has rescatado?

—No exactamente.

—Te estaría muy agradecido si tuvieras a bien explicármelo —dijo, en un tono casi desilusionado. Una vez acabó de ponerse los zapatos, alzó la vista, mostrando una expresión en su rostro delgado y anguloso que daba a entender que se había llevado una decepción. En la penumbra, pude ver que estaba despeinado y que su estrecha barbilla no presentaba ni rastro de pelo. Aunque sus ojos azules parecían inocentes, sabía que detrás de ellos había una mente taimada, inteligente y perversa. Y me estaba mirando. *¡Maldita sea! ¡Para ya, Rachel!*

—Lo siento, Pierce. ¿Podemos discutirlo después de que me haya ocupado de Al?

Él se irguió, quedando más o menos a mi altura.

—¿Después? —inquirió.

En aquel momento eché un vistazo a la oscura sala, agarrando con fuerza mi pistola mientras empezaba a sudar.

—Al se negaba a hablar conmigo y pensé que la mejor manera de forzar la situación era apoderarme de ti sin que se diera cuenta. ¿Quieres ponerte detrás de mí? No puedo interceptar líneas ni alzar círculos. Mi aura es demasiado delgada.

—¿Piensas someter a un demonio con una aura delgada? Yo tampoco puedo comunicarme con siempre jamás. ¿Has perdido el juicio?

Desde encima de nosotros, Jenks murmuró:

—Yo me pregunto lo mismo al menos tres veces a la semana.

Con una expresión difícil de interpretar, Pierce alzó la vista y se quedó mirando a Jenks con sus profundos ojos azules, que parecían negros bajo el efecto de la tenue luz de las ventanas.

—No quiero someterlo —dije, escudriñando en busca de cualquier indicio que denunciara la presencia de Al—. Solo pretendo hablar con él.

Arqueando sus pobladas cejas, Pierce inspiró para decir algo. Guiñé los ojos, pero entonces se detuvo, conteniendo la respiración como si estuviera escuchando algo que yo no podía oír. Jenks empezó a batir las alas a toda velocidad y sentí un escalofrío en la nuca.

—¿Rachel? —Jenks había sacado la espada y la agitaba sin ton ni son—. Se está acercando…

—Escóndete, Jenks. Lo digo en serio.

Con un fuerte estallido, la presión del aire cambió. Tras agacharme instintivamente, me erguí, dirigiendo primero la mirada hacia las ventanas temblorosas y después hacia la nueva sombra que se alzaba en el espacio abierto que teníamos frente a nosotros. Con un rápido bandazo, Pierce se situó junto a mí. Al estaba allí. *¡Joder! ¡Ya era hora!*

—¡Discípula! —gritó Al, con un intenso brillo en sus ojos rojos de pupilas horizontales mientras miraba por encima de los cristales ahumados de sus gafas. Había adoptado una postura de enfado, con su abrigo de terciopelo y encaje otorgándole un aspecto siniestro en contraste con las oscuras ventanas. Al ver a Pierce, apretó la mandíbula—. ¡Por fin te encuentro, pelagatos! ¡Teníamos un trato!

—¡No he sido yo! —gritó Pierce indignado—. ¡Ha sido ella! —añadió, señalándome con el dedo mientras daba tres pasos hacia atrás.

¿Un trato?, pensé mientras Jenks empezaba a maldecir. *¿Ha sido ella?*

—Al, puedo explicarlo —dije mientras le apuntaba con la pistola. Quería hablar con él, pero no iba a hacer ninguna estupidez al respecto.

—¡Maldito gusano baboso! —dijo Jenks, revoloteando por encima de nosotros para iluminar la escena.

Al soltó un fuerte gruñido y apretó los puños con fuerza.

—Os voy a hacer papilla. No sé si a uno, o a los dos —dijo en voz baja.

La satisfacción de haberle arrebatado a Pierce se mezcló con una considerable dosis de miedo. La adrenalina recorría mi cuerpo y me sentí viva. Pensé que había conseguido algo extraordinario, pero, por lo visto, no era así. Al agarró a Pierce y lo empujó hacia atrás. Jenks salió disparado hacia el techo y las sombras se volvieron más oscuras.

—¡Eres mío, maldito pelagatos! —entonó Al—. Cuanto más dure, más sufrirás.

—La joven bruja me invocó —dijo desafiante—. No tengo obligación de regresar hasta el amanecer.

Aquello me dio mala espina. Sonaba como si ya hubiera sellado un pacto con Al y, lo que es peor, que se sentía cómodo con él. *Maldita sea. He vuelto a hacerlo.*

—¡Te lo dije, Rachel! —dijo Jenks. Empujé a Pierce detrás de mí y el pixie descendió—. ¡Lo siento, pero te lo dije!

—No tengo tiempo para esto —gruñó Al. A continuación, hizo un gesto con la mano y Pierce se encogió y cayó sobre la moqueta, convulsionando, quedando a la altura de mis talones.

—¡Eh! —grité, desplazándome para que Al no pudiera agarrarlo—. ¿No has visto mi pistola? Para de una vez, Al. Tengo que hablar contigo.

Al no me escuchaba, y una neblina se alzó de sus manos enguantadas cuando las apretó con fuerza. Pierce soltó un gemido y se hizo un ovillo. Aquello no estaba funcionando.

—Al, si no lo dejas de una vez y me prestas atención, te dispararé —le amenacé.

Sus ojos rojos se giraron hacia mí.

—No te atreverás.

En ese momento apreté el gatillo. Al se apartó a un lado, se hizo un ovillo y, aterrizando sobre sus pies, se situó frente a mí. A mis espaldas, Pierce soltó un grito ahogado.

—¡He fallado a propósito! —grité—. ¡Deja de torturar a Pierce y habla conmigo!

—Rachel, Rachel, Rachel —dijo Al desde la oscuridad, con una voz que me hizo estremecerme—. Eso ha sido un error, bruja piruja.

Sin apartar la vista del demonio ni por un momento, me acerqué a tientas a Pierce para ayudarle a levantarse.

—¿Te encuentras bien?

—Como un día de verano en los prados —respondió respirando con dificultad, limpiándose la cara.

Jenks se situó entre Al y yo, con gesto de enfado.

—Deja que se lo lleve, Rachel. Es un maldito gusano. Ya lo has oído. Ya ha hecho un pacto.

¿Y qué? Yo también.

—Esto no tiene nada que ver con Pierce —dije secamente—. El problema está en que Al se dedica a raptar gente. —En aquel momento me giré hacia el demonio—. ¡Y tú vas a escucharme!

—Deberías hacer caso al pixie —dijo Al, subiéndose el encaje de sus mangas antes de dar una patada hacia atrás con el resultado de seis mesas derribadas contra la pared como si fueran fichas de dominó—. Si fueras lista, te desprenderías del rechazo que sientes hacia mí, y me suplicarías mi compasión. Te va a matar.

Empecé a temblar y empujé a Pierce lejos de mí. Apenas Al se apoderara de él, todo se acabaría. Y yo quería hablar con Al.

—Pierce no me hará daño —le reproché con voz temblorosa; Al sonrió y sus compactos dientes captaron un destello de la luz ambiental.

—Dile lo que eres, bruja piruja.

De pronto me asaltaron las dudas. Al verlo, Al se apoyó en una mesa y lentamente bajé la pistola.

—Solo quiero hablar contigo. ¿Por qué tienes que montar este número?

—Te va a traicionar —profetizó Al, acercándose un paso más y obligándome a alzar de nuevo la pistola.

—¿Por qué iba a ser diferente de cualquier otro hombre? —dije.

Jenks resopló y, al oírlo, Pierce le lanzó una mirada severa.

—Si me concedieras un momento, podría explicarme.

—Apuesto a que sí —dije. A continuación, en un tono más caritativo, añadí—: Más tarde, ¿de acuerdo? Me gustaría hablar con Al. —Seguidamente me concentré en el demonio—. Es la única razón por la que te lo he arrebatado. La única —insistí, cuando Jenks agitó las alas mostrando su desacuerdo. Al ver que Al me estaba prestando atención, relajé la postura—. No puedes raptar a la gente cuando te asomas a comprobar si me he presentado a nuestra cita. No es justo.

—Bla, bla, bla —se burló. Acto seguido, con una teatralidad poco habitual en él, chasqueó los dedos y desapareció.

Jenks agitó fuertemente las alas a modo de advertencia.

—¡Cuidado, Rachel! ¡No se ha ido!

—¿De veras? ¿Tú crees? —susurré, y me volví hacia Pierce, que había emitido un sonido de atragantamiento.

—¡Maldita sea, Al! —grité, mientras caía hacia atrás y veía, frustrada, que el demonio lo tenía cogido del cuello, con los pies balanceándose a diez centímetros del suelo.

—Este ya es mío —bramó, acercando Pierce a su cara—. Deja que te haga saltar una línea, gusano. Un año en una de mis mazmorras te enseñará a no escaparte más.

—¡No he sido yo! —acertó a decir, con el rostro morado en la tenue luz—. Ella me trajo aquí con un hechizo. Fue así como nos conocimos —explicó Pierce con dificultad—. Cuando… tenía… dieciocho… años.

Sus últimas palabras se convirtieron en un gorjeo cuando Al lo sacudió y me pregunté seriamente cuánto dolor era capaz de soportar un fantasma con un cuerpo temporal.

—¡Basta ya, Al! —grité, dejando la pistola y agarrando su brazo cubierto de terciopelo—. Ni siquiera lo habría tocado si no me hubieras ignorado y retirado tu maldita línea. ¡Solo quería hablar contigo! ¿Vas a escucharme de una vez por todas?

—Lo hago por tu propio bien —dijo el demonio, mirándome por encima de sus gafas, sin soltar a Pierce—. ¡Te matará, Rachel!

—¡Me importa una mierda! ¡Déjalo en paz y escúchame!

Pierce emitió un sonido ahogado y Al miró hacia la lejanía. Nerviosa, le solté el brazo y me retiré, situándome bajo el polvo de Jenks.

—¿No lo has rescatado para que sea tu novio? —preguntó Al, agitando los dedos que rodeaban el cuello de Pierce y que estaban cubiertos por sus ensangrentados guantes blancos.

—¡No! —exclamé, mirando a Jenks—. ¿Por qué piensa todo el mundo que somos novios?

Pierce se desplomó cuando Al le soltó. El demonio pasó elegantemente junto a su cuerpo contraído y se retiró hasta la ventana mientras el brujo emitía todo tipo de elegantes improperios con un acento arcaico. Jenks abrió mucho los ojos, impresionado.

Al me miraba con incredulidad.

—¿No sois amantes?

—No.

—Pero es el típico caramelo para Rachel —dijo Al con una expresión confundida, demasiado real para ser fingida.

Detrás de él, Pierce, que se encontraba a gatas, alzó la cabeza. Sus ojos azules brillaban con intensidad y tenía el pelo revuelto.

—¡Vete al infierno! No puedes matarme hasta que no esté vivo.

—Pero, por lo visto, puedo hacerte mucho daño —declaró Al, y Pierce volvió a hacerse un ovillo.

El cuello empezó a sudarme. De acuerdo, Al estaba allí y me estaba escuchando.

—Al —dije alzando la voz para que volviera a concentrarse en mí y dejara de atizar a Pierce—. Tenemos que hablar sobre el hecho de que te dediques a raptar gente. Tienes que dejar de hacerlo. No solo va a acarrearme algo mucho peor que la exclusión, sino que acabarás siendo conocido como el demonio que rapta en lugar del demonio que demuestra ser más listo que los estúpidos humanos e inframundanos. ¡Vamos! ¡Es tu reputación la que está en juego!

En el suelo, Pierce tomó aire y se relajó después de que Al suspendiera lo que quiera que le estuviera haciendo y se irguiera.

—Pero este no te lo puedes quedar —dijo.

—Ni tú tampoco. Deja que se vaya.

Pierce me miró a los ojos.

—Mi adorada bruja… Hay cosas que no entiendes. Si me permitieras explicarme…

Al le colocó un pie en el cuello y Pierce se atragantó. Jenks bajó de las vigas que quedaban ocultas e iluminó con su polvo el reducido espacio.

—Da lo mismo —respondí, recordando a Nick y su afirmación de que era posible engañar a los demonios. Me pregunté cómo le iría—. Todos hacemos lo que esté en nuestras manos para sobrevivir. Soy yo la que decido si involucrarme o no, y he decidido que no.

—Lo siento, Rachel —susurró Jenks.

El rostro de Al mostraba una sonrisa burlona.

—Dali te negó su ayuda, ¿eh?

—No se la pedí.

—¿Ah, no? —inquirió, levantando el pie del cuello de Pierce.

Me encogí de hombros, aunque resultaba difícil ver en la oscuridad.

—¿Para qué molestarlo si podía hablar directamente contigo, de discípula a maestro? —Ladeando la cadera, me aseguré de que pudiera ver mi silueta a través de la oscuridad menos densa de la ventana—. La única discípula. En cinco mil años. Y soy tuya, no de Dali.

Preocupado, Jenks empezó a despedir una cantidad de polvo aún mayor, iluminando un pequeño espacio. Al emitió un ligero sonido, como si estuviera pensando.

—No serías capaz —declaró confiadamente, pero la duda estaba ahí.

El corazón me latía con fuerza, y le lancé una mirada burlona. No creí que pudiera verla, pero mi postura era lo suficientemente clara. Detrás de Al, Pierce abrió un ojo, y encontró los míos de inmediato. A pesar de su indefensión, todavía mostraban un atisbo de desafío. Tenía una fuerza fuera de lo común, pero necesitaba mi ayuda. ¡Maldición! Era el clásico cebo para Rachel.

—Te lo arrebaté solo para llamar tu atención —dije—. Ahora que la he conseguido, esto es lo que quiero.

—¡Maldita sea mi estampa! —gritó Al, alzando los brazos al cielo—. ¡Lo sabía! ¡Otra lista no!

Sorprendido, Jenks dejó escapar un estallido de luz y, bajo la nueva iluminación, alcé el dedo índice.

—Número uno —dije—. No volverás a cortar la comunicación cuando intento ponerme en contacto contigo. No te llamo a menos que sea importante, de manera que tendrás que responder, ¿de acuerdo?

Al bajó la vista del techo.

—¿De veras no quieres acostarte con él? ¿Por qué? ¿Qué tiene de malo?

Me sonrojé y levanté otro dedo.

—Dos. Quiero que me muestres un mínimo de respeto. Dejarás de hacerles daño a las personas que están conmigo y no volverás a raptar a nadie.

—Respeto —resopló Al—. ¡Lástima! El respeto hay que ganárselo y, que yo sepa, tú no has hecho nada para merecértelo.

Detrás de él, Pierce hizo amago de alejarse, pero antes de que pudiera ponerse en pie, Al echó la pierna hacia atrás y el brujo acabó de nuevo por los suelos.

—¿Disculpa? —exclamé—. ¿Crees que todavía tengo que ganarme tu respeto? ¿Qué me dices de no haberte invocado a pesar de que quería hablar contigo? ¿O de conocer todos los nombres de invocación de tus amigos y no haberlos utilizado? ¿O de no haber trabajado con ellos para que consiguieran sus propios familiares? Podría desvincularme de ti y recurrir a cualquiera de ellos. En cualquier momento.

La amenaza de abandonarlo no tenía ningún fundamento, pero haberle arrebatado a Pierce, sin utilizar ninguna línea luminosa y con unos recursos muy limitados, había logrado que me prestara atención. No quería otro maestro. Tal vez debía decírselo.

La luz proveniente del último estallido de Jenks se había desvanecido y no lograba ver el rostro de Al, aunque tenía claro que no se había movido.

—Tres —dije quedamente—. Quiero seguir siendo tu discípula e imagino que tú deseas lo mismo, ¿verdad? No me obligues a esto, Al. Si lo haces, te dejaré, y no quiero hacerlo.

Pierce parecía dividido, y Al adoptó una expresión imposible de interpretar.

Inspirando profundamente, me concentré en Al, que había estado escuchando atentamente.

—¿Y bien? ¿Qué va a pasar? ¿Vas a portarte bien, o seguirás haciendo tropelías?

El demonio se agachó lentamente y, agarrando a Pierce por la pechera, lo levantó.

—Lo siento, pelagatos —dijo, subiéndole la cremallera de los pantalones y arreglándole el cuello con unos movimientos tan rápidos que dejó a Pierce estupefacto y desaliñado—. Ha sido un terrible malentendido.

Le dio una palmadita en la espalda haciendo que se tambaleara. Con la cara como un tomate, Pierce recuperó el equilibrio y empujó a Al para que le quitara las manos de encima. Rígido por el orgullo, nos dio la espalda y, tras recolocarse la ropa y pasarse la mano por el pelo, nos miró de nuevo. Sin embargo, yo lo evité.

Durante el rápido intercambio, Jenks se había acercado a mí y, suspendido en el aire, se quedó mirándolos con desconfianza. Aun así, yo no me sentía satisfecha y me quedé allí de pie, de espaldas a los ventanales.

—Entonces, ¿accedes a no raptar, abofetear, matar o asustar a la gente que está conmigo? Quiero oírlo.

—Este no cuenta —dijo Al—. No es retroactivo.

—¡Por el amor de Dios! ¡Esto se está convirtiendo en una adicción! —exclamé, pero al ver que había conseguido llevarlo hasta ese punto, y que Pierce y él parecían tener un acuerdo, asentí con la cabeza—. Dilo —insistí.

Pierce se estaba alejando de Al, pero al demonio no le pasó desapercibida la jugada y tiró de él con fuerza.

—Accedo a no raptar, hacer daño, ni asustar a la gente que está contigo y tampoco utilizaré nuestra relación para causar problemas. Eres peor que mi madre, Rachel.

—Y que la mía —farfulló Jenks.

—Gracias —respondí formalmente. En mi interior estaba temblando. Lo había conseguido. ¡Maldita sea! ¡Lo había conseguido! Y no me había costado ni mi alma, ni una marca, ni nada. *¡Aleluya! ¡Se me puede enseñar!*

Al apartó a Pierce de un empujón y se acercó a mí. Me puse tensa y después me relajé y aparté la pistola. Podía percibir el olor a ámbar quemado que despedía, y Jenks retrocedió en el aire, con la espada en ristre, como si estuviera a punto de lanzarla. Me quedé inmóvil, aturdida, y Al se me aproximó sigilosamente; juntos nos quedamos mirando a Pierce, nervioso por el examen riguroso al que lo estábamos sometiendo.

—Si le das un cuerpo —dijo como quien no quiere la cosa—, lo mataré.

Miré a Al. Su mirada había perdido la extrañeza, y aquello me asustó.

—Desconozco el hechizo —respondí de manera insulsa.

Al apretó la mandíbula y luego la relajó.

—Antes o después intentará matarte, Rachel. Deja que te ahorre la molestia de pagarle con la misma moneda.

Cansada, empecé a recoger mis cosas. La botella vacía, el crisol, la aguja usada… Las manos me temblaban, y cerré los puños.

—Pierce no me va a matar.

—¡Y tanto que sí! —respondieron Al y Jenks, a coro.

—Cuéntale lo que eres, bruja piruja —añadió Al después de echar una mirada recelosa al pixie—. Verás lo que pasa.

Pierce se había pasado casi un año en la iglesia. Me parecía bastante improbable que no supiera lo que era. Tan solo habían pasado unos minutos de la medianoche, pero estaba lista para volver a casa.

—¿Por qué no te marchas antes de que alguien te reconozca? —dije mientras Jenks aterrizaba en mi hombro. La adrenalina había desaparecido, y empezaba a tener frío con mi vestidito negro de cóctel. Miré a mi alrededor, pero, a excepción de las dos botellas de poción que seguían en la repisa, no había nada que me perteneciera sino Pierce, que estaba de pie, estoicamente, junto a la ventana, intentando no parecer ingenuo mientras observaba las calles de Cincinnati llenas de gente celebrando el Año Nuevo—. Ya tengo suficiente con que me hayan excluido. Gracias a ti —concluí.

El demonio esbozó una bonita sonrisa y, mirándome por encima de los cristales ahumados de sus gafas, dijo:

—¿Marcharme? ¡Pero si hace una noche maravillosa!

Sin perder la sonrisa, caminó hasta la ventana y agarró mis botellas para pociones. Yo extendí la mano para que me las entregara cuando las levantó y las acercó a la luz, guiñando los ojos.

—¿Has preparado más de una poción de sustancia? —preguntó. Al ver que no decía nada, destapó una de ellas y olfateó el contenido—. ¡Bonita presentación! —murmuró, justo antes de metérsela en uno de los bolsillos de la chaqueta.

—¡Eh! ¡Eso es mío! —protesté, despertando de golpe de mi complacencia. Jenks despegó de mi hombro, pero Pierce me lanzó una mirada de desprecio, como si pensara que debería haberlo sabido y que estaba comportándome como una imbécil.

Al me ignoró mientras yo permanecía allí de pie, con los brazos cruzados y expresión malhumorada, enfundada en un vestido que quitaba el hipo bajo el restaurante más prestigioso de Cincinnati.

—Ni hablar. Son mías —dijo finalmente—. Eres mi discípula y puedo reclamar todo lo que prepares.

Di un respingo al descubrir que tenía a Pierce justo detrás. Él me miró con expresión sentida e, intentando cogerme las manos, dijo:

—Rachel, me gustaría que habláramos. Mi corazón se muere por tener unas palabras contigo.

—Sí, ya me imagino —respondí secamente, retirando las manos—. ¿Por qué no te largas? A ver si Al se decide a seguirte, necesito que me dejéis en paz de una maldita vez.

—Admito que todo esto te pueda parecer muy sospechoso —reconoció—, y cualquiera en tu situación estaría enfurecido, pero tú misma has tenido que tratar con las criaturas demoníacas en más de una ocasión. Dispongo de tiempo hasta el amanecer para convencerte de mi honorabilidad. —En ese momento miró a Al—. Accediste a no raptar a nadie. Tengo hasta la salida del sol.

Al realizó un gesto grandilocuente.

—¡Si no hay más remedio! Pero no pienso dejarte a solas con ella.

Alcé las cejas, e incluso Jenks emitió un pequeño gañido.

—¡No tan deprisa, chicos! Tengo planes para esta noche, y no incluyen a un demonio y un fantasma.

—¡Así es! —intervino Jenks lanzándose desde mi hombro y quedándose suspendido en el aire para iluminar la zona—. Tenemos una reserva en El Almacén.

Seguidamente se acercó a la ventana y miró hacia la calle, sin dejar de volar y despidiendo una gran cantidad de polvo luminoso.

—Suena divertido —dijo Al, frotándose sus manos enguantadas—. ¡Pierce! ¡Llama al ascensor!

—¡De ninguna manera! —grité—. ¡Pierce! ¿Te importaría marcharte? Ya hablaré contigo la semana que viene.

El brujo apretó la mandíbula mientras se agachaba para esquivar el intento de Al de empujarle hacia la salida e, irguiéndose, declaró:

—No me largaré hasta que no se me conceda la posibilidad de resolver esta cuestión. Y eso es todo lo que tengo que decir al respecto.

Suspiré, reclinándome sobre los fríos ventanales, apoyada en la estrecha repisa. Solo me faltaba tener que llevarme aquel circo de gira.

—De acuerdo —dije con acritud, cruzando los tobillos—. Soy toda oídos.

Al empezó a hacer pucheros y supuse que se debía a que no podía marcharse a hacer diabluras a menos que Pierce «me matase», aunque lo más probable era que intentara evitar que el brujo me contara algo que no quería que supiera.

Al verme dispuesta a escucharle, Pierce inspiró hondo a pesar de que, en realidad, no lo necesitaba. A continuación, espiró y dejó caer los brazos, y su expresivo rostro se suavizó en un gesto persuasivo.

—Esto... ¿Chicos? —dijo Jenks, suspendido en el aire junto a la ventana—. Fountain Square está ardiendo.

—¿Qué? —exclamé, dando media vuelta de un salto. Al corrió hasta la ventana y ambos apoyamos la frente contra el cristal, mirando hacia abajo, con Jenks entre nosotros. El ruido de la maquinaria proveniente del techo se hizo más fuerte y evidente, y a través del cemento, o quizás, por medio de las vibraciones del vidrio, se filtraron algunos gritos. Lo más probable es que, al igual que nosotros, todos los invitados del piso superior se estuvieran apoyando en los ventanales.

Era difícil de ver, pero Jenks tenía razón. El escenario estaba ardiendo y la gente se agolpaba en las calles. Desde detrás de mí Pierce declaró:

—Creí que era ese el aspecto que tenía que tener.

Mierda. Ivy estaba allí abajo. Y Glenn.

—Tengo que irme —dije, girándome hacia el ascensor. Justo en ese momento me sonó el teléfono haciendo que me detuviera en seco; en el interior no habría cobertura. La diminuta pantalla se iluminó y Al se asomó por encima de mi hombro—. Es Ivy —dije, claramente aliviada—. ¿Ivy? —dije una vez abrí el móvil, y el sonido de las sirenas y los gritos se filtró.

—Te necesito —dijo gritando, para hacerse oír con el enorme jaleo de fondo—. Tus amuletos localizadores se acaban de encender. Mia está aquí.

Me situé junto a la ventana y miré hacia abajo.

—Jenks dice que hay un incendio —dije.

Ella vaciló y, en un tono calmado, resolvió:

—¡Oh! Sí. El escenario está ardiendo. Rachel, estoy vigilando a Glenn, pero si se acerca demasiado a una banshee…

Mierda.

—Entiendo —dije dirigiéndome hacia el ascensor con Jenks revoloteando cerca para escuchar las dos partes de la conversación.

—Creo que la Walker está haciendo todo lo que está en su mano para atraer a Mia —añadió Ivy, mientras yo le daba un puñetazo al botón de llamada.

—Voy para allá.

Con la respiración entrecortada y los dedos temblorosos, cerré el teléfono y lo guardé en el bolso. *¿Dónde está el estúpido ascensor? No puedo bajar treinta pisos por las escaleras.*

—¡Oh! Esto… Pierce —dije, acalorada—. Lo siento, pero tengo que irme.

Al lo agarró del codo y lo sacudió con una sonrisa de oreja a oreja.

—Esto promete ser muy entretenido. Nunca he visto trabajar a Rachel. Salvo cuando lo hace para mí, claro está.

—¿Entretenido? —exclamó Pierce desplazándose para obligarlo a que lo soltara—. Tienes una visión algo distorsionada del entretenimiento, demonio.

—Te dije que me llamaras Al —dijo contemplando su borroso reflejo y ajustándose los volantes de encaje de la pechera.

Jenks frunció los rasgos con fastidio, y me froté la frente. No podía llevarme a aquellos dos a Fountain Square. Pierce no tenía abrigo y Al… gracias a un par de fotos aparecidas en la prensa, todo Cincinnati conocía su rostro.

—Pierce, ¿no podemos hacer esto en otro momento? —le sugerí, distraída. *¿Dónde está el maldito ascensor?*, me pregunté, apretando de nuevo el botón, esta vez con un fuerte codazo.

Pierce inclinó la cabeza y se retiró para realizar una media reverencia, sin apartar sus ojos de los míos con un asomo de sonrisa en sus labios. La forma en que me miraba me recordó a la noche que nos conocimos, cuando echamos a correr para salvar a una niña de un vampiro. Se había quedado prendado de mi «espíritu fogoso» y era evidente que las cosas no habían cambiado. Desgraciadamente, yo sí.

—Tú me invocaste, adorada bruja, independientemente de que fuera tu objetivo principal o un propósito secundario. No me marcharé hasta que no consiga explicarme.

Genial.

Al se irguió justo en el mismo instante en que sonaba la campanilla del ascensor.

—Yo me quedo con él —declaró.

Chachi piruli.

Las puertas del ascensor se abrieron y Jenks soltó un largo y lento silbido.

—¡Por el puto contrato de permanencia de Campanilla! —masculló, y yo me volví para ver a quién saludaba Al con el gesto de las orejas de conejito.

Sin poder dar crédito, empecé a sacudir la cabeza.

—Trent, esto no es lo que parece.

El joven político tenía la espalda pegada a la parte trasera del ascensor y mostró brevemente el terror que sentía antes de recuperar la compostura como si hubiera decidido que, si tenía que morir, lo mejor era hacerlo con elegancia.

—Esto se pone cada vez más interesante —dijo Jenks, y volví a presionar el botón de llamada.

—Cogeremos el próximo —dije, sonriendo.

—Pero ¡si hay sitio de sobra! —exclamó el demonio, y mis tacones emitieron un fuerte traqueteo contra el marco de acero cuando me propinó un fuerte empujón. Trent me esquivó, apretándose contra la esquina cuando Al y Pierce siguieron mis pasos. Jenks se elevó para sentarse en lo alto del panel de control, golpeando con el pie la pantalla que mostraba en qué piso nos encontrábamos.

—No me lo puedo creer —dijo Trent, que había perdido su inquebrantable compostura—. Eres increíble, Rachel.

—Pues créetelo, pequeño fabricante de galletas —respondió Jenks en tono cantarín. Seguidamente, dirigiéndose a Pierce, añadió—: ¿Te importaría darle al botón de «cerrar»? No tenemos todo el día.

El fantasma no tenía ni idea de lo que le estaban hablando, así que Jenks bajó volando y lo golpeó con el pie. Las puertas se cerraron y empezamos a descender.

—¡Por todos los demonios! —exclamó Pierce, apretando la espalda contra la esquina opuesta y agarrándose a la barandilla—. ¡Nos estamos cayendo!

Me aparté cuando vi que su cara se volvía de color verde y me choqué con Trent. El ascensor no era tan grande y todo el mundo le estaba dejando un montón de espacio a Al mientras él tarareaba la canción de la película… ¿*Doctor Zhivago*?

—¿Invocando a tu demonio en lo alto de Carew Tower? —me susurró Trent al oído.

Resentida, me desplacé un poco para situarme entre él y Al.

—Intento hacer del mundo un lugar más seguro —mascullé. Justo en ese instante mi rostro se iluminó al ver que Al nos miraba, pero mi sonrisa se desvaneció apenas apartó la vista—. Que yo sepa, no te está secuestrando, ¿verdad? No me parece que te estés convirtiendo en un sapo —le espeté alzando cada vez más la voz—. ¡Tengo todo bajo control! —A continuación le di un manotazo al botón del vestíbulo, rezando para que no nos paráramos hasta llegar abajo. No había manera de que aquel ascensor fuera lo suficientemente rápido.

—Te encerrarán por esto —aseguró Trent, que seguía muerto de miedo en el rincón.

—Tonterías —intervino Al mientras se limpiaba las gafas con un trozo de tela roja—. He venido solo para comer algo y celebrar el Año Nuevo a este lado de las líneas, pero, sobre todo —dijo mirándome y poniéndose de nuevo las gafas—, para evitar que nuestra bruja piruja se suicide con un hechizo para transformar las cenizas en carne.

De repente se hizo el silencio, y mientras Jenks agitaba las alas con ímpetu, me volví hacia Trent. Estaba pálido y tenía el pelo revuelto, pero no nos quitaba ojo ni a Al ni a mí. Justo en ese preciso instante dirigió la vista hacia Pierce, que seguía en el rincón, blanco como la leche.

—¿Puedes resucitar a los muertos? Eso es magia negra.

—¡En absoluto! —protestó Al con grandilocuencia—. ¿De dónde crees que ha sacado a este bastardo pelagatos nuestra bruja piruja? —preguntó dándole un empujón a Pierce, que soltó un grito ahogado—. Es un fantasma. —A continuación olfateó el aire—. ¿No notas el olor a gusanos?

Eché la cabeza hacia atrás, golpeando la pared del ascensor. Aquello iba de mal en peor.

—¿Eres un fantasma? —preguntó Trent.

Desde el rincón, Pierce le tendió una mano temblorosa.

—Gordian Pierce. Departamento de la Ética y la Moral. ¿Y usted?

—¿Cómo has dicho? —exclamé, sintiendo que me ardían las mejillas.

Al se echó a reír y Jenks descendió hasta mi hombro.

El pixie empezó a hacerme cosquillas en la oreja, y a punto estuvo de llevarse un guantazo.

—Rachel —susurró—. ¿No es ese el departamento que te excluyó? —Cuando vio que asentía con la cabeza, añadió—: Tal vez podría conseguir que te retiraran la exclusión.

Reflexioné sobre lo que acababa de decir. Que lo hubieran enterrado en terreno no consagrado y que hubiera pactado con demonios no decía mucho en su favor, pero había trabajado para el departamento de la Ética y la Moral. En cierto modo, eran como la SI. Una vez que entrabas a formar parte de él, te convertías en miembro vitalicio. No podías retirarte, pero podías morir.

Trent le estrechó la mano. Parecía gratamente impresionado.

—¡Ah! Yo soy Trent Kalamack. Director ejecutivo de…

Pierce retiró la mano de golpe y se puso rígido.

—Industrias Kalamack —dijo, con el gesto torcido, limpiándose la mano en los pantalones—. Conocí a tu padre.

—¡No puedo creerlo! —dije, situándome en un lugar en el que podía verlos a los dos.

El rostro de Al se iluminó.

—Es increíble la gente que puedes llegar a conocer en un ascensor —dijo.

Trent se me quedó mirando.

—Dispones de un hechizo para resucitar a los muertos. Y es blanco —constató el elfo.

Tomé aire para responder y Al nos interrumpió con delicadeza.

—Y está en venta, a un módico precio por haber sido realizado por una aprendiz. Eso sí, sin garantía. Tengo dos aquí mismo —dijo, dándose unas palmaditas en el bolsillo—. Es temporal. La maldición para darles un cuerpo permanente es muchísimo más complicada. Se necesita que muera alguien, ¿sabes? Imagino que eso la convierte en magia negra, pero a ti no parece preocuparte matar gente para conseguir tus propios fines, ¿no es así, Trenton Aloysius Kalamack? —preguntó con una sonrisa tonta—. Me llama la atención que acuses a mi discípula de ser una bruja negra cuando tú matas para obtener beneficios, sin embargo ella… —En ese momento vaciló, fingiendo quedarse pensativo—. ¡Vaya! Ahora que lo pienso, nunca ha matado a nadie que no se lo pidiera de antemano. ¿Te lo puedes creer?

Trent se ruborizó.

—Yo no mato para obtener beneficios.

—No —masculló Pierce desde el rincón—. Si te pareces a tu padre, lo haces en aras del progreso.

En ese momento, todos nos volvimos hacia Pierce. Justo entonces sonó la campanilla del ascensor y, al abrirse las puertas, hubo algo que distrajo nuestra atención.

—¡Espléndido! ¡Un fuego! —exclamó Al alegremente, saliendo del cubículo a grandes zancadas y dirigiéndose hacia la multitud que se agolpaba en el vestíbulo. Lo primero que percibí fue el olor a humo, y salí tras Al a toda prisa. No quería perderlo de vista bajo ningún concepto. Las conversaciones en voz alta de los invitados vestidos de esmoquin y trajes de noche se mezclaban con las de algunos grupos en vaqueros y cazadoras que habían entrado en busca de un poco de calor, pero que todavía no estaban preparados para volver a casa. O quizás no podían porque las calles estaban cortadas.

Intentando vigilar tanto a Al como a Pierce, me acerqué al guardarropa. La mano de Pierce se posó sobre mi brazo mientras le tendía el recibo al encargado y, volviéndome hacia él bruscamente, tuve que reprimir mis deseos de darle un guantazo.

—Te conviene mantenerte alejada de ese, mi adorada bruja. Su padre era la personificación del mal —me advirtió el brujo, con los ojos puestos en Trent.

—¿En serio?

¿A quién debo creer? ¿A un fantasma o a mi padre? Mi padre era un buen hombre, ¿no? Nunca habría trabajado para la personificación del mal. ¿Verdad?

Confundida, agarré mi abrigo y escruté la multitud en busca de la levita de terciopelo de Al. Divisé a Quen y me encogí ligeramente de hombros para indicarle que todo iba bien, con la esperanza de evitar que entrara en el «modo batalla» cuando viera al demonio que, en una ocasión, le había dado una paliza a su jefe.

Trent intentaba abrirse paso hasta Quen, aunque lentamente, por culpa de las personas que lo reconocían y se empeñaban en saludarlo. Le señalé el lugar exacto en el que se encontraba, y el servicial guardaespaldas se puso en marcha con el abrigo de su patrón colgado del brazo.

Finalmente divisé a Al junto a las puertas, ligoteando con un par de gemelas que llevaban gorritos de bebé para festejar el Año Nuevo, y abrí la cremallera del bolso.

—¡Dentro, Jenks! —sugerí mientras me dirigía a rescatar a las gemelas, y el pixie obedeció. Tenía frío, y probablemente estaba deseando sentarse en el calentador. Sabía que odiaba verse obligado a esconderse de aquel modo, pero no tenía más remedio, y, mientras cerraba la cremallera, me prometí tratarlo con delicadeza durante el resto de la noche.

Conforme avanzábamos, empecé a ponerme el abrigo, sacudiéndome de encima a Pierce cuando intentó echarme una mano.

—Ya puedo yo sola —dije. Justo en ese instante me estremecí al sentir la mano de Al agarrándome el hombro, obligándome a permitirle ayudarme con el abrigo—. Déjame —le pedí, pero mis opciones se veían limitadas por la multitud. Apenas terminé de meter el segundo brazo en la fría manga, Al se inclinó y, rodeándome los hombros con los brazos, me abrochó el primer botón.

—Admiro la manera en que estás minando la moral de Trent —susurró Al desde detrás de mí, moviéndome la barbilla con sus manos enguantadas para obligarme a mirar a Trent y a Quen—. Lentamente, como un trozo de hielo derritiéndose. Y con su propio orgullo. Magistral. No sabía que tuvieras ese don, Rachel. El dolor envejece después de un tiempo, pero es más rápido y, a no ser que lo hagas por amor al arte, lo que realmente importa son los beneficios.

—No estoy minándole la moral —dije quedamente, mientras Al retrocedía y yo agitaba los hombros para terminar de ajustarme el abrigo. Trent y Quen se estaban marchando, y el jefe de seguridad volvió la vista atrás en una ocasión antes de que desaparecieran, con una expresión vacía. Una vez se hubieron marchado, respiré aliviada. Al menos no sería responsable de la muerte de Trent. O no aquella noche.

El aullido de las sirenas aumentó y fui hacia una segunda puerta. Pierce se apresuró a sujetárnosla y, al verlo, me quedé de una pieza.

—¿De dónde has sacado el abrigo?

El fantasma se ruborizó, pero fue Al el que se inclinó hacia delante diciendo:

—Lo ha robado, por supuesto. Aquí donde lo ves, posee muchas habilidades. ¿Por qué crees que estoy tan interesado en él? O en ti, mi querida bruja piruja.

Con un humor de perros, me dirigí hacia el exterior, sumergiendo la cabeza en la bufanda y deseando estar en cualquier sitio menos allí. Si les había pasado algo a Ivy o a Glenn, iba a matar a alguien.

28

Esto no va a salir bien, pensé mirando con gesto de arrepentimiento a Al, que caminaba junto a mí por la calle cortada en dirección a Fountain Square. Tenía frío y, encorvándome, me arrebujé en mi abrigo y guiñé los ojos para buscar a Ivy entre las luces intermitentes. Pierce nos seguía muy de cerca, intentando no parecer un imbécil, pero tenía los ojos como platos y era evidente que venía de fuera de la ciudad, por no decir de otro siglo.

La plaza era una especie de caos organizado. Lo que parecían cinco vehículos de la SI llegaban en ese preciso instante, dos coches patrulla de la AFI y de la SI ya estaban allí aparcados desde el comienzo del evento, al igual que las ambulancias y las unidades móviles de los informativos de rigor. Por si esto fuera poco, había que añadir los camiones de bomberos, cuyas mangueras expulsaban una gran cantidad de agua a propulsión que se convertía en minúsculas agujas de hielo que se me clavaban en la cara. Era el frío lo que le confería un aspecto lamentable, con el viento que atravesaba mi abrigo y me llegaba hasta lo más profundo de mi ser. Incluso en el interior de mi bolso, Jenks iba a pasarlo mal.

De todas formas, allí había congregada mucha menos gente de la que hubiera cabido esperar, pues los inframundanos, por naturaleza, eran expertos en esfumarse y evitar todo aquello que oliera a escándalo. Un puñado de curiosos competía por captar la atención de los equipos de noticias. Evitando el contacto ocular, aceleré el paso para situarme detrás de la cinta amarilla, donde solo podían gritarme preguntas que podía fingir no oír.

Junto a la fuente seca, había un grupo de gente a la que estaban atendiendo por quemaduras y por lo que parecía intoxicación por inhalación de humo. El fuego se había extinguido, pero los bomberos seguían dirigiendo las mangueras hacia el escenario, con lo que, en mi opinión, estaban actuando para el personal de los informativos. En aquel momento divisé la figura achaparrada de Edden a la orilla de la zona acordonada y se volvió hacia mí cuando le grité. Parecía tener frío con el esmoquin, pero mostraba un aspecto sagaz mientras levantaba la cinta amarilla para que pasáramos por debajo. De inmediato me sentí protegida y, cuando bajé la guardia, me puse a temblar violentamente por el frío.

—Me alegra que te unas a nosotros —dijo, echando un vistazo a los dos hombres que estaban detrás de mí—. ¿De dónde has sacado a los gemelos?

¿Los gemelos?, pensé, conteniendo la respiración mientras me daba la vuelta descubriendo a un Pierce malhumorado en vaqueros junto a otro sonriente con gafas oscuras y una llamativa corbata de color rojo. *¡Santo cielo!*, pensé, sintiendo una astilla de preocupación penetrando en mi interior. Al se llevó el dedo índice a los labios, y yo me volví de golpe hacia Edden dispuesta a seguirle el juego. Aquello me evitaría meterme en líos, al menos durante unos minutos más.

—¡Oh! ¡Ya sabes cómo somos las brujas! —dije, sin saber muy bien por qué. Solo sabía que tenía que decir algo—. ¡Eh! ¿No es ese Tom? —dije al vislumbrar entre los heridos el que me pareció un rostro familiar.

—¿Dónde? —preguntó Edden, mirando hacia donde yo señalaba. Al hombre de la gabardina negra le estaban vendando la mano, pero cuando se dio cuenta de que nos habíamos fijado en él, se alejó como alma que lleva el diablo, dejando a la persona que lo atendía pidiéndole a gritos que regresara.

—¡Maldita sea mi estampa! —blasfemó Edden. A continuación silbó y ordenó a alguien que saliera tras él, pero era demasiado tarde.

—Era Tom. Tom Bansen —dije, con expresión ofendida, lanzándole a Al una mirada asesina cuando se rió por lo bajo. Aquel tipo lo había invocado en una ocasión para que viniera a matarme—. Es la tercera vez en lo que va de semana que me lo encuentro en la escena de un crimen —rezongué, inquieta.

—Será porque sus fuentes son mejores —comentó Al, dándole un empujón a Pierce para que se quedara detrás de él.

—¿Le estás pasando información a Tom? —pregunté a Al, mientras Edden enganchaba a un agente y empezaba a acribillarlo a preguntas.

Al me miró por encima de las gafas fingiéndose agraviado.

—Todo lo que hago, lo hago por ti, querida.

No estaba segura de si aquello era o no una respuesta, y lentamente expulsé el aire de los pulmones, mirando de reojo a Pierce, que contemplaba el restaurante en lo alto de Carew Tower. Justo en ese preciso instante descubrí a tres agentes de la SI que se dirigían a nosotros y, por un momento, me preocupé por Al, hasta que Edden les mostró la placa y los tres hombres se dieron media vuelta.

El oficial que estaba con él se alejó trotando y Edden puso los brazos en jarras para analizar la situación. En aquella postura me recordaba a Jenks, aunque algo achaparrado y sin alas. Y con un rígido bigote. Y la cara redonda. Y un esmoquin demasiado ligero para aquel frío. De acuerdo, no se parecía en nada a Jenks, pero mostraba la misma actitud de «protector del mundo».

Al distinguir la espigada figura de Glenn entre un puñado de agentes de la AFI, di unas palmaditas a Edden en el brazo y me encaminé hacia donde se encontraban. El pobre parecía aún más helado que yo, con su gorro de lana calado hasta las cejas y los ojos guiñados. No obstante, todos los presentes lo miraban con atención, dando la sensación de que estuviera al mando.

Ivy estaba a su lado y, al ver cómo irradiaba su necesidad vampírica de proteger a los más débiles, no pude evitar sonreír. Su vestido rojo relucía por debajo del abrigo agitado por el viento. No parecía tener ningún frío. Como si hubiera notado que la estaba mirando, levantó la vista hacia mí, y luego la dirigió hasta Al.

—La SI miente —dijo con firmeza mientras el viento traía su voz hasta nosotros a medida que nos acercábamos—. Están mintiendo como bellacos cuando dicen que no hay pruebas de la implicación de una banshee. Debería haber toneladas de emociones aquí, y no es así. Apenas la equivalente a una pequeña colisión entre vehículos. Parece que fuera cualquier jueves por la noche, y no Año Nuevo después de que se haya interrumpido el baile por culpa de un incendio. Las emociones deberían retumbar entre los edificios, pero no hay nada. Alguien las ha absorbido.

El círculo de agentes de la AFI se desplazó para dejarnos entrar y nos detuvimos con Al pegado a mí hasta el punto de sentirme incómoda mientras que Pierce se quedó en la fuente. La emoción cuya falta llamaba la atención de Ivy era la fuerza que había utilizado yo para catalizar el hechizo de Pierce, pero, a diferencia de una banshee, no la había consumido, sino que solo la había tomado prestada para poner en marcha el encantamiento. Me pregunté si aquello hacía que en cierto modo los brujos y las banshees estuviéramos emparentados.

De pronto, percibí que las miradas de los presentes se dirigían hacia Edden conforme se acercaba, y Glenn reprimió un suspiro.

—¿En qué punto estábamos, Glenn? —preguntó el capitán de la AFI para que la atención volviera a concentrarse en su hijo, y la actitud de este se relajó.

Ivy frunció el ceño y cruzó los brazos a la altura de la cintura.

—Alguien ha absorbido las emociones del lugar, y no ha sido Rachel —dijo—. Su magia no funciona así.

En cualquier caso, no exactamente.

Glenn se pasó el dorso de una de sus manos, protegidas por mitones, por debajo de la nariz. Era evidente que el frío estaba haciendo mella en él.

—Sé que ha sido una banshee —admitió—. No pretendo llevarte la contraria, Tamwood, pero no tienes licencia para presentar pruebas ante los tribunales, y tengo que atenerme a lo que me cuenta la SI. Lo único que tenemos son las declaraciones contradictorias de los testigos, y todo indica que Mia estuvo aquí.

—Mi amuleto se encendió —dijo uno de los agentes, cuyas palabras encontraron eco en uno de sus compañeros, que sacó el hechizo y lo mostró a todo el mundo. En aquel momento estaba negro, pero resultaba gratificante tener la confirmación de que lo había realizado correctamente. *Aunque mi sangre no fuera capaz de invocarlo.*

Ivy resopló.

—De acuerdo, estuvo aquí. Pero eso no significa que iniciara el fuego.

De pronto todos empezaron a discutir e Ivy aprovechó para abandonar el círculo y acercarse hasta donde nos encontrábamos. Entonces, tras hacerle un gesto con la cabeza a Al, me sonrió distraídamente.

—Ha funcionado —dijo—. Bien. Me alegro por ti, Rachel. Bienvenido a la caótica vida de Rachel, Pierce. Las próximas horas prometen ser muy divertidas.

Sacudí la cabeza, pero antes de que pudiera responder, Al le agarró la mano y besó la parte superior de su guante negro.

—Tu bienvenida significa más para mí, Ivy Alisha Tamwood, que un millar de almas. Ver trabajar a Rachel es un prodigio de catástrofes encadenadas.

Aquello resultó algo insultante.

—Este no es Pierce —dije quedamente—. Es Al. Pierce está en la fuente.

Ivy retiró la mano de golpe, obligándole a soltarla. Glenn oyó la respuesta, al igual que la mayoría de los agentes, pero era el único que sabía quién era Al. Entonces interrumpió sus instrucciones a mitad de una frase y yo me encogí de hombros para darle a entender que la captura de almas de la AFI no estaba en su orden del día. Edden lo miró con expresión interrogante y Glenn se quedó callado un momento hasta que recordó lo que estaba diciendo y luego continuó, colocándose de manera que pudiera tener a Al bajo control. El demonio resopló cuando el precavido agente se desabrochó la funda de la pistola. El gesto tampoco les pasó desapercibido a los demás oficiales, e Ivy dividió su atención entre Al y Pierce, que en aquel momento contemplaba los camiones de bomberos con la boca abierta.

Algo no me cuadraba y paseé la mirada por la plaza negándome a creer que Mia hubiera estado allí. Podía entender que hubiera matado a un hombre para alimentar a su hija, pero hasta aquel momento siempre se había concentrado en individuos, no en grupos de personas. Incluso aunque hubiera creído que era responsable de aquello, la lógica me decía que no era así.

Justo en el momento en que su hijo adoptaba un tono autoritario, Edden se separó del grupo de agentes de la AFI y, mirando a Al con severidad, se acercó a nosotros.

—Rachel, lo siento —dijo dirigiendo la vista hacia mí—. Estoy haciendo lo mejor para la niña, dentro de los límites que marca la ley, pero no puedo jugarme el cuello por Mia. No después de esto.

Me quedé allí de pie, temblando. Tenía demasiado frío para protestar. Glenn estaba dando una última orden, y los agentes le miraban con gesto sombrío.

—Buscad a cualquiera con una niña pequeña, probablemente a una mujer, pero también podría ser un hombre, o un hombre y una mujer juntos —estaba diciendo—. No debería haber muchos bebés por aquí.

Ivy tenía la cadera ladeada.

—Mia no inició el fuego —intervino con aspereza.

—¿Más vibraciones vampíricas? —se mofó Edden, provocando una risita burlona de Al.

—Hay más de una banshee en esta ciudad —continuó Ivy—. Yo la he visto. Era una mujer alta, con el pelo largo y aspecto intimidatorio. Iba vestida como si debiera ir rodeada de un montón de guardaespaldas. No tenía rasgos asiáticos, sino más bien amerindios. La mayoría de la gente la habría definido como hispana.

¿Amerindia?, pensé, e inmediatamente me vino a la memoria el almuerzo del día anterior en el último piso de Carew Tower.

—Esa es la señora Walker —dije sintiendo que el pulso se me aceleraba—. Edden, es posible que Mia haya estado aquí, pero también la Walker, lo que hace que la cosa cobre sentido. Aquí no dispone de sus presas habituales, de manera que se alimenta donde buenamente puede, y solivianta a las masas para hacerse más fuerte.

El rostro de Edden mostraba una expresión reflexiva, pero hizo un gesto con la mano a Glenn para que pusiera a sus hombres en marcha; estos, coreando palabras de confirmación, se dispersaron. Se produjo un vacío que hizo que bajara la temperatura.

—Por supuesto que la señora Walker ha estado aquí —admitió con voz ronca, aunque percibí un atisbo de duda en ella—. Está siguiéndole la pista a Mia. Lo extraño hubiera sido que no estuviera.

Ivy suspiró y dejó descansar el peso del cuerpo en la otra pierna, pero yo fui mucho más directa.

—¡Maldita sea, Edden! —grité—. ¿Por qué eres tan cabezota? ¿Estás tan obnubilado por esa mujer que no consigues ver las cosas con perspectiva?

Los pocos agentes de la AFI que se encontraban lo suficientemente cerca como para oírme se giraron de golpe, y Glenn nos miró con los ojos como platos. De pronto me puse nerviosa y el achaparrado capitán hizo todo lo posible por relajar la mandíbula.

—¿Y tú eres tan estúpida y tienes el corazón tan dolido que tampoco logras hacer lo mismo? —me respondió con un ladrido.

De pronto me di cuenta de que Al estaba jugando con los copos de nieve de su manga, convirtiéndolos en mariposas azules. Los predestinados insectos se alejaron volando para morir a pocos metros de distancia, agitando las alas brevemente antes de quedar cubiertas por la nieve.

—Mia también me hizo daño a mí —le dije a Edden, nerviosa por la posibilidad de que alguien pudiera ver la muestra de dotes demoníacas de Al—. Te guste o no, Holly crecerá y se convertirá en una depredadora. Depende de ti tenerla como amiga o como enemiga. Piénsalo.

Edden sacudió la cabeza, subiéndose la cremallera y haciendo amago de marcharse.

—Con amigas como ella, quién necesita enemigos.

Aquel fue uno de los comentarios más inconsistentes que le había oído jamás y, con actitud remilgada, di algunos pasos para alcanzarlo.

—¡Deja de pensar como un humano! —le espeté—. Este mundo ya no os pertenece. No tenemos pruebas de que fuera Mia, pero estás dispuesto a encarcelarla por ello. Las banshees son territoriales y, en mi opinión, fue la Walker la que prendió fuego al escenario para atraer a Mia y resolver la cuestión lo más rápidamente posible.

Edden se detuvo y, sin mirarme, observó los movimientos de los paramédicos, que estaban recogiéndolo todo. Detrás de él, Al caminaba reposadamente hacia nosotros, mientras que Pierce también se nos acercaba, pero a paso ligero.

—¿No os encanta cómo Rachel se pone del lado de los más desfavorecidos? —dijo el demonio, sacudiéndose el jardín de diminutas mariposas de su manga, las cuales morían antes de entrar en contacto con los adoquines cubiertos de una costra de nieve—. Un día acabará matándola —dijo como quien no quiere la cosa, inclinándose para coger una—. Pero hoy no —añadió sacándome las manos de las mangas de mi abrigo para poner una crisálida sobre ellas y curvando mis fríos dedos con actitud protectora.

Observé por unos instantes la azulada ninfa y la introduje en el bolsillo de mi abrigo para ocuparme de ella más tarde.

—Edden… —supliqué.

Él torció el gesto y exhaló un suspiro. A cinco pasos de donde se encontraba, alguien le esperaba con una carpeta en la mano.

—No puedo prometerle nada a Mia. Y mucho menos ahora. Rachel, vete a casa.

Me pasé la lengua por los labios y el frío hizo que se me congelaran.

—No puedes demostrar que lo hiciera ella.

—Ni tampoco que fuera la señora Walker. Vete a casa. —Al ver que vacilaba, insistió, alzando la voz—. ¡Vete a casa!

—Perro malo —masculló Al, burlándose de mí y haciendo que las mejillas se me encendieran. Pierce se situó entre nosotros y yo apreté los dientes. No me gustaba ni un pelo que el fantasma viera cómo me trataba.

—De acuerdo —accedí con acritud—. Haz lo que quieras. *¡Menuda mierda de Fin de Año!* ¡Ivy! Yo me voy a casa. ¿Tú qué haces?

Ivy apartó la vista de Pierce y se quedó mirando al radiante fantasma.

—¿Te importa que me quede un rato? Glenn quiere que le dé mi opinión sobre un asunto.

Como si lo viera. La muy zorra va a examinar la escena del crimen, me dije a mí misma, algo celosa por el hecho de que a ella le dejaran quedarse y a mí me pidieran que me marchara. No me apetecía nada tener que montarme en el coche con Al y Pierce, pero me despedí de ella con la mano y me di media vuelta. Edden ya se había marchado con un resoplido, y Glenn esperaba a Ivy con gesto incómodo.

Cabreada, les di la espalda a todos ellos y me largué.

29

Era la segunda vez que me tocaba llevar a un demonio en los asientos traseros de mi coche, y me estaba gustando tan poco como la primera. Al estaba siendo todavía más insoportable que Minias, inclinándose hacia delante entre Pierce y yo diciéndome si los semáforos estaban en rojo o indicándome atajos a través de barrios marginales, tanto humanos como inframundanos, que solo un idiota habría tomado a aquellas horas de la noche aunque, con la compañía de un demonio, podía ser seguro. Poco a poco, el olor a ámbar quemado se fue apoderando de mi pequeño coche, a pesar del hechizo que estuviera utilizando, pero no me atrevía a abrir ni una pequeña rendija de la ventana y dejar entrar el frío nocturno. Aunque la calefacción estaba al máximo, Jenks seguía teniendo frío. En realidad, no debería haber salido de mi bolso, y mucho menos sentarse en el espejo retrovisor.

—Si hubieras acelerado, habrías llegado antes de que se pusiera rojo.

No tenía a nadie detrás, y dejé que el coche se deslizara lentamente hasta situarme a apenas treinta centímetros del semáforo antes de apretar el freno a fondo. Al se dio de narices con el reposacabezas y Pierce, que ya tenía el brazo extendido para sujetarse al salpicadero, lo tensó.

—Soy yo la que está conduciendo —mascullé, mirando a Jenks con expresión de disculpa. *Con estos estúpidos tacones, tengo los dedos de los pies congelados. ¿En qué demonios estaba pensando?*

—Sí, pero no lo estás haciendo como deberías —protestó el demonio con mejor humor del que me hubiera gustado. No me había puesto ninguna objeción cuando le pedí que se sentara en los asientos traseros, pero quizás era porque así podía vigilar mejor a Pierce. Francamente, no parecía que fuera a hacerme ningún daño. Incluso en aquel momento, cuando lo miré, su expresión frustrada se transformó en una impaciente esperanza.

—Mi adorada bruja… —empezó a decir cuando nuestras miradas se cruzaron. Justo en ese preciso instante, mi móvil empezó a vibrar, sin hacer apenas ruido.

—¿Acaso sabrías contestar? —le pregunté, dándole un manotazo a Al cuando intentó coger mi bolso. El demonio volvía a tener su aspecto habitual, y mis dedos no hicieron ningún sonido cuando golpearon la gruesa mano de Al, que estaba cubierta por sus habituales guantes blancos.

La luz cambió, y ralenticé la marcha para conducir con cuidado debido a las placas de hielo que se acumulaban cerca del puente.

—Ya le ayudo yo —se ofreció Jenks, descendiendo hasta el interior de mi bolso—. Estoy seguro de que has visto a Rachel usarlo, ¿no? —dijo con sarcasmo dirigiéndose a Pierce—. Llevas un año espiándonos.

Pierce frunció el ceño mientras sacaba el delgado móvil rosa de mi bolso.

—No me parece que el artilugio sea para tanto —dijo, indignado—. Y no he estado espiándoos. Rachel, si me permitieras explicarme…

—Limítate a levantar la tapa, ¿de acuerdo? —dijo Jenks, y yo le miré con el ceño fruncido para pedirle que fuera algo más amable.

El olor a ámbar quemado se hizo más intenso cuando Al apoyó la parte inferior de los antebrazos en los dos asientos para formar un puente sobre el que apoyar la cabeza.

—¿Puedo usar tu teléfono cuando hayas acabado? —preguntó con dulzura.

En aquel momento me pregunté qué sucedería si volvía a pisar el freno a fondo.

—No. Y siéntate como es debido o nos pararán para hacerme un control de alcoholemia.

—Menudo rollo —dijo con una sonrisa estúpida, dejándose caer sobre el respaldo.

Respiré algo más aliviada, deseando que Pierce se limitara a marcharse para volver a casa y fingir que aquel día nunca había existido. Qué desperdicio.

Desde el asiento trasero se escuchó la voz de Al, tarareando la sintonía de *Jeopardy*, hasta que Pierce encontró la juntura y, tras pelear un rato con él, acertó a abrir el móvil. Con movimientos indecisos, hizo amago de llevárselo al oído, deteniéndose cuando Jenks se situó delante con los brazos en jarras y ladró:

—¡Aquí el secretario de Rachel! En este momento la muy huevona no puede atenderle. ¿Quiere que le deje un mensaje?

—¡Jenks! —me quejé. Al se rió disimuladamente y Pierce parecía consternado, sin embargo, Jenks, el único que podía escuchar a quienquiera que se encontrara al otro lado del teléfono, se puso serio.

—¿Dónde? —preguntó. Un mal presentimiento se apoderó de mí, provocándome un escalofrío a pesar de que la calefacción estaba al máximo y haciendo que el pelo me cosquilleara en el rostro. Desde la parte posterior me llegó una sobrenatural risita de satisfacción. Lo único que conseguía ver a través del retrovisor era una sombra oscura y unos ojos rojos con las pupilas horizontales. El miedo me recorrió de arriba abajo. *Mierda. Llevo un demonio en el asiento trasero. ¿A qué estoy jugando?*

—Así me gusta, bruja —dijo Al con una voz que provenía de la nada, y yo reprimí un estremecimiento—. Estás empezando a entrar en razón.

—Se lo diré —dijo Jenks, antes de darle una patada al botón para interrumpir la llamada. Di un respingo cuando Pierce cerró el teléfono de golpe y enderecé el coche volviendo al carril de la derecha al escuchar el sonido de un claxon.

Jenks alzó el vuelo, con un aspecto misteriosamente oscuro en el frío coche, sin despedir ni el más mínimo rastro de polvo.

—Era Ford —respondió, pillándome por sorpresa. Suponía que se trataría de Edden, o tal vez de Glenn—. Está en una cafetería del centro con Mia. Quiere hablar contigo, creo que la señora Walker le ha dado un buen susto.

¡Oh, Dios! Ya empezamos.

—¿Dónde? —pregunté, sintiendo que la tensión empezaba a acumulárseme en la garganta. Ivy. Tenía que llamar a Ivy.

Jenks se echó a reír, inundando el coche con el sonido de un amargo carillón.

—No te lo vas a creer —dijo.

Yo eché un vistazo a la parte de atrás y luego a la delantera.

—En Junior´s, ¿verdad? —dije secamente, volviendo en redondo. Pierce estiró el brazo para apoyarse en el salpicadero mientras su alargado rostro se volvía completamente blanco, pero Al no se movió ni un milímetro, tieso como un palo en el centro de mi pequeño asiento trasero. El coche se balanceó violentamente, hasta recuperar la estabilidad justo en el momento en que se escuchaba el claxon de otro coche—. Eso está fuera del cerco que ha levantado Edden, ¿verdad? —pregunté—. ¿Cómo lo hace? ¡Esa mujer debe tener un don especial con las fuerzas de seguridad! *¿Le importaría dejarme pasar? No soy la banshee que están buscando.*

Jenks enseñó a Pierce a llamar a Ivy para que informara a la AFI mientras yo cruzaba de nuevo el puente y me dirigía de vuelta al centro de Cincy. Tenía serias dudas de que Mia quisiera rendirse. Lo más probable es que tuviera en mente sacrificar a Remus para librarse de los problemas y mi tensión aumentó apenas llegamos a Junior´s. Estaba hasta los topes, pero Al hizo algo que implicaba unas palabras en latín y un gesto similar al que yo misma solía hacerles a los conductores que me cortaban el paso en la calle Vine, y el Buick que estaba a punto de aparcar en el último hueco cambió de opinión. El pulso se me aceleró cuando divisé el coche gris de Ford tres vehículos más adelante. *Ivy*. Tal vez debíamos esperar a Ivy y a la AFI, pero podía ser demasiado tarde.

—Vosotros dos quedaos en el coche —dije mientras Jenks se sumergía en mi bolso y cerré la cremallera. Ni siquiera vi salir al demonio del coche. Acababa de agarrar el bolso y de cerrar la puerta cuando, de pronto, me lo encontré allí, a una distancia demasiado corta. Las luces de seguridad iluminaron sus cabellos, cuidadosamente repeinados y con marcados surcos, su mandíbula apretada y sus ojos demoníacos, que casi relucían en la tenue luz. No dijo ni una palabra. Estaba esperando. Desde el otro lado del coche, Pierce salió y me lanzó una mirada de preocupación.

—Os invito a un café —dije, amonestando a Al—. Después os quitaréis de en medio.

Acto seguido, Pierce me agarró del codo y yo me alejé arrastrando los tacones. No oí a Al siguiéndonos, pero estaba ahí.

La puerta nos dio la bienvenida con el sonido de una campanilla, y los cuatro entramos en el local, yo con mi vestimenta propia del restaurante de Carew Tower, Al con su habitual traje de terciopelo y encaje, Pierce con los vaqueros y el abrigo robado, y Jenks en el interior de mi bolso. A pesar de todo, no se nos quedó mirando tanta gente como habría cabido esperar. Era Año Nuevo, y la gente iba vestida de la forma más variopinta. Junior´s no estaba demasiado lejos de Fountain Square y el lugar estaba abarrotado; los clientes hablaban a toda velocidad, alterados a causa del fuego del centro y de los controles policiales. Si Mia se encontraba allí, estaba convencida de que estaría empapándose de la exaltación.

—Rachel, si me concedieras un momento…

—Ahora no, Pierce —dije mientras dejaba salir a Jenks. El pixie se elevó, sin despedir ni una mota de polvo, y voló pesadamente hasta la lámpara más cercana, donde se apalancó junto a la caliente bombilla. Desde allí me hizo un gesto con los pulgares hacia arriba pero, cuando apoyó los codos en las rodillas y se encorvó, me di cuenta de que lo estaba pasando fatal. Hasta que no llegara la AFI, me encontraba completamente sola. O peor aún, me tocaba hacerle de niñera a Al.

Mientras esperaba en la cola, me metí los guantes en los bolsillos y escruté el suelo. De pronto un subidón de adrenalina me recorrió de la cabeza a los pies cuando divisé a Mia justo en el centro del local, con Remus a un lado y Ford al otro. Tenía a Holly descansando en su regazo, con los ojos cerrados y cara de no haber roto un plato. Entonces mi mirada se cruzó con la de Ford, que me hizo un gesto con la barbilla y se levantó para buscarme una silla. Sin embargo, la mesa me pareció demasiado pequeña para hablar con dos asesinos en serie.

Pierce me rozó el brazo con la mano y di un respingo.

—Mi adorada bruja…

—¡No me llames así! —masculé, consciente de que estábamos rodeados. Había demasiada gente allí. Alguien iba a resultar herido.

—Rachel, he de admitir que mi aspecto en este momento no es, precisamente, gallardo, pero me gustaría prestarte mi ayuda.

Volví a concentrarme en él, recordando la noche en que nos habíamos conocido. En esencia, era un cazarrecompensas, independientemente de que perteneciera al departamento de la Ética y la Moral. Incluso aunque no pudiera interceptar una línea, podía serme útil. No creí que Mia hubiera organizado aquel encuentro para matarme, de manera que la principal amenaza iba a ser Remus. Aun así, podía ocuparme de él, y si al final resultaba que Mia no estaba dispuesta a sacrificarlo para librarse de la prisión, habría accedido a subastar mis mejores braguitas en internet.

—¿Crees que puedes hacer lo que yo te diga? —le pregunté. Él sonrió abiertamente, apartándose el pelo de la cara de un modo que no se parecía en nada al de Kisten, pero que igualmente me recordó a él.

—No estás sola —dijo, dirigiendo la mirada hacia la mesa de Ford—. Te ayudaré a resolver este embrollo y después podremos hablar.

En aquel momento extendió la mano para coger las mías y Al se interpuso entre nosotros con un empujón.

—Dos de *latte* grande, doble *espresso* de mezcla italiana —dijo al dependiente—. Con poca espuma y extra de canela. Y utilice leche entera. Ni desnatada ni semi. Y póngale un chorrito de frambuesa a uno de ellos, para mi bruja piruja, aquí presente.

Y en taza de porcelana, pensé, preguntándome si todos los demonios se tomaban el café del mismo modo. Minias había pedido algo similar, salvo por la frambuesa.

—El pelagatos se tomará un zumo —añadió girándose hacia Pierce—. Te ayudará a hacerte grande y fuerte, ¿verdad, chavalín?

Pierce apretó la mandíbula y entrecerró los ojos, pero se tragó el insulto.

—¿Alguna otra cosa? —preguntó el dependiente. Yo levanté la vista y descubrí que se trataba del propio Junior.

—Un *espresso* —dije, acordándome de Jenks. Seguidamente me coloqué el bolso sobre el vientre y me puse a escarbar en busca de mi cartera. La luz se reflejó en los brillos de mi vestido y pensé lo ridículo que parecía todo. Al menos ya no tenía los dedos de los pies helados.

—¡Oye! —exclamó Junior de repente, dando un paso atrás al ver la pistola en mi bolso—. Yo he oído hablar de ti. Estás excluida. Sal inmediatamente de mi local.

Sorprendida, levanté la vista, parpadeando. *¿No podía haberlo dicho un poco más bajo?*

No obstante, mi pésimo estado de ánimo se transformó rápidamente en rabia.

—Escucha una cosa, Junior —dije con acritud, encontrando una manera de liberar mi bilis—. Te aseguro que me encantaría seguir tu sugerencia. No hay nada que me apetezca más en este momento que volver a casa y darme un baño de burbujas. —En aquel momento me incliné hacia delante, de modo que solo él, Pierce, Al y, probablemente Jenks, pudieran oírme—. Por desgracia, aquella pareja de allí, con pinta de buena gente, está en busca y captura por agredir a un agente de la AFI, ocasionar disturbios en el centro comercial, y ser los principales sospechosos de provocar un incendio en Fountain Square esta misma noche. ¿Por qué no sacas a todos los demás de aquí para que pueda ocuparme de ellos?

Tenía los ojos como platos, y me miraba fijamente.

—Hazme un favor y olvida que me han excluido —añadí, temblando por dentro—. ¿Crees que podrías pensar por ti mismo y hacer algo por el bien común? ¿Eh? ¿Qué me dices?

Nuestros cafés estaban listos, y tras dejar un billete de veinte sobre la barra, le pasé a Pierce su zumo y a Al uno de los vasos de papel. Había tres personas detrás del mostrador, y todos ellos nos miraban como si fuéramos… demonios.

—Gracias —dije, agarrando temblorosa el vaso con la enorme «F» de frambuesa y el café de Jenks. Detestaba perder los papeles de aquella manera aunque, por lo visto, a Al le parecía de lo más divertido.

El olor a café pareció conseguir que Jenks se separara de la lámpara y se dejara caer con fuerza sobre mi hombro, evitando perder el equilibrio en el último momento gracias a que se agarró a mi pelo.

—¿Te encuentras bien? —le pregunté en un susurro.

Él agitó las alas, tiritando.

—Es solo que hace frío —respondió, y yo asentí con la cabeza. A pesar de que todavía llevaba puesto el abrigo, yo también estaba helada. El continuo trasiego de la puerta no ayudaba mucho, aunque la mayoría de las veces se abría para dejar entrar aún más gente.

A medio camino de la mesa, me di cuenta de que no íbamos a caber todos y, para ser franca, no me atraía la idea de tener a Al y a Pierce cerca de Mia o de Remus.

—Jenks, ¿podrías ocuparte de sacar a alguna gente de aquí con ayuda de Pierce? —dije, intentando matar dos pájaros de un tiro.

—¡No pienso hacerle de niñera al fantasmita! —exclamó Jenks desde mi hombro.

—Sospecho que no tienes muy buena opinión de mí, mi adorada bruja —añadió Pierce rápidamente.

Ambos tenían el ceño fruncido cuando me detuve en seco, todavía en la zona cercana al mostrador, y me di la vuelta, haciendo que el abrigo me golpeara las pantorrillas. Al estaba sonriendo.

—Jenks, tienes tanto frío que ni siquiera despides polvo —observé, intentando no parecer preocupada—. Necesito sacar a la gente de aquí sin armar jaleo, y tú sabes cómo hacerlo. Para cuando te necesite, ya habrás entrado en calor. *Espero*. Hasta entonces, quiero que vigiles si Mia me toca el aura.

A continuación entregué a Pierce el café de Jenks y añadí:

—Te daré mi teléfono. Ivy probablemente llamará apenas llegue la AFI. Avísame y diles que no irrumpan en el local, ¿de acuerdo?

—Eso puede hacerlo Jenks —respondió, de mala gana.

Me llevé una mano a la frente, sintiendo que empezaba a dolerme la cabeza.

—Si mi instinto no me engaña, ese horrible tipo de allí se va a poner hecho un energúmeno mucho antes de que llegue la AFI. Voy a necesitar vuestra ayuda y, cuando llegue el momento, podrás dar salida a toda tu testosterona. Entretanto, Jenks puede ponerte al corriente de lo que Remus ha estado haciendo en los últimos veinte años para que no te cagues en los pantalones, ¿de acuerdo?

Seguidamente le entregué el móvil y, cuando me lanzó una mirada burlona, Jenks pareció recuperarse un poco y chasqueó las alas.

—De acuerdo —accedió el pixie, volando con dificultad hasta el receloso brujo y, tras echarle un vistazo, aterrizó en su hombro y le indicó que debían empezar por la parte delantera.

Dos menos, pensé mirando a Al. El rostro del demonio se iluminó.

—Anda Al, sé un buen chico y siéntate en la primera mesa que libere Pierce.

—Prefiero estar más cerca —dijo, mirando por encima de sus gafas a la pareja sentada a la mesa más próxima. Ellos se pusieron en pie a toda prisa arrastrando las sillas y, apenas salieron disparados por la puerta, Al tomó asiento, colocándose la levita con sumo cuidado.

De acuerdo. Ha llegado la hora de ganarse el sueldo, pensé, exhalando con fuerza. Me tomé un segundo para desabrocharme otro botón del abrigo y sentir el reconfortante peso de la pistola de pintura en mi bolso mientras me acercaba a Ford, Mia y Remus. Ivy probablemente le diría a Edden que fuera discreto, pero no me hubiera extrañado que, en su afán por capturarla, se presentara con seis coches patrulla con las luces encendidas y las sirenas a todo volumen.

Si Mia no se comportaba como era debido, aquello iba a acabar en menos que canta un gallo. Había intentado matarme en dos ocasiones y, aunque sabía que debía estar preocupada cuando saludé quedamente a Ford y me senté en la silla que me sujetaba, lo único que sentía era un profundo cansancio. El hecho de que Edden hubiera conseguido una orden de arresto y pudiera dispararles era un consuelo. Mientras quitaba la tapa del café y daba un primer sorbo, sentí que todos tenían los ojos puestos en mí. Una vez la ardiente y potente bebida me bajó por la garganta, mis hombros se relajaron. Con tan solo un pequeño esfuerzo podía ver tanto la puerta como el mostrador.

Una de dos, o Mia pensaba sacrificar a Remus y prometer que sería buena, o aquello era un complot para verme muerta, pero no creía que Ford estuviera interpretando erróneamente la situación. La campanilla de la puerta sonó de nuevo cuando una pareja se marchó mirando hacia atrás con expresión aterrorizada, y Jenks me miró con los pulgares levantados. Aquello estaba buenísimo, e intenté tomar buena nota de lo que era por si sobrevivía. ¿*Latte italiano con frambuesa?*

Alcé la vista por encima del borde del vaso de papel. Cuando apartó la vista de mí para mirar a Al, la expresión de Remus era una mezcla de miedo y rabia; una combinación ciertamente peligrosa. Mia, sin embargo, irradiaba una inquietante seguridad mientras sostenía en sus brazos a Holly, que dormía con su mono de nieve rosa. Nadie hubiera dicho que los buscaban por agresión y posible homicidio. Iba a entregar a su marido a cambio de la libertad. Lo sabía. ¿Qué sabía ella del amor?

—Mia —dije, al ver que nadie abría la boca—. ¿Has sido tú la que ha iniciado el fuego?

—No —respondió en voz baja, para evitar que la niña se despertara, y Holly movió las manos en sueños. Mia me miraba fijamente, intentando impresionarme con lo que ya creía que era la verdad—. Ha sido la Walker. Intenta que mi propia ciudad se vuelva en mi contra. Te dije que tenía la sutileza de un tronco cayendo en el bosque. —Había alzado la voz, y sus palabras estaban sorprendentemente cargadas de odio—. Quiere a Holly.

Mia se aferró a su hija, y la niña se revolvió para adoptar una postura más cómoda, moviendo los labios como si estuviera succionando. Remus cerró los puños, y cuando se dio cuenta de que me había fijado en sus potentes manos, las apartó de mi vista.

Puse las mías debajo de la mesa y, sin mover los codos, saqué mi pistola de pintura y me la coloqué sobre las rodillas.

—No he pensado en ningún momento que fueras tú —dije, intentando que se relajaran—. Estoy intentando detener a la señora Walker, Mia, pero te han visto cerca del fuego. La AFI no va a volver a saltarse sus propias normas para ayudarte. Tienes que entregarte. Alguien va a resultar herido. *Como, por ejemplo, yo.*

Remus se puso en pie y el corazón me dio un vuelco.

—Tenemos que irnos, Mia. La gente se está marchando.

Al moverse, el enfurecido humano despidió un tenue olor a húmedo, apenas perceptible, que estimuló mi memoria. El miedo se apoderó de mí y me quedé paralizada. Era similar al cemento. Frío y áspero. Mia percibió mi pavor y adoptó una actitud casi relajada mientras las emociones fluían de mi interior. Ford también lo sintió, pero la expresión de su rostro no era de satisfacción, sino de confusión. Sabía que el origen de mi miedo no era la banshee, sino otra cosa, e intenté desembarazarme de la emoción. *Kisten. Proviene de Kisten. No tengo tiempo para esto.*

Mia movió a Holly para adoptar una posición más cómoda e ignoró a Remus. La niña abrió los ojos. En silencio, se quedó mirándome fijamente y, mientras la observaba, sus pálidos ojos adquirieron el color negro del hambre.

—¿Le dijiste a la AFI que abandonaran la investigación?—me preguntó Mia.

Aparté la vista de la niña, sorprendida.

—¡Ah, sí!, pero alguien tiene que ingresar en prisión por lo de los Tilson. Estabais viviendo en su casa. Y apaleasteis a un agente de la AFI. *E intentaste matarme en dos ocasiones. ¡Mierda! ¿Qué estoy haciendo aquí?*

Junto a mí, Ford tragó saliva, percibiendo las emociones de todos nosotros y teniendo serias dificultades para separar unas de otras. Era mejor que un amuleto de la verdad, pero algo estaba cambiando, y agarré la pistola con una mano mientras rodeaba con la otra el vaso de café.

—Mia, deja que les diga que estás dispuesta a cooperar —intenté de nuevo. No quería dispararle a menos que fuera absolutamente necesario—. El capitán de la AFI sabe que estás arrepentida. *Mentirosa, mentirosa.* Y es consciente de lo que la Walker está dispuesta a hacer para quedarse con la custodia de Holly. *Te está empezando a crecer la nariz.* Solo está enfadado por lo que le sucedió a su hijo, pero si te entregas, como gesto de buena voluntad, hará la vista gorda. Podemos hacer que no te separen de tu hija.

Remus se inclinó sobre su mujer y le susurró algo al oído.

—Mienten para conseguir lo que quieren, y luego te llaman mentirosa cuando intentas obtener lo que es tuyo. No voy a permitir que mi hija vaya dando tumbos de una casa de acogida a otra, durmiendo sobre mugrientos colchones y recibiendo palizas de los compañeros por no tener unos verdaderos padres.

Dudaba mucho que a Holly le sucediera algo así, y Mia estiró el brazo para cogerle la mano.

—Remus, amor mío —dijo, con los ojos puestos en mí—. No voy a entregarme. Quiero comprobar si la AFI me toma en serio. Ella les advirtió, de manera que, si se presentan, tendré la respuesta.

¡Oh, mierda! Con el corazón a punto de salírseme del pecho, deslicé los dedos bajo la mesa y agarré la pistola con ambas manos. *Tanto si hay muestras de fuerza letal como si no, si te mueves un milímetro, os derribo a los dos.*

—Piénsalo, Mia… Has infringido la ley. Tienes que elegir entre vivir de acuerdo con las normas de la sociedad o hacerlo al margen de ella, alimentándote de sus desechos. Me dijiste que tú habías construido esta ciudad. ¿De veras vas a abandonarla? Matarme no te servirá de nada. Solo conseguirá cabrearlos aún más.

Ford se levantó, y Remus, al que Mia mantenía a raya gracias a una mano sobre su hombro, se puso tenso.

—Me dijiste que no harías daño a nadie —dijo el psiquiatra—. Y yo te creí.

Holly empezó a quejarse y Mia la zarandeó con fuerza.

—En ese momento creía que la AFI se comportaría de una manera mucho más sensata, pero está claro que no me escucharán hasta que no haya muerto una veintena de los suyos. Pero me escucharán. La bruja ha sido excluida, y puedo matar desechos con total impunidad.

Está pirada. Está como una puta cabra. Detrás de mí, sentí que Pierce se daba la vuelta. Era la cosa más aterradora que me había sucedido jamás, pero juro que sentí cómo se giraba. En apenas un instante, Jenks se situó delante de mí, despidiendo chispas calientes.

—Yo no diría con impunidad —afirmó, apuntándole con su espada.

—Estoy de acuerdo con el pixie —dijo Pierce detrás de mí.

Observé cómo Remus los evaluaba, pero fue Mia la que intervino:

—¿Qué demonios eres? ¡Ni siquiera tienes un aura!

—Eso me han dicho, y si fueras lo suficientemente inteligente, pondrías pies en polvorosa y te marcharías sin mirar atrás.

Holly empezó a lloriquear, y Mia la zarandeó de nuevo, alzando la vista hacia Remus. Detrás de mí, escuché el taconeo de unas botas y la campanilla de la puerta, que acusaba la salida de otro cliente. La gente había empezado a abandonar el lugar voluntariamente, y el local ya estaba casi vacío. Dirigí la vista hacia el mostrador. Junior estaba allí, mirándonos fijamente, muerto de miedo.

—Llama a la SI —le dije sin emitir sonido alguno, intentando que me leyera los labios. Aquello era demasiado para la AFI. No tenían nada que hacer.

Remus lo vio y, gritando como un endemoniado, echó a correr hacia el propietario.

Me puse en pie de golpe, apuntando a Remus con la pistola, pero había demasiados obstáculos. Ford se tiró al suelo para quitarse de en medio. Una mujer soltó un grito ahogado y se escondió bajo la mesa.

Al ver a Remus, Junior abrió mucho los ojos y, gritando una palabra en latín que sonó especialmente fuerte debido al miedo que sentía, alzó un círculo. Remus se dio de lleno con él cuando intentó saltar por encima del mostrador. Mientras caía hacia atrás, la nariz le sangraba y, cuando chocó contra el suelo, soltó un bramido. Pierce lo agarró por el brazo y Remus le asestó un puñetazo que lo dejó tambaleándose. Tras recuperar el equilibrio, el pequeño fantasma se chupó el pulgar y adoptó la postura de un boxeador. Iba a conseguir que lo mataran. Otra vez.

—Límpiate la sangre de los ojos y ponte en pie, porque pienso zurrarte hasta quedarme sin manos —dijo Pierce, y después me hizo un gesto para que siguiera con ello. Jenks también me gritaba para que le disparara, pero era demasiado tarde. No podía disparar a uno sin alcanzar al otro.

—No lo mates, Remus —dijo Mia con calma—. Tengo la sensación de conocerlo de algo.

—¡Aléjate de ella, Rachel! —exclamó Jenks, recorriendo el local de un extremo a otro como una exhalación—. ¡Antes de que empiece a succionarte el aura!

Al estaba muerto de risa, hasta el punto de que casi se atraganta con su *latte* grande, mientras aplaudía con entusiasmo.

Mia se levantó arrastrando la silla y tanto ella como la niña despidieron un fuerte olor a cemento frío y a humedad. Retrocedí. Me había llevado la mano a la garganta, como si sintiera unos dedos fríos sobre ella.

—Matarme no detendrá a la AFI, Mia —dije, pensando que era un momento genial para tener un *flashback* del asesino de Kisten.

Mia se quedó allí de pie, con la mesa entre nosotras, sujetando a Holly con fuerza mientras la niña no paraba de berrear. Detrás de mí, Pierce aulló al recibir un golpe y se escuchó el ruido de algo al romperse.

—Te equivocas —dijo con la mirada puesta en mí en lugar de en la pelea que se desarrollaba detrás—. Matarte acabará con todo. Remus, deja de jugar con el tipo muerto y sujétame a la bruja. Holly tiene hambre.

¡Oh, Dios mío! Por eso no me había tocado todavía.

En ese momento se oyó un nuevo porrazo y descubrí a Pierce estampado contra el muro entre los restos de lo que había sido una mesa. Con una sonrisa de oreja a oreja, se dirigió a mí con los brazos extendidos, dispuesto a agarrarme por el cuello. Aparté una silla de un empujón para hacer espacio y, liberándome de cualquier tipo de inhibición, me dispuse a pasar un buen rato. Cabreada como una mona, giré el tambor y, conteniendo la respiración, apreté el gatillo.

—¡No! —gritó Mia, pero la pequeña bola de plástico le golpeó de lleno en el pecho. La poción le empapó la camisa salpicándole hasta el cuello y el hombre se desplomó. Me aparté tambaleándome, dejando que cayera sobre la mesa y de ahí al suelo, cubriéndolo todo de café. *Gracias, Dios mío.* Y ahora es el turno de doña Zorra.

Justo en ese momento se oyó la campanilla de la puerta y me giré.

—¡Maldita sea! —grité al ver pasar la silueta de Mia por delante de la ventana. Ford la seguía de cerca. ¿Qué demonios estaba haciendo?

—¿Pierce? ¿Jenks?

Pierce se estaba poniendo en pie, sacudiendo la cabeza por efecto del golpe de Remus. Jenks estaba suspendido encima de él, soltando una gran cantidad de polvo para detener la hemorragia.

—¡Jenks! ¡Quédate aquí y diles que traigan agua salada! ¡Tengo que detenerla!

—¡Rachel! ¡Espera!

No podía venir conmigo. Derribé la puerta con el brazo y corrí tras ellos, descalza excepto por las medias, y con la pistola de pintura en la mano. A mi izquierda, un rápido ruido de pisadas captó mi atención y, tras coger aire, atravesé el aparcamiento cubierto de nieve. En un abrir y cerrar de ojos, había dejado atrás los coches y me encontraba sobre la acera.

El frío cemento estaba haciendo que se me adormecieran los pies, y eché a correr más deprisa. Resoplando, mi cuerpo entró en un ritmo que podría haber mantenido durante una hora. Sujetándome el vestido, que tenía una generosa abertura, me alegré de que mi estupidez al decantarme por la moda en lugar de por la funcionalidad se hubiera limitado a los zapatos. Más adelante, al percibir el escaso movimiento bajo la farola que había una manzana más adelante, entendí que habían desaparecido. ¡Dios! ¿Cómo era posible que se hubiera alejado a tanta velocidad?

En ese momento escuché el quejido de una niña pequeña, cuya extraña cadencia me indicó que se encontraba en brazos de alguien que corría. Era imposible no ganarles terreno. Por un instante, bajo la luz, distinguí claramente la figura de Ford. En ese momento, sobrepasaron la farola y desaparecieron.

Sin dejar de correr, así con fuerza la pistola de pintura, aminorando el paso para no chocarme con ellos. Al llegar a la farola me detuve y agucé el oído. Estaba oscuro en todas las direcciones. La ciudad bullía de gente celebrando el Año Nuevo, pero allí, en aquel antiguo polígono industrial, todo era oscuridad.

Entonces se escuchó el llanto de un niño y el crujido del metal frío.

Con el corazón latiéndome a toda velocidad, pregunté:

—¿Ford? —El psiquiatra no me contestó y corrí hasta el final de la calle. Una pequeña construcción de cemento rodeada por una valla de cadenas era, por lógica, la única opción. Aunque la parte de la cadena que hacía las veces de puerta estaba cerrada, sobre la nieve se veía el rastro que habían dejado al abrirla y unas huellas de pisadas manchaban un suelo, por lo demás, intacto.

Todavía más despacio, me aproximé, con los pies doloridos por el frío.

—¿Ford? —susurré, antes de acercarme al diminuto patio vallado. No era mucho mayor que un corral para perros, e imaginé que se trataba de una caseta para los transformadores de la compañía eléctrica o de alguna compañía de teléfonos.

No obstante, al ponerme de puntillas para mirar por la elevada ventana, con los dedos entumecidos por el frío, descubrí que la pequeña habitación estaba vacía. Sobre la nieve había dos grupos de huellas bien diferenciadas. Me pasé la lengua por los labios, entrar sola era una estupidez. Entonces miré hacia la cafetería. Ni rastro de la AFI, ni tampoco de la SI.

No podía esperar.

—Imbécil —dije mientras empezaba a quitarme el abrigo, temblando, para luego quitarme las medias y colgarlas en la alta valla para que las encontraran y supieran adónde había ido—. Imbécil. No eres más que una bruja imbécil —masculló, y estremeciéndome, empujé la pesada puerta de metal y entré.

30

El olor a piedra húmeda me golpeó con fuerza en el rostro, y lo identifiqué con el mismo que despedían Mia y Remus aquella noche. Era evidente que habían estado allí antes, y me dirigí hacia la puerta de acero convencional que se encontraba al fondo de la estancia vacía. Habían roto la jamba desde el interior y, con la sensación de que estaba cometiendo un grave error, tiré de ella y descubrí una escalera descendente.

—Abajo —murmuré—. ¿Por qué me toca siempre bajar a algún sitio?

Empuñando la pistola, fui palpando los ásperos muros de cemento conforme descendía. El lugar estaba iluminado por una bombilla, lo que me permitió comprobar que el camino era recto y regular. El inclinado techo estaba cubierto de cables, como si los hubieran instalado después de la construcción del edificio. Mis pasos no se oían porque iba descalza, y tenía los pies adormecidos mientras caminaba por el viejo pero no desgastado pavimento. Apestaba a moho y polvo.

A lo lejos se oía el retumbar de unas voces, pero no se entendía lo que decían. Entonces escuché el grito ahogado de una mujer y a Ford gritando:

—¡Mia! Soy yo. No tienes que preocuparte. Tienes que entregarte, pero te prometo que no dejaré que te quiten a Holly.

—¡No necesito tu ayuda! —respondió Mia secamente—. Nunca debí desear el amor. ¿Cómo podéis vivir así? ¡Está muerto! ¡Esa bruja ha matado a Remus!

—¡No está muerto, Mia! —dijo Ford—. Era un hechizo narcótico.

—¿No está muerto? —preguntó Mia.

Fue un susurro cargado de dolor y, convencida de que Mia estaba a punto de derrumbarse, descendí a hurtadillas el resto de las escaleras. La luz de la bombilla de las escaleras quedó casi anulada por el destello irregular de una linterna de gran potencia. Lentamente, recorrí los últimos escalones y, con las manos en la pistola, me asomé al otro lado del pasillo.

El reverberante espacio era enorme, con una altura de al menos cuatro metros y medio y preciosos techos abovedados. Mia estaba de pie en el centro, con una linterna con forma de farolillo en la mano. Ford, por su parte, se encontraba delante de ella, de espaldas a mí. Creo que era capaz de sentir mis emociones, pero no se dio la vuelta.

Detrás de Mia había un túnel que se extendía en dos direcciones. Se parecía a los túneles del metro, pero sin vías ni raíles. No había ni electricidad, ni bancos, ni grafitos. Tan solo muros vacíos y restos de basura que olían a polvo.

Iluminado por la luz de la linterna que se reflejaba en las paredes, el rostro de Mia se mostraba orgulloso y decidido mientras intentaba, en vano, calmar a la niña, hasta que ella misma acabó de mal humor. No tenía la linterna cuando estábamos en la cafetería. Debía de haber estado en la pequeña habitación de arriba, y de pronto caí en la cuenta de que así era como Remus y Mia habían ido de acá para allá, moviéndose bajo la ciudad para escapar de la AFI y la SI. Ni siquiera conocía la existencia de los túneles, pero lo más probable era que Mia hubiera sido testigo de su construcción.

La banshee dirigió la mirada hacia mí y, descubierta por mis emociones, di un paso adelante.

—Remus está bien, Mia. Tienes que entregarte.

—No —dijo, con un tono orgulloso y desafiante que me dio a entender que no pensaba rendirse—. Nunca. Esta es mi ciudad.

Yo sacudí la cabeza.

—Las cosas han cambiado —dije avanzando lentamente hacia ellos. Hacía un frío glacial allí abajo, y sentí un escalofrío, acercándome aún más. Ya casi me encontraba a distancia suficiente para dispararle con mi pistola de pintura—. Si no te entregas, la AFI al completo se te echará encima. Sé que parecen estúpidos, pero no lo son. Sin una muestra de buena voluntad, la señora Walker se quedará con Holly. —Al ver que Mia levantaba la barbilla, hice una pausa—. Mia, te juro que haré todo lo que esté en mi mano para evitar que la Walker se la lleve, pero tienes que ayudarme.

Mia negó con la cabeza y retrocedió. La luz que tenía en la mano chocó violentamente contra los fríos muros y Holly rompió a llorar.

—Remus tenía razón. Voy a volver a mis antiguos métodos. Me han mantenido con vida durante cientos de años. Entregadme a Remus y déjanos en paz a mí y a mi hija o habrá más muertes. Estáis advertidos.

Dándonos la espalda, Mia echó a andar hacia la entrada del negro túnel. Yo alcé la pistola y Ford se colocó delante de mí.

—¡Mia! —exclamó mientras yo intentaba rodearlo, buscando un lugar desde el que poder disparar con precisión—. ¡Piensa en tu futuro!

—¿En mi futuro? —Sus palabras sonaron como un ladrido frío y autoritario, y se detuvo al borde del desnivel de casi un metro de altura—. ¡Sois vosotros los que sois todavía unos niños! ¡Todos vosotros! Yo presencié el nacimiento de esta ciudad, cuando era solo un lodazal lleno de cerdos que vagaban inocentemente. La ayudé a crecer, deshaciéndome de aquellos que la hubieran mantenido ignorante y pequeña. Esta es mi ciudad. Yo la construí. ¿Cómo te atreves a sugerir que debo obedecer vuestras leyes y vuestras normas y aleccionarme sobre el futuro. ¡No pienso huir! Dile al capitán Edden que, si la AFI me sigue, su hijo no acabará en un hospital, sino en un ataúd. —Y, sujetando a la niña sobre su cadera, añadió—: Vosotros no sois nada. Solo un montón de animales a los que sacrificar y succionar hasta la extenuación. Sigo viviendo entre cerdos.

Le estaba apuntando con la pistola, pero teniendo en cuenta su pesado abrigo, habría tenido que darle en la cara para conseguir mi objetivo.

—Mia —dijo Ford poniendo su mejor voz de psicólogo—. No soy tan anciano como tú, pero he vivido mucho más dolor y felicidad de los que tú puedas asimilar. No hagas esto. Merece la pena enfrentarse a un juicio por amor. Es lo que te define. Nada puede manchar tu amor por Holly. Porque tú la amas. Está claro como el agua. ¿No merece esa pureza un poco de dolor? ¡No te arriesgues a perderlo por una cuestión de orgullo!

Detrás de mí, en la escalera, se escuchó el débil sonido de unas pisadas. Sentí una descarga de adrenalina, pero no podía apartar la vista de Mia. Habría dado cualquier cosa por tener conmigo a Edden o a Glenn. Mia desvió la mirada y su rostro se volvió aún más decidido cuando escuché la presencia de una sola persona, y no las diez que esperaba.

—¡Maldita sea, Morgan! ¡Eres peor que mi madre! —se burló una voz masculina—. Apareces siempre en el momento menos oportuno y el lugar equivocado fastidiándomelo todo.

Me volví en redondo. No pude evitarlo.

—¡Tom! —exclamé, retrocediendo, sin saber a quién apuntar con la pistola—. ¡Lárgate de aquí! ¡Mia me pertenece!

La banshee frunció el ceño. Dejando caer mis medias al suelo, Tom se puso a la altura de Ford, alzando la mano vendada hacia mí a modo de advertencia, y apuntando a Mia con la varita, con el aspecto de un actor mediocre en una película fantástica. Su expresión era demasiado condescendiente para conseguir salir de allí con vida.

—Puedes quedártela —dijo—. Solo me interesa la niña.

El rostro de Mia se puso blanco, y mi boca se entreabrió de golpe cuando comprendí lo que había estado pasando. No estaba intentando capturar a Mia para entregársela a las autoridades. Trabajaba para la Walker. Era un jodido secuestrador de niños. Cuando me lo había encontrado en la escena de un crimen, no se debía a que me estuviera espiando; era yo la que se entrometía en sus asuntos.

Con las mejillas encendidas, giré la pistola para apuntar hacia él. *Maldito baboso. Y ahora, ¿cómo va a encontrarme la AFI?*

—¿Qué crees que estás haciendo? —pregunté, a pesar de que resultaba de lo más obvio—. No puedes tocar a Holly, y te puedo asegurar que Mia no va a ayudarte.

—A diferencia de ti, Morgan, a mí no me importa añadir una pequeña mancha a mi alma —dijo con voz siniestra, frunciendo el ceño para darme a entender que lo que quiera que hubiera en su varita, no era legal, por no hablar de que debía de ser tan desagradable que a él mismo le producía cierto rechazo.

»La señora Harbor va a subir esas escaleras y entregarle la niña a quien yo diga. —En ese momento le dedicó una desagradable sonrisa a la furiosa banshee, que tenía uno de sus tacones junto al borde del profundo escalón.

—Y tú saldrás de aquí con los bolsillos bien llenos, ¿verdad? —dije, retrocediendo para poder apuntar mejor hacia él—. Los hechizos de sometimiento son muy desagradables, Tom. ¿Le arrancaste tú mismo la lengua a la cabra o le pagaste a alguien para que lo hiciera?

Tom apretó la mandíbula, pero no se movió.

—¿Qué decides, Mia? —dijo—. ¿Vas a subir las escaleras voluntariamente o bajo los efectos del hechizo?

—¡Maldito brujo bastardo! —le increpó, con la cabeza algo inclinada hacia delante para poder verlo por debajo de su pelo. Era la mirada de una depredadora, con los ojos negros y los músculos tensos. Bajó a la niña de sus brazos y retrocedí, apartándome de su camino. Ford, por su parte, hizo lo mismo—. No la conseguirás —dijo Mia, dejando también la linterna en el suelo. Con las manos libres, avanzó lentamente—. Esta niña me ha costado sangre, sudor y lágrimas.

¡Oh, oh! Esto no pinta nada bien… Ajena a lo que estaba sucediendo, Holly comenzó a dar golpecitos en la zona del suelo iluminada por la linterna, fascinada por la sombra que creaba su manita regordeta, e intentando cogerla. Fue entonces cuando se puso de rodillas y empezó a gatear, persiguiendo las voces que retumbaban en las paredes. Miré hacia el desnivel. Se encontraba demasiado cerca para mi gusto.

—Mia… —le advertí, pero no me estaba escuchando.

Mia entrecerró los ojos y cambió de postura. Irguiendo la espalda y aumentando de estatura, se convirtió en una diosa agraviada, con un rostro hermoso y calmado, pero salvaje y sin piedad. Era una reina, alguien capaz de decidir quién vivía y quien moría, y sus ojos brillaban como trozos de carbón. ¡Oh! Estaba muy, pero que muy cabreada.

—¡Cuidado, Tom! —grité cuando Mia se abalanzó sobre él, con los dedos contraídos como si fueran terribles garras.

Tom la miró aterrorizado y Mia, sin apenas esforzarse, le arrebató la varita de un golpe.

—Vais a morir todos para alimentar a mi hija —dijo, pareciendo mucho más pequeña cuando se situó delante de él—. Y después seguiré absorbiendo vuestra vida durante el resto de la eternidad.

—¡Detente, Mia! —grité, apuntándole con mi pistola—. No voy a permitir que lo mates. Pero tampoco dejaré que se lleve a tu hija. Déjalo en paz. Retrocede y encontraremos una solución. Te lo prometo.

Mia vaciló. Una de dos, o estaba reconsiderándolo, o elucubrando la manera de matarnos a todos a la vez.

—Lo digo muy en serio, Mia —insistí, y la mano con la que sujetaba a Tom empezó a temblar mientras una gota de sudor descendía por el rostro del brujo. Era consciente de lo cerca que se encontraba de la muerte, y no tenía muy claro si me tomaría la molestia de salvar su penoso culo o no. Honestamente, ni yo misma sabía por qué me preocupaba.

Holly soltó un chillido de satisfacción y, de golpe, dirigí la mirada hacia ella. El miedo se apoderó de mí y a punto estuve de echar a correr. Ajena a la rabia de los adultos e inmune a ella por culpa de su historia personal, la niña jugueteaba con la cambiante luz, caminando con paso inseguro, hipnotizada por las sombras que proyectábamos sobre la pared curvada del túnel. Se encontraba al borde del foso. Balanceándose, comenzó un inquietante balbuceo, y el rostro de Mia parecía dividido por la indecisión. Si se movía, Tom se apresuraría a recuperar su varita, y si no lo hacía, su niña se precipitaría.

—¡Ford! ¡No! —grité cuando lo vi lanzarse a por la pequeña niña, vestida con su bonito mono rosa.

—¡Ya te tengo! —exhaló justo en el momento en que ella tropezaba, agarrándola. Ambos aterrizaron en el frío suelo mientras Ford dejaba escapar un resoplido. Holly cayó con fuerza sobre el pecho del psiquiatra, pero Ford la tenía agarrada.

—¡Oh, Dios… Ford! —dije, respirando aliviada cuando la niña levantó la vista y se le quedó mirando, sonriéndole del mismo modo que me había sonreído a mí… justo antes de arrebatarme el aura y succionarme el alma. No podía moverme. Si lo hacía, Mia nos mataría a todos.

Holly alargó sus rellenitos brazos y le dio unas palmaditas en la cara. Ford soltó un grito ahogado y Mia entrecerró los ojos con expresión de satisfacción. La ira se apoderó de mí y aferré la empuñadura con fuerza. ¡Maldita sea! No sabía a quién disparar. *¿A la niña, quizás?* Y, con un nudo en la garganta, dirigí la pistola hacia ella.

—¡No! —acertó a decir Ford. De pronto, el dedo con el que estaba a punto de apretar el gatillo se relajó. *¿Se encuentra bien?*

Todos nos quedamos mirando al psiquiatra encorvándose alrededor de Holly, sacudiéndose en un espasmo antes de inspirar profundamente.

—Se ha ido —gimió, casi en un sollozo. Ignorando nuestra presencia, las lágrimas recorrieron su cansado rostro cubierto de arrugas—. No, ese no, Holly —susurró. Parecía exhausto—. Ese es mío. Coge el resto. Eres un ángel. Un hermoso e inocente ángel.

El corazón empezó a latirme con fuerza. Mia estaba mirando a Ford estupefacta. La niña le estaba tocando la cara, sintiendo su barba incipiente y balbuceando. No lo estaba matando. Estaba… No sabía lo que estaba haciendo, pero las lágrimas de Ford eran de alivio, no de dolor.

—¿Qué demonios está pasando? —preguntó Tom, y sentí que interceptaba una línea.

¡Maldición! Yo no podía interceptar una línea. ¿Estaba jugando a las palmitas con un experto en magia negra y lo único que tenía era un hechizo narcótico?

—No lo sé. —En ese momento desvié la mirada hacia Mia—. Quizás ha adquirido control sobre sí misma.

Mia observaba la escena con la boca abierta. Era evidente que estaba sorprendida de que hubiera otro hombre capaz de tener a su hija en brazos.

—Es demasiado pronto —dijo en un susurro. Sus pies arañaron el suelo al moverse hacia ellos—. ¿Holly?

Holly parloteaba en los brazos de Ford, y la pureza de su voz retumbó en los fríos y curvos techos que se alzaban sobre nuestras cabezas.

—Entonces, supongo que ya no os necesito, ¿verdad? —dijo Tom de repente.

Sentí que soltaba la línea luminosa y, dejándome llevar por mi instinto, alcé la pistola y apreté el gatillo. Una pequeña bola azul golpeó a Tom en el centro del pecho, pero era demasiado tarde. Una horrible bola verde estaba ya en el aire.

—¡Abajo! —grité, y luego me tiré al duro cemento justo en el momento en que una explosión de chispas verdes me echaba el pelo hacia atrás. Me dolían los oídos, y cuando alcé la vista, descubrí a Mia levantándose del suelo. Ford estaba inconsciente, con una brillante neblina verde rodeando su aura. Aparentemente, se debía al hechizo de Tom. El brujo tampoco se movía. *¡Toma! Esta vez te he pillado.*

Esforzándome por ponerme en pie, fui a por Mia, asestándole una patada lateral en plena barriga. El impacto me hizo caer al suelo, y la mujer se estampó contra la pared. Su cabeza golpeó el cemento y se desplomó. ¡Ups! *No debería haberlo hecho.* Pero ¡maldita sea! ¡Qué a gusto me había quedado!

Miré a Ford y descubrí que la neblina verde había desaparecido y que Holly lloraba junto a él, en la curva que formaba su cuerpo. Ford apartó su cara del cemento y una gran sensación de alivio me invadió. Estaba vivo. *Gracias, Dios mío.* Me puse en pie, me arreglé el abrigo frotando mi dolorida mano contra el lugar en el que me había arañado y donde probablemente me encontraría una nueva magulladura al día siguiente. Pero estaba hecho. Solo faltaba dejarlo todo reluciente.

¿Pensaba raptar a la niña?, me pregunté con un estremecimiento y dando la vuelta a Mia con un pie. Echando un vistazo a la pistola que tenía en la mano, consideré la posibilidad de dispararle una de las pocas pociones adormecedoras que me habían quedado, ya que no podía alzar un círculo para retenerla. Pero si le había provocado una conmoción cerebral, el hechizo hubiera podido provocar que entrara en coma. Tendría que limitarme a verla como la depredadora que era hasta que la AFI diera conmigo. Porque Mia era una depredadora. Una maldita tigresa. Un cocodrilo derramando lágrimas de cocodrilo.

—Quédate aquí, cariño —susurré a Holly cuando se acercó a gatas y le di suaves palmaditas en la cara, pero ella rompió a llorar. No podía ayudarla. ¡Oh, Señor! ¿Por qué me sentía como el malo de la película?

De pronto se escuchó un suave chirrido de la madera al arañar el cemento, y empuñé la pistola en aquella dirección. Se trataba de Tom, que no solo se había despertado, sino que se estaba moviendo. Lo observé boquiabierta mientras recuperaba la varita del suelo con la mano vendada y me miraba a través de sus cabellos enredados, transmitiendo odio en cada uno de sus movimientos. Le había dado. ¡Estaba segura de haberle dado! ¡Aquello no era justo!

—Ropa antihechizos —explicó, frotándose la nariz y enjugándose la sangre—. ¿De veras creías que iba a enfrentarme a ti sin nada que neutralizara tus infames hechizos narcóticos? Tienes que diversificar, Rachel.

Entrecerré los ojos y moví la pistola.

—Si te doy en un ojo, estoy segura de que te dolerá —lo amenacé.

—No. Te. Muevas —dijo, y me quedé petrificada. Aquella varita era mucho más peligrosa que mis hechizos. Al ver que nadie se estaba ocupando de Holly, sus ojos adquirieron un brillo de satisfacción.

—Tom —dije, sacudiendo la cabeza a modo de advertencia—, no seas estúpido. Si le entregas la niña a la Walker, Mia te matará.

—Creo que estará mucho más enfadada contigo que conmigo —dijo, haciendo girar la varita con destreza—. Al menos hasta que haya acabado con ella. Y ahora apártate. Aléjate de la niña.

No tenía nada. Bueno, tal vez podía seguir hablando con él hasta matarlo de aburrimiento.

—Esto es una mala idea —dije, alejándome mientras él se acercaba y me apartaba de Holly con su mera presencia—. Piénsalo. No vas a salir indemne de esta y, en caso de que lo consiguieras, no seguirías con vida por mucho tiempo.

—¡Como si tú fueras capaz de distinguir una mala idea de una buena! —sentenció, haciéndome señas con la varita para que siguiera reculando—. Si un humano puede tocar a la niña, yo también —añadió, levantándola.

—¡Tom! ¡No! —exclamé. Holly emitió un espeluznante gemido de placer y satisfacción que me llegó hasta lo más profundo de mi ser. El brujo se puso rígido, con los ojos desorbitados y la boca abierta como si emitiera un aullido silencioso. Cayó al suelo de rodillas y yo tiré de la niña con intención de separarla de él, pero lo único que conseguí fue caerme hacia atrás y quedarme en el suelo, muerta de miedo, mientras una luminosa oleada de energía estallaba de su interior. No podía verla (era invisible a mis ojos), pero estaba ahí. Podía sentirla, y un hormigueo recorrió mi piel como si un millar de veranos estuvieran oprimiéndome, en la sofocante oscuridad de aquella sala subterránea.

El grito de dolor de Tom retumbó en los techos abovedados escuchándose otras mil veces. Arqueando la espalda, se quedó colgando, balanceándose, mientras Holly apretaba su mano contra la mejilla de él, imbuida por el éxtasis.

—¡Holly, no!

Recordando mi pistola, apunté hacia Holly y apreté el gatillo, pero la bola se desvió cuando alguien me golpeó el brazo.

Sorprendida, me quedé rezagada al ver a Al. Pierce se encontraba detrás de él, con una expresión de miedo que me hizo sentir un escalofrío en lo más profundo de mi ser.

—¿Qué estás haciendo? —pregunté, estupefacta.

Sin embargo, el demonio, con su levita de terciopelo verde y su piel rojiza, se limitó a sonreír.

—*Celero inanio* —susurró, y aullé, soltando de golpe la pistola, que estaba repentinamente caliente.

—¡Maldita sea, Al! —dije sacudiendo la mano con frustración—. ¿Qué estás haciendo?

—Mantenerte con vida, bruja piruja. —Acto seguido alzó una mano hacia atrás a modo de advertencia y Pierce retrocedió—. Quédate ahí quieto o romperé el pacto y estarás realmente muerto.

¿Pacto?

Tom aulló de dolor. No me importaba que fuera un brujo negro. Nadie debería morir de aquel modo. Desistiendo de la posibilidad de que Al o Pierce me ayudaran, eché a correr para ayudarle, hasta que Al me puso la zancadilla. Jadeando, me caí, y el dolor hizo que el mundo se volviera blanco cuando el cemento raspó mi rostro sin que yo tuviera tiempo de evitarlo. Levanté la vista, pero permanecí callada por la sorpresa.

Es la vida de Tom, pensé, desesperada, sacudiéndome el pelo de delante de los ojos. Holly se estaba apoderando de él de la misma manera que había intentado apoderarse de mí. La sala latía con la fuerza del alma de Tom, un latido oculto de ambición que cuantificaba su vida. Podía sentirlo mientras le arrebataban el aura y no le quedaba nada que mantuviera unida su alma a su voluntad. Y estaba desvaneciéndose.

Un suave ruido de zapatos arrastrándose detrás de mí fue mi única advertencia, y grité de nuevo cuando Al me obligó a ponerme en pie de un tirón. Él sonrió de oreja a oreja, con sus compactos dientes reluciendo a la luz de la linterna de Mia.

—Demasiado tarde —dijo sonriendo, mientras observaba con una macabra expresión de embeleso, casi cayéndosele la baba, la muerte del brujo negro, haciendo que me preguntara si estaba allí para cobrarse una deuda.

Ford había perdido el conocimiento, derrotado por las emociones de la sala. El aire martilleaba, con luminosos pensamientos de color blanco, toda una vida de conversaciones susurradas en el límite de mi conciencia. Pero se estaban desvaneciendo. Holly emitió un gritito de sorpresa y satisfacción cuando Tom se desplomó por completo. El negro latido que martilleaba mi mente fue absorbido, desapareciendo en el olvido, y yo me tambaleé, retrocediendo, de manera inconsciente, hasta los brazos de Al. La niña se puso de pie con torpeza y caminó balanceándose hasta su madre, que se encontraba de rodillas, sonriendo y extendiendo los brazos para cogerla. ¡Santo Cielo! Tom estaba muerto. Mia estaba despierta. Y Holly había aprendido a caminar.

—Suéltame, tengo que… capturarla —concluí débilmente. Pero ¿con qué?

Probablemente el calor había hecho estallar los hechizos narcóticos de mi pistola.

El demonio me sujetó todavía con más fuerza cuando intenté zafarme.

—Todavía no —dijo, haciendo que un dolor lacerante me subiera por todo el brazo mientras me lo retorcía—. Necesito algo.

Yo me quedé mirándolo fijamente.

—¿Que necesitas qué?

—Esto.

Inesperadamente tiró de mí y la cabeza me cayó hacia atrás. Los oídos me pitaron y me tambaleé. Pierce protestó, pero fue el suave y limpio tacto del terciopelo contra mi cuello el que me cogió y me acunó cuando estuve a punto de caer al suelo.

—Lo siento mucho, bruja piruja —se disculpó dejándome cuidadosamente en el suelo.

El olor a ámbar quemado y a moho me hizo sentir náuseas e intenté concentrar la vista en un punto. Estaba muy mareada.

El frío me subió poco a poco por la espalda, aunque llevar abrigo no fue suficiente para mantenerme caliente. Sentí un momento de pánico al ver el brillante cuchillo de oro en su mano cuando se agachó junto a mí, pero no podía hacer nada. Al me dio unos ligeros golpecitos en la mejilla que dolieron como un pinchazo, y yo intenté, en vano, apartarlo de mí de un empujón.

—Eres una fuente de recursos —dijo, de un humor estupendo, mientras me cogía de la muñeca—. Jamás hubiera podido planear algo así, bruja, pero las cosas buenas parecen seguirte como un cachorrillo.

¿Buenas?, me pregunté. ¿Estaba loco?

—¿Qué estás haciendo…? —acerté a decir, intentando que me soltara el brazo.

Colocándose el cuchillo entre los dientes de manera provisional, Al sacó del bolsillo de su chaqueta la botella negra de poción que me había quitado.

—Necesito una minúscula cantidad de tu sangre, cariño —dijo, cuando se quitó el cuchillo de la boca—. La necesaria para invocar el excelente hechizo que cocinaste para mí.

¿El hechizo de Pierce? El pánico se apoderó de mí cuando dejó la poción a un lado y agarró el cuchillo. Detrás de él, el fantasma estaba de pie con los puños apretados, claramente disgustado porque no iba a hacer nada.

—Pa… para —dije, dando un respingo por el dolor helado de la cuchilla—. ¡Para, Al! —grité, intentando que me soltara la muñeca.

—Los privilegios del maestro —dijo mientras agitaba la poción con las tres gotas de sangre en su interior—. Puedo reclamar todos y cada uno de los hechizos que prepares. Ya lo hemos discutido anteriormente. —Ladeando la cabeza, me miró por encima de los cristales ahumados de sus gafas. Seguidamente, como si hiciera un brindis, alzó la poción—. Mío.

Se puso en pie, y yo, jadeando, me llevé la mano al cuello y me senté. Sentía un dolor punzante en el dedo, y me lo miré, viendo que el corte atravesaba de arriba abajo el bucle más cerrado de mi huella dactilar. No estaba realizando el hechizo correctamente. Debería haber derramado la sangre sobre una piedra ahuecada y permitir que se dispersara. Estaba utilizando mi poción, pero ¿para qué?

—¿Qué estás haciendo? —pregunté, verdaderamente horrorizada, pero él alzó el cuerpo de Tom de un tirón y vertió la poción en la boca del cadáver. ¿Estaba intentando resucitarlo?

Al dejó caer el cuerpo y se giró con un movimiento desenfadado.

—No puedo tener un cadáver como familiar. Sería una torpeza. La gente murmuraría. Y contigo perdiendo el tiempo, necesito un verdadero familiar. Gracias, cariño. Este me irá de perlas. Que disfrutes de lo que queda de noche. Este es mío. Se trata de un acuerdo previo. No lo estoy raptando, bruja piruja —concluyó, echándose a reír.

Me levanté como pude con una mano en el estómago. Al estaba utilizando mi poción, ¿para qué?

Creo que ha utilizado mi poción para mantenerlo con vida. ¡Pero no era culpa mía!

—Gracias, cielo —dijo, y con una sonrisa perversa, agarró a Tom y desapareció.

Se ha llevado a Tom. ¡Por todos los demonios! Se ha llevado a Tom. Y creo que ha utilizado mi poción para evitar que muera.

—¡Al! —grité, aterrorizada porque hubiera sido mi hechizo el que había permitido aquello. ¡No era culpa mía! Cuando juegas con magia negra, tienes que atenerte a las consecuencias.

La luz se movió y, tras darme la vuelta, descubrí que estaba sola allí abajo, con un agente de la AFI inconsciente y una banshee muy, pero que muy cabreada. Pierce había desaparecido. Un montón de ropa y el abrigo robado marcaban el lugar en el que había estado. Maldije a Al, pensando que había raptado a los dos brujos y que se había marchado. Por lo visto, Tom era más importante que cumplir su palabra.

Mia tenía a Holly en la cadera, y la niña me observaba con unos ojos tan negros como los de su madre, tan inocente e indulgente como la muerte en persona. Retrocedí mirando mi pistola de pintura, completamente inservible. No podía alzar un círculo, ni echar a correr tras una banshee sin respaldo (y para colmo, enfadada) sin acabar con el culo al aire. Pero aquella noche había salido de casa dispuesta a convencer a Al de que dejara de raptar gente, no para salvar al mundo de una banshee que había tenido un mal día.

—Morirás por tu participación en todo esto —me espetó la mujer.

—Intenté ayudarte —dije agarrando la parte posterior de la camisa de Ford y arrastrándolo para que quedara fuera de su alcance. Estaba consciente, pero no iba a resultar de gran ayuda, pues no todavía no era capaz de sentarse por sí mismo.

—Estás sola —dijo la mujer, dejando a Holly en el suelo.

—¿Y? —dije como una tonta, y luego solté un grito ahogado y retrocedí cuando la mujer se abalanzó hacia mí, con las manos extendidas.

—¡Rachel! —gritó Ford, arrastrando las palabras, y yo tropecé con sus piernas.

Perdí el equilibrio, con Mia encima de mí, ambas por el suelo. El aire de mis pulmones salió con un rugido e intercepté una línea, desesperada. El dolor me golpeó mientras el calor de la línea luminosa empezó a quemar mis neuronas y mis sinapsis, que carecían de protección, y cuando sus manos entraron en contacto con mi rostro, grité mientras el aura se me desprendía del alma.

—¿Crees que puedes matarme? —la desafié—. ¡Adelante! —la animé jadeante—. ¡Alégrame mi maldito… día!

Ella me enseñó los dientes, a pocos centímetros de mí. Respiraba entrecortadamente, tenía una mirada brutal, aumentada por un instinto salvaje.

Pero había luchado contra Ivy, y aquello no me asustaba. La línea zumbaba a través de mí, y dejé que la tomara. Dejé que la tomara toda.

Mia soltó un aullido. Clavándome las uñas en la mandíbula, su agonía retumbaba a través de mí como su voz retumbaba contra los techos abovedados de piedra que se alzaban sobre nuestras cabezas. Gritó de nuevo, y apreté los dientes sin soltar la línea a pesar de que me estaba quemando. La energía fluyó en su interior, quemando su mente y su cuerpo, pero no estaba dispuesta a rendirse. El olor a frío polvo y al aire olvidado me invadió, y luego sus ojos se abrieron contra el tormento.

Más negros que el pecado de la traición, fijó sus ojos en los míos, respirando con dificultad por la agonía.

—Si fuera tan sencillo —dijo, dando claras muestras de su sufrimiento—, habría muerto antes de llegar a los veinte.

Por unos segundos vacilé y ella, al verlo, aprovechó para arremeter contra mí.

Fue como si el mundo se hubiera vuelto del revés. Con una extraña sensación de vértigo, me arrebató mi delgada aura. El dolor me atravesó con una fuerza inusitada mientras la línea luminosa que había interceptado me golpeó, completamente pura y sin filtro alguno. Mi cuerpo experimentó una sacudida, dándole un empujón instintivo, pero ella me tenía inmovilizada contra el suelo. La línea todavía fluía, pero no podía soltarla porque era evidente que a ella también le estaba haciendo daño. El dolor estaba grabado en su frente, que estaba cubierta de sudor. Entonces soltó un grito ahogado y contuvo la respiración. Por detrás de su dolor, podía ver cómo mi alma penetraba en ella, junto con mi energía vital. Si no conseguía evitar que siguiera apoderándose de mi alma, me iba a matar, independientemente de la línea luminosa.

—Rachel… —oí decir desde detrás del estruendo de mis oídos, y después alguien nos separó con violencia. Mia me soltó mientras caía hacia atrás. El frío aire del túnel me golpeó, y solté un gruñido cuando la fuerza de la línea regresó a mi interior como un bumerán. Incapaz de respirar, me hice un ovillo y me llevé las manos al estómago, dolorida. Mi rostro se raspó otra vez con el cemento polvoriento, e inspiré con todas mis fuerzas como si el aire pudiera ayudarme a encontrar mi alma. Todavía la tenía. Todavía poseía parte de mi aura, de lo contrario, estaría muerta. Y no me parecía estar muerta. El dolor era demasiado intenso.

Dejé escapar un gemido de dolor.

—¡Dámela! —aulló Mia, rasgando mi conciencia con su áspera voz. Volví la cabeza y entorné los ojos. Dolía. ¡Dios! Incluso aquel pequeño esfuerzo resultaba tremendamente doloroso, pero los encontré. Ford tenía a Holly en brazos y la niña miraba a su iracunda madre pestañeando, pero no parecía disgustada. Ford tenía mi pistola de pintura y mantenía alejada a Mia. Los hechizos debían de haber explotado, de lo contrario habría perdido el conocimiento con solo coger el arma. Lo que no me entraba en la cabeza era cómo podía sujetar a la niña mientras que Tom no era capaz de ello.

—¡Aliméntate de él, Holly! —gritó la banshee, y Ford, que la tenía apoyada en la cadera, la alzó unos centímetros.

—Ya lo está haciendo —dijo el psiquiatra, con el rostro contraído por la emoción. Entonces, intentando adoptar una expresión algo más calmada, añadió—: Se está alimentando de todo lo que encuentra en mi interior, excepto de lo que realmente me pertenece. En este momento los únicos sentimientos de mi mente son los míos propios. Y déjame decirte una cosa, Mia: eres una criminal. Ayudaste a construir nuestra sociedad y tendrás que regirte por nuestras normas.

—¡No! —bramó, arremetiendo contra él. Al caer, el rojo destello de la linterna me deslumbró. De pronto lo vi todo de color gris, mientras el intenso dolor de cabeza casi me hizo perder el conocimiento. O eso o la luz se había roto. Gimiendo, escuché la suave explosión de mi pistola de pintura y el ruido seco de algo al caer al suelo.

—Tranquila —oí susurrar a Ford con un tono de voz tan agudo que supuse que estaba hablando con Holly—. Tu mamá se encuentra bien, pero va a dormir durante un buen rato. Y la podrás ver todos los días, Holly. Te lo prometo. Quédate aquí con ella. Vuelvo enseguida.

No podía respirar. Sentía un dolor inmenso en el pecho.

—Rachel, ¿te encuentras bien? —preguntó Ford, con voz angustiada. Sentí que me daba la vuelta y levantaba mi cabeza del frío cemento. Sus masculinos dedos recorrieron mi rostro, pero no sabía muy bien si tenía los ojos abiertos o cerrados. Sentía tanto frío y temblaba con tal violencia que el dolor se hacía aún más intenso.

El polvo de sus manos se convirtió en una húmeda arenilla cuando me enjugó las lágrimas, y el olor a cemento aumentó hasta filtrarse a través de mis pensamientos, mezclándose con mi dolor y formando un lodo acuoso de confusión. Respiré, sin saber si me encontraba en mi pasado o en mi presente. Estaba perdiendo el conocimiento. Sentía que todo se cerraba. La luz había desaparecido y no veía nada. Pero alguien me sujetaba, y olía a cemento húmedo.

—¿Kisten? —pregunté, obligando a mis pulmones a funcionar. Alguien en el barco de Kisten olía así. A cemento viejo y abandonado. Me resistí y él me apretó con más fuerza, sujetándome las muñecas cuando intenté luchar contra él—. ¡Tenemos que irnos! —sollocé, pero él se limitó a presionarme contra su pecho mientras gritaba conmigo, pidiéndome que recordara, diciéndome que me tenía y que no iba a permitir que recordara sola. Que me traería de vuelta.

El hedor a cemento me invadió, activando en mí un recuerdo. Penetraba dolorosamente en mi interior, arrastrado por el olor a piedra húmeda y a polvo. Y en ese momento, me entró el pánico.

¡Tenemos que salir corriendo! El vampiro está a punto de llegar y tenemos que marcharnos de inmediato. Forcejeé para zafarme de Kisten pero él me agarró con fuerza, mezclando su voz con mi frustración mientras me enjugaba las lágrimas. Entonces di un respingo cuando afloró un recuerdo. *Kisten me enjugó las lágrimas. No quiso marcharse de allí conmigo y después fue demasiado tarde.*

No conseguía pensar, con aquel maldito polvo apelmazándome el cerebro, mezclando mi pasado y mi presente. No conseguía… pensar. ¿Estaba allí o en el barco de Kisten? Había estado llorando. Había intentado salvarlo y él me había amado. Pero aquello no había cambiado nada. Había muerto igualmente. Y yo estaba sola.

No estás sola, oí retumbar en mi mente. *Vete. Yo te traeré de vuelta.*

Las mejillas se me llenaron de lágrimas, incluso mientras luchaba en vano, y mi mente se rebeló, dejándome caer en un recuerdo perdido durante un breve instante, desencadenado por el olor a polvo, la sensación de dolor y el sentimiento de amor convertido en el sufrimiento del sacrificio.

El corazón me latió fuertemente y cerré los ojos, cayendo.

31

—¡Hijo de puta! —grité, llena de rabia y frustración, enjugándome las lágrimas de impotencia y temblando por la adrenalina mientras me enfrentaba a Kisten, que me miraba con expresión afligida porque lo había encontrado en aquel minúsculo remanso de agua del río Ohio—. ¡No me importa lo que digan las leyes vampíricas, tú no eres ninguna caja de caramelos! Tengo todo lo que necesito. Mi coche está en el aparcamiento, así que ¡ponte el hechizo de disfraz y salgamos de aquí de una maldita vez!

Kisten se limitó a sonreírme con sus ojos azul claro y a pasarme una mano temblorosa por el párpado inferior que me dejó el frío aliento de la piel muerta.

—No, amor mío —dijo, con una voz que carecía por completo de su falso acento—. No puedo vivir al margen de las normas de mi sociedad. No quiero. Preferiría morir entre ellas. Siento mucho que me consideres un imbécil.

—¡Te estás comportando como un estúpido! —grité, dando un fuerte golpe con el pie en el suelo. ¡Dios! Si hubiera sido más fuerte, lo habría dejado fuera de combate y me lo habría llevado a rastras—. ¡No hay ninguna razón para que lo hagas!

Kisten se puso rígido y, cuando miró por encima de mi hombro, recordé el sutil bamboleo del barco y el sonido del agua golpeando el casco. El olor a vampiro se hizo más intenso, y me di la vuelta, apoyando la espalda con fuerza contra el pecho de Kisten. Me temblaba la barbilla y apreté la mandíbula.

El asesino de Kisten no podía ser considerado un hombre alto. De hecho, Kisten hubiera podido reducirlo sin problemas en un combate justo, pero sabía de sobra que aquello nunca sucedería. Tenía los ojos negros por el ansia de sangre y sus manos mostraban un ligero temblor, como si estuviera conteniéndose, disfrutando de aquella sensación. Unas tenues arrugas marcaban las comisuras de sus párpados. Iba vestido con un traje que parecía de los años ochenta, con una corbata ancha metida entre la camisa. Para ser un no muerto, me pareció bastante desaliñado y anticuado. Pero estaba hambriento. Por lo visto, las ansias de sangre nunca pasaban de moda.

—Ya me dijo Piscary que tal vez podría probar la sangre de bruja —dijo, y yo tragué saliva al percibir la rabiosa amargura que se escondía en su voz, algo agresiva. Es posible que tuviera aspecto de memo, pero era un depredador y, mientras entraba en el dormitorio de Kisten, que se encontraba en el fondo de la embarcación, no me di cuenta de hasta qué punto estaba de mierda hasta el cuello. Sin mover los ojos, tanteé mi bolso en busca de mi pistola de pintura. Hubiera podido derribarlo con la misma velocidad con la que tumbaba a cualquier otro, pero solo si lo veía venir. Los vampiros no muertos eran muy rápidos, y estaba segura de que llevaba muerto el tiempo suficiente como para haber superado el delicado techo de los cuarenta años que acababa con la vida de la mayoría de los no muertos. Lo que significaba que también era experimentado. ¡Oh, Dios! ¿Por qué no le había hecho caso a Kisten cuando me había dicho que me marchara? Pero conocía la respuesta, y busqué a tientas la mano de mi novio.

—Márchate, Rachel. No tiene ningún derecho sobre ti —dijo Kisten, como si todavía tuviera el control de la situación, y el vampiro que se encontraba frente a nosotros sonrió ante su inocencia. Sus colmillos eran de un intenso color blanco y brillaban por las luces de bajo voltaje, mojados de saliva mientras que yo... ¡Oh, Dios! Estaba empezando a sentir un cosquilleo en el cuello.

Me llevé la mano a mi antigua cicatriz y retrocedí, pensando solo en poner suficiente distancia entre nosotros para poder sacar mi pistola de pintura. El vampiro se abalanzó sobre nosotros.

Jadeando, salté hacia un lado. Sentí un dolor insoportable en el brazo cuando caí sobre la moqueta, bocabajo. Un sonido estremecedor inundó el barco, y tras apartarme el pelo de la cara, los descubrí luchando cuerpo a cuerpo. No podía respirar y, todavía en el suelo, me senté y me puse a escarbar en mi bolso. Pero mis dedos no funcionaban y me llevó una angustiosa eternidad encontrar mi pistola. Con un grito de alivio, aparté mi bolso de un empujón y dirigí la boca hacia él. Si era necesario, les dispararía a los dos.

—Así no —dijo el mayor de los vampiros con un gruñido.

—Y que lo digas, aliento putrefacto —dije, justo antes de apretar el gatillo.

Con el rostro cubierto por una máscara de cólera, el vampiro empujó a Kisten. Él salió disparado hacia el otro extremo de la habitación y su cabeza provocó un fuerte ruido al estrellarse contra la pared de metal situada tras los paneles de madera.

—¡Kisten! —grité mientras sus ojos se ponían en blanco y caía al suelo desplomado.

Temblando, me puse en pie.

—Hijo de puta —dije, casi sin poder apuntar mi arma.

—No tienes ni idea —dijo el vampiro. Acto seguido me mostró la bola, que estaba en su mano, intacta e inservible. La colocó con cuidado sobre el aparador y esta echó a rodar, cayendo justo detrás. Con los ojos entrecerrados, inspiró profundamente, llenándose los pulmones del miedo con el que yo llenaba la habitación.

Mis ojos comenzaron a derramar lágrimas de frustración. Tenía que dejar que se acercara aún más, de lo contrario atraparía la siguiente bola, pero si se aproximaba demasiado, sería suya. Kisten no se movía, y yo retrocedí.

—Kisten —dije, dándole un empujoncito con el pie—. Kisten, por favor, despierta. No puedo mantenernos a los dos con vida. Necesito tu ayuda.

El olor a sangre hizo que bajara la vista y, de pronto, me puse pálida. Kisten no respiraba.

—¿Kisten? —dije en un susurro, sintiendo que todo mi mundo se derrumbaba—. ¿Kisten?

Me escocían los ojos, y unas cálidas lágrimas descendieron por mis mejillas cuando me di cuenta de que estaba muerto. El vampiro lo había matado. El muy hijo de puta había matado a Kisten.

—¡Cabrón! —grité, presa del dolor y la rabia—. ¡Cabrón hijo de puta! ¡Lo has matado!

El vampiro se detuvo en seco mirando a Kisten. Sus negros ojos se abrieron por la sorpresa cuando se dio cuenta de lo que había hecho y torció la boca adoptando una expresión de desagrado. Un aterrador gruñido de rabia, casi un rugido, se elevó en el aire.

—¡Maldita bruja vomitiva! —me espetó—. ¡Era mío! ¡Tenía que matarlo y tú me has obligado a hacerlo sin ni siquiera haberlo probado!

No podía dejar de temblar y, situándome delante de Kisten con las piernas entreabiertas, le apunté con la pistola.

—Te voy a…

—¿A qué? ¿A matar? —se burló con una expresión tan llena de odio que resultaba espeluznante—. De acuerdo.

En ese momento se movió y mi espalda golpeó la misma madera que había estrellado el cerebro de Kisten contra su cráneo, matándolo al instante. El aire abandonó mis pulmones. Tenía el dorso del brazo del vampiro contra mi cuello, inmovilizándome. Con los ojos desorbitados, luché por respirar. Entonces dejó de apretar y, mientras conseguía aspirar una bocanada de aire, sentí que todo me daba vueltas y encontré que me había puesto contra la pared.

En ese momento sentí un dolor insoportable en la muñeca y abrí la mano. Escuché el ruido amortiguado de mi pistola al caer sobre la moqueta y la presión se desvaneció.

—Has echado a perder todos mis planes para esta noche —dijo el vampiro inclinándose sobre mí para que pudiera ver la delgada aureola marrón que rodeaba sus pupilas—. Se me prometió la última sangre de alguien y Kisten está muerto. ¿Sabes lo que eso significa?

Estaba alimentando mi miedo para excitarse aún más. Me resistí y él presionó todo lo largo que era su cuerpo contra el mío. No podía moverme y mi pavor aumentó hasta rozar el pánico. Entonces clavé las uñas en los paneles de madera y empecé a llorar en silencio.

—Significa —aclaró impregnándome de su olor a cemento húmedo— que tendré que chuparte la sangre a ti hasta dejarte sin una gota. —Sacudí la cabeza cuando deshizo lo que quedaba de mi trenza y comenzó a deslizar por mi pelo sus dedos, que olían a polvo—. Hubiera preferido jugar con Kisten —dijo inspirando profundamente para inhalar el perfume de mis rizos—. Piscary lo tuvo a su disposición durante un largo tiempo, y tiene tanta saliva en su interior que probablemente habría podido arrancarle el corazón y me suplicaría que no parara.

—¡Cabrón! —dije aterrorizada, con el rostro pegado a la pared.

Él inspiró profundamente mientras deslizaba la parte inferior de su nariz por mi cuello para empaparse de mi olor. Me estremecí cuando sus feromonas penetraron en mí e hizo que la cicatriz se despertara. La tensión se transformó en adrenalina y yo reprimí un gemido de lo que podría haber sido placer. Pero el placer no tenía cabida allí. Aquello era malvado. Yo no estaba excitada. Estaba muerta de miedo.

—¡Déjame en paz! —dije, pero era una petición fútil, y él lo sabía.

—Mmm… —dijo dándome la vuelta y haciendo que pudiera ver la lujuria en sus ojos—. Tengo una idea mejor. Te mantendré con vida para que te conviertas en mi sombra. Así me vengaré de la dulce Ivy lentamente. La putita de Piscary necesita que le enseñen cuál es su lugar.

¿Conocía a Ivy? El terror me dio fuerzas y forcejeé con él. Entonces me soltó. Tenía que hacerlo. De lo contrario, no habría podido huir. *Está jugando conmigo,* pensé mientras corría hacia la puerta. Estábamos sobre el agua. No podía interceptar una línea a menos que me bajara del barco. *¡Dios! ¡Estoy perdida!*

De pronto vi el estallido de un montón de estrellas y, dando un traspié, caí sobre la cama. Me había golpeado. Ni siquiera lo había visto moverse, pero el muy cabrón me había golpeado, y sentí que la cara empezaba a arderme mientras intentaba averiguar dónde estaba el suelo y dónde las paredes.

La cama se hundió cuando aterrizó sobre ella; yo rodé, acabando aún más lejos de la puerta. Estaba yendo en la dirección equivocada. Tenía que hacer algo por invertir nuestras posiciones. Tenía que salir de allí.

Con los ojos brillantes extendió la mano y, dejando escapar una suave exhalación, dijo:

—Ivy te ha mordido, ¿verdad? Tal vez vayamos a divertirnos después de todo.

Lo miré de hito en hito y me obligué a no llevarme la mano al cuello para ocultarlo.

—¿Y qué? ¿Les has cogido el gusto a los vampiros? —se burló, y yo cometí el error de inspirar profundamente. El olor a incienso vampírico mezclado con el del cemento se apoderó de mí, encendiendo un camino que iba desde mi cuello hasta la ingle.

—¡Oh, mierda! —gemí, y mi espalda golpeó contra la pared. Kisten yacía muerto a mis pies y allí estaba yo, incapaz de contener mi excitación sexual, retorciéndome, pervirtiendo mi dolor hasta convertirlo en placer. No me extrañaba que hubieran echado a perder a Ivy—. ¡Maldita sea! ¡Apártate de mí! —le ordené entre jadeos.

El vampiro me había seguido, y me tocó el hombro, haciendo que me flaquearan las piernas.

—Muy pronto estarás suplicándome que me acueste contigo —me prometió en un suave susurro.

Los ojos se me llenaron de lágrimas y él me las enjugó entre besos, y el olor a cemento mojado de sus dedos se intensificó cuando mi llanto los humedeció. Alcé la mano para clavarle las uñas en los ojos, y solté un grito ahogado cuando me la estrujó.

—¡Para! —le supliqué—. ¡Para, por favor!

Su amplia mano se extendió sobre mi rostro, obligándome a abrir la mandíbula. A continuación, con un dedo frotándome el cuello, me introdujo otro en la boca, deslizándolo por su interior y llenándome de su sabor a polvo.

—¡No! —jadeé, incluso mientras me retorcía para liberarme, y acercó su boca a la mía una vez que estuvo seguro de que no iba a morderle la lengua. Su áspera mano me presionó todo el cuello y lo frotó con fuerza. De pronto el éxtasis surgió, pero no era él. Era como si hubiera activado un reflejo, y me odiaba a mí misma por el deseo sexual que se despertó en mí a pesar de que peleaba por escapar, y luchaba por respirar un poco de aire que no estuviera lleno de él. *¡Si consiguiera escapar!*

Estaba llorando, y él tiró de mi labio con sus dientes. La aguda punzada de dolor fue como una descarga eléctrica. Probablemente esperaba que me desmayara a sus pies, pero tuvo el efecto contrario.

El miedo pasó por encima del arrebatador deseo sexual y, golpeándolo con todas mis fuerzas, le clavé las uñas en los ojos. Él maldijo y se apartó tambaleándose. Me había mordido. ¡Oh, Dios! ¡Me había mordido!

Con la mano sobre la boca, corrí hacia la puerta.

—¡Todavía no he terminado! —bramó el vampiro, y yo me precipité hacia el estrecho pasillo. Me caí en el comedor, pero logré correr en dirección a la cocina y a mi libertad. Intenté girar la manivela, pero mi muñeca no funcionaba, pues seguía entumecida en la zona en la que había apretado para quitarme la pistola. Los dedos de mi otra mano estaban amoratados y no respondían.

Sollozando, propiné un puntapié a la puerta. El dolor se me clavó en el tobillo, pero lo intenté de nuevo con una patada lateral. En el momento en que golpeaba pegué un grito, y estaba vez la articulación se fracturó parcialmente.

Mis dedos entumecidos buscaron desesperadamente la puerta, y solté un alarido cuando una pesada mano me apartó de la madera rota con un tirón. Luché por no perder el conocimiento cuando mi cabeza golpeó la pared más lejana, y caí.

—¡He dicho que todavía no he terminado! —dijo el vampiro, arrastrándome por el pelo hasta el dormitorio. Peleando como una loca, intenté agarrar la puerta del baño cuando pasamos por delante, pero el vampiro tiró de mí con fuerza y mis dedos arañaron la moqueta hasta que sentí que ardían. Él no me soltó el pelo hasta que me agarró del brazo y me arrojó sobre la cama. Reboté una vez antes de encontrar el equilibrio, y golpeé el suelo en el extremo más lejano, entre la cama y la pared. Entonces dirigí la mirada hacia Kisten, y mi pánico cesó. Se había ido. El piso estaba vacío.

Temblando, me asomé por encima de la cama y encontré a mi amado de pie junto a la ventana, mirando tranquilamente a través del cristal.

—¡Qué bonito! —dijo quedamente, y mi corazón se partió en dos cuando escuché su familiar voz saliendo de la boca de un desconocido. Estaba muerto. Kisten era un no muerto—. Puedo verlo todo, oírlo todo. Incluso los mosquitos que planean sobre el agua —añadió maravillado, justo antes de girarse.

El pecho se me hizo un nudo al ver su habitual sonrisa, pero la mirada que había detrás había perdido algo. Si podía oír a los mosquitos, quería decir que me había oído gritar y no había hecho nada. Sus ojos azules parecían incapaces de reconocer, como los de un hermoso ángel aturdido. No me conocía.

Mis lágrimas no querían cesar.

El vampiro que lo había matado tenía una expresión furibunda, casi preocupada.

—Tienes que marcharte —dijo bruscamente—. Ya no sirves para nada. Lárgate.

Una tras otra, las lágrimas fueron cayendo, y me puse en pie, sin esperar ninguna ayuda de Kisten.

—Yo te conozco —dijo de repente, y sus ojos se iluminaron con la evocación. Mis manos, llenas de arañazos, se entrelazaron a la altura del pecho y cerré los ojos, sollozando. Acto seguido se abrieron de golpe cuando el suave tacto de sus manos en mi barbilla llegó demasiado pronto para que hubiera cruzado la habitación, pero allí estaba, con la cabeza ladeada, intentando resolver el misterio.

—Y te amaba —dijo, con el desconcierto del primer amanecer, y yo contuve un hipido.

—Yo también te amo —susurré, muriéndome por dentro. Ivy tenía razón. Aquello era un infierno.

—Piscary —añadió Kisten, confundido—. Me pidió que te matara, pero no lo hice. —Entonces sonrió, y mi alma se hizo pedazos al ver el brillo familiar—. Ahora, volviendo la vista atrás, puede parecer un comportamiento absurdo, pero en aquel momento tuve la sensación de estar haciendo lo correcto. —Me cogió la otra mano y frunció el ceño al ver mis dedos hinchados—. No quiero que sufras, pero no recuerdo por qué.

Necesité hasta tres intentos antes de conseguir pronunciar las palabras.

—Estás muerto —dije quedamente—. Por eso no lo recuerdas.

Kisten torció el gesto, confundido.

—¿Hay alguna diferencia?

Me dolía la cabeza. Aquello era una pesadilla. Una maldita pesadilla.

—No debería —susurré.

—No recuerdo haber muerto —dijo, y después me soltó y se giró hacia el vampiro que lo había matado—. ¿Te conozco? —preguntó, y el vampiro sonrió.

—No. Tienes que irte. Ella es mía, y no pienso compartirla. Tus necesidades de sangre no son problema mío. Ve a darte un largo paseo en una corta sombra.

Una vez más Kisten frunció el ceño, intentando entender lo que sucedía.

—No —respondió finalmente—. Yo la quiero, incluso aunque no recuerde por qué. No voy a dejar que la toques. Tú no le gustas.

Apenas me di cuenta de lo que iba a pasar, contuve la respiración. Mierda. Una de dos, o acababa sometida a Kisten o a su asesino, y con mi miedo tiñendo el aire, empecé a recular.

—Dentro de poco me adorará —sentenció el vampiro con un grave gruñido. Seguidamente bajó la cabeza para mirar a Kisten por debajo de las cejas y el pelo le cayó hacia delante. Kisten se encorvó, imitándolo, transformándose en un animal de dos patas. La belleza y el encanto habían desaparecido. Era puro salvajismo, y yo era el trofeo.

El vampiro se abalanzó en silencio sobre Kisten, apartándose en el último momento y haciendo que saltara por encima de su cabeza. Se dirigía hacia mí y, con los ojos muy abiertos, me agaché, maldiciendo cuando su puño se estrelló contra mi hombro y me lanzó girando contra la pared. Mi cabeza sufrió un fuerte impacto, y me esforcé por fijar la mirada.

Empecé a deslizarme por la pared, pero clavé los pies en la moqueta y bloqueé las rodillas. No podía derrumbarme. Si lo hacía, probablemente no volvería a levantarme nunca más. Entonces observé, petrificada, cómo se peleaban entre ellos. Kisten no era tan rápido, pero sí terriblemente fiero. Las peleas de bar le habían proporcionado diversas técnicas de lucha que hacían que siguiera moviéndose y levantándose cada vez que el otro vampiro le golpeaba con fuerza suficiente para romperle los huesos a cualquiera. Cada directo y cada gancho hacían un daño que el virus vampírico reparaba de inmediato.

—Sal de aquí, Rachel —me ordenó Kisten con calma cuando finalmente consiguió arrinconar a su rival.

Llorando, desoí su mandato y me dirigí hacia mi bolso. Tenía algunos hechizos en su interior. Mi aturdida mano revolvió en busca de algo que pudiera salvar a Kisten y también a mí misma. Al ver lo que estaba haciendo, nuestro agresor logró zafarse y se lanzó sobre mí. Aterrorizada, solté el bolso. Tenía en la mano la botella de seda de araña que había utilizado para pegar a Jenks al espejo del baño y que no me siguiera.

Agachándome para esquivar al vampiro, lo rocié con la poción. El hombre gritó consternado cuando le di de lleno en los ojos, pero volvía a encontrarse entre la puerta y yo. Intenté sortearlo, pero él estiró el brazo y me lanzó contra el tocador. Mi estómago aterrizó justo sobre una esquina del mueble, y el impulso hizo que diera con la cabeza en el espejo. Con el corazón latiendo con una fuerza inusitada, miré y me quedé de piedra cuando descubrí a Kisten entre las garras del otro vampiro, con su brazo alrededor del cuello, demostrándome que podía rompérselo en cualquier momento.

—Ven aquí o morirá de nuevo —me dijo el vampiro, y yo, obedientemente, di un paso hacia delante. A Kisten solo le quedaba una vida.

Los ojos de mi amado estaban abiertos de par en par.

—Tú me amas —dijo, y yo asentí con la cabeza, enjugándome las lágrimas para poder ver.

El vampiro sonrió, con su largo rostro y sus dientes puntiagudos, mientras atraía a Kisten con más fuerza, como a un amante.

—Habría sido tan divertido gozar de tus últimas gotas de sangre —le dijo al oído, acariciando con los labios el pelo que en otro tiempo yo solía acariciar—. Lo único que hubiera podido divertirme aún más habría sido tomar la de la puta de Ivy, pero no puedo tenerla —gruñó, tirando de Kisten de manera que, por un instante, tuvo que ponerse de puntillas—. Es la jodida reina de Piscary, pero esto le va a doler. Le debo un poco de sufrimiento por los años que pasé en prisión, viviendo de desperdicios y de sombras desechadas que le entregan su sangre a cualquiera. Matarte es un buen comienzo. Convertir a su compañera de piso en una marioneta es mejor aún, y cuando se haya convertido en una puta quejumbrosa sin alma y con los ojos muertos, me dedicaré a su hermana y después a todos los que haya amado alguna vez.

Kisten pareció asustado, y la emoción consiguió traspasar la muerte donde el amor no había podido.

—Deja en paz a Ivy —le exigió.

Los labios de su asesino acariciaron el pelo de Kisten.

—Eres demasiado joven. Yo también recuerdo haber amado a alguien, pero todos murieron, y lo único que me queda ahora es la pureza de la nada. ¡Dios! ¡Pero si todavía estás caliente!

Kisten se me quedó mirando y desde un lugar desconocido brotaron nuevas lágrimas.

Estábamos todos perdidos, sin remisión. Las cosas no debían acabar de aquel modo.

—Entonces toma mi sangre en lugar de la suya —sentenció Kisten, y el otro vampiro soltó una carcajada.

—De acuerdo —respondió con sarcasmo, y alejó a Kisten de un empujón, como el veneno que su sangre era ahora para él.

Kisten recuperó la compostura.

—No —dijo quedamente, en una voz que solo había escuchado de su boca en otra ocasión, en una noche fría y nevada cuando había derrotado a seis brujos negros—. Insisto.

A continuación se abalanzó sobre el vampiro y este tropezó, con los brazos en alto y casi indefenso por lo repentino del ataque. Los colmillos de Kisten brillaron brevemente, todavía cortos para un no muerto, pero de una longitud suficiente.

—¡No! —gritó el vampiro, y los dientes de Kisten penetraron en su piel. Me quedé mirando fijamente, con la espalda pegada a las amplias ventanas, mientras el asesino de mi amado le sujetaba la mandíbula con la mano. Entonces escuché un nauseabundo crujido y Kisten se derrumbó.

Cayó al suelo y empezó a sufrir convulsiones incluso antes de tocar la moqueta. El otro vampiro se llevó las manos al cuello y al estómago mientras se dirigía tambaleándose hacia la puerta. Segundos después lo escuché desplomarse, huyendo mientras vomitaba. El barco se balanceó y oí el ruido del agua al salpicar.

—¡Kisten! —exclamé, y me arrodillé junto a él, sujeté su cabeza y la puse en mi regazo. Las convulsiones se hicieron menos intensas, y le limpié la cara con las manos. Tenía la boca manchada de sangre, pero no era la suya, sino la de su asesino, y ahora los dos morirían. Nada podía salvarlo. Los no muertos no podían alimentarse los unos de los otros. El virus se atacaba a sí mismo y acabaría con la vida de ambos.

—¡Kisten, no! —sollocé—. ¡No me hagas esto! ¡Kisten, querido idiota! ¡Mírame!

Sus ojos se abrieron y yo me quedé mirando, sin aliento, la hermosa profundidad de sus ojos azules. La sombra de la muerte temblaba en ellos, despejándolos. De pronto sentí un nudo en el centro del pecho al percibir en él un momento de lucidez, mientras se aproximaba titubeante a su auténtica muerte, la definitiva.

—No llores —dijo, acariciándome la mejilla mientras alzaba la vista. Se trataba de Kisten, de él mismo, y recordaba por qué había amado—. Lo siento. Voy a morir, como también lo hará ese maldito cabrón si he conseguido inocularle suficiente saliva en su torrente sanguíneo. Ya no podrá haceros daño, ni a ti ni a Ivy.

Ivy. Aquello iba a destrozarla.

—Kisten, por favor, no me dejes —le supliqué manchando sus mejillas con mis lágrimas. Su mano cayó desde mi pómulo y yo la agarré y la apreté contra mí.

—Me alegro de que estés aquí —dijo, cerrando los ojos mientras inspiraba—. No pretendía hacerte llorar.

—Deberías haberte marchado conmigo, tontorrón —sollocé. Su piel estaba caliente al tacto, y tuvo otra convulsión mientras se llenaba los pulmones de aire con un ruido áspero. No podía detenerlo. Estaba muriendo en mis brazos y no podía detenerlo.

—Sí —respondió en un susurro, mientras su dedo temblaba en contacto con mi barbilla, donde yo la sujetaba—. Lo siento.

—Kisten, por favor, no me dejes —le imploré, y sus ojos se abrieron.

—Tengo frío —dijo, mientras el miedo crecía en sus ojos azules.

Lo así con más fuerza.

—Estoy aquí contigo. Todo va a salir bien.

—Dile a Ivy… —dijo con un estertor, aferrándose a sí mismo—. Dile a Ivy que no ha sido culpa suya. Y dile que, al final… recuerdas el amor. No creo… en absoluto… que perdamos nuestras almas. Creo que Dios nos las guarda hasta que… volvamos a casa. Te quiero, Rachel.

—Yo también te quiero, Kisten —sollocé, y mientras los miraba, sus ojos, que memorizaban mi rostro, se volvieron de color plateado. Entonces murió.

32

En aquel momento, provenientes de algún lugar impreciso, llegaron a mis oídos las voces de Mia y Holly, cada una de ellas aullando la misma canción de rabia, frustración y pérdida, aunque con distinta letra, mientras la suave cadencia del agente de la AFI informando a Mia de los cargos que se le imputaban servía como música de fondo. Mis ojos se abrieron y necesité unos segundos para enfocar las diferentes luces que se paseaban por los horribles techos y paredes. Asimismo, las radios de los agentes no paraban de emitir un incesante y molesto parloteo que retumbaba en las paredes y que hacía que la diatriba de Mia y los quejidos de Holly parecieran lejanos lamentos.

Me erguí como un resorte y me mareé; me aferré a la manta de la AFI que me envolvía. Había gente por todas partes, ignorándome, agitando las linternas arriba y abajo en dirección al túnel y apuntando a Mia con sus armas mientras le leían sus derechos. Los agentes encargados de llevársela de allí pertenecían a la SI; Ford se encontraba al otro lado de la habitación con Holly. La niña no estaba precisamente contenta, pero Ford la sostenía en sus brazos sin recibir ningún daño por ello. Por la expresión de su cara, era evidente que se sentía mortificado por contribuir a la separación de una madre y su hija, pero gracias al hecho de que fuera capaz de tocar a la niña, la Walker no se la quedaría.

Junto a mí, sobre el frío suelo de cemento, estaba mi pistola de pintura, como si fuera una especie de ofrenda. Al verla, abrí mucho los ojos, y una segunda oleada de vértigo se apoderó de mí al recordar. *¡Oh, Dios! ¡Kisten está muerto!*

Noté que la bilis me subía por el esófago y empecé a sentir arcadas. Intenté levantarme pero no lo conseguí, pues estaba demasiado mareada para ponerme a gatas tras haber rodado sobre mí misma con intención de incorporarme. Nadie pareció darse cuenta de lo que me sucedía, fascinados como estaban por las amenazas y los forcejeos de Mia mientras la subían a rastras por las escaleras como a una gata salvaje mojada, con cuatro vampiros no muertos tirando de la correa con la que la habían reducido, dos delante y dos detrás, para que no pudiera tocar a nadie. Su política de ignorarla había cambiado después de que la AFI les obligara a intervenir.

Observando el mugriento suelo a través de mi pelo revuelto, me esforcé por respirar para recuperar el recuerdo de la muerte de Kisten, pero resultaba tan doloroso como si me estuvieran atravesando el alma con un cuchillo. *¡Mierda! ¡Lo que me faltaba! ¡Echarme a llorar!* Entonces me miré la mano, como si deseara verla hinchada y llena de rasguños, pero en ella solo estaba el corte de Al.

—¡Holly! —gimió Mia, como si diera voz a mi desconsuelo, y la miré a través de mis desmadejados mechones, impactada por el miedo que transmitía aquella mujer. Estábamos pasando todos una fabulosa velada de Año Nuevo.

Las palabras de Ford se elevaron por encima del suave llanto de Holly, calmando los forcejeos de la banshee.

—Su hija es un encanto, señora Harbor —dijo, conteniendo con facilidad los esfuerzos de la niña por liberarse, y los vampiros que tiraban de ella hicieron una pausa—. La protegeré con mi vida si es necesario.

—¡Es mi hija! —gritó Mia, cuyo desconsuelo había hecho que pasara de ser una loca furiosa a una madre que veía cómo se llevaban a su bebé, y rompió a llorar de nuevo, pero en esta ocasión por Holly.

—Sí, es su hija —dijo Ford con calma—. Yo me ocuparé de su tutela temporal, y no tengo ninguna intención de volverla en su contra. Ella es… mi cordura, Mia. Consigue acallar las emociones que me hacen daño. Estando conmigo no le faltará jamás alimento, y no pienso condicionarla para que te rechace como habría hecho la Walker.

El rostro de Mia estaba desfigurado por el miedo, pero en el fondo se veía un atisbo de esperanza.

—¿No le daréis a mi hija?

Ford se colocó a Holly de modo que estuviera en una posición más cómoda.

—Jamás. Ya se ha puesto en marcha el papeleo para concluir lo antes posible. A menos que la Walker pueda probar que está emparentada con Holly, no tiene nada que hacer, independientemente de que sea una banshee. Yo tendré la custodia de Holly hasta que puedas volver a ejercer de madre, y te la llevaré para que la veas siempre que quieras. Y a Remus, si me dejan. Mientras yo esté vivo, esa mujer no le pondrá las manos encima.

—¿Holly? —dijo Mia con voz temblorosa, en un tono del que solo se desprendía amor, y la niña se volvió con su pálido rostro enrojecido por las lágrimas. Ford se aproximó a ella y madre e hija se tocaron por última vez. Las lágrimas surcaban las mejillas de Mia, y se las enjugó, sorprendida de que estuvieran húmedas—. Mi hija —susurró segundos antes de retirar la mano, cuando los vampiros que sujetaban las correas le dieron un tirón.

Ford retrocedió hasta detrás de la protección de los agentes armados de la AFI.

—No será para siempre —dijo—. Mataste gente para hacer tu vida más sencilla, cumpliendo tu labor de encontrar suficientes emociones para criar a tu hija de la manera más sencilla en lugar del duro trabajo que debería ser. Si vives en sociedad, tienes que atenerte a sus reglas. Esas mismas reglas te pondrán en libertad si estás dispuesta a respetarlas. En este preciso momento, Holly está a salvo. No conseguirás arrebatármela sin matarme a mí o a aquellos que te observan. Si me matas, la próxima vez que te cojan, Holly acabará con la Walker, y te aseguro que te cogerán. Somos muchos, y sabemos cómo y dónde buscar.

Mia asintió con la cabeza y miró atrás solo una vez mientras se dirigía hacia las escaleras, rodeada por los cuatro agentes de la SI. Tenía los ojos negros con lágrimas que se volvieron plateadas cuando empezó a llorar por sí misma.

La tensión de la sala descendió de golpe y yo me moví para sentarme con la espalda apoyada contra la pared. Con un movimiento cargado de rabia, flexioné las piernas y, sin importarme lo que pensaran los demás, apoyé la cabeza sobre las rodillas y rompí a llorar, sintiendo el tacto áspero de la lana de mi abrigo sobre mi mejilla llena de arañazos. *Kisten*. Había muerto para salvarme. Se había sacrificado para que yo pudiera seguir con vida.

—Rachel.

En ese momento escuché el ruido de unos zapatos. Con la cabeza gacha y el pelo tapándome la visión, aparté de un empujón a quienquiera que fuese, pero regresó de inmediato. Unos delgados dedos masculinos aterrizaron en mi hombro, agarrándolo brevemente, y retirándose de nuevo. Alguien que olía a galletas y a loción de afeitado se agachó y tomó asiento junto a mí con la espalda apoyada en la pared. Entonces percibí el suave lloriqueo de Holly y supuse que se trataba de Ford. Limpiándome la nariz con la manta azul, miré de reojo. Ford no dijo nada y siguió mirando a la gente de la AFI, que había empezado a recoger sus cosas y a marcharse. La función había terminado, aparentemente, y yo me había despertado justo a tiempo para presenciar el último acto.

Ford suspiró cuando se dio cuenta de que lo estaba mirando y, asegurándose de que Holly no me tocara, metió la mano en uno de los bolsillos de su abrigo y sacó un paquete de toallitas húmedas. Yo me sorbí la nariz ruidosamente mientras él sacaba una y me la entregaba.

Se la acepté y eché la cabeza hacia atrás, conteniendo la respiración y apoyando la cabeza en la pared para limpiarme el polvo y las lágrimas de la cara, sintiendo el escozor del jabón en los arañazos de mi rostro y en el corte del dedo. Entonces inspiré y el olor a limpio me llegó hasta el fondo de mi ser, arrastrando con él parte de mi dolor. O eso, o simplemente estaba construyendo un muro a su alrededor. La apretada venda que parecía rodearme el pecho se aflojó y pude respirar de nuevo.

—¿Te encuentras bien? —me preguntó Ford. Me encogí de hombros, sintiéndome tan desgraciada como parecía Holly. *Estoy viva*, pensé apretando la mano con fuerza y convirtiendo la toallita en una pequeña bola.

—Sí, estoy bien —dije con un suspiro, exhalando como si hubiera sido mi último aliento. Sin embargo, conseguí inspirar otra vez, y otra más, hasta que de pronto rememoré la presencia de Ford junto a mí mientras recordaba, y la promesa de que no tendría que pasar por todo aquello yo sola.

—¿Ivy está aquí? —pregunté casi en un susurro. Tenía que contárselo. Se lo diría también a Edden, pero primero tenía que darle la oportunidad a Ivy de afrontarlo a su manera.

—Está arriba, hablando con la SI.

Mi mirada errante se posó sobre un agente de la AFI que etiquetaba y embolsaba la ropa de Pierce y mis medias. Por lo que a mí respectaba, podían quedárselas. Además, el rapto de Tom no era culpa mía.

—¿Cómo me han encontrado? —pregunté, cansada.

Ford sonrió, y Holly se apoyó en él exhausta y en silencio.

—Por lo visto, gracias a tus amuletos localizadores y a las huellas en la nieve. Debes tener los pies congelados.

Asentí con la cabeza, contenta de tener la manta para apoyarlos. Levanté la mirada de los pequeños montículos que formaban mis pies y me topé con la suya; recordé la primera vez que había cogido a Holly, con los ojos llenos de lágrimas de alivio mientras ella devoraba todas y cada una de las emociones de su interior excepto las suyas propias.

—Puedes abrazarla —observé, sintiendo un intenso dolor en el corazón por el hecho de que hubiera salido algo bueno de todo aquello—. Me refiero a Holly. Incluso cuando está enfadada.

Ford miró con los ojos rebosantes de ternura a la pequeña niña que dormía en sus brazos.

—Lo absorbe todo antes de que llegue a mí —dijo, con cierto miedo en su voz—. Ni siquiera tengo que tenerla en brazos, me basta con que esté cerca. Pero no voy a dejarla en el suelo.

Sonreí, tirando un poco de la manta para cubrirme mejor los hombros. Allí abajo hacía un frío horroroso. Me alegraba por Ford, pero estaba helada, amargamente desilusionada, y dolida por un recuerdo que, hasta aquel momento, no pensé que tuviera que afrontar. El último de los chicos de la AFI se estaba marchando e intenté recobrar la compostura.

—¡Oye! Probablemente tendrás un pañal que cambiar, ¿no? —dije, poniéndome en pie. Mareada, apoyé la mano en la pared para no caerme. Entonces sentí un fuerte pinchazo en el estómago y volví a sentarme rápidamente. ¡Maldición! Mia había vuelto a arrebatarme el aura.

—¿Quieres una camilla? —me preguntó Ford. Muy a mi pesar, asentí con la cabeza, fue a hablar con uno de los agentes de la AFI que se marchaban. No podía subir las escaleras en aquel estado, ¡al diablo con mi maldito orgullo!

Lentamente, el mareo disminuyó, y me concentré en respirar mientras echaba un vistazo a la sala. No estaba segura de cómo iba a explicar lo de la ropa de Pierce. Y lo del rapto de Tom resultaría mucho más difícil. Aunque hubiera querido, no podía fingir que no habían estado allí. Tanto Ford como Mia lo habían presenciado. No me iba a dejar en muy buen lugar que Al se los hubiera llevado a los dos. *¡Maldita sea! No pienso cargar con las culpas de esto.*

Ford regresó en el mismo momento en que el último de los agentes se dirigía hacia las escaleras y, colocando la linterna de Mia junto a mí, se sentó de nuevo a esperar, sin separarse de Holly.

—Esto es increíble —dijo—. No sabría decir con seguridad cómo te sientes. Lo veo en tu cara, pero no lo siento. Es muy extraño. —Acto seguido bajó la mirada y me di cuenta de que se estaba emocionando—. Ya no está muerto, ¿sabes?

Las sombras se movieron mientras inclinaba la linterna para enfocar con la luz en dirección a las escaleras.

—¿Quién? ¿Tom? —dije, alegrándome de que no pudiera percibir mis emociones mientras tenía a la niña en brazos. Tenía que estar hablando de Tom. Kisten se había ido, había desaparecido para siempre, y yo acababa de revivir su muerte—. Lo sé. Al se lo llevó. —En ese momento sentí una punzada de miedo; miedo de que la SI lo utilizara en mi contra si se enteraba.

—No. No me refiero a Tom —dijo Ford, alzando la cabeza de golpe—. Tom está muerto. Sentí cómo fallecía. Estoy hablando de Pierce.

Estupefacta, me giré hacia él.

—Al lo raptó —dije—. Rompió el hechizo y se lo llevó a rastras. Su ropa estaba ahí mismo.

La sonrisa de Ford se hizo más abierta y acomodó en sus brazos a la niña dormida.

—La persona que Al se llevó a siempre jamás no era Tom, sino Pierce.

Aquello no tenía ningún sentido, y me limité a mirarlo fijamente, arrebujándome en la manta azul de la AFI.

—Tu poción tenía como objetivo a Pierce —explicó Ford—. Una vez muerto Tom, Al utilizó tu hechizo de invocación para obligar a Pierce a entrar en su cuerpo. Sentí morir las emociones de Tom. Las de Pierce ocuparon su lugar, emanando del cuerpo del brujo. Reconocería el compás de sus pensamientos en cualquier lugar. Se trata de un individuo excepcional.

Miré hacia el lugar en el que había estado la ropa de Pierce y sentí una oleada de frío que me recorrió de arriba abajo provocándome un escalofrío.

—Pero ¡eso es magia negra! —dije en un susurro, escuchando cómo retumbaba en los túneles detrás de mí, como si fueran el mismísimo pecado—. ¡Era mi hechizo! No sabía que fuera negro. ¡Lo saqué de un manual universitario!

Ford apoyó la espalda contra la pared. Era evidente que no le preocupaba lo más mínimo.

—El hechizo era tuyo, y era blanco, pero el demonio lo distorsionó, pervirtiéndolo. Está enamorado de ti, ¿sabes?

—¡¿Al?! —pregunté, emitiendo un gañido. Ford se echó a reír. Holly sonrió en sueños, y el rostro del psiquiatra se calmó.

—No, Pierce.

El repentino arrebato hizo que me mareara, y miré hacia las escaleras, deseando que se dieran prisa. Kisten sí que había estado enamorado de mí. Lo de Pierce fue solo un capricho de adolescente.

—Ni siquiera me conoce —dije quedamente, con el corazón partido—. Tan solo pasamos juntos una noche. ¡Dios! ¡Pero si tenía dieciocho años!

Ford se encogió de hombros.

—Eso explicaría tu tormentosa historia con los hombres. Descubriste lo que querías a los dieciocho años y no has encontrado a nadie que estuviera a la altura.

Yo suspiré. Tenía el culo sobre el frío y polvoriento cemento, esperando a que me trajeran una camilla, y él me estaba psicoanalizando.

—Ford, yo no estoy enamorada de Pierce. Fue solo el encaprichamiento de una niña. Me cautivó su carismática personalidad. Yo amaba… a Kisten.

—Lo sé. —Su mano tocó mi hombro, sorprendiéndome—. Lo siento.

Me di la vuelta, obligándome a quitarme a Kisten de la cabeza para no echarme a llorar de nuevo.

—Pierce había hecho un pacto con Al. Probablemente consistía en que le proporcionara un cuerpo a cambio de sus servicios. —En ese momento mi rostro se contrajo en un gesto de desesperanza—. Y yo contribuí a ello. ¿Qué te parece el detalle? Ni siquiera sé por qué lo hizo. Estoy segura de que se encontraba mucho mejor cuando era un fantasma.

Entonces miré hacia la escalera. Estaba empezando a considerar la posibilidad de que se hubieran olvidado de nosotros.

—Ya te he dicho por qué lo hizo —dijo Ford, torciendo el gesto mientras cambiaba a Holly de posición—. Está enamorado de ti. Imagino que llegó a la conclusión de que ser un familiar de tu demonio y tener un cuerpo era mejor que seguir siendo un fantasma en tu cementerio. Dale un respiro, Rachel. Lleva casi un año merodeando por tu iglesia.

Una sonrisa amenazó con asomarse a mis labios, pero antes de que quisiera darme cuenta, desapareció. Tenía frío, y estaba mareada y aturdida por los recuerdos de Kisten. Además, aquel lugar apestaba a polvo y a rancio. Como el asesino de Kisten. Solo quería volver a casa y darme un baño.

—Creo que se han olvidado de nosotros —dije—. ¿Me ayudas a levantarme?

Ford gruñó, poniéndose en pie. Holly ronroneó en sueños mientras él me tendía la mano que le quedaba libre y me ayudaba a recobrar lentamente el equilibrio, apoyándome contra la pared hasta que estuve segura de que no me iba a caer. Sentía el frío cemento en mis pies descalzos, y me desplacé para colocarlos sobre una esquina de la manta.

—Tendremos que tomárnoslo con calma —dijo. Era evidente que no estaba acostumbrado a cargar con una niña.

—Sí —susurré, concentrándome de nuevo en él y en el alivio que le proporcionaba Holly. Era realmente hermoso y me pregunté si Ford era de verdad un humano o si pertenecería a alguna extraña especie de inframundano que todavía no había sido descubierta. Una que sirviera de contrapunto a las banshees. Los vampiros contrarrestaban a los hombres lobo; los pixies a las hadas; las brujas… De acuerdo, tal vez tampoco existía nada que contrarrestara a las banshees. A menos que… las brujas contrarrestaran a los demonios.

—¿Ford? —dije mientras nos dirigíamos a las escaleras, balanceando la linterna de Mia—. Me alegro por ti.

Él esbozó de nuevo aquella sonrisa dichosa mientras miraba por encima de su hombro.

—Yo también. Esta niña es un regalo. Tendré que devolverla algún día, pero incluso este poco es una bendición. Intentaré corresponder a Mia enseñándole a Holly lo que es el amor. Creo estar en condiciones de mostrárselo, aunque estoy convencido de que Mia y Remus ya lo estaban haciendo admirablemente. A su manera, claro está.

De pronto, escuché las voces de Ivy y Edden filtrándose a través de las escaleras y estuve a punto de caerme. Kisten había muerto para salvarnos a las dos, para evitar que un vampiro mal nacido nos jodiera la vida más de lo que ya la teníamos. Y nos había amado lo suficiente para entregar su vida a cambio de la nuestra. ¿Cómo iba a contárselo a Ivy?

En aquel momento me quedé sin fuerzas y, parpadeando rápidamente, me detuve, dándome de bruces con una columna. Ford parecía preocupado.

—Rachel, tú eres una buena persona —dijo sin venir a cuento, sorprendiéndome—. Recuérdalo. Y… no te preocupes por lo que pueda pasar en las próximas horas.

Me quedé mirándolo, asustada. ¿Qué era lo que él sabía y yo no?

—Llámame mañana si necesitas hablar —dijo antes de que pudiera preguntarle—. No hay nada que pueda hacerme pensar jamás que no eres una buena persona. Y eso es lo que realmente importa, Rachel. A quién amamos y lo que hacemos por esas personas.

El psiquiatra esbozó una última sonrisa y empezó a subir las escaleras con Holly. Segundos después lo escuché hablar con Ivy y Edden, y seguidamente las familiares pisadas de la vampiresa continuaron su descenso hasta asomar al final de los escalones; esbocé una tímida sonrisa cuando aceleró el paso.

—¿Estás bien?

Kisten, pensé, y mis ojos se llenaron de lágrimas.

—Sí —respondí quedamente, y ella se quedó allí de pie, con aspecto indefenso. Entonces, con un nudo en la garganta, le di un abrazo.

En esta ocasión, Ivy me lo devolvió, agarrándome con tal fuerza que casi me corta la respiración.

Mi primera reacción de sorpresa dio paso a una profunda congoja y le devolví el abrazo con los ojos cerrados, sintiendo que el corazón se me partía en dos. Su olor a incienso vampírico me invadió, calmándome y excitándome al mismo tiempo.

—Me has dado un susto de muerte —dijo cuando me soltó y dio un paso atrás. En ese momento descubrí que Edden se encontraba justo detrás de ella, jugando con su linterna sobre el techo—. No me gusta que persigas a nadie sin ayuda. Jenks dice que saliste de allí como alma que lleva el diablo.

—¿Se encuentra bien? —pregunté, y ella asintió con la cabeza mientras se enjugaba las lágrimas. Mis ojos también amenazaron con echarse a llorar cuando intenté dar con las palabras adecuadas para contarle que había recordado la muerte de Kisten; sus imágenes me saturaban la cabeza, provocando que me mareara.

Consciente de que algo no iba bien, Ivy me cogió del brazo y no lo soltó.

—¿Dónde está Pierce? —preguntó, y sus ojos se demoraron sobre los arañazos de mi mejilla.

Pensé en Tom, colgando de las garras del demonio, y vacilé. ¿Se trataba realmente de Pierce? En cualquier caso, Tom había desaparecido y Mia lo había presenciado todo. Interpretando equivocadamente mi repentina preocupación, Ivy dijo:

—Al se lo llevó, ¿verdad?

Negué con la cabeza.

—Sí. Bueno… no. No fue culpa mía —dije, y Edden me miró de soslayo.

—Rachel… —me advirtió mientras cogía el farolillo y apuntaba hacia la escalera—. Será mejor que me lo digas ahora o te haré rellenar un montón de formularios.

Tragué saliva y moví los pies por culpa del frío. Las escaleras se encontraban solo a unos treinta pasos de distancia, pero parecía más de un kilómetro.

Sentía un dolor punzante en el dedo, donde Al me había realizado el corte, y cerré los puños.

—Tom Bansen ha estado aquí. Había hecho un trato con la Walker para hacerse con Holly. Al ver que Ford tocaba a la niña, creyó que no había peligro. Holly lo mató.

Edden emitió un gruñido.

—¿Dónde está? Los cadáveres no se ponen de pie y salen caminando.

—Sí que lo hacen —dijo Ivy, y yo me agarré a uno de sus brazos y dejé caer sobre él todo el peso de mi cuerpo mientras miraba hacia las escaleras.

Obligándome a mí misma a seguir respirando con regularidad, decidí que una pequeña mentira no haría daño a nadie. No hacía falta que supiera que era yo la que había realizado el hechizo que situó a Pierce en el interior del brujo excluido.

—Al le devolvió el aliento y se lo llevó a rastras —dije quedamente.

Edden se me quedó mirando boquiabierto, pero soltó una risotada.

—No fue culpa mía —protesté. *Mierda*. Estaba cansada y, mientras Edden se estremecía, eché a andar hacia las escaleras mascullando—: Me voy a casa.

Me hubiera gustado avanzar con rapidez pero, mientras me alejaba junto a Ivy, mis pies apenas conseguían arrastrarme.

La luz se balanceó en la mano de Edden mientras esperaba a que finalmente llegáramos a las escaleras.

—Antes de que te marches, me gustaría tomarte declaración —dijo, y yo hice un ruidito de asco.

Horas. Si me iban a tomar declaración, me tiraría allí varias horas. Junto a nosotras, aunque ligeramente retrasado, Edden iluminó el túnel con su linterna.

—De manera que fue así como Mia y Remus lo hicieron —dijo, echando un último vistazo a los techos abovedados, que se iban quedando en penumbra a nuestras espaldas.

Esperaba encontrar a alguien con una bata de médico al subir las escaleras. Si me quejaba lo suficiente, me sacarían de allí en una camilla y conseguiría escabullirme sin que me tomaran declaración.

—¿Hicieron qué? —pregunté, estremeciéndome cuando uno de mis pies se topó con un pequeño cúmulo de cemento.

Edden me cogió el otro brazo y me señaló con la barbilla el túnel que se adentraba en la oscuridad.

—Lograron burlar todos nuestros controles —explicó.

Asentí, con la cabeza gacha, mientras caminaba entre ellos.

—¿Qué son exactamente estos túneles? ¿Un escondite subterráneo para vampiros?

—Pertenecen a un antiguo plan de transporte público que comenzó en los años veinte —dijo, adoptando el tono de un instructor, mientras las paredes de la escalera se cerraban a nuestro alrededor—. Muy poco dinero y muchas luchas internas políticas. Inesperados daños estructurales cuando drenaron el canal. Una guerra y una depresión. Nunca se concluyó. Algunos de los túneles se rellenaron, pero quedaron tramos aquí y allá. Resulta más barato inspeccionarlos una vez al año que destruirlos. Por algunos transcurren las tuberías del agua hoy en día.

—Y Mia conocía su existencia porque estaba aquí cuando se construyeron —dije con amargura.

Edden se rió entre dientes.

—Apostaría lo que fuera a que incluso perteneció al comité para embellecerlo o algo parecido. —Emitiendo un pequeño gruñido como si recordara algo, presionó con el pulgar el botón de la radio que llevaba en el cinturón y dijo alzando la voz—: ¡Eh! Que alguien llame a los de mantenimiento y les diga que traigan un candado nuevo. —A continuación, añadió dirigiéndose a mí—: Rachel, yo no soy de los que dicen «ya te lo advertí».

Un arrebato de rabia se apoderó de mí.

—Entonces, lo diré yo en tu lugar —le espeté mientras se me resbalaba el pie y casi me caía por las escaleras—. Te lo advertí. Es una mala hierba, una niña mimada con complejo de diosa. Quiere vivir por encima de la ley y debería haberla tratado como a un animal y cargármela apenas la tuve a tiro.

Con el corazón a mil, cerré la boca en el siguiente paso.

—Aun así, conseguiste detenerla solo con tu magia terrestre —dijo Edden, con una asombrosa serenidad mientras me cogía el otro brazo—. Te estás convirtiendo en una superheroína, bruja.

Me estremecí al recordar los llantos lastimeros de Holly por su mamá cuando se llevaron a Mia atada como una tigresa.

—Tiene gracia —dije amargamente—. Yo me siento como una mierda.

Nadie dijo nada. Dando un paso más, tomé aire y lo dejé escapar. Estábamos a punto de llegar arriba y solo quería volver a casa.

—Edden, ¿te importaría tomarme declaración en otro momento?

Mirándome fijamente a los ojos, asintió con la cabeza.

—Vete a casa. Mandaré a alguien mañana.

—Después de mediodía, ¿vale? —le recordé, tambaleándome cuando la escalera llegó a su fin y nos vimos rodeados por los estrechos límites de una pequeña habitación. Allí hacía aún más frío, y me arrebujé en mi abrigo. No volvería a entrar en calor nunca más.

—¿Te encuentras bien, Rachel? —preguntó Ivy.

Exhalé un fuerte suspiro, pensando en Jenks y echando de menos su apoyo. Haciendo un gesto de dolor, me apoyé aún más en el brazo de Ivy y me puse a temblar. Tenía frío. Los pies se me habían entumecido, y probablemente, cuando se me descongelaran, estarían llenos de cortes. Y la muerte de Kisten, después de que hubiera conseguido eliminarla de mi mente, había extendido el brazo y me había abofeteado con todas sus promesas rotas y su belleza hecha pedazos.

—No —contesté, y me pregunté si tendría que hacer todo el camino de vuelta a la cafetería con los pies descalzos. Edden siguió mi mirada hasta mis dedos blancos y contusionados y, después de murmurar algo sobre un par de calcetines, apoyó la linterna en el suelo y me dejó a solas con Ivy. Yo la miré a los ojos, cuyas pupilas se dilataron al ver mi miedo.

—Mientras estaba inconsciente, recordé la noche en el barco de Kisten —susurré—. Toda.

A Ivy se le cortó la respiración. Desde fuera, oí a Edden pidiendo a gritos, por radio, un coche para que viniera a recogernos.

Tragué saliva. Apenas conseguía articular palabra.

—El asesino de Kisten había estado en los túneles antes de venir a chupar la última sangre de Kisten —dije, con el alma tan fría como la nieve que penetraba en el pequeño cobertizo—. Era eso lo que había estado oliendo durante todo este tiempo —añadí mientras me sacudía la suciedad con desgana—. Era este maldito polvo. Había estado en él y lo cubría de arriba abajo.

Ivy no se movió.

—Cuéntame —me pidió, con los ojos negros y sus largas manos apretadas.

Le eché un vistazo para evaluar la situación, preguntándome si no sería mejor hablarlo en casa con un poco de vino, o incluso en un coche, con un poco más de privacidad, pero si iba a perder los estribos, prefería tener cerca varias docenas de agentes de la AFI armados con pistolas.

—El vampiro había venido a por Kisten —expliqué en voz baja—, y a mí me pilló en medio. Kisten murió de un golpe en la cabeza antes de que el vampiro tuviera ocasión de hacer algo más que olfatear su sangre. Estaba realmente furioso —dije, alzando la voz para no ponerme a llorar de nuevo mientras recordaba la fuerza con la que me sujetaba y mi impotente rabia—, pero entonces decidió convertirme en su sombra para hacerte daño. Kisten se despertó…

Parpadeando rápidamente, limpié las lágrimas de los arañazos de mi mejilla mientras recordaba su mirada confusa y su expresión angelical.

—Su rostro era de una belleza extraordinaria, Ivy —dije, llorando—. Era inocente y salvaje. Recordó que me amaba y, solo por eso, trató de salvarme, de salvarnos, de la mejor manera que pudo. ¿Recuerdas cuando Jenks dijo que yo le conté que Kisten mordió a su agresor? Lo hizo para salvarnos, Ivy. Murió entre mis brazos y su asesino escapó.

La voz se me quebró y me quedé callada. No podía contarle el resto. Allí no. No era el momento.

Ivy parpadeó. Con aquellas pupilas dilatándose lentamente, casi parecía que fuera a tener un ataque de pánico.

—¿Entregó su vida para salvarte? —preguntó—. ¿Porque te amaba?

Yo apreté la mandíbula.

—A mí no. A nosotras. Eligió sacrificar el resto de su existencia para salvarnos a ambas. Ese vampiro te odia, Ivy. No dejaba de repetir que eras la favorita de Piscary y que no podía tocarte, pero que matar a Kisten no era suficiente y que iba a hacerte pagar por meterle en prisión y por obligarle a vivir en la sombra y relegado al olvido durante cinco años.

Ivy retrocedió y, aterrorizada, se llevó la mano a la garganta.

—No se trata de alguien que fue a visitar a Piscary, sino de alguien que estaba en la cárcel al mismo tiempo que él —dijo en un susurro.

Sus ojos se volvieron completamente negros en la penumbra de la sala iluminada por la luz de las linternas, y yo reprimí un escalofrío.

—Es un psicópata. Dijo que mataría a todas las personas a las que habías amado alguna vez, incluida tu hermana, solo para hacerte daño. Después de que Kisten le mordiera, salió huyendo y cayó al agua. Kisten no sabía si había logrado introducir en él la suficiente cantidad de saliva como para iniciar un rechazo del virus. No lo sé con seguridad, pero es posible que siga vivo —concluí arrastrando las palabras, exhausta.

Durante un breve instante, Ivy permaneció en silencio. Después se volvió hacia la puerta y la abrió de golpe con la suficiente fuerza como para estamparla contra la pared.

—¡Edden! —gritó, en la nevada oscuridad—. Sé quién mató a Kisten. Está aquí abajo. Tráeme otra linterna.

33

—Fue Art. Tuvo que ser Art —dijo Ivy mientras caminaba junto a mí por el vacío túnel, impacientándose porque yo avanzara tan despacio. Habríamos tardado menos si me hubiera llevado en brazos, pero no estaba dispuesta a aceptar algo así.

—¿A qué se debe que, de repente, haya salido a relucir su nombre? —preguntó Edden, y yo me quedé blanca cuando ella se giró hacia él con los ojos negros de rabia.

—Porque soy una imbécil —respondió cáusticamente—. ¿Alguna pregunta más?

—No entiendo por qué no reconociste su olor —dije para distraerla, pero al ver que me miraba fijamente, me di cuenta de que no había servido de mucho.

Ivy inspiró lentamente. Las sombras del farolillo de Mia se movían con nosotros, haciendo que pareciera que no nos movíamos en absoluto. Edden tenía su propia linterna y yo estaba temblando demasiado como para sostener una. Como era previsible, el capitán de la AFI nos había pedido que esperáramos en el coche; sin embargo, como también era de esperar, Ivy estaba tan segura de conocer el paradero del vampiro que comenzó a descender antes de que pudieran detenerla. Por supuesto, nosotros la seguimos. Al menos llevaba los calcetines de Edden, algo que no era previsible, pero que agradecía enormemente.

Poco a poco, Ivy fue liberando la tensión y, una vez se hubo calmado, contestó:

—Fue hace cinco años, y los olores cambian, sobre todo cuando pasas de vivir en una hermosa casa en el centro de la ciudad a una húmeda guarida bajo tierra. Era mi supervisor en la SI. —Ivy apretó la mandíbula. No estaba viendo la oscuridad que se extendía ante nosotros, sino su pasado, moviéndose nerviosa, pero de una forma tan sutil que solo Jenks o yo podíamos notar—. Ya te lo conté, ¿recuerdas? Hice que lo encarcelaran por una de las muertes accidentales de Piscary y así no tener que acostarme con él para escalar puestos en la jerarquía de la SI.

Entrecerré los ojos y Edden adoptó una postura agresiva.

—¿Tú...? —farfulló—. Pero ¡eso es ilegal! —añadió.

Ivy parecía desconcertada. Con la mirada cargada de pensamientos no expresados, me miró y dijo:

—Los vampiros tenemos una concepción algo diferente de lo que es legal y lo que no.

De repente, las cosas empezaron a cobrar sentido y, poco a poco, la rabia empezó a apoderarse de mí mientras me arrebujaba en mi abrigo y avanzaba lentamente situando mis pies fríos uno delante del otro. Cuanto más avanzábamos, más espesos se volvían el peso y la suciedad.

—Así que le metiste en la cárcel por los crímenes de Piscary y te degradaron obligándote a trabajar conmigo, ¿no?

Ivy se detuvo en seco, sorprendida, con la boca abierta por el desconcierto, y dijo:

—No fue exactamente así.

—Sí que lo fue —dije, escuchando la amargura de mi voz cuando el eco me devolvió mis palabras—. Yo fui tu castigo. Nadie pone a una bruja a trabajar con una vampiresa. Aquellas primeras semanas no era capaz de verlo hasta que tú... te relajaste.

Estaba temblando violentamente, pero no pensaba volver a esperar en el interior de un coche.

Con el rostro cubierto por la penumbra, Ivy se me quedó mirando.

—Podría haberme unido a la división Arcano, pero elegí trabajar a pie de calle. Que te nombraran mi compañera es una de las mejores cosas que me han pasado en mi vida.

Edden se aclaró la garganta, incómodo, y yo sentí que las mejillas se me encendían. ¿Qué podía responder a aquello?

—Lo siento —masculló mientras ella miraba hacia delante.

—¿Ivy? —La voz de Edden sonaba cansada. Llevábamos caminando más de cinco minutos, la radio no le funcionaba y no estaba nada contento—. Aquí abajo no hay nadie. Entiendo tu deseo de buscar, pero los túneles se inspeccionan todos los años. Si hubiera un vampiro, vivo o muerto, a estas alturas ya habrían encontrado pruebas.

Ivy se le quedó mirando como si fuera a darse media vuelta y marcharse.

—¿Quién los inspecciona? —preguntó, alzando la ceja con determinación—. ¿La AFI? ¿Humanos? Los inframundanos colaboraron en la construcción de estos túneles tanto como los humanos. Seguro que hay refugios o guaridas secretas para vampiros que hayan caído en la indigencia. Un lugar donde esconderse antes de abandonarse, desesperanzados, a la luz del sol. Art está aquí abajo. Llevo tres meses rastreando la ciudad. No estaba buscándolo a él, pero si hubiera estado merodeando por ahí, alguien lo habría visto. —La expresión de su rostro se tornó aterradoramente sosegada—. Es el único sitio que queda.

Edden se detuvo y, metiéndose la linterna bajo del brazo, entreabrió las piernas adoptando una actitud inamovible. Acto seguido inspiró profundamente y, de pronto, Ivy se situó delante de él. Sorprendido, el capitán de la AFI liberó el aire de sus pulmones y dio un paso atrás.

—No pienses que ya eres tan grande como para hacer que me vaya y tú poder regresar aquí abajo y encontrarlo solito —dijo la vampiresa quedamente—. Sin mí, no encontrarás jamás su escondrijo, y si le pides ayuda a la SI, entrarán directamente para, poco después, volver a la superficie sin ti.

Tenía toda la razón, y yo cambié el peso del cuerpo a la otra pierna mientras Edden se quedaba pensando. Claramente molesto, realizó una larga y lenta exhalación.

—Está bien. Cinco minutos más.

Nos pusimos en marcha de nuevo, con Ivy tomando la delantera, hasta que se acordó de mí y aminoró el paso. Debería haber estado en Carew Tower, celebrando el Año Nuevo, pero no, allí estaba, arrastrándome bajo la ciudad en busca de un vampiro muerto. En aquel momento, lo único que me mantenía en pie era la rabia. Ford me había dicho que era una buena persona y, aunque lo deseaba con toda mi alma, ya no estaba tan segura de que estuviera en lo cierto.

De pronto, sin previo aviso, Ivy levantó la cabeza y se detuvo, inspirando profundamente. La linterna que tenía en la mano empezó a moverse a toda velocidad, dibujando sombras en las paredes, y el susurro de nuestros pies retumbó de un modo espeluznante cuando Edden y yo nos detuvimos. La adrenalina se apoderó de mí. Mi compañera de piso olfateó el aire y retrocedió algunos pasos deslizando la mano por la superficie uniforme del túnel a la altura del hombro.

Sus ojos se tornaron negros en la penumbra, y recogí la linterna cuando la dejó en el suelo para poder pasar ambas manos por la piedra.

—Está cerrada —susurró, y yo reprimí un escalofrío cuando se movió hasta el otro extremo de la pared del muro a una velocidad vampírica—. Aquí. —El corazón empezó a latirme con una fuerza inusitada al escuchar el profundo odio que transmitía su voz. Edden y yo nos aproximamos, con las luces en alto. Mi sombra se alargó tras de mí y volví a sentir un escalofrío.

Por inquietante que pudiera parecer, la pared no presentaba ninguna marca, a excepción de una pequeña muesca que indicaba que alguien había arrancado un trozo de piedra. No obstante, si se trataba de la guarida de un vampiro, tampoco podíamos esperar que tuviera una flecha de neón apuntando hacia ella. Lo normal es que se tratara de una puerta secreta, y que estuviera cerrada con llave.

Ivy introdujo los dedos en la muesca y tiró con fuerza, pero no sucedió nada. Entonces alzó la cabeza y se apartó el pelo de sus oscuros y fríos ojos. ¡Maldición! Estaba a punto de perder el control.

—¿Te importaría abrirme esta puerta, Rachel? —susurró.

De acuerdo. Si estábamos ante una puerta que ella no podía abrir, debía tratarse de brujería, lo que significaba que tendría que hacerme un corte en el dedo o interceptar una línea. Derramar sangre cuando Ivy se encontraba en aquellas condiciones no era una buena idea, pero hacer uso de una línea luminosa podía resultar muy doloroso.

Miré a la puerta y situé una mano encima. *Habla, amigo mío, y entra*, pensé para mis adentros, y tuve que reprimir una sonora carcajada.

—Genial —espeté cuando un escalofrío en mi vientre originó una doble descarga que me puso en contacto con la magia almacenada en la puerta. La pared había sido construida con una línea luminosa en su interior. Enterrado en el cemento había un imponente círculo de hierro. Tendría que interceptar una línea.

Aparté la mano y sentí que me mareaba. Fuera lo que fuera lo que había al otro lado de la puerta, iba a ser terriblemente desagradable.

—Se trata de una puerta hechizada —dije, mirando alternativamente a Ivy y a Edden.

El achaparrado agente frunció el ceño.

—¿Qué quieres decir con eso? —preguntó, poniéndose a la defensiva.

Me agité, nerviosa.

—Exactamente lo que he dicho. ¿Recuerdas cuando te conté que toda la magia inframundana está basada en la brujería? —A continuación, pensando en los elfos, añadí—: La mayor parte, en cualquier caso. Los vampiros adoran la brujería. La utilizan para parecer jóvenes una vez que han muerto, para invocar demonios que muelan a palos a algún brujo indefenso y para encerrarse, cuando quieren esconderse.

Iba a tener que interceptar una maldita línea luminosa, pero el dolor sería algo insignificante si con ello conseguíamos atrapar al asesino de Kisten.

Edden se puso la linterna bajo el brazo y la enfocó hacia la línea entre la pared y el suelo. Había una marca de polvo que mostraba el lugar en el que antiguamente estaba la abertura, aunque no era fácil discernir cuánto tiempo había pasado, y podría pasar desapercibida a menos que la estuvieras buscando. Con la mano temblorosa posé la palma contra la suave roca, y la robusta figura del capitán de la AFI se instaló junto a la puerta con actitud agresiva.

—Edden —me quejé—, en el caso de que haya un vampiro no muerto ahí dentro, te matará antes de que la puerta haya terminado de abrirse. *Terrible pero cierto*. Apártate.

El capitán de la AFI torció el gesto.

—Tú limítate a abrir la puerta, Rachel.

—Que conste que te lo he advertido —mascullé. Acto seguido inspiré profundamente. Aquello iba a doler. Tenía los dedos entumecidos por el frío y, cuando los introduje aún más en la roca, sentí un fuerte calambre. Contuve la respiración, apreté los dientes para soportar el dolor que estaba a punto de sobrevenirme, apreté las rodillas e intercepté una línea.

Justo en ese momento, la línea me invadió y con un grito ahogado, me puse rígida. Hubiera querido evitarlo, pero no pude.

—¿Rachel? —preguntó Ivy, acercándose con expresión preocupada.

El estómago me daba vueltas y jadeé para no tener que vomitar. Las oleadas de energía de la línea adyacente estaban provocando que me mareara, y cada uno de los nervios de mi cuerpo sentía la fuerza que fluía a través de ellos.

—Estoy… bien —acerté a decir, incapaz incluso de pensar en las palabras adecuadas. Por lo general, en estos casos se utilizaban tres hechizos, y mi padre me los había enseñado todos, incluyendo otro más que se utilizaba solo cuando la situación era desesperada. ¡Oh, Dios! Aquello era horrible.

De nuevo, inspiré profundamente para coger fuerzas y contuve la respiración, esforzándome por pensar más allá del dolor y el mareo. La fría mano de Ivy se posó sobre mi hombro y mi respiración estalló mientras sentía que su aura se deslizaba para cubrirme, tranquilizándome.

—¡Lo siento! —gritó Ivy retirando la mano, y estuve a punto de derrumbarme al sentir que el dolor regresaba.

—¡No! —grité alargando el brazo para agarrarle la mano y que el dolor se desvaneciera de nuevo—. Me estás ayudando —dije observando cómo su miedo a hacerme daño daba paso a la extrañeza—. Cuando me tocas, el dolor desaparece. No me sueltes, por favor.

Y allí, bajo la tenue luz de la linterna, Ivy tragó saliva y me apretó los dedos con fuerza. No era perfecto. Todavía podía percibir cómo me atravesaba la energía de la línea, pero al menos no me sentía tan desprotegida y el dolor agonizante que me recorría los nervios había disminuido. Entonces recordé lo que había sucedido el pasado Halloween, cuando me mordió por última vez. Justo antes de que perdiera el control, nuestras auras se habían transformado en una sola. ¿Estaba experimentando los efectos retardados de aquello? ¿Acaso mi aura y la de Ivy eran la misma y podían protegerse mutuamente cuando una de las dos se encontraba en peligro? ¿Se trataba de amor?

Edden se situó junto a nosotras, sin saber qué pensar, e, inspirando lentamente, aumenté la presión de mi otra mano sobre la puerta.

—*Quod est ante pedes nemo spectat* —susurré.

Al ver que no sucedía nada, me revolví inquieta.

—*Quis custodiet ipsos custodes* —intenté de nuevo.

Edden se sacudió los pies contra el suelo.

—Déjalo, Rachel. No pasa nada.

Mi mano empezó a temblar.

—Nihil tam difficile est quin quaerendo investigari posit.

Aquel sí que funcionó, y yo retiré la mano cuando sentí que el escalofrío de respuesta procedente del hechizo enterrado en el cemento provocaba un chasquido en mi alma. «Nada es tan difícil que buscándolo no pueda encontrarse.» No podía ser otro.

Entonces me eché atrás, liberando la línea, e Ivy buscó mi rostro con la mirada. Inmediatamente me soltó la mano y yo la cerré en un puño. Edden, por su parte, apoyó los dedos en la curva de la manivela y tiró. La puerta crujió e Ivy retrocedió de golpe con la mano sobre el rostro.

—¡Joder! —exclamé, respirando con dificultad y cayendo también hacia atrás. Casi me tropecé con Edden cuando reculó al sentir el intenso hedor. La luz de la linterna iluminó la expresión asqueada de su rostro. Fuera lo que fuera lo que había allí dentro, llevaba mucho tiempo muerto y la rabia empezó a apoderarse de mí. Kisten había logrado matar a nuestro agresor. Y ahora, ¿a quién le iba a gritar yo?

—Sujétame esto —dijo el capitán de la AFI pasándome la linterna. Yo dejé el farolillo en el suelo y la cogí. Edden abrió aún más la puerta, dejando al descubierto poco más que un oscuro pasillo. El hedor, a viejo y a podrido, se extendió. No se trataba del simple olor a descomposición, que se habría mitigado con el frío y, quizás, con el paso del tiempo, sino del pestilente tufo a muerte de los vampiros que permanecía hasta que el sol o el viento tenían ocasión de dispersarlo. Recordaba al incienso echado a perder, a flores marchitas, a musgo podrido y a sal del mar Muerto. Resultaba tan desagradable que no podíamos entrar. Era como si el oxígeno hubiera sido reemplazado por un aceite espeso, putrefacto y venenoso.

Edden volvió a coger su linterna y, tapándose la nariz con los dedos, enfocó el suelo para descubrir dónde se encontraban los límites de la estancia. Permanecí inmóvil, pero Ivy se aproximó y se detuvo en el umbral. Tenía las mejillas húmedas por las lágrimas y el rostro descompuesto. Edden se desplazó para colocar su hombro delante de ella, pero era el olor lo que le impedía la entrada, no su presencia.

El suelo tenía el mismo olor a piedra y polvo y las paredes eran de cemento. Sobre el terreno había una costra negra, arrugada y agrietada, del color de la sangre seca. Edden la siguió hasta el muro, donde encontró una serie de arañazos que surcaban el hormigón.

—Vosotras quedaos aquí —dijo el capitán, con voz jadeante, tras haber inspirado profundamente para poder pronunciar aquellas palabras. Asentí y él paseó rápidamente la luz por el resto de la habitación. Era un desagradable tugurio con un catre artificial y una caja de cartón que hacía las veces de mesa. En el suelo desnudo, junto a otro pequeño charco de sangre putrefacta, se encontraba el cadáver corpulento de un hombre negro, bocarriba y con los brazos en cruz. Llevaba puesta una camisa, desabrochada, que dejaba ver que le habían arrancado la garganta. La cavidad abdominal también estaba abierta, casi como si un animal hubiera estado escarbando en ella, e imaginé que los montoncitos apilados junto a él eran sus vísceras.

Era difícil discernir si lo habían atacado en un momento en que no llevaba pantalones, o si el agresor se los había comido. Los vampiros no hacían esas cosas. Al menos yo no había oído nada semejante. Y aquel no era el hombre que yo recordaba haber visto en el barco de Kisten.

La luz de la linterna de Edden temblaba mientras iluminaba el cuerpo. ¡Maldición! Todo aquello no había servido para nada.

—¿Se trata de Art? —preguntó Edden.

Negué con la cabeza.

—Es Denon —dijo Ivy.

Aparté la vista del cuerpo, y, tras mirarla unos instantes, volví a concentrarme en el cadáver.

—¿Denon? —acerté a decir, sintiendo que me hervía la sangre.

Edden apartó la luz.

—¡Que Dios lo ayude! Creo que tiene razón.

De pronto me apoyé en la pared con las piernas temblorosas. ¡Con razón no lo había visto últimamente! Si Denon había sido el pupilo de Art, la mejor manera de vigilar a Ivy era asignársela a su grupo de investigadores. Y la mejor manera de insultarla era obligarla a supervisarme.

—El catre —dijo Ivy, tapándose la boca con la mano—. Enfoca el catre. Creo que hay otro cuerpo, pero no estoy… segura.

Me acerqué y dirigí la linterna cuidadosamente hacia el camastro, pero me temblaba la mano y no estaba del todo claro. Edden había conocido a Denon y habían mantenido cierta amigable rivalidad. Encontrarlo descuartizado no sería agradable, y escuché que tragaba saliva cuando su luz iluminó también el lecho.

En aquel momento guiñé los ojos, intentando dilucidar lo que estaba viendo. Lo que en un principio parecía un montón de ropa y correas…

—¡Mierda! —farfullé cuando conseguí aclararme las ideas. Era un cuerpo gris, retorcido de forma grotesca debido a que los huesos se habían enarcado de forma antinatural durante la lucha entre los dos virus por hacerse con el control, cada uno de ellos intentando hacer del vampiro su particular versión de la perfección. Las sábanas estaban cubiertas de diminutos fragmentos de piel blanca que se habían desprendido con la débil corriente que había provocado la apertura de la puerta. Alrededor del cráneo se amontonaban algunos mechones de pelo negro, y las cavidades que miraban fijamente hacia el techo estaban vacías. De su mandíbula sobresalían unos colmillos el doble de largos que los de un vampiro común y la boca había sido desgarrada, provocando que el maxilar inferior colgara hacia un lado. Una mano a la que le faltaban varios dedos estaba apoyada justo encima. ¡Dios! ¿Se lo habría hecho él mismo?

Ivy dio un respingo y agité la linterna violentamente cuando me di cuenta de que tenía intención de entrar. Con un gruñido, Edden la agarró del brazo y, aprovechando su arrebato, la lanzó contra la pared opuesta del túnel. Ella se estrelló con un sonoro golpazo, con los ojos muy abiertos y cargados de odio, pero él la tenía bien sujeta por el cuello y no pensaba soltarla.

—¡Ni se te ocurra acercarte a esa habitación! —le gritó, inmovilizándola contra el muro, y su voz retumbó con un tono que parecía cargado de compasión—. ¡No pienso dejarte entrar, Ivy! No me importa si me matas. No vas a acercarte a ese… repugnante… —En ese momento respiró hondo, intentando encontrar las palabras exactas—. Ese agujero de mala muerte —concluyó, con los ojos húmedos por las lágrimas—. Tú eres mucho mejor que todo eso —añadió—. No tienes nada que ver con esa perversión. Esa. No. Eres. Tú.

Ivy no intentaba resistirse. Si hubiera querido hacerlo, habría podido romperle el brazo sin apenas inmutarse. Las lágrimas resplandecieron en la luz cuando bajé la linterna.

—Kisten murió por algo que yo hice —dijo, conforme la rabia se iba transformando en sufrimiento—. Y ahora no puedo hacer nada para librarme de este dolor. ¡Está muerto! ¡Art me arrebató también eso!

—¡¿Y qué piensas hacer?! —le gritó Edden, haciendo resonar su voz—. ¡El vampiro está muerto! No puedes vengarte de un cadáver. ¿Quieres hacerlo pedacitos y tirarlos contra las paredes? ¡Está muerto! ¡Déjalo o te arruinará la vida y volverá a ganarte la partida!

Ivy lloraba en silencio. Edden tenía razón, pero no sabía cómo convencerla de ello.

Finalmente, el capitán me arrebató la linterna y se giró.

—¡Míralo, Ivy! —dijo, apuntando directamente hacia el cadáver—. ¡Míralo y dime que esto es una victoria!

Ella se tensó como si fuera a gritar pero, inesperadamente, las lágrimas se desbordaron y se rindió.

—¡Hijos de puta! ¡No eran más que unos hijos de puta! ¡Los dos!

El intenso frío se apoderó de lo más hondo de mi ser y me quedé mirando los pedazos retorcidos que habían quedado. Todavía recordaba vivamente el olor a polvo de los dedos de Art sobre mi piel, mientras miraba sus manos rotas y los restos de piel adheridos a los huesos. Podía sentirlos en mi garganta y en mi muñeca. Había sido una muerte muy dura que lo había dejado momificado convirtiéndolo en una grotesca caricatura de extremidades contorsionadas y huesos desencajados mientras los dos virus vampíricos luchaban por hacerse con el control, resquebrajándolo hasta que no pudo sobrevivir ni siquiera como no muerto.

Era fácil imaginar lo que había sucedido. Sintiéndose morir por culpa de la sangre de no muerto que Kisten le había inoculado, Art llamó a su pupilo. La muerte de Denon se produjo, premeditadamente o no, mientras Art intentaba ganar la fuerza suficiente para combatir la sangre de Kisten. No me extrañaba que Ivy quisiera encontrar la manera de huir de aquello. Era espeluznante.

Edden apartó la linterna del camastro. Sus ojos mostraban una clara expresión de cansancio cuando la apagó dejando que fuera el farol de Mia la única luz que iluminara el lugar. Se quedó mirando la profunda desdicha de Ivy y se subió el cinturón para intentar recobrar su habitual compostura.

—Dejaremos abierto para que se ventile y después cogeremos un zapato para comparar las huellas. Y ahora vámonos. Aquí ya hemos terminado.

Ivy tenía la espalda apoyada en el muro, mirando la oscura puerta.

—De no ser por mí, jamás habría tocado a Kisten.

—No —aseguré con firmeza—. Kisten dijo que no fue culpa tuya. Lo dijo, Ivy. Y me pidió que te lo transmitiera. —En ese momento dejé el farolillo en el suelo y crucé el túnel, con mi sombra sobre Ivy—. Lo dijo —insistí apoyándole la mano en el hombro y descubriendo que estaba helada. Tenía los ojos negros, pero no me miraban a mí, sino que estaban fijos en el oscuro agujero frente a nosotras—. Ivy, si decides cargar con esto sobre tu conciencia, será una de las cosas más estúpidas que te habré visto hacer.

Aquella última frase le llegó, y desvió la mirada para dirigirla hacia mí.

—Él no te consideraba culpable —dije presionándole suavemente el brazo—. Si lo hubiera hecho, no hubiera sacrificado su vida para matar a ese cabrón en nuestro nombre. Me amaba, Ivy, pero tomó la decisión pensando en ti. ¡Lo hizo porque te quería!

En la expresión de Ivy se abrió una grieta y su rostro se contrajo por el dolor.

—¡Yo también lo quería! —gritó, haciendo retumbar su voz—. ¡Lo quería mucho, y no hay nada que pueda hacer para demostrarlo! ¡Art está muerto! —se lamentó, haciendo grandes aspavientos—. ¡Piscary está muerto! ¡Y yo no puedo hacer nada para demostrar que amaba a Kisten! ¡No es justo, Rachel! ¡Necesito hacerle daño a alguien pero no ha quedado nadie!

Edden se agitó incómodo. Yo tenía la garganta bloqueada. Quería abrazarla y decirle que todo se iba a arreglar, pero no era cierto. No había nadie con quien tomar represalias, nadie a quien señalar y decirle: «Sé lo que hiciste y te vas a cagar por ello». Que Piscary estuviera muerto y que Art se hubiera convertido en un cadáver retorcido no bastaba. Ni muchísimo menos.

—Señoritas… —dijo Edden de pronto, señalando el túnel con su linterna—. Mandaré a un equipo de la científica a examinar el lugar esta misma noche. En cuanto estemos seguros de sus identidades, os lo haré saber.

A continuación echó a andar con intención de marcharse, pero se detuvo para comprobar que lo seguíamos.

Exhausta, Ivy se apartó de la pared.

—Piscary utilizó a Kisten como regalo para compensar a Art porque yo lo había encarcelado. Era una cuestión política. ¡Dios! ¡Cuánto odio mi vida!

Me quedé mirando el oscuro agujero en la pared, sintiendo que me subía la tensión. Tenía razón. Kisten había muerto para mantener un equilibrio de poderes. Su lúcida alma estaba empezando a ser consciente de que su propia fuerza había sido extinguida de un soplo para alimentar un ego y derrotar a Ivy. Habría entendido que lo hubieran hecho por venganza, pero aquello…

Despidiéndose de Kisten con un susurro, Ivy bajó la cabeza y pasó por delante de mí. Yo permanecí inmóvil frente al sombrío vano, y la mano de Edden recayó sobre mi hombro.

—Necesitas entrar en calor.

Al sentir el tacto de sus dedos di un respingo. Entrar en calor. Buena idea. No estaba lista para marcharme. El alma de Kisten descansaba en paz porque había luchado y había ganado. Pero ¿y nosotras? ¿Qué pasaba con las que habíamos sobrevivido? ¿No teníamos derecho a resarcirnos?

El corazón empezó a latirme con fuerza y apreté la mandíbula.

—No pienso vivir con este dolor.

Ivy se detuvo en seco y Edden me miró de reojo con recelo.

Temblando, señalé con el dedo la oscura guarida.

—No permitiré que la SI lo oculte todo, los entierre con hermosas lápidas y dignas inscripciones y diga que Kisten fue asesinado para favorecer la agenda política de alguien.

Ivy sacudió la cabeza.

—Eso da lo mismo.

Pero a mí no me daba lo mismo. La habitación estaba a oscuras y ocultaba así la depravación de lo que sucedía cuando la vida transcurría temiendo la muerte, cuando se dedicaba toda la existencia a satisfacer los egoístas deseos del ego, cuando se reemplazaba el alma por el irreflexivo instinto de super-vivencia. Se echaban a perder vidas auténticas y sinceras en aras de estas horribles caricaturas de poder. El alma de Kisten se había perdido apenas había descubierto la fuerza que se escondía en su interior, mientras seguía apretando el nudo en su intento de encontrar la paz. La oscuridad no taparía aquello. Quería iluminar aquella habitación. Iluminarla con la cruda verdad para que nunca encontraran protección al abrigo de la tierra.

—¿Rachel? —me llamó Ivy y, temblando, intercepté una línea. Esta me tocó, rasgando mi delgada aura como una llama. Entonces caí de rodillas, pero, apretando los dientes, me puse en pie, dejando que el dolor me atravesara, aceptándolo.

—¡*Celero inanio*! —grité, encauzando la energía a través de un gesto de magia negra. Había visto a Al hacerlo. No podía ser tan difícil.

La línea me atravesó con fuerza, atraída por el hechizo, y un dolor insoportable se apoderó de mí, provocándome fuertes convulsiones, pero me negué a soltarla mientras el hechizo estuviera funcionando.

—¡Rachel! —gritó Ivy.

Me vi impulsada hacia atrás por la explosión blanca que se produjo en medio de la habitación. Mi pelo salió disparado hacia atrás y después hacia delante cuando el aire de la estancia se consumió y entró uno nuevo para ocupar su lugar. Como si hubiera sido el mismísimo cielo, la gloria del fuego formó una llamarada blanca, con un minúsculo punto negro en el centro de mi ira.

Entonces caí de rodillas, con los ojos fijos en la entrada e ignorando la dura piedra que me quemaba la piel de las articulaciones. Y entonces Ivy me cogió. Sus brazos me sirvieron de almohada y solté un grito ahogado, no por su helada ternura, sino por la repentina desaparición del dolor que provenía de la línea. Me había vuelto a coger y su aura me protegía, filtrando la peor parte.

—¡Estúpida bruja! —me reprochó con amargura, mientras me sujetaba—. ¿Qué demonios estás haciendo?

Me quedé mirándola, mientras la línea me atravesaba, limpia y fría.

—¿Estás segura de que no sientes nada? —le pregunté, sin poder dar crédito a que su aura me estuviera protegiendo de aquello.

—Solo el corazón partido. Déjalo, Rachel.

—Todavía no —respondí, y con sus brazos rodeándome, apunté con el dedo hacia aquel antro de mala muerte—. *¡Celero inanio!* —repetí.

—¡Para! —gritó Ivy, y solté un aullido cuando sus manos me desasieron y el dolor me dobló por la mitad. Tomé aire, quemándome los pulmones. Pero no podía dejarlo. Todavía no había terminado.

El catre empezó a arder, con una brillante llamarada de color naranja justo encima que le hacía parecer un cuerpo retorciéndose de dolor. La sangre del suelo se transformó en una vaharada negra que empezó a girar sobre sí misma conforme absorbía más aire para sustituir el que se estaba quemando. Las manos de Ivy me agarraron por detrás, y respiré aliviada cuando el dolor disminuyó de nuevo y volvió a hacerse soportable.

—Por favor, no me sueltes —le supliqué con los ojos llenos de lágrimas de dolor, tanto físico como psíquico, y sentí que asentía con la cabeza.

—*¡Celero inanio!* —grité de nuevo, y mis lágrimas empezaron a evaporarse al caer, formando brillantes chispas de sal, y aun así, la rabia siguió ardiendo en mí, latiendo al mismo ritmo que mi corazón. La línea luminosa fluía a raudales a modo de venganza, ardiendo e intentando arrastrarme con ella como un torrente sin capacidad para discernir. Podía oler mi pelo, que empezaba a arder y tenía la sensación de que los arañazos de mis mejillas echaban fuego.

—¡Para, Rachel! —gritó Ivy, pero yo veía la chispa de los ojos de Kisten en las llamas, sonriéndome, y no podía parar.

Inesperadamente, una sombra se interpuso entre el ensordecedor infierno y yo, haciendo que el calor me golpeara cuando pasó por delante de mí como una exhalación. Escuché a Edden maldiciendo y después el ruido de la puerta de piedra al moverse. Una astilla de sombra fría me tocó la rodilla, ascendió por mi pierna y me besó el borde de la mejilla. Me incliné hacia ella cuando la franja de venganza blanca se estrechó y, tras perder el equilibrio, me desplomé. Aun así no solté la línea. Era la única cosa limpia a la que podía recurrir.

Ivy me sacudió ligeramente para que le prestara atención. Sus ojos estaban negros por el miedo, y yo la amé.

—Suelta la línea —me suplicó mientras sus lágrimas ardían al entrar en contacto con mi piel—. Rachel, suelta la línea, por favor.

Parpadeé. *¿Suelta la línea?*

El túnel se sumió en la más absoluta oscuridad cuando Edden consiguió, por fin, cerrar la puerta, y una ráfaga de aire frío me quemó la piel. Mis ojos lentamente reconocieron el perfil de su rostro mientras me abrazaba. La silueta de Edden se volvió más definida mientras un brillo rojo se aclaraba, mostrando el lugar en el que la pared era más delgada: la puerta. Mi fuego todavía ardía con furia al otro lado, y el resplandor del calor iluminaba el túnel con un tenue fulgor.

La figura de Edden se quedó mirando hacia la luz, con los brazos en jarras.

—¡Santa madre de Dios! —exclamó en un susurro. A continuación retiró la mano después de tocar las líneas que el hechizo había grabado en la puerta. Podía ver el luminoso anillo del círculo de hierro hechizado engastado en la superficie. Irradiando de él, había unos hilos negros formando un pentáculo en espiral con símbolos arcanos. Justo en medio se encontraba la huella de mi mano, amoldándose al hechizo, haciéndolo completamente mío. Nadie volvería a abrir aquella puerta nunca más.

—¡Se ha ido! ¡Déjalo! —gritó Ivy, y en esta ocasión obedecí.

Apenas la energía se bloqueó, solté un grito ahogado, dando un respingo cuando el frío entró en tropel reemplazando el calor. Entonces me hice un ovillo y susurré, antes de que el desequilibrio pudiera golpearme:

—Lo tomo. Lo tomo. Lo tomo.

Las lágrimas se abrieron paso a través de mis párpados cerrados y sentí que la horrible oscuridad trepaba por encima de mí como una fría sábana de seda. Se había tratado de una maldición negra, pero la había usado sin pensar. Aun así, las lágrimas no brotaban por mí, sino por Kisten.

No se oía ningún ruido, a excepción de mi respiración jadeante. Me dolía el pecho como si estuviera ardiendo. No había nada que fluyera de mi interior. Era como un cascarón chamuscado. No se oía nada, como si también los sonidos hubieran quedado reducidos a un montón de cenizas.

—¿Puedes ponerte de pie?

Era Ivy, y yo la miré parpadeando, incapaz de contestar. Edden se inclinó sobre nosotras, y cuando sus brazos se deslizaron entre nosotras y me alzaron como si fuera una niña, solté un aullido de dolor.

—¡Mierda, Rachel! —me reprochó mientras yo me esforzaba por no vomitar—. Parece que te hayas tirado varios días tostándote al sol.

—Ha merecido la pena —susurré. Tenía los labios cortados, y al tocarme los párpados, sentí que estaban achicharrados. La pared seguía brillando cuando Edden se puso en marcha. Una tela de araña negra se iba grabando a través de la puerta, haciendo que la roca adquiriera un color plateado conforme se enfriaba. Era la maldición que yo había pronunciado, iluminándose lentamente sus estrías al disminuir la temperatura. La puerta se fundió y mi marca haría desistir a quienquiera que considerara la posibilidad de forzarla. Y no es que pensara que pudiera quedar nadie al otro lado...

Con mucho dolor, contuve la respiración cuando Edden estuvo a punto de tropezarse y me raspé mi delicada piel. Ivy me tocó el brazo como si necesitara asegurarse de que me encontraba bien.

—¿Eso era una línea luminosa? —preguntó, dubitativa—. Has hecho eso canalizando la energía de una línea, ¿verdad?

Me dolía el pecho, y confié en que no me hubiera dañado los pulmones.

—Sí —respondí quedamente—. Gracias por amortiguar el impacto.

—¿Siempre has tenido esa capacidad? —inquirió entonces, casi en un susurro.

Estuve a punto de asentir con la cabeza, pero lo pensé mejor cuando sentí que la piel me tiraba.

—Sí.

El recuerdo del símbolo de magia negra grabado en la puerta se materializó en mi mente. De manera que se trataba de una maldición. Bueno, ¿y qué? Es posible que fuera una bruja negra, pero honesta, en cualquier caso.

Lentamente, Edden me llevó de vuelta a la superficie, en silencio excepto por el ruido de su respiración. Todos los que sabían que Kisten había muerto para favorecer una agenda política estaban muertos o en aquel pasillo. Mi amor sería recordado por sacrificar su vida para salvar la mía y la de Ivy. Esa era la razón de su muerte, no el capricho de nadie. Así era Kisten. O lo había sido.

Y nadie, nunca, podría decir lo contrario.

34

A pesar de que por aquel entonces mi madre se encontraba ya a cientos de kilómetros de allí, mi habitación todavía olía a su perfume de lavanda, que emanaba de las cajas apiladas y cubiertas de polvo que Robbie había dejado junto a mi cama. Había sido todo un detalle por su parte traerlas hasta allí mientas mamá me enseñaba el folleto del apartamento que la esperaba en Portland.

Me arrodillé, agarré la primera caja y, tras leer mi caligrafía adolescente, la dejé a un lado para llevársela más tarde a los niños del hospital. La furgoneta de la mudanza había acudido a casa de mi madre el día anterior, y estaba harta de bolitas de porexpan y plástico de burbujas, deprimida como me encontraba por todas las veces que había tenido que decir adiós. Mamá y Robbie habían terminado de traerme mis cosas a primera hora de la tarde, despertándome y llevándome a un bar de mala muerte a tomar un desayuno de despedida ya que, según Robbie, su cocina debía de encontrarse ya a la altura de Kansas. Supuse que la razón por la que nos habían atendido tan mal era mi exclusión, pero no era fácil saberlo a menos que la camarera te escribiera «bruja negra» en la parte inferior de la servilleta. De todos modos, no importaba. Tampoco teníamos prisa, aunque había que reconocer que el café parecía agua de fregona.

Robbie había estado de buen humor porque había corrido con los gastos de la furgoneta de la mudanza, mamá había estado de buen humor porque finalmente tenía algo de emoción en su vida, y yo estaba de mal humor porque no habría tenido que marcharse si no fuera porque me habían excluido. No importaba que mi madre llevara buscando apartamento desde que volvió de visitar a Takata. Se mudaba por mi culpa. Seguramente, a aquellas alturas, Robbie y ella ya habían aterrizado y lo único que quedaba de ellos en Cincinnati eran seis cajas, su frigorífico nuevo, que en ese momento estaba en mi cocina, y su viejo Buick, que estaba aparcado delante de mi casa.

Dejándome llevar por la melancolía, le quité la cinta adhesiva a una vieja caja y, tras echar un vistazo al interior, descubrí que se trataba de los utensilios de líneas luminosas de mi padre. Emitiendo un sonido de satisfacción, me puse en pie, me apoyé la caja en la cadera y me la llevé a la cocina.

Dejando a los pixies armando jaleo en la parte delantera del santuario, me dirigí a la parte trasera de la iglesia, sin molestarme siquiera en encender las luces, y deslicé la caja sobre la isla central. En una esquina brillaban las lucecitas del frigorífico de mamá. Tenía un dispensador de hielo en la puerta e Ivy y yo nos emocionamos cuando nos lo dio. Los hijos de Jenks habían tardado seis segundos en descubrir que si apretaban la palanca a la vez, conseguían un cubito que después usaban como tabla de surf para deslizarse por el suelo de la cocina. Sonriendo por el recuerdo, dejé la caja y regresé a mi habitación. Ya la vaciaría en otro momento.

En toda la parte posterior de la iglesia la temperatura era más baja de lo normal, algo que no se podía achacar exclusivamente a que fuera bastante tarde. Ivy tenía parte de culpa, pero la razón principal era que junto a la mitad del ático de mi madre, habíamos heredado también su calefactor. El pequeño electrodoméstico estaba funcionando a todo volumen en la parte delantera y los pixies disfrutaban de una plácida noche veraniega en pleno mes de enero, pero, dado que el termostato para toda la iglesia se encontraba en el santuario, la calefacción no se había encendido desde hacía varias horas. Apenas te alejabas unos metros del calefactor, la temperatura descendía considerablemente, lo que provocaba que mi piel, todavía debilitada, sufriera continuos escalofríos. Me hubiera venido de perlas un café, pero desde que había probado aquel *latte* de nosequé con frambuesa, ya no había vuelto a ser lo mismo.

Absorta en el recuerdo de la canela y la frambuesa, regresé a mi habitación y, tras retirar la cinta adhesiva de la caja siguiente, encontré música que ni siquiera recordaba tener. Complacida, la empujé hasta el pasillo para echarle un vistazo más tarde, con Ivy.

Ivy, que parecía llevarlo todo bastante bien, después del crepúsculo me había cogido prestado el Buick de mi madre para ir a hablar con Rynn Cormel. No esperaba que volviera hasta después del amanecer. La semana anterior le había contado lo de la guarida bajo tierra, y cómo Denon había sido el gul de Art, cuya misión era la de observarla hasta que dejara la SI, y lo de que Art había muerto. Esperaba de corazón que no le hubiera relatado la manera en que su aura me había protegido mientras tiraba de una línea con tanta fuerza que derritió la piedra, pero habría apostado cualquier cosa a que lo había hecho. No es que estuviera avergonzada ni nada de eso, pero no había necesidad de que el maestro vampírico de la ciudad estuviera al tanto de ciertas habilidades.

¿Que si me había sorprendido que su aura pudiera blindar mi aura? Jamás había oído nada semejante, y ni la búsqueda en internet ni la consulta de mis libros dio ningún resultado, pero después de que nuestras auras se hubieran superpuesto la última vez que me había mordido… no estaba sorprendida, estaba asustada. Aquello abría una puerta a la posibilidad de encontrar la manera de unir de nuevo su cuerpo, su mente y su alma, una vez hubiera muerto. Aunque todavía no conseguía entender cómo hacerlo. La segunda vez que había muerto Kisten tenía alma. De eso estaba completamente convencida. Lo que no sabía es si se debía a mí y al amor que nos profesábamos, al hecho de que el intervalo de tiempo entre sus dos muertes hubiera sido tan corto, o si era algo completamente diferente. No merecía la pena arriesgar el alma de Ivy para averiguarlo. La sola idea de que pudiera morir me aterrorizaba.

Una tercera caja, en la que no había nada escrito, resultó contener más peluches, y yo me senté sobre mis talones para tomar uno. Mi sonrisa se tornó triste mientras acariciaba las crines del unicornio. Aquel era especial. Había gozado de un lugar privilegiado en mi tocador durante la mayor parte de mi adolescencia.

—Tal vez me quede contigo, Jasmine —susurré.

De repente me erguí, sintiendo un subidón de adrenalina.

¡Jasmine! ¡Era así como se llamaba!, pensé, alborozada. Aquel era el nombre de la niña morena con la que había hecho amistad en el campamento «Pide un deseo», que regentaba el padre de Trent.

—Jasmine —repetí quedamente, abrazando emocionada el peluche y sonriendo con amarga felicidad. El pequeño juguete me transmitía una tenue sensación de calidez y recordé que, cuando era más joven, abarcaba un área mucho mayor. Feliz, extendí los brazos para colocarla junto a la jirafa de mi tocador. Jamás volvería a olvidarme.

»Bienvenida a casa, Jasmine —dije en un susurro. Trent tenía tantas ganas como yo de recordar su nombre, pues había estado colado por ella y no tenía nada que se la recordase. Tal vez, si le decía cómo se llamaba, podría consultar los archivos de su padre y decirme si había sobrevivido.

Tengo que intentar reparar esa valla, pensé, revolviendo la caja en busca de un juguete que no estuviera relacionado con un nombre o una cara para poder llevárselo a Ford y a Holly. Sabía que el psiquiatra agradecería que le diera algo para distraer a la pequeña banshee y ayudarla a socializarse. La última vez que les había llamado me había dicho que les iba genial, aunque Edden no estaba muy contento de que Ford se tomara alguna que otra baja por enfermedad o que hubiera instalado una pequeña guardería en un rincón de su despacho. Por no hablar de la trona que había aparcado en el servicio de caballeros.

Sonreí de oreja a oreja. Edden se había pasado un cuarto de hora despotricando al respecto.

Tras sacar al elefante Raymond y al oso azul al que había dado el nombre de Gummie y que solo me traían buenos recuerdos, los dejé a un lado, cerré la caja y la puse encima de la otra que iba a llevar al hospital. Mi aura casi se había recuperado del todo, y tenía muchas ganas de ver a los chicos. Especialmente a la niña del pijama rojo. Necesitaba hablar con ella. Decirle que las posibilidades eran reales. Si sus padres me dejaban, claro está.

En ese momento contuve la respiración para evitar inhalar todo aquel polvo y levanté las dos cajas, abrí la puerta de mi habitación de una patada y me dirigí al vestíbulo. Apenas puse pie en el santuario, un coro de pixies me saludó alegremente y Rex se fue a toda pastilla por la puerta para gatos que daba a la escalera del campanario, pues se había llevado un susto de muerte cuando dejé caer la caja encima de las que ya había sacado anteriormente.

—¿Qué pasa, Rex? —le pregunté con tono zalamero. Ella salió y, lentamente, se acercó a mí con la cola levantada para que le rascara debajo de la barbilla. Cuando había llevado la primera caja, también estaba en el vestíbulo.

El zumbido de las alas de pixie hizo que ambas alzáramos la cabeza.

—¿Juguetes para los niños? —preguntó Jenks con las alas de un intenso color rojo después de haber estado sentado bajo la bombilla de amplio espectro que había puesto en la lámpara de mi escritorio.

—Ajá. ¿Te gustaría acompañarnos a Ivy y a mí cuando vayamos a llevárselos?

—¡Y tanto! —respondió arrastrando las palabras—. De hecho, es posible que rastree la planta de los brujos en busca de alguna semilla de helecho.

Me puse en pie, aclarándome la garganta con cierta pomposidad.

—Puedes hacer lo que te plazca. Invito yo.

Era difícil conseguir ciertos productos cuando te habían excluido, y Jenks ya estaba planeando habilitar un tercer huerto en el jardín para compensar las carencias. Queda la opción del mercado negro, pero no podía recurrir a él. Si lo hacía, podrían argumentar que estaba de acuerdo con la etiqueta que me habían puesto, y no era cierto.

Rex se metió debajo de mi abrigo y yo vacilé cuando se puso de pie sobre las patas traseras y empezó a darme golpecitos en el bolsillo. Alcé las cejas y miré a Jenks. Ya iban dos veces que había tenido que echarla del vestíbulo.

—¿Alguno de tus hijos se ha metido ahí dentro? —pregunté a Jenks. A continuación me abalancé sobre la gata cuando vi que clavaba las uñas en el paño y empezaba a tirar. Cuando la levanté, sus zarpas se desengancharon, pero tuve que soltarla cuando me clavó las uñas traseras en el brazo. Agitando la cola, corrió hacia la parte trasera de la iglesia. Entonces se oyó un breve grito de los hijos de Jenks y después un suspiro de decepción. Mantener el santuario a una temperatura mayor que el resto de la iglesia era mejor que tenerlos en una burbuja.

Jenks estaba muerto de risa pero, cuando me subí la manga, descubrí un arañazo considerable.

—Jenks... —protesté—. Hay que cortarle las uñas a tu gata sin falta. Ya te dije que me ocuparía yo.

—Rachel, mira esto.

Yo me bajé la manga y levanté la cabeza, encontrando al pixie suspendido delante de mí con algo azul entre los brazos. A juzgar por la forma en que Jenks lo sujetaba, hubiera dicho que se trataba de un bebé envuelto en una mantita azul, pero sabía a ciencia cierta que no era posible.

—¿Qué es? —pregunté. Él la dejó caer sobre mi mano extendida.

—Estaba en tu bolsillo —dijo, aterrizando sobre mi palma, y juntos nos quedamos mirándolo bajo la luz que provenía del santuario—. Es evidente que se trata de una crisálida, pero no sabría decirte a qué especie pertenece —añadió, dándole un empujoncito con la punta de la bota.

De pronto caí en la cuenta e, inspirando profundamente, recordé a Al rodeándola con sus dedos la víspera de Año Nuevo.

—¿Sabrías decirme si está viva?

El pixie se llevó las manos a las caderas y asintió con la cabeza.

—Supongo que sí. ¿De dónde la has sacado?

Jenks echó a volar cuando cerré el puño con delicadeza y me encaminé hacia la cocina para lavarme el arañazo.

—Esto... Me la dio Al —dije mientras atravesábamos el santuario en dirección al pasillo, mucho más frío—. Se dedicaba a hacer surgir mariposas de los copos de nieve y esta fue la única que sobrevivió.

—¡Por el amor de Campanilla y su relación incestuosa con Disney! ¡Es la cosa más espeluznante que he visto desde que Bis se quedó atascado en el canalón —dijo quedamente mientras agitaba las alas suavemente en la oscuridad.

Apreté el interruptor de la cocina con el codo y, sin saber muy bien qué hacer con ella, la dejé en la repisa de la ventana.

—A que no has visto a la última cita de Ivy, ¿eh? —le pregunté, abriendo los grifos y agarrando el jabón. La ventana estaba completamente negra y nos devolvía una imagen distorsionada de Jenks y mía.

Rex se subió a la encimera de un salto y yo le salpiqué cuando vi que se acercaba a la crisálida.

—¡No! ¡Gata mala! —le gritó Jenks azuzando al animal para que bajara al suelo. Yo, con el brazo mojado, lo tapé con una de las enormes copas de coñac del señor Pez, que seguía en siempre jamás. Si la próxima vez que fuera me lo encontraba muerto, me iba a cabrear de lo lindo. Ya había pasado una semana desde que no iba debido a la delgadez de mi aura, al menos eso era lo que argumentaba Al. Personalmente, creo que estaba intentando amansar a Pierce y no me quería por allí, echándolo todo a perder.

—No te pongas así, Jenks. Solo está haciendo lo que haría cualquier gato —dije mientras el pixie le echaba una bronca de campeonato a la impenitente bolita de pelo naranja. Ella miró a su diminuto dueño con ojos de corderito degollado lamiéndose las costillas y agitando la punta de la cola.

—¡No quiero que se la coma! —respondió elevándose en el aire para ponerse a mi altura—. ¡Podría convertirse en un sapo o en algo aún peor! ¡Por las bragas de Campanilla! ¡Probablemente está llena de magia negra!

—No es más que una mariposa —dije secándome las manos y bajándome de nuevo la manga.

—Sí, claro. ¿Y quién te dice que no tiene colmillos y está sedienta de sangre? —farfulló.

Agarré a la gata y le acaricié las orejas. Quería asegurarme de que seguíamos siendo amigas. Rex no se había quedado observándome desde el umbral de la puerta en toda la semana y, en cierto modo, lo echaba de menos. Cuanto más pensaba en ello, más convencida estaba de que, sin querer, había caído en las redes de Al. Pierce quería un cuerpo y Al podía proporcionárselo. No era difícil imaginar que ambos habían llegado a un acuerdo. Sustancia a cambio de vasallaje. De ese modo, ambos salían ganando. Al conseguía un familiar útil, mientras que Pierce no solo ganaba un cuerpo, sino también la posibilidad de verme una vez a la semana. Y, conociendo al fantasma, probablemente pensaba que, antes o después, encontraría la manera de escapar del yugo de Al, dejándome a mí en medio para que pagara las consecuencias. Hubiera apostado cualquier cosa a que una buena parte del enfado y los bramidos de Al por haberle arrebatado a Pierce eran fingidos. Al fin y al cabo, había sido yo la que había realizado el hechizo que él había pervertido para conseguir que la maldición funcionara.

El hecho de que Pierce se encontrara en el cuerpo de Tom Bansen era simplemente nauseabundo y, para colmo, se lo había hecho a sí mismo. No me extrañaba que el apuro en el que se encontraba no despertara mis instintos rescatadores. *¡Será imbécil!* Averiguaría lo que había pasado el sábado cuando acudiera a mi cita con Al.

En ese momento me llamó la atención el suave tintineo del cascabel de Rex y, justo antes de dejarle que bajara al suelo, me quedé mirando el hermoso objeto. De pronto levanté las cejas al ver el juego de espirales y remolinos en él tallados. Era idéntico al de la campana que encontró Trent en siempre jamás. Hasta aquel momento no me había fijado.

—Ehhh… ¿Jenks? —pregunté, sin poder dar crédito—. ¿De dónde sacaste este cascabel?

Se encontraba en lo alto de la caja con las cosas de mi padre, haciendo cuña para intentar abrirla.

—Me lo dio Ceri —dijo, resoplando—. ¿Por qué?

Cogí aire para decirle de dónde provenía, pero entonces cambié de opinión.

—Por nada —respondí, dejando que Rex se bajara de mis brazos—. Es que me ha parecido realmente singular. Eso es todo.

—Bueno, ¿y qué hay en la caja? —preguntó él, rindiéndose y poniendo los brazos en jarras.

Sonreí y crucé la cocina.

—Los hechizos de mi padre. Deberías echarle un vistazo a algunas de sus cosas.

Mientras Jenks y yo conversábamos fui sacando algunos artilugios y utensilios envueltos para que él los desempaquetara. Jenks, por su parte, revoloteaba por el interior de los armarios en busca de huecos y recovecos donde meterlos mientras sus alas perdían gradualmente su tono rojizo para adoptar su habitual color grisáceo. Era mejor que una linterna para saber lo que había en la parte posterior de un armario.

—Oye, Jenks —dije dejando una caja de alfileres y amuletos de líneas luminosas sin invocar en el fondo del cajón de los cubiertos—. Esto… siento mucho haberte pegado al espejo de mi baño con seda de araña.

—O sea que ¿te acuerdas de eso? —dijo—. Sin duda contribuyó a que me resultara más fácil tomar la decisión de tumbarte con el hechizo para olvidar. —Seguidamente, tras dudar unos instantes, añadió—: Lo siento de veras. Solo intentaba ayudar.

La caja estaba vacía y, al no ver las tijeras de Ivy, deslicé mi cuchillo ceremonial por el precinto para plegarla y evitar que la reina del reciclaje me echara la bronca.

—No importa —dije, aplastando con fuerza el cartón—. Ya me había olvidado, ¿sabes? —dije con sarcasmo.

Cansada, llevé la caja a la despensa y empecé a clasificar los restantes hechizos. Jenks aterrizó junto a mí y se quedó mirando. El sonido de sus hijos resultaba muy agradable.

—Siento mucho lo de Kisten —dijo Jenks, pillándome por sorpresa—. Creo que, hasta ahora, no te lo había dicho.

—Gracias —respondí, agarrando un puñado de hechizos apagados—. Todavía lo echo de menos. —Aun así, el dolor había desaparecido, reducido a cenizas bajo la ciudad, y podía seguir adelante con mi vida.

Puse los hechizos viejos en mi barreño de agua salada, provocando que salpicara ligeramente. También echaba de menos a Marshal, pero entendía por qué se había marchado. No había sido mi novio, sino algo mucho más profundo: un amigo. Y yo lo había echado todo a perder. Haber intercambiado nuestra energía había provocado que toda la situación pareciera peor de lo que era en realidad.

No le guardaba ningún rencor por haberse largado. Su marcha no había sido una traición y no era un cobarde por no quedarse. Yo había cometido un gravísimo error al permitir que me excluyeran y no le correspondía a él arreglar las cosas. Y tampoco esperaba que aguardara hasta que lo resolviera. En ningún momento me había dicho que fuera a hacerlo. Era evidente que estaba muy cabreado por haberlo fastidiado todo. Si alguien había traicionado al otro, esa había sido yo, faltando a su confianza cuando le había dicho que tenía todo bajo control.

—Rachel, ¿para qué sirve este? —dijo Jenks toqueteando el último hechizo que había dejado sobre la encimera.

Saqué las llaves del interior de mi bolso y me aproximé a él.

—Ese detecta magia de alto nivel —respondí señalando la runa que tenía grabada.

—Pensaba que esa era la función de ese otro —dijo mientras lo ponía en mi llavero junto a mi detector de hechizos malignos o, para ser más exactos, de amuletos letales.

—Este detecta magia letal —expliqué, lanzando al aire el amuleto de magia terrestre original y dejándolo caer—. El de mi padre detecta magia de alto nivel y, dado que toda magia letal es de alto nivel, haría lo mismo. Solo espero que no haga saltar todas las alarmas del sistema de seguridad del centro comercial, como sucede con el de magia letal, puesto que los dos están basados en líneas luminosas. Voy a llevármelos de compras para ver cuál funciona mejor.

—Ahora lo entiendo —concluyó, asintiendo con la cabeza.

—Lo hizo mi padre —dije, sintiéndome más cercana a él, mientras volvía a meter las llaves en mi bolso. El hechizo tenía más de doce años, pero como no se había utilizado, todavía estaba en buenas condiciones. Mejor que las pilas.

—¿Te apetece un café? —le pregunté.

Jenks asintió y un coro de gritos de pixie hizo que echara a volar. No me sorprendió escuchar la campanilla de la puerta. Los pixies eran mejor que un sistema de seguridad.

—Ya voy yo —dijo Jenks, saliendo disparado y regresando antes de que tuviera tiempo de algo más que de sacar el café molido—. Vienen a traer un paquete —dijo, dejando a su paso una delgada estela de polvo plateado—. Hay que firmar, pero yo no puedo hacerlo. Es para ti.

En ese momento sentí una punzada de miedo que se desvaneció rápidamente. Me habían excluido. Podía ser cualquier cosa.

—¡No me seas niña! —dijo Jenks, que había captado al vuelo mi preocupación—. ¿Tienes idea de la sanción que te puede caer por enviar un hechizo maligno por correo? Además, es de Trent.

—¿En serio? —Repentinamente interesada, eché un vistazo a la cafetera y lo seguí hasta la entrada. En el umbral había un humano desconcertado, iluminado por la luz del cartel que tenía sobre su cabeza. La puerta, que estaba abierta de par en par, dejaba escapar todo el calor, y los pixies se desafiaban unos a otros a salir y a entrar a toda velocidad.

—¡Basta! ¡Se acabó! —grité, agitando las manos para que volvieran a entrar—. ¿Qué demonios os pasa? —les recriminé alzando la voz mientras cogía el bolígrafo y firmaba para que me entregaran un voluminoso sobre reforzado—. ¡Os estáis comportando como si hubierais nacido en un tocón!

—Fue en una caja de flores, señorita Morgan —replicó alegremente uno de los hijos de Jenks, que se había encaramado a mi hombro, lejos del frío de la noche y al abrigo de mi pelo.

—¡Donde sea! —mascullé, sonriendo al aturdido mensajero y agarrando el paquete—. ¿Todo el mundo está dentro? —pregunté, y mientras contaba hasta llegar a cincuenta y tantos, cerré la puerta.

Un grupo de hijos de Jenks, compuesto por más de una docena de ellos, se atrevió a adentrarse en el frío de la cocina, dejándose llevar por la curiosidad en perjuicio de la comodidad, cruzándose por delante de mis ojos como una pesadilla de seda y vocecillas estridentes que se me clavaron en el cerebro y que no cesó hasta que Jenks emitió un terrible chirrido con sus alas. El nerviosismo se apoderó de mí mientras aparcaba en mi lado de la mesa el paquete envuelto en papel manila para ocuparme de él más tarde. Esperaría a que Ivy volviera a casa y me ayudara a levantarme del suelo cuando el hechizo de broma que me había mandado Trent me explotara en la cara.

Con un brazo alrededor de la cintura, saqué del armario mi taza de Encantamientos Vampíricos. Hacía una semana que no me tomaba una buena taza de café. Concretamente, desde que había estado en Junior´s. Me apetecía otro igual, pero tenía miedo de volver. Y, de todos modos, tampoco me acordaba muy bien de lo que era. Canela nosequé.

Jenks se acercó zumbando y luego se alejó.

—¿Es que no piensas abrirlo? —me instigó suspendido sobre la mesa—. Tiene forma abultada.

Me pasé la lengua por los labios y lo miré con expresión interrogante.

—Ábrelo tú.

—¿Y salir volando en pedacitos porque haya metido dentro algún desagradable hechizo élfico? —dijo—. ¡Ni hablar!

—¿Hechizo élfico? —Intrigada, me giré sobre mí misma y, tras cruzar la cocina, saqué las llaves de mi bolso y me quedé mirando el amuleto de magia de alto nivel, que despedía una tenue luz rojiza. Interesada, espanté a los pixies de encima. No era letal pero… aun así…

—¡Por los tampones de Campanilla, Rache! ¡Ábrelo de una maldita vez!

La cafetera terminó con un gorjeo sibilante y, soportando las quejas de unos veinte pixies, sonreí y me serví una taza. A continuación bebí un trago con cuidado de no quemarme mientras lo llevaba a la mesa con el ceño fruncido. Tal vez, la próxima vez que fuera al súper, podría comprar un poco de sirope de frambuesa.

Los pixies se apiñaron en mis hombros, empujándose unos a otros, mientras yo cogía el cuchillo ceremonial, que seguía en la encimera, y abría el sobre marrón. Sin mirar lo que había dentro, le di la vuelta y, con suma precaución, lo sacudí intentando alejar de mí lo que quiera que hubiera dentro.

—¡Es una cuerda! —exclamó Jenks, suspendido encima, y asomándose al interior para asegurarse de que no había una nota—. ¿A cuento de qué te manda Trent una cuerda? ¿Se trata de alguna broma? —dijo, con una expresión tan enfadada que sus hijos empezaron a recular, susurrando—. A lo mejor quiere que te ahorques con ella, o puede que sea la versión élfica de meterte una cabeza de caballo en la cama.

Agarré cuidadosamente el trozo de soga, no especialmente largo, palpando los bastos nudos.

—Probablemente está hecho de su familiar —dije, recordando que Trent me había dicho en una ocasión que su familiar era un caballo—. Jenks —dije, con el corazón a punto de salírseme del pecho—, creo que es un hechizo de Pandora.

El enfado de Jenks desapareció como por arte de magia. Desde detrás de nosotros, escuché un traqueteo y el ruido de un cubito de hielo al caer al suelo y a sus hijos abalanzándose sobre él. A continuación, agitando las alas al unísono, recorrieron el suelo de la cocina, pasando por debajo de la mesa y rodeando la isla central. El volumen de sus gritos aumentó y todos ellos echaron a volar apenas un segundo antes de que el cubito se estrellara contra la pared, fuera de control.

—¿Y te lo da así, sin más? —preguntó Jenks aterrizando junto a mí y dándole una patada—. ¿Estás segura de que es eso?

—Creo que sí —respondí, sin saber muy bien qué hacer con él—. Tienes que deshacer los nudos y recuperas la memoria.

Entonces, cogí la soga, mirando las hebras grisáceas anudadas con complejas figuras que me recordaban al mar. Habría apostado cualquier cosa a que la había hecho el propio Trent. Podía sentir la creciente tensión de magia salvaje, provocándome un escalofrío a la vez que un suave cosquilleo en mi delicada aura. O quizás la magia élfica transmitía siempre esa sensación.

Jenks levantó la vista de la soga de hebras negras y plateadas y me miró a los ojos.

—¿Vas a hacerlo?

Me encogí de hombros.

—El problema es que no sé para qué recuerdo está hecha.

—Para el asesinato de Kisten —sentenció él, con absoluta seguridad, pero yo negué con la cabeza.

—Puede ser —dije, deslizando la cuerda entre mis dedos, sintiendo los bultos como si fueran notas musicales—. Pero también podría ser algo relacionado con mi padre, o con el suyo, o con el campamento «Pide un deseo».

Con cuidado, volví a dejarla sobre la encimera. No quería saber qué recuerdo contenía. Todavía no. De momento, ya había tenido bastantes regresiones. Quería vivir un tiempo sin ellas, afrontando el presente sin el dolor del pasado.

Se escuchó el sonido de mi móvil desde el interior de mi bolso y miré a Jenks cuando me di cuenta de que se trataba de la melodía de *Sharp Dressed Man*, de ZZ Top. El pixie me miró con expresión inocente, pero, cuando Rex estiró el cuello y se quedó inmóvil en la esquina de la cocina, con una gravedad que me resultaba muy familiar, me quedé blanca y di un paso atrás, decidida a no responder.

—¿Pierce? —pregunté en un susurro.

La presión del aire cambió y, tras una pequeña explosión, apareció una neblina en la esquina que fue tomando forma hasta convertirse en Pierce. Rex se puso en pie con un pequeño gorjeo gatuno y yo di un respingo, estupefacta. Tenía que ser Pierce. A no ser que Al se hubiera disfrazado de él.

—¿Pierce? —pregunté de nuevo. Él se volvió hacia mí, con los ojos brillantes y un traje de lo más elegante según la moda de mediados del siglo XIX. Se parecía a sí mismo. Es decir, no se parecía a Tom, y me pregunté qué demonios estaba sucediendo.

—Mi adorada bruja —dijo, atravesando la cocina a toda prisa para cogerme las manos—. No puedo quedarme —añadió, jadeando, con la mirada fulgurante—. Al intentará seguirme el rastro con la misma celeridad con que un perro obliga a un mapache a trepar a lo alto de un árbol en una noche de luna llena, pero tenía que visitarte primero. Para explicarme.

—Te apoderaste del cuerpo de Tom —lo acusé, retirando las manos—. Pierce, me alegro de verte pero…

Él asintió, con el pelo tapándole los ojos hasta que se lo echó hacia atrás con malicia.

—Es magia negra, sí, y no estoy orgulloso de ello, pero no fui yo quien mató al brujo negro. Se lo hizo él mismo.

—Pero tu aspecto…

—Es el de siempre, lo sé —concluyó tirando de mí como si quisiera ponerse a bailar. Estaba exultante—. Formaba parte del trato. Rachel… —De pronto, su expresión se tornó preocupada—. Te has quemado —dijo, apartando de su mente cualquier otro pensamiento. Entonces alargó la mano y yo la detuve antes de que pudiera tocarme la cara.

Tenía el pulso acelerado y empezaba a tener calor.

—En la pira de Kisten —respondí, ruborizándome.

Pierce me miró con firmeza.

—Entonces, se ha acabado.

Asentí con la cabeza.

—Por favor, no me digas que vendiste tu alma a cambio de este... —En ese preciso instante me interrumpí y lo miré de arriba abajo, y él me soltó las manos y dio un paso atrás.

—La cuestión es, al menos, discutible. Deberías ser capaz de retener lo que reclamas y, aunque accedí al pacto, él no puede retenerme. Ninguno de ellos puede.

Su sonrisa era excesivamente presuntuosa para mi gusto; sentí un escalofrío.

—¡Te escapaste!

—Una vez hube conseguido un cuerpo y pude comunicarme con una línea, era solo cuestión de tiempo. Nada puede retenerme por siempre. Excepto, quizás, tú.

Con expresión radiante, tiró de mí hacia su cuerpo y, viendo que iba a besarme, le espeté:

—Jenks está aquí.

Inmediatamente apartó sus manos de mí y, con una mirada de sorpresa en sus hermosos ojos azules, dio un paso atrás.

—¡Jenks! —exclamó, sonrojándose—. Mis más sinceras disculpas.

Yo seguí el sonido de un enfadado zumbido y descubrí a Jenks suspendido sobre la encimera central, mirándonos fijamente con los brazos en jarras y expresión de desagrado.

—¡Fuera de aquí! —dijo secamente—. Quiero que vuelva a ser la misma de siempre. Vete antes de que la conviertas en una patética niñata... enamorada.

—¡Jenks! —le reproché, y Pierce posó su mano sobre mi hombro.

—Esa es precisamente mi intención, Jenks —respondió galantemente y me pregunté si se referiría a largarse o a convertirme en una niñata enamorada.

Pierce se inclinó hacia Rex, que estaba enroscado alrededor de sus tobillos.

—Tengo que irme —dijo cogiéndola en brazos—. Quería darte una explicación antes de que Al te llenara la cabeza con su versión de lo que sucedió la semana pasada. Te veré en cuanto pueda. Como demonio, Al es de una perversión extremadamente refinada. Me divierte mucho competir con él en lo que a astucia se refiere.

¿Está jugando con Al?

—Pierce... —dije, intentando contener la risa. ¡Estaba tan confundida! ¿Se había escapado? ¿Había utilizado a Al para conseguir un cuerpo y después se había escaqueado?

Pierce volvió a mirarme.

—Tengo que salir de aquí inmediatamente, pero hasta que me encuentre en una situación más propicia, pensaré en ti todas las noches, desde el momento en que se enciende las velas hasta la puesta de sol.

—¡Espera un momento, Pierce! Yo no…

Pero antes de que pudiera terminar la frase, se abalanzó sobre mí y me propinó un sonoro beso. Me lo había robado. Era la única forma que tenía de describirlo. Me había robado un beso, rodeándome con sus brazos y sujetándome con fuerza mientras me besaba y me dejaba sin respiración.

—¡Eh! —exclamé sin alejarlo de mí, sino retirándome. Él me soltó, inclinó la cabeza… y se desvaneció dejando un suave olor a polvo de carbón y betún para zapatos.

Me quedé mirando el lugar en el que había estado apenas un segundo antes, y desde detrás de mí me llegó el ruido de un cubito de hielo olvidado al golpear el suelo.

—Esto… ¿Jenks? —acerté a decir. Pierce se había presentado. Y había vuelto del revés todo mi mundo. Había escapado a las garras de Al sin ayuda de nadie y había venido a jactarse de su hazaña. ¡Oh…! Estaba metida en un buen lío.

—¡No! —gritó Jenks—. ¡Maldita sea su estampa! —vociferó hecho un basilisco mientras arrojaba un montón de chispas encendidas a unos treinta centímetros de la encimera—. ¡No pienso dejar que te pilles por él, Rachel! ¡No!

No obstante, mientras me acariciaba los labios, recordando el tacto de los suyos, pensé que tal vez era demasiado tarde. Era tan… tan de mi estilo. Y acababa de despertar algo en mí que no sentía desde que tenía dieciocho años. Y con esa idea en mente, me quedé blanca. ¡Maldición! ¡Ford tenía razón! Por eso no había tenido suerte con los hombres. Los había estado comparando con Pierce y todos ellos habían salido perdiendo. Estaba metida en un lío. ¡Uno enorme! Quizás, cuando tenía dieciocho años, me parecía romántico estar relacionada con un brujo astuto, inteligente, temerario y atractivo capaz de enfrentarse a demonios, vampiros y a la AFI, pero con el tiempo me había vuelto más sensata, ¿no? ¡¿No?!

La presión del aire cambió de nuevo con una fuerte explosión y me escondí detrás de la encimera mientras Jenks salía disparado hasta el techo.

—¡Bruja! —bramó Al obligándome a asomarme por encima de la isla. Justo en ese momento sus ojos se toparon con los míos y me espetó—: ¡¿Dónde está mi familiar?!

Yo me puse en pie con un asomo de sonrisa en las comisuras de mis labios.

—Ummm…, estaba aquí hace un momento —le informé—. Yo no lo invoqué, se presentó sin avisar —añadí mirándolo fijamente. Él entornó los ojos, como si estuviera evaluando la fiabilidad de mis palabras—. Más o menos como acabas de hacer tú. Surgiendo de la nada y luego desapareciendo.

—¡¿Adónde ha ido?! —inquirió a voz en grito, apretando con fuerza sus puños enguantados—. ¡Le había tendido una emboscada que hasta el mismísimo Alejandro Magno habría tardado una eternidad en frustrar, y él lo logra en tan solo una semana! —protestó dando un paso hacia delante, y giró como un molinillo cuando el tacón de una de sus botas se topó con un cubito de hielo.

—No lo sé —dije—. ¡Ya te he dicho que no lo sé! —repetí cuando el demonio me amenazó con un terrible rugido—. Creo que se fue por ahí —añadí señalando hacia un lugar impreciso.

Emitiendo un sonido de desagrado, Al se tiró de la levita.

—Nos vemos el sábado, Rachel —murmuró a regañadientes—. Y tráete una cuerda con el interior de plata para atar a Gordian Nathaniel Pierce. Si consigo encontrarlo, pienso vendérselo a Newt. Te lo juro, si no fuera porque lo necesito, me lo cargaría personalmente.

Y con una fétida ráfaga de aire, el demonio desapareció.

Me quedé mirando al vacío, parpadeando.

—¡Por todos los descendientes de Campanilla! —susurró Jenks desde el cacillo de servir—. ¡Si no lo veo, no lo creo!

Me recliné sobre la encimera y sacudí la cabeza. Desde la parte delantera de la iglesia se escuchó el ruido de la puerta al abrirse.

—¿Rachel? —oí decir a Ivy—. ¡Ya estoy en casa! ¿Por qué se ha presentado Pierce en mi coche y me ha pedido que comprara un *latte* grande, doble de café, de mezcla italiana con poca espuma, extra de canela y un chorrito de frambuesa?

En mis labios se dibujó una sonrisa.

Me encanta mi vida.

Pandora

PRÓXIMAMENTE